365 Prayers of Blessings for Your Children

# 365 prayers of blessings for your children

Holly Nam Ok Yun

translated by Diana Lee

진흥

# Author's Preface

It has been several years since our two children left home and we started our lives as empty nesters. As each child left, I would go into their empty bedrooms and cry; not only did I cry, but I also prayed for them. When my daughter left home, I prayed many prayers of repentance. I was ashamed before God because I thought that I had not properly prepared them for the world. It was then that I had started to pray deeply for my children. I prayed for them more than when they were living at home. I experienced the power of prayer when I saw the spiritual and character growth of my children even after they had left home.

There was a favorable response to the previous book I had written about praying for your children before they were born. Many parents found it helpful. There was also a demand for a book of prayers parents could pray for their children after they were born.

Although many Christian parents pray regularly for their children, they are often repetitive and have the theme of our children somehow glorifying God in their lives. We often fail to be specific in our prayers for our children.

I was born into a fourth generation Christian family and have inherited the faith of my ancestors. But the most moving memory of my childhood was seeing my parents pray together each morning and each evening. I also remember my grandmother praying. Mother would pray especially at night before going to bed and I could often hear her voice from my room. My father would pray early in the morning and when I would open the door to their room, I would often find him in deep prayer.

Those memories of my praying parents are the most beautiful scenes from my years growing up. Although I do not know specifically what they were praying for, seeing their dedication to prayer has often encouraged me in my adult life. I would remember their prayers especially when I felt like I was going through the valley of the shadow of death. Remembering that they prayed despite life's hardship has always strengthened me also. It is so wonderful to remember how they would pray and sing hymns. Father would often play hymns on his mandolin. Although I am not a person of great prayers, I have hope that I would leave with my children the memories of a praying mother.

I believe that it is the desire of all Christian parents on this earth for their children to be healthy and to grow in faith. Then let us pray from this day onward. Let us pray for 365 days a year without skipping these 365 prayer topics for our children so that they may become rich in their parents prayers.

This translation could not have been completed with the hard work and talents of two dedicated women. My gratitude goes to Diana Lee, for her help in translating and to Phyllis Smith, for her help with the proofreading.

Also, I want to thank the publishers for making this book a reality and it is my prayer that parents will richly bless their children through their prayers.

# 머리말

저회 부부도 두 자녀가 다 집을 떠난 지 몇 년이 흘렀습니다. 이제 부부만 남아서 집을 지키게 되는 "빈 둥우리"(empty nest)의 생활이 시작되었습니다. 자녀들이 떠나갈 때마다 저는 그 빈방에서 많이 울기도 했습니다. 울기만 한 것이 아니라 울면서 기도했습니다. 처음에 딸을 내보낼 때는 회개의 눈물을 많이 흘렸습니다. 자녀들을 부족하게 키운 것 같아서 하나님 앞에 부끄러웠습니다. 그러면서 자녀들을 위한 기도는 더욱 깊어져 갔습니다. 한 집에서 같이 살 때보다도 더욱 많은 시간을 기도하게 되었습니다. 그 기도로 집을 떠난 자녀들의 믿음이 성장하고 성숙하는 것을 보게 될 때에 기도의 능력을 체험하게 되었습니다.

지난 번 태교에 관한 책을 쓰면서 자녀들을 위한 기도문을 쓴 것이 모든 어머니들에게 도움이 되었던 것 같습니다. 자녀들을 위해 어떻게 기도해야 하는지 알게 되었다면서 고마워했습니다. 그런데 그것은 태아를 위한 기도였으므로 부모들은 어느 정도 자라난 아기나 초 · 중 · 고등학생들을 위한 기도문이 있었으면 하는 바람이 있었습니다. 그래서 이 책이 나올 때까지 저는 그 책에 나오는 기도문에다가 자신의 자녀의 이름을 넣어 기도하도록 권고하였습니다.

사실 자녀들을 위해 기도한다고 하지만 언제나 그 내용은 제한되어 있고 지속적이지 못합니다. "우리 아이가 주님께 영광 돌리게 해주세요!"라는 기도를 얼마나 많이 하는지 모릅니다. 그러나 구체적으로 상세하게 기도하지는 못합니다.

저는 3, 4대(代)를 믿는 가정에서 자라나서 믿음의 전통을 유산으로 받았습니다.

그러면서 가장 인상 깊었던 것은 아침저녁으로 기도하시던 부모님의 모습이었습니다. 또한 삼각산 기도원에서 기도하시던 할머니의 모습은 아직도 생생하게 기억이 납니다. 특별히 어머님은 자기 전에 기도하셨는데 그 기도소리는 문풍지를 넘어서 제 방까지 들려왔습니다. 아버님은 언제나 아침에 기도하셨는데 어쩌다 방문을 열어 볼 때면 아버님은 늘 깊은 기도 가운데 있으셨습니다.

기도하시는 그 모습이 지금 제가 간직하는 가장 아름다운 부모님의 모습입니다. 어떻게, 어떤 기도를 하셨는지 알 수는 없지만 인생을 살면서 부모님의 기도하시는 모습은 언제나 저에게 큰 힘이 되어 주었습니다. 특별히 사망의 음침한 골짜기를 걸어갈 때마다 저는 그 모습을 기억했습니다. 우리보다 더 어려운 생활 가운데서도 기도를 잊지 않고 끊임없이 하나님의 도움을 구하시던 부모님들의 모습 자체가 저에게 큰 힘이 되었습니다. 부모님의 기도와 찬송, 특히 만돌린으로 찬송가를 연주하시던 아버님의 모습은 저에게 든든한 버팀목이 되어 주었습니다. 저는 그렇게 많은 기도를 하는 사람은 아닙니다. 그러나 자녀들에게는 기도하는 모습을 남겨 주는 어머니가 되고 싶은 소원은 있습니다.

이 땅 위의 모든 크리스천 부모들의 한결같은 소원은 자녀들이 주님 안에서 건강하고 믿음이 든든하게 자라나기를 원하는 것일 것입니다. 그렇다면 오늘부터 기도하십시오. 매일 매일 하루도 거르지 말고 365일 365가지 주제로 기도하십시오. 구체적으로, 지속적으로, 한결같이 기도하십시오. 그래서 자녀들이 기도의 부자가 되게 하십시오.

이 책의 소중함을 아시고 적극 권고하여 쓰게 하신 도서출판 진흥의 최석환 실장님과 장병주 과장님, 출판을 허락해 주신 박경진 장로님께 감사드리며, 이 땅 위의 모든 부모님들이 기도로 자녀를 부요하게 하는 부모님들이 되기를 기도합니다.

# Note from the Translator

When I first undertook the task of translating this book, I realized the serious mistake I made in underestimating the scope of such an assignment. My part-time job as a translator of business documents and Sunday sermons had not prepared me for such an orthodox task of translating an actual book. I was at first optimistic but once I sat down to the grind of the work, I realized that this was not merely a technical or literal transference of one language to another. Korean is my mother tongue; the language of my heart. Finding the proper words or phrases to express the spirit of my heart language into English was challenging and even frustrating at times. The Korean language seems to have the tendency to express ideas with redundancy, in similes, and with many superlatives that would sound awkward if translated literally into English. In other words, it would sound so right and appropriate in Korean, but not so in English. Pastor Holly Nam Ok Yun has graciously allowed me the freedom to use, for lack of a better term, poetic license in this translation work. Her encouragements and prayers have helped me tremendously in completing this job.

I would also like to note that a book of daily prayers of this kind is uncommon in the United States. Some readers may feel that the prayers may sound too personal or that it may not apply to them specifically. In discussing the purpose of the book with the author, I have her permission to convey to the reader that this prayer journal can be used by the seasoned prayer warrior as a format for prayer topics using the key verse for that day or the journal can also be prayed word for word for those who are just learning to pray. The critical factor is for the reader to pray for their children according to the Word of God so that the foundation of the prayers may be God-centered.

May God bless your prayers.

# 역자 서문


처음 이 책의 번역을 맡았을 때, 나는 이 막대한 작업을 과소평가하는 실수를 저질렀음을 곧 깨닫게 되었다. 파트타임으로 문서를 번역하고, 주일 설교말씀을 번역했던 일들도 이렇게 실제 책을 번역하는 일에는 큰 도움이 되지 못했던 것 같다. 처음엔 매우 낙관적으로 시작했지만, 한때는 가만히 앉아서 이 책을 펼쳐 보며, 이 일이 단순히 한 언어에서 다른 언어로 옮기기만 하면 되는 기술적인 작업이 아님을 실감할 수 있었다. 한국어는 내 모국어이다. 즉 내 가슴 속에 자리잡고 있는 언어이다. 그러나 그 언어의 숨결을 표현해 낼 수 있는 적합한 단어와 구절을 찾아 영어로 옮기는 작업은 때로 너무나 힘들고 나를 절망케 하기도 했다. 한국어에는 중복되는 표현과 비유, 그리고 과장된 표현이 많아서 만약 그것을 그대로 영어로 옮긴다면 이상하게 들릴 수 있다. 즉, 한국어로는 아무런 문제가 없는 표현들이 영어에서는 그렇지가 않다는 말이다.

다행히 윤남옥 목사님께서 그러한 어려움을 아시고 내가 용어를 좀더 자유롭게 선택할 수 있도록 허용해 주셨으며, 격려하시고 기도해 주심으로써 이 번역 작업을 완수하는 데 커다란 도움이 되어 주셨다.


이에 나는 이렇게 매일매일 기도할 수 있도록 출간된 기도집이 미국 내에 흔치 않다는 사실을 덧붙이고 싶다. 어떤 독자들은 이 기도들이 너무 개인적이라거나 자신들에게 구체적으로 적용되지 않는다고 생각할지도 모르겠다. 그래서 나는 저자인 목사님과 논의한 후, 이 기도집이 이미 기도를 많이 하고 있는 사람들에게는 그날 하루의 핵심 성경 구절을 배경으로 한 기도집 형태로, 이제 막 기도를 배우기 시작한 사람들에게는 글자 그대로 따라할 수 있는 기도집으로도 사용될 수 있다는 것을 독자들에게 알려주기로 했다. 그러나 중요한 것은 이 책으로 독자들이 하나님의 말씀에 따라 자녀들을 위해 기도할 수 있다는 것과, 이 기도들은 다름 아닌 하나님 중심으로 씌어졌다는 사실일 것이다.

하나님께서 당신의 기도를 축복해 주시길 소망한다.

# Contents

# Theology of the prayer
# for the children

## Children are Gifts from God

There is no greater gift or blessing than the children that God grants to families. We hope and pray for our children because we know the will of God for them. Otherwise, we would pray for them in selfish and worldly ways.

God has entrusted us with our children. We are anointed missionaries entrusted by God to raise these children well. They were created in the image of God, made up of body, mind and spirit. They have the same needs that we have. They can feel spiritual thirst, and they have a need to mature spiritually.

Being entrusted with these lives does not imply that we have the power to sustain them, for only God can truly sustain life. God gives these precious lives to each family, as only He can give. He entrusts us to raise them well and to return them to Him at His will. Psalm 127:4 says, "Like arrows in the hands of a warrior are sons born in ones youth." This means that we must raise our children with a direction and target, which is God.

> Sons are a heritage from the Lord, children a reward from him. Like arrows in the hands of a warrior are sons born in ones youth. Blessed is the man whose quiver is full of them. They will not be put to shame when they contend with their enemies in the gate. Psalm 127:3-5

## We must Return Our Children to God as Choice Fruit

God wants our children returned to him as strong spiritual houses. Therefore while they are in our care, they need to be trained so they will mature in character and spirit. That is indeed the spiritual call of parenting.

What does it mean to raise them as spiritual houses? It means to restore Christ's lordship in their lives. In other words, it means to restore the image of God in them so that Christ will be their Lord and King. The purpose for our children is to follow God's will, live for His glory, and to live a life of worship. They must be taught to live God-centered lives.

So it is the parents' calling to bring up their children to become true worshipers of God. For this very purpose God has given us the tools of prayer and the Scriptures. Not only must we train them to study the Scriptures and pray, but we ourselves must do likewise. I want to stress the importance of prayer throughout this book.

I believe that prayer is like a seed we plant in heaven. There is life in prayer, and that life will not be snuffed out. Rather, it will bear much fruit. That is why I believe that when we plant prayers within our children, they will bear much fruit, according to 2 Corinthians 9:6-7. If we sow the eternal things, we will reap eternal life. If we sow things of the flesh, we will reap decay. Ultimately prayer will never falter. The seeds of prayer that you sow for your children will remain to bless them, even after you have left this earth.

We can also see prayer as a deposit that we make in heaven. God will hear our prayer, and at the right time, he will answer those prayers when our children need them. Some prayers take years to be fulfilled. We can only conclude that God, indeed, does remember all of our prayers and answers them at the right times.

Matthew Chapter 6 tells us to store up our treasures in heaven. If there is a place in heaven to store up these treasures, then there also must be a place to store up our prayers(Malachi 3:16). When that prayer is needed, God will use it.

I have experienced the power of prayer as a third generation Christian. Whenever I have undergone trying times, I have felt that the prayers of my parents and grandparents have always protected me. Whenever I had a decision to make, I was sure that I was being guided in my decision(Of course this is the Holy Spirit). But I also believe that it is the fruit of my forbearers prayers for me.

I also believe that prayer is a way to participate in God's work. The Lord has taught us through Ezekiel 36 about the participation of man in the Divine plan through prayer.

> This is what the Sovereign Lord says: Once again I will yield to the plea of the house of Israel and do this for them: I will make their people as numerous as sheep, as numerous as the flocks for offerings at Jerusalem during her appointed feasts. So will the ruined cities be filled with flocks of people. Then they will know that I am the Lord.          Ezekiel 36:37-38

If this can be expressed in another way, we can compare prayer to railroad tracks. Prayer can be thought of as spiritual tracks. If God's will can be compared to a train, praying is like laying down the tracks so that the train can advance. Without tracks, the train cannot move. God works through our prayers and through the prayers of others. Therefore, praying for your children is like laying tracks for them so the work of God can be done in their lives. Prayer is needed in order for God's will to be done on earth as it is in heaven. In that sense, prayer becomes a means by which we are co-workers with God.

I have witnessed the work of God in the presence of abundant prayer in the home as well as in the church. God works through our prayers.

I also believe that prayer is the means by which we hear God's voice. God imparts wisdom and directs our paths through prayer so that our problems can be resolved. Although God's voice may not be audible like ours, we learn to hear His voice through the peace He gives us when we pray. This happens especially when we pray in the spirit, because He is in us and we are in Him. When we pray through the Holy Spirit, God directs our prayers toward what we truly need.

During our prayers God's anointing takes place, because the Holy Spirit is like the anointing oil that God pours out on us. When we hear God's voice through prayer, we receive the divine wisdom that will make our lives victorious.

I believe that my time of prayer is a time of fellowship with Jesus. It can be compared to the everyday relationship that parents and children share even in the absence of some crisis. God has called us to himself so that we may have a loving relationship with Him. Prayer is the medium through which we share fellowship with God.

God, who has called you into fellowship with his Son Jesus Christ our Lord, is faithful.                                        1 Corinthians 1:9

The parent-child relationship does not occur only during crises or special occasions. People who love one another share all the events of life: happiness, sadness, joy, and hardship. Likewise, prayer is the time of fellowship when we share our joys, sadness, hardship, and everything else with God. Prayer is indeed a time of exclusive relationship with the Lord.

To me, there is life in prayer. I had a very good prayer experience when my son was four years old. A member of our congregation asked me to pray with her at her house, so I took my young son with me. It was in the evening time, and the house began to get cold; but as we prayed earnestly for two  hours we did not feel the cold. My young son fell asleep next to me while we were praying. As we prayed the woman received the gift of tongues, so we prayed even more with thanksgiving to the Lord. The next day my son said to me, "Mom, I almost cried last night when you prayed." When I asked him why, he answered, "My chest became very hot when you were praying."

The amazing thing was that we had also felt the warmth in our hearts as we prayed. I hadn't realized that my four year old son also felt it in his heart. Through this experience I learned that there is life in prayer. Where there is life, there is warmth. That is why the two disciples who were headed toward Emmaus after Jesus' resurrection said, "Were not our hearts burning within us " (Luke 24:32). It is cold where there is death, there is no warmth; but life gives off warmth.

> They asked each other, Were not our hearts burning within us while he talked with us on the road and opened the Scriptures to us? They got up and returned at once to Jerusalem. There they found the Eleven and those with them, assembled together                Luke 24:32-33

Not all prayer is life-giving. Some people pray according to their worldly desires. However, the good news is that although our prayers may be spiritually immature, the Lord still hears them and gives us suitable answers. As we grow and mature spiritually, we begin to pray according to God's will and His word. That prayer becomes a truly life giving prayer.


## The Beauty of Praying Parents

Prayer cannot die. Parents leave good and bad legacies as their children's inheritance. It may be an inheritance of faith or a legacy of addictions. The most beautiful memory I have is that of my parents' praying. I remember the times when my parents were happy, angry, or serious; but of all those times, the memory of my parents' prayers has left the deepest impression upon me. I cannot forget how my mother would pray every night for her children. When my mother faced difficulties, I remember her softly crying as she prayed. I feel more confident now knowing that my parents had prayed for me all of those years. Even when I became an adult and there were very difficult times in my ministry, I just wanted to give up. However, I would remember the image of my mother praying, and I would be greatly encouraged. That is what I want to leave to my children also.

## The Most Spiritual Inheritance is Prayer

These days people leave their wealth to their children and to charities. Sometimes leaving an inheritance with the children causes fights among siblings. My parents did not leave any wealth to us. The one thing that my father left was a large collection of books which he willed to a seminary library. The little money and a few gold rings that my mother had were given to the poor before she died.

The greatest inheritance my parents left us was a life of faith. They showed us through their lives that the most precious thing in life was to serve God. They willed to us a life of church community, prayer, praise, and helping seminary students. Our unique legacy is the numerous seminarians my father helped when he was a seminary professor. This kind of legacy has enriched our lives deeply. Children live their lives just as they saw their parents live. Parents become their children's lifelong teachers.

That is why the greatest inheritance we can leave our children is prayer. This kind of inheritance cannot be wasted or squandered. I hope that you can have this kind of theological foundation as you pray for your children. This book was written to aid parents to pray for specific biblical blessings for their children. I suggest that you hold your children's hands as you pray for them or lay your hands on their head. I believe that you are planting prayers when you pray with your children, and it helps them to grow spiritually.

This prayer book was prepared to help people learn to pray; there is no need to strictly follow its format. The daily prayers are succinct so you can add your own personal prayers. There will be special prayer topics for each child every day. This prayer book can augment those topics. But I hope that this book will be especially helpful to those parents who do not yet know how to pray for their children or who are just starting to learn to pray. It is more effective if you read the prayer and understand its content before actually praying. Merely reading the prayer does not count as praying. This book was not written to be read, but to become prayers that come from the heart.

I hope that you will deposit many prayers in heaven for your children. I hope that you leave an inheritance of a large prayer account. Others may leave many worldly riches for their children, but it is far better to leave a spiritual inheritance that can never decay or perish. We see many instances of people squandering away their inheritance, but the inheritance of prayer cannot be taken away; it is life giving.

## Raise Your Children to Become People of Prayer and of the Word

If children can be raised to become people of prayer and a people who live according to the Bible, then there is no need for parents to worry, no matter where they are. When my son was in college, he called me before going to the library to study. He said, "I'm going to study, but I'll also take my Bible with me to read it." Hearing that made me truly happy. No matter how much we nag, there will always be things we cannot change. However, the power of God's word will truly set them on the right path. No matter how earnestly we try to guide them on this path, there is no greater influence than prayer. We are able to gain divine wisdom through prayer.

It is necessary for parents to teach prayer through example. We must show them the power of "kneeling." Allow your children to experience the work of prayer in their lives. Not only will they enjoy your prayers for them, but they will become people of prayer themselves.

Included on each page is a section for you to write down the special happenings of that day for your children. It may be helpful to also jot down prayer topics and answered prayers in this section. Let your prayers be like the following:

### A Father's Prayer

Creator God, thank you for giving me this wonderful and beautiful family. Thank you that we love and help one another. Thank you for creating me to be the father of this family.

Forgive me for the times when I was not a father of great faith. Help me from this point on to become an example of faith in your guidance. Thank you for the privilege of being a father. Thank you for giving me responsibility for these precious children. Thank you for letting me experience the wonders of life and the mystery of growing through our children.

Thank you for teaching me and helping me to experience God's love, patience, and forgiveness, as well as the hurt, joys, and laughter as I raise these children.

I remember you through the life you have given us for today. You have commissioned our family with the upbringing of these children. I shall always remember your desire for them to be raised as good children and in time I will hand them back to You. God, help us to be good stewards of this parental calling. Give us wisdom as we raise them. Help us to raise them according to Your words and through prayer.

Lord, you are the true "Abba" Father of our family. Help me to become a father who is rooted in God's word. Help me to first apply God's word to myself so that I can provide it also for my children. Help me not to become a mere breadwinner for this family. Help me to become their spiritual leader and a man of God's calling. Lord, you have created our children in your own image so that they are spiritual beings as well as moral beings. Help me to feed them spiritual bread and not the poisonous bread of this world.

Help me to also become a praying father. I believe that you have called me to be the prayer warrior for this family. Help me to pray for them by faith continually. Help me to leave an inheritance of prayer for my children. Help me to get on my knees as I leave them the legacy of a praying father.

Lord, you have your temple in our family. Help me to desire spend time with my children just as You desire to spend time with us. Help me to play with them and to listen to them. May your presence abide in our family so we may be changed to be more like You. Help me to be a father of discernment so that I can see how Satan is attacking our family. May I fulfill the role of spiritual priest. Help me to know the way of protection through God's word. Help me to maintain a home of worship that is synonymous with life. May our family be set apart to be holy. Free us from idolatry, and watch over us for a thousand generations.

God of Hope, help me to be a father who plants dreams and hope in my children. Help me to find their spiritual gifts so that they may grow up before the Lord, and may I encourage them to live according to their vision. Help me to support them so that they may grow freely in the Lord, for you have instructed me, "Fathers, do not exasperate your children; instead, bring them up in the training and instruction of the Lord." Help me to raise them according to your will. I pray in Jesus' name, Amen.

## A Mother's Prayer

Lord, thank you for giving us the time for living. Thank you for blessing me to bear these children and to become a loving mother.

Only You can give us these precious lives to raise. Thank you for guiding and encouraging me to pray for my children and also for myself. Lord, more than anything else, help me to become a good mother, a mother of faith.

Help me to become a praying mother. Help me to raise these children of God according to God's will and according to God's wisdom. May they grow in the Lord so that all may go well with them. Lord, when I become tired and ready to collapse, lift me up again so that I may continue to pray for my children just as St. Augustine's mother prayed and turned him over to God.

Help me to be a mother of warmth and love, who can comfort her children when they hurt and are lonely. Help them to know God's love through my love and experience the living God through my hands, my heart, and my words of comfort.

Help me to become a good steward, whom You have commissioned to do your will. Help my children to experience God's love and protection through my faith and to know through me that God accepts them unconditionally just as they are.

Help me to pray for my husband to become a father of faith and the priest and spiritual leader of this family. Help me to teach the children the beauty of filial piety.

Keep me from idolizing the children. and giving them directionless love that results in undisciplined behavior and spiritual rebellion. Through my spiritual authority help me to raise them with discipline and training according to the word of God. Help me to be a loving mother who also raises them in righteousness.

Help me to know the children's needs and heart's desires as soon as they arise. Help me to comfort their hurts with God's love and know that they may lean on me whenever they have problems. Help me to provide well for my children so that they may experience God's providence, for You are our Jehovah Jireh.

Let me guide them so that the life of the Lord may increase in them and that they may experience the meaning of God's eternal life, even here on earth. May each one of them become the temple of God where they may live a life of worship and deep fellowship with the Lord. Help me to teach them that to worship God is the most precious thing in their lives so that they may be restored in You. I pray in Jesus' name, Amen.

# 자녀를 위한 기도의 신학

## 자녀는 하나님의 선물이요, 기업입니다

하나님께서 가정마다 자녀를 주신 것보다 더 큰 축복이자 특권은 없습니다. 우리가 자녀를 위해 소원하며 기도하는 것도 우리들의 자녀를 향한 하나님의 뜻을 알고 있기 때문입니다. 그렇지 않으면 자녀들을 위해 이기적이며 육신적인 기도를 하게 될 것입니다.

하나님은 우리에게 자녀들을 위탁하셨습니다. 우리들은 이 생명을 양육하고 키우는 선교사로 파송(派送) 받았습니다. 이 자녀들을 위해 기름 부음을 받은 선교사인 것입니다. 자녀들은 육체와 정신, 그리고 영혼을 가지고 있습니다. 그리고 그들도 하나님의 형상대로 지음을 받아서 영적인 존재인 것입니다. 우리에게 필요한 모든 것이 자녀들에게도 필요합니다. 자녀들도 영적으로 갈급(渴急)하고 영적으로 성장해야 합니다.

하나님께서 이 생명을 우리에게 위탁하셨다는 의미는 그 생명의 소유권이 우리에게 있는 것이 아니라, 하나님께 있다는 의미입니다. 하나님은 하나님께서만이 주실 수 있는 생명을 가정마다 주시고 하나님의 뜻대로 키워서 돌려주기를 원하십니다. 시편 127편에 나오는 "장사의 수중의 화살 같다."는 말은 어디론가 과녁을 향하여 보내져야 한다는 것으로, 자녀들을 잘 키워서 '하나님' 이라는 목표로 돌려보내 드려야 한다는 뜻입니다.

"자식은 여호와의 주신 기업이요 태의 열매는 그의 상급이로다 젊은 자의 자식은 장사의 수중의 화살 같으니 이것이 그 전통에 가득한 자는 복되도다 저희가 성문에서 그 원수와 말할 때에 수치를 당치 아니하리로다"(시 127:3-5).

## 자녀를 하나님께 극상품의 포도로 돌려드려야 합니다

그런데 어떻게 자녀들이 하나님께 돌려드려지기를 원하시는가 하면 그 아이들이 신령한 집으로 세워져서 주님께 돌려드려지기를 원하십니다. 그러므로 자녀들이 우리와 함께 있는 동안에는 자녀들에게 성장과 성숙을 가져다 주는 양육이 필요하고, 그것은 믿음의 부모들에게 주어진 사명인 것입니다.

신령한 집으로 세워진다는 것은 무엇을 의미합니까? 그것은 자녀들 속에 그리스도를 회복시킨다는 뜻입니다. 즉, 하나님의 형상을 회복하여 주님이 그 자녀들 가운데 왕으로 내주 내재하시고, 그 자녀들의 주인으로 좌정하신다는 뜻입니다. 그래서 자녀들이 주님의 뜻을 따르고, 주님의 영광을 위해 살며, 주님을 예배하며 사는 것입니다. 보좌 중심의 삶, 곧 예배의 삶을 살 수 있는 존재가 되어야 한다는 것입니다.

자녀들을 진정한 예배자로 회복시키는 작업이 바로 위탁 받은 부모의 사명입니다. 이러한 사명을 위해 주님은 말씀과 기도라는 도구를 주셨습니다. 언제나 자녀들에게 말씀을 먹이고 기도하도록 도울 뿐만 아니라 부모도 열심히 기도해야 합니다. 현재 제가 준비하고 있는 「가정시리즈」〈자녀교육편〉에서 더 상세하게 이 부분을 다루려고 합니다. 그러나 저는 이 책에서는 기도 신학을 중심으로 말씀드리려고 합니다.

저의 이해로는 기도는 하늘에 심는 것이라고 생각합니다. 기도 안에는 생명이 있고 그 생명은 죽지 않고 심기어져서 열매를 맺게 된다고 믿습니다. 그래서 자녀들을 위해 기도를 심게 될 때에 많은 열매를 맺게 된다고 생각합니다. 많이 심으면 많이 거두고 적게 심으면 적게 거둘 것입니다(고후 9:6-7). 영원을 위해 심으면 영원한 것으로 거두고 육을 위해 심으면 썩어질 것으로 거두게 될 것입니다. 기도는 결코 죽지 않으며, 자녀들을 위해 심어놓은 부모의 기도는 부모가 이 세상을 떠난 뒤에도 살아서 자녀들을 복되게 할 것입니다.

이것을 다시 표현한다면, 기도는 하늘에 저축하는 것이라고 볼 수 있습니다. 하나님께서 이 기도를 다 들으시고 기록해 두셨다가 언제나 필요할 때에 자녀들을 위해 사용하신다고 저는 믿습니다. 어떤 기도는 몇십 년이 흐른 뒤에야 응답 받는 것을 보면 하나님은 모든 기도를 다 듣고 계시며 가장 적절한 시기에 그 기도를 사용하시는 것을 볼 수가 있습니다.

마태복음 6장에서는 보물을 하늘에 쌓아두라고 말씀하셨습니다. 하늘에 보물을 쌓아둘 곳이 있다고 한다면 하나님께서는 분명히 기도도 쌓아두시고 기록하실 것입니다(말 3:16). 그리고 그 기도가 꼭 필요할 때가 되면 주님은 반드시 사용해 주실 것입니다.

이러한 이해는 3, 4대(代)를 이어서 믿음의 생활을 하는 제가 체험을 통해 깨달은 것입니다. 제가 어떤 유혹을 받을 때마다 저는 아버지와 어머니, 할아버지와 할머니의 기도가 저를 보호하고 있다는 것을 느꼈습니다. 어떤 것을 선택해야 하는 유혹을 받고 있을 때에 분명히 누군가가 저를 보호하고 지켜 주고 있다는 것을 느끼곤 하였는데(물론 성령님께서 지켜 주시는 것이겠지만), 저는 그것이 조상들의 기도의 열매라는 것을 확실히 믿게 되었습니다. 조상들이 신실하게 쌓아둔, 자녀들을 위한 기도의 창고에서 주님은 위험할 때마다 그 기도를 꺼내어 사용하심으로써 저와 함께하셨던 것입니다.

또한 저의 이해로는 기도는 주님과 동역하는 것이라고 생각합니다. 주님께서는 에스겔 36장에서 기도의 동역에 대해 말씀하시고 계십니다. 아무리 하나님의 뜻이 하늘에서 이루어졌다고 하더라도 이 땅에서 이루어지려면 우리의 동역, 곧 기도가 필요한 것입니다.

"나 주 여호와가 말하노라 그래도 이스라엘 족속이 이와 같이 자기들에게 이루어 주기를 내게 구하여야 할지라 내가 그들의 인수로 양떼같이 많아지게 하되 제사드릴 양떼 곧 예루살렘 정한 절기의 양떼같이 황폐한 성읍에 사람의 떼로 채우리라 그리한즉 그들이 나를 여호와인 줄 알리라 하셨느니라"(겔 36:37-38).

이것을 다른 말로 표현한다면 기도를 통해 영적 철길을 까는 것이라고 생각합니다. 주님이 계획하신 것이 기차라고 한다면 우리들이 기도하는 것은 철길을 까는 작업이라고 말할 수 있을 것입니다. 기차는 결코 철길 없이는 움직일 수가 없습니다. 하나님께서는 기도를 통해 일하시며 기도하는 사람을 통해 역사하십니다. 그러므로 자녀들을 위한 기도는 하나님께서 자녀들에게 역사하실 수 있는 길을 깔아 드리는 것입니다. 아무리 하나님의 뜻이 하늘나라에서 이루어졌다고 하여도 땅에서 이 뜻이 이루어지기 위해서는 기도가 필요합니다. 그런 의미에서 우리가 기도한다는 것은 주님과 동역하는 것입니다.

개인이나 가정이나 교회나 기도가 풍성한 곳에서는 하나님께서 친히 일하시는 것을 보게 됩니다. 하나님은 기도 철길을 통해 일하십니다. 인간이 수고는 하지만 하나님은 기도를 통해 일하시고 기도가 있는 곳에서 역사하십니다.

또한 저는 기도는 주님의 음성을 듣는 길이라고 생각합니다. 주님께서는 기도를 통해 지혜를 주시고 앞날을 인도하시고 문제에 대한 응답을 주십니다. 주님의 음성은 육성은 아니지만 기도를 통해 분명한 주님의 뜻을 제시하여 주시고 그 음성을 듣는 우리들이 곧 마음의 평안을 누리는 것을 깨닫게 됩니다. 특별히 성령 안에서 기도할 때 우리는 주님과 더욱 가까이 대화할 수가 있습니다. 왜냐하면 우리 안에 주님이, 주님 안에 우리가 있기 때문입니다. 특히 성령 안에서 기도할 때에는 우리가 마땅히 구해야 할 바를 주님께서 알려 주시기도 합니다. 또한 성령 안에서 기도할 때에는 기름 부음의 역사가 일어납니다. 성령님이 곧 우리에게 부어지는 기름과 같은 존재이시기 때문입니다. 기름 부음을 받을 때 우리는 마땅히 생각하고 기억해야 할 것이 생각이 나고 기름 부음을 받을 때 하늘의 지혜가 우리에게 임하게 됩니다. 이렇게 주님의 음성을 들을 때 우리들은 이 세상에서 승리할 수 있는 전략을 얻게 될 것입니다.

저는 기도를 삶의 모든 것을 주님과 나누는 교제로 보고 있습니다. 특별한 문제가 없다고 하더라도 부모와 자녀간에 나누는 대화처럼 자주 만나서 대화하는 교제로 보고 있습니다. 주님이 우리를 부르신 것은 주님과 더불어 교제케 하시기 위함입니다. 기도는 이러한 교제를 위해 주어진 은총의 길입니다.

"너희를 불러 그의 아들 예수 그리스도 우리 주로 더불어 교제케 하시는 하나님은 미쁘시도다" (고전 1:9).

부모와 자녀 사이는 어떤 특별한 문제가 생겼을 때에나 위기가 닥쳤을 때에만 만나는 사이가 아닙니다. 사랑하는 사람들은 어떤 특별한 문제가 있을 때만 만나지 않습니다. 기쁠 때, 슬플 때, 즐거울 때, 힘들 때, 어느 때든지 만나서 삶을 나누는 것입니다. 이와 같이 기도는 우리가 살면서 느끼는 힘든 것, 속상한 것, 즐거운 것, 이 모든 것을 주님과 함께 나누는 교제의 시간입니다. 하나님이 우리를 독점하고 우리가 하나님을 독점하는 교제의 시간인 것입니다.

제가 이해하는 기도는 생명입니다. 제 아들과 함께 저는 좋은 경험을 했습니다. 아들이 네 살 되었을 때, 어느 교인이 자기 집에 와서 기도해 달라고 하여 아들을 데리고 기도하러 갔습니다. 저녁이 되자 집은 추워지기 시작하였지만, 한두 시간 정도 뜨겁게 기도하는 저와 그 교인은 추위를 느끼지 못했습니다. 그런데 아들은 추웠는지 제 옆에 누워서 잠이 들었습니다. 함께 기도하던 교인은 그날 밤 방언의 은사를 받았고, 통회와 감사의 내용으로 거의 두 시간을 함께 기도했습니다. 그런데 그 다음날 제 아들 정웅이가 이렇게 말하는 것이었습니다. "엄마, 나 어젯밤에 거의 울 뻔했어!" 그래서 왜 그랬냐고 물어보았습니다. 우리 아들은 제가 기도를 중단할까 봐 말을 못했다면서 이렇게 말했습니다. "엄마, 내 가슴이 너무 뜨거워져서 거의 울 뻔했어!"(I was almost to cry.)

놀라웠던 것은 그 방안에 있던 모든 사람이 가슴이 뜨거워졌었다는 사실이었습니다. 그리고 그 4살짜리 아들의 마음까지 뜨거워지는 역사가 일어났던 것입니다. 저는 이 경험을 통해 기도는 생명이라는 것을 알았습니다. 생명이 있는 곳에는 뜨거움이 있습니다. 그래서 엠마오로 가던 두 제자도 주님을 만나고 나서, 생명을 만나고 나서 "가슴이 뜨거워지는" 경험을 하게 됩니다. 죽음은 냉랭합니다. 온기가 없습니다. 그러나 생명은 뜨겁습니다.

"저희가 서로 말하되 길에서 우리에게 말씀하시고 우리에게 성경을 풀어 주실 때에 우리 속에서 마음이 뜨겁지 아니하더냐 하고 곧 그 시로 일어나 예루살렘에 돌아가 보니 열 한 사도와 및 그와 함께한 자들이 모여 있어 말하기를 주께서 과연 살아나시고 시몬에게 나타나셨다 하는지라"(눅 24:32-33).

모든 기도가 생명의 단계에 이르렀다고 말할 수는 없습니다. 아직도 육신적이고 세상적인 기도만 하는 사람들도 있습니다. 그러나 감사하는 것은 기도가 생명에 이르지 못하고 아직 미숙하고 육신적인 기도라고 하더라도 주님께서는 들어주시고 적절한 응답을 주시는 것입니다. 우리가 성장하고 성숙하여, 교만하고 완고한 자아가 처리되고 주님 뜻대로 구하는 기도를 할 때에 그 기도는 분명히 생명을 가집니다. 주님을 만나는 기도, 주님의 전에 들어가는 기도가 되는 것입니다.

## 기도하는 부모의 모습이 제일 아름답습니다

기도는 죽지 않는 것입니다. 부모들은 좋은 것과 나쁜 것을 자녀들에게 유산으로 남겨 줍니다. 좋은 믿음의 유산도, 나쁜 중독의 유산도 자녀들에게 전수합니다. 머리말에서도 말씀드렸지만 저는 부모님의 모습 가운데 가장 아름다웠던 것으로 기도하는 모습을 기억합니다. 부모님은 웃으실 때도 있었고, 화내실 때도, 근엄하실 때도 있었습니다. 그 중에서도 제 마음 가운데 가장 깊이 남아 있는 것은 기도하시는 모습입니다. 또한 저의 아버님은 언제나 출근 전에 신문사나 월간잡지사에서 부탁하신 칼럼들을 쓰시곤 하였는데 그 모습도 인상적이었습니다. 또한 가족과 함께 만돌린을 연주하시고 통소를 부시는 모습도 인상적이었습니다.

일일이 다 열거할 수는 없지만, 어머님에 대한 기억도 많이 있습니다. 밤마다 자녀들을 위해 기도하시는 어머님의 모습은 지워 버릴 수가 없습니다. 어머님이 어려운 일을 당하셨을 때 우시면서 기도하시던 모습은 지금도 사진처럼 제 뇌리에 남아 있습니다. 그러한 모습으로 인해 현재 제가 든든하게 서 있는 것입니다. 어려운 목회 여정에서 때로는 다 포기하고 싶은 순간도 있지만 여전히 저의 앞에 앉아서 기도하시는 어머님의 모습을 보면 저는 큰 용기를 얻고 다시 일어납니다. 제가 자녀들에게 남겨주고 싶은 모습도 바로 기도하는 어머니의 모습입니다.

## 가장 영적인 유산은 기도입니다

요사이 한국에서 "유산 안 남겨 주기 운동"이 펼쳐지는 것을 보게 되었습니다. 미국 사람들은 주로 공공사업에 자신의 유산을 남기지만, 한국 사람들은 자녀들에게 재산을 물려주는 경우가 많습니다. 그로 인해 좋은 점도 있겠지만, 유산을 놓고 형제 사이에 분란이 생기는 경우도 많이 있습니다. 저의 부모님은 아무것도 남겨주시지 않았습니다. 그래서 분란이 생길 여지가 없이 아주 화목했습니다. 아버님이 남기신 유일한 유산인 많은 책들은 신학대학 도서관에 기증되었고, 얼마 안 되는 현찰과 금반지 몇 개를 남기신 어머님의 유산은 장례 후에 어려운 자매부터 나누어주고 사랑 가운데 잘 해결하였습니다.

그러나 우리 부모님이 남기신 가장 큰 유산은 믿음의 생활입니다. 신앙을 떠나지 않으시고 주님을 위해 섬기는 삶이 가장 최선의 삶인 것을 직접 생활로 보여 주셨기 때문입니다. 그분들이 남기신 것은 교회생활, 기도, 찬송, 심방, 신학생들을 돕는 것 등이었습니다. 아버님이 신학대학 교수로 계시면서 도우셨던 많은 신학생들이 우리 아버님이 남기신 유일한 유산이었습니다. 그러나 그러한 유산이 우리에게 얼마나 크고 깊은 삶을 살게 했는지 모릅니다. 자녀들은 보고 배운 대로 살아갑니다. 부모는 자녀들의 삶의 교과서입니다.

그렇기 때문에 우리가 남길 수 있는 가장 큰 유산은 기도입니다. 이러한 유산은 땅에서 사라지지 않습니다. 이 유산으로 인해 서로 의가 상하고 싸울 필요가 없습니다. 저는 돈을 많이 남긴 시아버님을 가진 어느 집사님을 알고 있는데, 그분 가정은 서로 누가 더 많이 받느냐로 싸우다가 이제 서로 남남처럼 되어 버렸습니다. 결국에는 한 푼도 못 받았고 그 가정은 시집과 원수가 되었습니다.

그러므로 저는 여러분들이 이러한 신학적 근거를 갖고 열심히 자녀들을 위해 생명의 기도를 저축하시는 분들이 되기를 바랍니다. 이 책에는 다소 중복되는 주제도 있겠지만 최대한 다양하고 구체적으로, 지속적으로 기도할 수 있도록 준비했습니다. 저녁에 자녀가 잠들 때에 손을 붙잡고 기도한다든지 아니면, 머리에 손을 얹고 기도한다든지, 아니면 자녀들이 학교에 갔을 때 그 방에 들어가 혼자 기도할 수도 있습니다. 그러나 저는 인격적으로 부모가 자녀의 손을 잡고 안아주면서 해주는 기도가 더 효과가 있다고 생각합니다. 기도를 심는 것이라고 생각할 때에 어느 곳에서 해도 상관없고 자녀가 없는 곳에서 해도 상관없지만 자녀가 그 기도를 직접 듣는다면 그 자녀의 신앙도 깊어지고 부모의 대한 사랑도 깊어지리라고 생각하기 때문입니다.

저는 이 기도문 이외에 여러분들이 생생하게 할 수 있는 기도를 더 원하고 있습니다. 이 기도문은 여러분들에게 '이렇게 기도하라' 는 한 예를 제시한 것일 뿐, 여기에 얽매일 필요는 전혀 없습니다. 기도문들이 짧막하게 되어 있으므로 여러분들이 얼마든지 다른 내용을 첨가할 수가 있습니다. 그리고 여러분의 자녀들을 위해 특별히 기도해야 할 것이 매일 생길 것입니다. 그러한 부분은 이 기도문과 함께 첨가하여 기도하시면 좋습니다. 그러나 이 기도문은 자녀들을 위해 어떻게 기도해야 할지 모르는 부모님들에게는 아주 좋은 길라잡이가 될 것입니다. 그리고 효과적으로 기도하기 위해 먼저 이 기도문을 읽어 보고 기도하라는 것입니다. 그러나 이 기도문은 단지 읽어 보는 것만으로 그친다면 효과가 없습니다. 진정으로 이 기도문이 기도되어야 합니다. 이 기도문은 읽혀지기 위한 것이 아니라 기도되기 위해 기록되었습니다.

여러분의 자녀들을 하나님께 '극상품'으로 돌려드리기 위해 기도의 저축을 하시기 바랍니다. 또한 자녀들에게 '풍성한 기도의 저금통장'을 유산으로 남겨 주시기 바랍니다. 누구보다도 부요한 자녀가 되도록 하십시오. 다른 집에서는 자녀들에게 많은 재산을 남겨 줄지 모르지만, 세상에서 썩어져 없어질 '재산'보다도 더 부요하고, 더 영원하고, 더 능력 있는 기도를 남겨 주십시오. 재산을 남겨 주어도 그 당대에 다 탕진해 버리는 경우를 많이 봅니다. 그러나 기도는 탕진되지 아니하고 생명으로 남습니다.

## 기도의 사람, 한 권의 책의 사람으로 자녀를 키우십시오

기도하는 자녀, 성경을 최고의 삶의 안내자로 삼는 자녀로 키운다면 자녀가 어디에 가 있든지 염려할 필요가 없습니다. 제 아들이 대학생이던 어느 날 제가 아들이 도서관에 가려고 나가기 전에 전화를 했습니다. "공부하러 가는데 성경책도 가지고 가서 읽겠어요."라고 말하는 아들녀석 때문에 저는 정말 기뻤습니다. 우리가 아무리 잔소리를 해도 안 되는 것들이 있습니다. 그러나 말씀의 능력이 자녀들을 교정해 줍니다. 우리가 자녀들을 아무리 좋은 길로 인도해 주려고 노력할 지라도 기도의 힘보다 뛰어난 것은 없습니다. 기도를 통해 하나님의 전략과 지혜를 얻을 수 있기 때문입니다.

그러므로 무엇보다도 먼저 부모들이 삶의 모범을 보여 주시기 바랍니다. 먼저 기도하시고 '무릎의 능력'을 보여 주시기 바랍니다. 기도가 어떻게 살아서 움직이는지 자녀들이 직접 보게 하시고 그 기도의 능력을 체험하도록 하십시오. 그러면 자녀들은 부모가 기도를 해주는 시간도 좋아하지만 자신도 기도의 사람이 되는 것을 즐거워할 것입니다.

매일 기도문마다 자녀들의 일상생활에 특별히 기억하고 싶은 것을 기록하는 난을 마련했습니다. 자녀들의 신앙 상태나 기도의 응답 등을 적어놓으면 나중에 많은 도움이 될 것입니다. 그러므로 먼저 이렇게 기도하십시오.

## 이런 아버지가 되게 하소서

가정을 창조하신 하나님!

우리에게 이토록 아름답고 멋있는 가정 안에 가족들을 주셔서 서로 사랑하며 위하고, 함께 도우며 살게 하시니 감사드립니다. 특별히 저를 아버지로 세워 주시고 이 가정에 파송해 주시니 더욱 감사합니다.

그 동안 자녀들에게 좋은 믿음의 아버지가 되지 못했던 것을 용서해 주시며 이후로 주님 안에서 다시 태어나는 믿음의 아버지가 되게 해주옵소서. 무엇보다도 아버지 됨의 특권 주심을 감사드립니다. 생명을 낳아서 기를 수 있는 특권을 주시고 당신의 자녀를 위탁 받아 청지기로서의 일을 감당하게 하시니 감사드립니다. 자녀들을 통해 너무나 많은 생명의 신비를 깨닫게 하시고 성장을 보는 기쁨을 누리게 하시니 감사드립니다.

또한 아이들을 바라보면서 하나님의 사랑, 인내, 용서, 기다림, 아픔, 기쁨, 즐거움, 웃음, 고독을 체험하게 하시니 감사합니다. 우리들을 위해 문을 여시고 기다리시는 주님, 자녀들과 함께 웃고 즐기며 삶을 함께하기 원하시는 당신의 사랑을 자녀들을 통해 깨닫게 하시니 정말 감사합니다.

오늘도 주신 생명을 바라보며 주님을 기억합니다. 우리 가정에 이 자녀를 위탁하셔서 하나님이 보시기에 좋은 자녀로 키우기를 원하시며, 멋있는 자녀로 키워서 주님께 다시 돌려주기를 원하시는 주님을 기억합니다. 하나님, 그 사명을 잘 감당하는 부모가 되게 하시며 우리에게 자녀를 잘 키우는 지혜를 허락하시며 언제나 부족함이 없도록 말씀과 기도로 자녀를 양육하게 하옵소서.

우리 가정의 아바 아버지 되신 주님, 제가 말씀의 아버지가 되게 하소서. 저부터 먼저 생명의 양식을 공급 받는 자가 되게 하시며 자녀들에게도 언제나 말씀으로 배부를 수 있도록 공급하는 자 되게 도와주시옵소서. 단지 돈만 벌어오는 아버지가 되지 않게 하시며 영적 권위를 가지는 아버지, 하나님께서 주신 모든 영적 사명을 감당하는 아버지가 되게 하옵소서. 우리의 자녀를 하나님의 형상대로 창조하셔서 영적 존재, 도덕적 존재가 되게 하신 주님, 제가 자녀들에게 하나님의 양식을 먹일 수 있도록 도와주시며 세상의 부패하고 사악한 독이 든 양식을 먹이지 않도록 도와주시옵소서.

또한 제가 기도의 아버지가 되게 하소서. 하나님께서 이 가정을 위해 기도하라고 저를 파송하시고 세워 주신 줄을 압니다. 지속적으로 믿음으로 기도하게 도와주시옵소서. 그러므로 자녀들에게 부요한 기도의 유산을 남겨 주는 아버지가 되게 하옵소서. 누구보다 무릎으로 자녀를 키우는 아버지가 되게 하옵소서. 자녀들에게 기도하는 모습으로 기억되는 아버지가 되게 하시며, 자녀들이 기도하는 아버지로 인해 마음 든든해할 수 있게 하옵소서.


우리 가정을 당신의 성전으로 삼으신 주님, 주님께서 우리와 언제나 함께하시기를 원하시는 것처럼 저도 자녀들과 함께하는 시간을 갖게 하시며, 함께 삶을 나누며 즐기길 줄 아는 아버지가 되게 하옵소서. 자녀들과 놀아 주며 그들의 말에 귀 기울이는 아버지가 되게 하시며, 자녀들에게 아버지와 함께하는 시간이 가장 즐거운 시간이 되게 하옵소서. 우리 가정에 언제나 임재해 주셔서 처소로 삼으시고 거룩한 주의 가정으로 변화시켜 주시옵소서. 무엇보다도 가정을 공격하는 사탄의 세력을 분별하는 아버지가 되어서 하나님이 세워 주신 영적 제사장의 사명을 다 감당하게 하시며 말씀과 기도, 영적 무장과 분별을 아는 아버지로 세워 주시옵소서. 교회와 가정에서 언제나 주를 경배하는 예배가 드려지게 하시며 삶이 예배요, 예배가 삶이 되는 가정 성전을 이루게 하옵소서. 우리 가정을 성소로 삼으시고 구별해 주셔서 우상숭배로부터 해방되게 하시며 천대에 이르기까지 가족의 성결을 이루게 하옵소서.

소망의 주님, 자녀들에게 소망을 심어 주는 아버지가 되게 하옵소서. 자녀들에게 꿈을 심어 주는 아버지가 되게 하옵소서. 그들의 은사를 발견하여 하나님 앞에서 자라나도록 도우며 주님 안에서 발견한 영적 비전을 향해 나아갈 수 있도록 용기를 주고 격려하는 아버지가 되게 하옵소서. 그래서 자녀들을 언제나 격려하고 위로하고 이해하며 세워 주는 아버지, 칭찬하기를 즐거워하며 좋은 점을 발견하여 키워 줄 수 있는 아버지가 되어서 자녀들이 마음껏 주님 안에서 자랄 수 있도록 돕는 아버지가 되게 하옵소서. 주님께서 "아비들아 너희 자녀를 노엽게 하지 말고 오직 주의 교양과 훈계로 양육하라."고 명령하신 대로 이를 따르는 아버지가 되게 하시며, 하나님께서 원하시는 모습으로 자녀들을 잘 양육하여 주님께 돌려드리는 아버지가 되게 하옵소서. 생명의 근원이신 예수님의 이름으로 기도합니다. 아멘.

## 이런 어머니가 되게 하소서

생명의 계절을 주신 하나님! 저에게 생명을 낳는 복을 주셔서 어머니가 되게 하심을 감사드립니다. 하나님만이 주실 수 있는 그 고귀한 생명을 주셔서 가슴에 품고 키우게 하시니 감사드립니다. 자녀들을 위해 기도하게 하시고 또 내 자신을 위해 기도하게 하시니 감사드립니다. 무엇보다도 제가 좋은 어머니, 믿음의 어머니가 되게 하옵소서.

기도의 어머니가 되게 하소서! 무엇보다도 기도하는 어머니가 되게 하옵소서. 하나님의 자녀를 하나님의 방법대로 키울 수 있도록 도와주시며 하나님의 자녀를 하나님의 지혜로 키우게 하옵소서. 그래서 자녀들이 생명을 누리며 자라게 하시고 언제나 주님 안에서 형통한 자녀가 되도록 도와주시옵소서. 제가 힘이 없어 쓰러질 때에도 주님께서 다시 일으켜 세워 주셔서 자녀들을 위해 기도할 수 있게 하시며 어거스틴을 하나님께로 돌려드린 그의 어머니처럼 자녀들이 주님을 향하도록 언제나 기도하게 하옵소서.

따듯한 사랑의 어머니가 되게 하소서! 가정 안에서 자녀들에게 언제나 따뜻한 심장을 가진 어머니가 되어 주게 하시고 그들의 아픔과 고독, 밖에서 받은 상처들을 어루만져 주는 어머니가 되게 해주소서. 그리하여 그것을 통해 자녀들이 하나님의 따뜻한 사랑을 체험하게 하옵소서. 저의 손과 마음, 그리고 언어를 통해서 주님이 살아 계심을 체험할 수 있게 하시며 주님의 따뜻한 손과 마음, 그리고 위로하는 말씀이 저를 통해서 체험되어질 수 있도록 도와주시옵소서.

하나님이 파송한 대리인이 되게 하소서! 그러므로 자녀들이 믿음의 아버지와 어머니를 통해서 하나님의 사랑과 돌보심을 체험하게 하시며, 하나님은 언제나 있는 모습 그대로 용납해 주시는 은혜의 하나님이심을 체험하게 하옵소서. 저로 인해 하나님을 왜곡되게 체험하지 않게 하시며 저를 통해 하나님의 사랑과 따뜻함을 맛보게 하옵소서.

믿음의 아버지가 되도록 돕는 아내가 되게 하옵소서! 저의 남편이 이 가정에서 믿음의 아버지가 되도록 기도로 돕는 아내가 되게 하시며, 자녀들 앞에서 남편이 제사장으로서 사명을 잘 감당하도록 세워 주며 도와주는 아내가 되게 하옵소서. 그러므로 남편이 언제나 든든하게 주님이 주신 사명을 잘 감당하게 하시며 자녀들에게 효(孝)의 아름다움과 귀중함을 가르치게 하옵소서.

자녀가 우상이 되지 않도록 하옵소서! 자녀가 우리의 우상이 되지 않도록 저를 지켜 주옵소서. 자녀들을 너무 맹목적으로 사랑하여 도리어 제대로 훈련시키지 못하고 영적 권위에 불순종하는 자녀로 키우지 않게 하시며, 영적 권위를 갖고 담대하게, 주님의 말씀과 훈계로 올바로 키우게 하옵소서. 언제나 정과 사랑이 넘치는 어머니가 되게 하시며 동시에 자녀들을 의(義)로 키울 수 있는 어머니가 되게 하옵소서.

자녀의 필요를 가장 먼저 알게 하옵소서! 자녀들이 무엇을 원하는지 가장 먼저 민감하게 알게 하시고 하나님의 마음으로 자녀의 아픔을 치유하고 회복할 수 있는 어머니가 되게 하옵소서. 자녀들이 고향처럼 마음을 기댈 수 있는 따뜻한 어머니가 되게 하시며 어떤 문제든지 세밀하게 필요를 알고 도울 수 있게 하옵소서. 그래서 주님께서 우리들의 필요를 상세하게 아시는 것처럼 자녀들에게 "여호와 이레"의 하나님 돌보심을 체험하게 하옵소서.

무엇보다도 생명으로 키우게 하옵소서! 자녀들 안에 주의 생명이 자라나도록 양육하게 하시며 하나님께서 원하시는 영생을 이 땅에서도 누리도록 양육하게 하옵소서. 자녀들마다 주의 성전으로 세워져서 하나님과 깊은 교제를 나누게 하시며 예배가 인생의 가장 깊은 가치로 깨달아지게 하옵소서. 예배하는 자녀로 회복하여 주님을 찬양하는 자녀가 되도록 돕는 어머니가 되게 하옵소서. 예수님의 이름으로 기도합니다. 아멘.

Parents' Prayers for **January**

-Prayers based on the Psalms-

January is a time for new beginnings.
Let us begin a life of prayer
for our children for the New Year.
God, who makes all things new,
will also renew our children.

Although our children may not understand
the meaning of all these prayers now,
they will take root in their hearts
and in time bear abundant fruits.

## 자녀를 위한 1월의 축복 기도

- 시편을 중심으로 -

1월은 모든 이들이 새로운 결단을 하는 때입니다.
이제 자녀들을 위해 기도할 때에도 이렇게 새롭게 되는 한 해가 되도록 기도하시기 바랍니다.

만물을 새롭게 하신 주님이, 우리들의 자녀들도 새롭게 하실 줄 믿습니다.
지금 여러분들의 자녀들은 이 기도의 의미를 잘 모르겠지만
이 기도의 싹이 자녀의 마음에 심기어져서 언젠가 향기로운 열매를 맺을 것입니다.

# January 1

# Bless them, O Lord

Blessed is the man who does not walk in the counsel of the wicked or stand in the way of sinners or sit in the seat of mockers. But his delight is in the law of the Lord, and on his law he meditates day and night.                              Psalm 1:1,2

Dear Lord, you are the source of all things new. Lord, Help our children to start this New Year with a renewed body and mind.

Lord, you are the source of all blessings. You have said, "Blessed is the man who does not walk in the counsel of the wicked or stand in the way of sinners or sit in the seat of mockers. But his delight is in the law of the Lord, and on his law he meditates day and night." Likewise help our children to live blessed lives so they may always delight in God's word as the children of God.

Lord, you have given us your precepts. The computer has replaced the gospel message in this generation, and the Internet has become the idol that this generation worships. Despite this, O Lord, may our children understand the eternal blessings of God. May they live a life of full of blessings. May they not stand in the way of proud mockers, but through the word of God, may they become humble and obedient to his word. May they find fulfillment only in you.

We pray in the name of Jesus, Amen.

---

 **복 있는 사람이 되게 하소서**

모든 새로움의 근원이 되시는 하나님, 사랑하는 우리 자녀가 새해를 맞이하여 몸과 마음이 새로워지게 도와주시고 그 마음으로 새해를 시작하게 해주십시오. 모든 복의 근원이 되시는 주님, 복 있는 사람은 "악인의 꾀를 좇지 아니하며 죄인의 길에 서지 아니하며 오만한 자리에 앉지 아니하고 오직 여호와의 율법을 즐거워하여 그 율법을 주야로 묵상하는 자"라고 말씀하셨습니다. 사랑의 선물로 주신 저의 자녀가 이러한 복을 누리게 하시며 언제나 여호와의 율법을 즐거워하는 주님의 자녀가 되도록 도와주십시오.

우리에게 율례를 허락하신 주님, 컴퓨터가 복음의 말씀을 대신하여 우상처럼 숭배 받는 이 시대에 하나님으로부터 오는 영원한 복이 무엇인지를 올바로 아는 자녀가 되게 하시며 복 받는 길에 서는 자가 되게 도와주십시오. 또한 교만한 죄인의 길에 서지 않고 오직 하나님의 말씀으로 검손한 자가 되게 하시며 그 말씀에 순종하여 주님 안에서 형통한 자가 되도록 도와주십시오.

복의 근원이신 예수님의 이름으로 기도합니다. 아멘.

# Help them to lead fruitful lives

**January 2**

He is like a tree planted by streams of water, which yields its fruit in season and whose leaf does not wither. Whatever he does prospers.

Psalm 1:3

O Lord of love, thank you that our children are healthy and happy in you today. Lord, thank you that you are their Lord, and you watch over them moment by moment. Our earnest prayer is that they will be like trees planted by water so that season by season, they will bear much fruit in their character, in their lives, and in the Holy Spirit. Help us to offer them up to you as bearers of good fruits.

You are the Lord of all things. You give power, and you put all things in motion. Help our children to lead fulfilling lives so they may always live in the word and obey your will. May they prosper in all things. Help them to realize what it means to prosper. It does not mean prosper in the worldly sense, but that they may live a life of faith built on the solid rock that is eternal.

We pray in the name of Jesus, Amen.

---

 ## 그 행사가 형통하게 하소서

사랑의 주님, 우리 자녀가 오늘도 주님 안에서 건강하고 행복하게 생활하게 하심을 감사드립니다. 순간 순간마다 지켜 주시고 주님이 되어 주시니 감사드립니다. 주님, 간절히 기도합니다. 시냇가에 심은 나무가 그 시절을 좇아 과실을 맺듯이, 우리 자녀가 열매 맺는 생활을 하게 도와주십시오. 언제나 그 인생이 메마르지 않아 풍성한 열매를 맺으며 살게 하옵소서. 또한 인격의 열매, 삶의 열매, 성령의 열매를 맺게 도와주셔서 우리 자녀들을 극상품의 포도로 주님께 돌려드릴 수 있도록 우리를 지켜 주십시오.

모든 만물의 주인이 되시고 모든 만물을 운행하시는 주님, 사랑하는 우리 자녀가 주님 안에서 형통한 생활을 하게 도와주십시오. 언제나 말씀 안에서, 주님의 뜻에 순종함으로 순종하는 자에게 주시는 형통함을 누리게 해주십시오. 어떤 것이 형통한 생활인지 깨닫게 도와주십시오. 세상 사람들이 누리는 형통이 아니라 주님 안에서 누리는 형통, 그래서 영원히 반석 위에 세워진 믿음의 생활을 하도록 축복해 주십시오.

예수님의 이름으로 기도합니다. 아멘.

# January
## 3
# May they seek the Lord

Ask of me, and I will make the nations your inheritance, the ends of the earth your possession.   Serve the LORD with fear and rejoice with trembling.          Psalm 2:8,11

You are the Lord of all things. We give you all the glory and honor. Thank you for watching over our children and for giving them life. Thank you for watching over their health. We pray that in all things they seek first your divine wisdom, because you have promised that if they do, the ends of the earth will be their possessions. Help them to be children who abide in the Lord. May they acknowledge you in all things.

Lord, you are our refuge and our shield. When our children experience trials, we pray that they don't run to the world for refuge, but that they first run to the Lord and You will be their refuge. When they start their work, and face difficulties, lead them to seek the Lord's help first. When they seek you, bless all their endeavors. We pray that in claiming your promises, you will bless their work. In their lives, there are things they desire to have. Please hear their prayer request with compassion and answer them according to your will; and as they pray, please bless their prayer lives so they may grow in faith.

We pray in the name of Jesus, Amen.

---

 ## 주님께 구하는 자가 되게 하소서

만물의 주인이 되시는 주님, 영광 받으시며 경배 받으소서. 우리 자녀에게 생명을 주시고 오늘도 건강하게 지켜 주시니 감사를 드립니다. 주여, 우리 자녀가 어떤 일에서든지 주님께 먼저 구하고 지혜를 얻게 하옵소서. 그렇게 할 때에 주님은 네 소유가 땅 끝까지 이르리라고 약속을 주셨습니다. 주님과 동행하는 자녀, 주님의 지혜를 먼저 구하는 자녀, 주님을 범사에 인정하고 경외하는 자녀가 되게 하소서.

우리의 피난처 되시며 방패가 되시는 주님, 어려운 일이 생길 때마다 우리 자녀들이 세상을 피난처로 삼지 않고 먼저 주님을 의뢰하며 주님을 피난처 삼게 도와주십시오. 일을 시작할 때에도, 어려움이 있을 때에도 먼저 주님께 구하게 도와주십시오. 그래서 구하는 중에 주시기로 약속한 기업을 축복으로 받기를 원합니다. 또한 일상 생활에서 우리 자녀가 원하고 구하는 것이 있습니다. 주님께서 그 기도 제목에도 긍휼을 베풀어 주시고 하나님 뜻에 합당한 것이면 응답해 주십시오. 우리 자녀들이 기도를 할 때에도 날마다 성숙하는 기도가 되도록 축복해 주십시오. 예수님의 이름으로 기도합니다. 아멘.

# Free them from fear

I will not fear the tens of thousands drawn up against me on every side.    Psalm 3:6

Almighty God, thank you that our children can be victorious today because of the courage that you have given them. Thank you that you are with them always, when they are tired, lonely, and frightened. Help them to be clothed in the power of God. Help them to seek God's help in all circumstances, and also to humbly accept others' help from time to time. We believe in your promise, that you are a shield around us, Lord. You bestow glory on us, and you lift up our heads.

God, you are Jehovah Nissi. May others see that God is with our children always, and just as you have given David victory, likewise, give them the same victory in you. We pray that they may not fear an army of tens of thousands, but that they may fear only God. Help them to live a life of victory without fear.

We pray in the name of Jesus, in whose name there is victory against our enemies. Amen.

## 대적이 많아도 두려워하지 않게 하소서

능력의 하나님, 오늘도 주님이 주시는 용기를 가지고 우리 자녀가 승리하는 하루를 살게 하시니 감사드립니다. 힘들고, 외롭고, 무서울 때에 주님이 언제나 곁에 계시니 감사를 드립니다. 우리 자녀가 주님의 능력을 입고 살아가게 도와주십시오. 언제 어디서나 주님의 도움을 얻는 자가 되게 하시며 다른 이웃들의 도움도 수시로 받을 수 있는 자녀가 되게 도와주십시오. 자녀들이 두려워하지 않고 든든히 일어서는 이유는 "내가 누워 자고 깨었으니 여호와께서 나를 붙드시기"(시 3:5) 때문임을 믿습니다.

여호와 닛시의 하나님, 우리 자녀가 누구에게든지 하나님이 함께하시는 사람으로 보이게 하시며 다윗의 형통함이 주님으로부터 나온 것처럼 우리 자녀에게도 그 복이 임하게 도와주십시오. 그래서 우리 자녀가 천만 인도 두려워하지 않게 하시며 오직 함께하시는 하나님을 두려워하는 자가 되도록 인도해 주십시오. 언제나 승리를 향하여 주님과 함께 두려움 없이 나아가게 도와주십시오.

모든 대적을 이기시는 예수님의 능력의 이름으로 기도합니다. 아멘.

**47**

# Give them abounding joy

You have filled my heart with greater joy than when their grain and new wine abound.

Psalm 4:7

God, you are the source of all joy. Thank you for blessing our family with joy and laughter today. We also thank you for our children's health, for their laughter, and for their joy, and that they can complete the day with happiness. Thank you for giving them the love of friends and brotherly love for each other. We pray that you will give them true rest today, and that through that rest, they may have healthy minds and spirits.

Lord, pour out the joy of your salvation upon our family. Lord, May our children live lives that are overflowing with the joy of the Lord. May they have greater joy than the farmer who harvests his grains in the fall. And May their joy, not come from their circumstances, or instant gratification, or from possessing material things, or even from doing well in their studies. Rather, may the source of their joy come from the Lord so they may know eternal joy, and in their spirits they may have an overflowing spiritual joy that will bear victory in all things.

We pray in the name of Jesus, Amen.

### 기쁨이 넘치게 하소서

기쁨의 근원이신 하나님, 오늘도 우리 가정에서 웃음이 그치지 않게 하시며 즐거운 하루를 보내게 하시니 감사드립니다. 또한 우리 자녀에게 건강을 주셔서 웃음과 즐거움, 그리고 기쁨 가운데 하루를 마치게 하시니 정말 감사를 드립니다. 또한 친구를 통해 기쁨을 갖게 하시고 서로 우정을 나누게 하시니 감사합니다. 오늘 이 밤도 안식을 허락해 주시고 그 안식으로 인해 건강한 몸과 마음이 되도록 축복해 주십시오.

주님, 우리 가정에 구원의 즐거움을 부어 주옵소서. 그리고 저의 자녀에게 주님이 주시는 기쁨이 넘치는 삶을 살게 해주십시오. 농부가 곡식을 추수하고 기뻐할 때보다도 더 큰 기쁨이 넘치게 도와주십시오. 그리고 그 기쁨이 주위 환경에서 오는 기쁨도 아니며, 일시적으로 오는 것도 아니며, 무엇을 가졌기 때문에 오는 기쁨도 아니며, 공부를 잘했을 때에 얻는 기쁨도 아닌, 오직 주님으로부터 오는 기쁨임을 알게 해주십시오. 그래서 영원하고 즐겁고 심령에서 흘러나오는 기쁨으로 인생에서 승리하게 해주십시오.

예수님의 이름으로 기도합니다. 아멘.

# January 6

# Give them peaceful slumber

I will lie down and sleep in peace, for you alone, O LORD, make me dwell in safety.

Psalm 4:8

Lord, you are the God of rest. Thank you for watching over us today so we may find peace when we are awake and when we are asleep. This world is full of dangers and problems, but thank you that in the midst of these, you hold our family close to your heart so we may know your peace. You are God, Jehovah Shalom. May you receive all the glory and praise worship from our family.

O Lord of the Sabbath, please help our children to have your peace both day and night. May they remain in the Lord as they bring all their problems to you. Just as you have led your sheep to lie down in green pastures, likewise, please help our children to lie down and rest in peace. May they be free of all the anxiety and fears of this world. Help them to not be troubled in their sleep because of the world's petty things, but that in their hearts and in their bodies they can have true rest in the Lord, whether in their studies or relationships with friends. Help them to bring all their issues and problems to the Lord before the cross.

We pray in the name of Jesus, Amen.

---

### 편안히 눕고 자게 하소서

우리를 쉬게 하시는 주님, 하루를 평안하게 보내도록 지켜 주셔서 평안히 잠 잘 수 있게 하시니 감사를 드립니다. 문제가 많고 위험이 많은 이 세상에서 우리 가정을 지켜 주시고 주님의 품안에서 평화를 누리게 하시니 감사를 드립니다. 여호와 살롬의 하나님, 우리 가정에서 영광을 받으시고 경배를 받으옵소서.

안식의 주님, 우리 자녀가 언제나 주님의 평안 가운데 자고 일어날 수 있도록 도와주십시오. 모든 문제를 주님에게 맡기고 안전하게 주님 안에서 거하게 도와주십시오. 주님께서 사랑하시는 양떼를 푸른 초장에 누이신 것처럼 저희 자녀들도 평화롭게 눕고 자게 하소서. 근심과 두려움으로 불면증에 시달리지 않게 하시며 잡다한 세상 생각으로 잠을 설치지 않게 도와주십시오. 그래서 마음과 몸이 다 주님 안에서 쉴 수 있는 자녀가 되는 축복을 주십시오. 공부하는 것이나 친구관계에서 오는 모든 스트레스도 주님 앞에 내려놓을 수 있도록 축복해 주십시오.

예수님의 이름으로 기도합니다. 아멘.

# May the Lord be their refuge

But let all who take refuge in you be glad; let them ever sing for joy. Spread your protection over them, that those who love your name may rejoice in you.
Psalm 5:11

Lord, you are our refuge. Thank you for protecting us today from all the things of this world. You have been our fortress and our refuge. Thank you for giving us good health and allowing us to lie down in peaceful slumber tonight. There were some times that were dangerous, but you, in times of danger, have become our tower of refuge. You neither slumber nor sleep; you watch over us faithfully.

You are the loving father and protector of our children. Blessed are they whose tower of refuge is in the Lord. May they not run to the people of this world, or even the world's wisdom, or the world's materialism for their refuge. May they not depend on their own judgment, but trust only in the eternal refuge who is the Lord, Protector. May they experience the power of your promises fulfilled and know that you are the eternal refuge.

We pray in the name of Jesus, Amen.

### 주님을 피난처로 삼게 하소서

피난처 되시는 주님, 오늘도 세상의 광풍으로부터 우리 모두를 지켜 주시고 주님이 보호의 성이 되어 주심을 감사드립니다. 온 가족이 건강하게 잠이 들도록 하시며 평안한 마음으로 침대에 눕게 하시니 감사드립니다. 위험한 순간도 있었지만 언제나 주님은 보호의 성(城)이 되어 주셨으며, 친히 졸지도 않으시고 우리를 지켜 주심을 감사드립니다.

우리 자녀를 사랑해 주시고 보호해 주시는 하나님, 주께 피하는 자는 복을 받는다고 하셨습니다. 우리 자녀가 주님을 피난처로 삼게 하시며 주님을 피난처로 삼는 길을 알게 해주십시오. 세상 사람들이나 세상의 지혜를 의지하지 않게 하시며 세상의 주인인 물질을 피난처로 삼지 않게 도와주십시오. 자신의 판단으로 안전한 곳을 찾지 않게 하시며, 오직 주님만이 영원한 피난처이며 방패 되심을 알게 해주십시오. 또한 그 피난처가 영원히 안전하고 영원히 완전한 곳임을 깨닫게 도와주셔서 주님을 피난처로 삼을 때에 주시는 그 약속의 능력을 체험하게 인도해 주십시오. 예수님의 이름으로 기도합니다. 아멘.

# January 8

# May they abide in your mercy

Be merciful to me, LORD, for I am faint; O LORD, heal me, for my bones are in agony.

Psalms 6:2

God of love, thank you that we can lie down tonight with hope for tomorrow. Thank you that you were with our children, and by your loving help they spent a healthy day in your presence moment by moment.

You love to bestow on us your merciful loving kindness. Just as you were merciful to the blind Bartimaeus and the invalid of 38 years, may your mercy and grace also abide with our children. Just as you bestowed on David your goodness and mercy, please bestow your goodness and mercy on our children too. When they face difficulties, help them to seek the Lord's help first. Your compassion never fails to relieve on the downtrodden. May this same compassion bless our children. When they receive your compassion, may they experience victory, courage, and healing. May they find hope and salvation in your mercy.

We pray in the name of Jesus, Amen.

---

 ### 주의 긍휼이 임하게 하소서

사랑의 하나님, 새로운 내일을 바라보면서 오늘 잠자리에 들게 하시니 감사를 드립니다. 우리 자녀가 오늘도 주님의 사랑과 도우심 가운데 안전하고 건강하게 하루를 보내게 하시고, 그로 인해 순간 순간마다 주님이 함께하심을 체험하게 하시니 감사드립니다.

자비를 베푸시기를 즐거워하시는 주님, 소경 바디매오에게 긍휼이 임한 것처럼, 38년 된 병자에게 긍휼이 임한 것처럼 저의 자녀에게도 주님의 자비와 긍휼이 임하게 도와주십시오. 다윗에게 영원히 선하심과 인자하심으로 함께하신 것처럼 주님의 선하심과 인자하심이 언제나 저의 자녀와 함께 해주십시오. 언제나 어려운 처지의 소자들에게 긍휼을 베푸신 주님, 그 긍휼의 축복이 우리 자녀에게도 임하는 축복을 주십시오. 주님의 긍휼이 임하는 곳에 언제나 승리가 있으며, 두려움이 없으며, 치유가 있음을 믿습니다. 주님의 긍휼이 임하실 때에 저희 자녀들에게 소망이 있으며 구원이 있음을 믿습니다.

자비하신 예수님의 이름으로 기도합니다. 아멘.

# May they praise the Lord

I will give thanks to the LORD because of his righteousness and will sing praise to the name of the LORD Most High.

Psalm 7:17

Lord, how right it is to give you praise! We give you praise and thanksgiving. Because of you we lack nothing. Thank you for our daily bread and for delivering us from evil. Thank you for protecting us from temptations and watching over our welfare. We confess that you are the Lord of our family. Help us so that praising you may be the central theme of our daily lives.

O Lord, we thank you for your righteousness. You are forever righteous and just. Thank you for cleansing our sins with your own righteousness. May our children forever praise you and thank you. May you deepen their sense of thanksgiving, and may they worship you with their praises.

We pray in the name of Jesus, Amen.

### 주를 찬양하게 하소서

찬양 받으시기에 합당하신 주님, 우리 온 가족이 주님을 찬양하며 감사를 드립니다. 주님 한분으로 인해 부족함이 없습니다. 주님께서 오늘도 우리에게 일용할 양식을 주시고, 악으로부터 지켜 보호하시며, 유혹 받지 않게 하시며, 안전하게 지켜 주셨음을 감사드립니다. 그렇게 도와주신 분이 우리 가정의 하나님이시고 주님이신 것을 고백합니다. 우리의 생각과 마음, 그리고 생활의 중심에서 주님을 찬양할 수 있도록 도와주십시오.

의로우신 하나님, 주님의 의로 인해 감사를 드립니다. 언제나 정의로우시고, 공의로우시며, 우리의 불의를 주님의 의로 탕감해 주시는 주님께 감사드립니다. 우리의 죄를 주님의 의로 깨끗하게 씻어 주시니 감사드립니다. 우리 자녀가 이러한 이유로 주님을 영원히 찬양하고 감사하게 하옵소서. 감사의 깊이가 날마다 더하게 하시며 찬양의 삶으로 주님을 예배하게 도와주십시오. 찬양을 예배로 드리게 하옵소서.

의로우신 예수님의 이름으로 기도합니다. 아멘.

# Raise them to be stewards

You made him ruler over the works of your hands; you put everything under his feet.

Psalm 8:6

You are the King of Kings. Thank you that there is victory in you today. Despite the trials in this world, we believe that you are our King and you watch over us. Though our enemies come against us, we believe that your grace is sufficient for our victory. May our children trust in Jehovah Nissi, so they may always be victorious. May they believe that you are our King and our keeper.

Lord, we praise your name. Help our children to rule over and subdue the works of your creation, according to your will for mankind. Help them to be stewards of the land animals, the fish of the sea, and the birds of the air. Help our children to know the glory and the holiness of God who created all these things. Lord, protect them from being enslaved by anything, but instead, help them to be God s stewards over all his creation.

We pray in the name of Jesus, Amen.

### 다스리는 자가 되게 하소서

왕의 왕이 되신 주님, 주님으로 인해 오늘도 승리하게 하시니 감사를 드립니다. 이 세상에서 어떤 어려움이 와도 주님이 우리의 왕이 되어 주셔서 지켜 주시는 것을 믿습니다. 이 세상에서 어떤 대적을 만난다고 해도 능히 이기게 하실 수 있는 주님이신 것을 믿습니다. 우리 자녀가 여호와 닛시, 언제나 승리하시는 주님을 믿게 도와주시고, 우리 가정의 왕이 되시고, 파수꾼 되심을 믿게 해주십시오.

주여, 주의 이름을 찬양합니다. 우리 자녀가 다스리고 정복하는 자가 되게 도와주셔서 주님이 인간에게 주신 복을 이루게 하옵소서. 땅에 사는 것과 바다에 사는 것들과 공중에 날아다니는 것들을 다스리게 하옵소서. 그리고 이 모든 것을 지으신 주의 영화로운 이름을 거룩하게 하는 자녀가 되도록 인도해 주십시오. 정복당하고 다스림을 당하거나 어디에 매여 노예로 살지 않게 하시고 온전하게 만물을 다스리게 하는 권세를 주옵소서.

온 땅에 아름다운 이름이 되신 예수님의 이름으로 기도합니다. 아멘.

# Keep them on your holy mountain

January
11

LORD, who may dwell in your sanctuary? Who may live on your holy hill?　　　Psalm 15:1

O Lord, thank you for the weather today and for giving us our daily bread. Thank you that the eternal joy and gladness of the Lord's holy mountain can be experienced even in this world. Help us to share this joy with our neighbors by blessing them with the Gospel message.

Thank you for loving these children and keeping them on your holy mountain. Guide them so their actions may always be truthful, their hearts may be sincere, and they may dwell on your holy mountain with gladness. Give them the desire to dwell in your sanctuary. Help them to experience joy, gladness, peace, comfort, happiness, and rest on your holy mountain. May they know their greatest blessing to be abiding in the Lord.

We pray in the name of Jesus, Amen.

### 주의 성산에 거하게 하소서

　　하나님 아버지, 좋은 날씨를 주시고 일용할 양식을 주시니 감사드립니다. 언제나 기쁘고 즐거운 주의 성산의 행복을 이 땅에서도 누리게 하시니 감사를 드립니다. 이 성산의 즐거움을 이웃과 나누게 하시며 이 성산의 축복으로 그들을 인도할 수 있도록 도와주십시오.

　　또한 하나님께서 이 아이를 사랑해 주시고 주의 집에 거하게 하시니 감사합니다. 언제나 정직하게 행하며, 마음의 진실을 말하는 자녀가 되게 하시며, 즐거움으로 주의 집에 거하는 자가 되게 하옵소서. 우리 자녀가 주의 장막에 유하기를 원하는 자가 되게 하시며, 주의 장막에서 모든 것을 누리며 살게 하옵소서. 주의 성산에서 주시는 기쁨, 행복, 평화, 위로, 즐거움, 쉼, 이 모든 것을 누릴 수 있도록 도와주십시오. 주님을 바라보며, 주님과 동행하며, 주님을 호흡하며, 주님의 임재를 언제나 체험하는 사랑하는 자녀가 되도록 복 주옵소서. 어떤 것보다도 주님과 함께 사는 삶을 가장 큰 복으로 알게 하옵소서.

　　예수님의 이름으로 기도합니다. 아멘.

# Give them love for their neighbors

and has no slander on his tongue, who does his neighbor no wrong and casts no slur on his fellowman.

Psalm 15:3

O God of love, thank you that we can be in fellowship with you today, knowing that you watch over us. Thank you for your grace that this day comes with sufficient provisions from the Lord. Guide our family to know that all these blessings are from you, and may our gratitude and praise be always overflowing.

God of love, may our children increasingly resemble your image. May they live as people of God and be the example of Jesus for their neighbors. When they speak, make their tongues full of reverence so that only the love and the meekness of the Lord may flow out. Help them to overcome evil with good. May they reveal the goodness and the truth of the Lord in their lives.

We pray in the name of Jesus, Amen.

## 이웃에게 악을 행하지 않게 하소서

사랑의 하나님, 오늘 하루를 주님과 동행하게 하시며 주님이 눈동자와 같이 지켜 주시니 감사합니다. 오늘에게 필요한 모든 것을 채워 주셔서 하루의 생활이 주님으로 인해 부족함이 없도록 하신 은혜를 감사드립니다. 이 모든 것이 주님으로부터 오는 복인 것을 우리가 알게 하시며, 항상 감사와 찬양이 넘치는 가정이 되도록 인도해 주십시오.

사랑의 하나님, 우리 아이가 주님을 닮게 도와주십시오. 그래서 언제나 주님의 사람으로 생활하게 하시고 이웃에게 주님의 향기를 전하는 사람이 되게 도와주십시오. 언제나 경건한 혀가 되게 하시며 말을 할 때에 주님의 사랑과 온유가 흘러나오게 도와주십시오. 그래서 친구에게나 이웃에게나 가까운 이들에게 악을 행하거나 훼방하지 않는 자가 되게 도와주십시오. 모든 이들에게 주님의 선함을 나타낼 수 있도록 도와주시고, 오히려 악을 선으로 이김으로 이웃에게 선과 진실로 행하게 하옵소서.

예수님의 이름으로 기도합니다. 아멘.

**55**

# Keep us from willful sins

Keep your servant also from willful sins; may they not rule over me. Then will I be blameless, innocent of great transgression.

Psalm 19:13

Holy Lord, thank you for providing for all of our needs today. Thank you for guarding us against sin through your holy presence. Lord, there are times when we sin against you knowingly and sometimes unknowingly. We know that our children sin against you many times and their faults are hidden. Please, forgive them for sinning against you and be their refuge.

Lord, you are our righteousness. Help us to discern what is evil and what is good. Lord, protect our children from willful sins. Protect them from the heaviness of heart that comes from sinning against you. Help them to live before God sincerely and truthfully. Protect them from the influence of sinners and cleanse their sinful hearts so they may be pure. Keep them from the seat of the wicked so they may not be swept away with sinners.

We pray in the name of Jesus, who is our rock. Amen.

 고범죄를 짓지 않게 하소서

거룩하신 하나님, 오늘도 부족한 우리들에게 필요한 모든 것을 채워 주시고 부족함이 없도록 인도해 주시니 감사드립니다. 또한 우리로 하여금 죄를 짓지 아니하도록 주님의 거룩함으로 지켜 주시니 감사드립니다. 우리들은 이 세상에서 알고도 죄를 범하고 모르고도 잘못하는 경우가 너무나 많습니다. 우리 아이들도 모르고 짓는 죄악이 많이 있습니다. 모르고 짓는 모든 죄악으로부터 주님이 피난처가 되어 주시며 하나님이 보시기에 악한 죄들을 용서해 주시옵소서.

우리의 의(義)가 되시는 주님, 어떤 것이 하나님께 죄악인지 깨닫게 도와주시고, 알면서도 죄악을 범하는 아이가 되지 않도록 지켜 주십시오. 이러한 죄들로 인해 마음의 무거움을 갖고 살지 않도록 지켜 주십시오. 언제나 정직하고 성결하게 주님 앞에서 살게 하시고, 범죄하는 자리로부터 안전하게 지켜 주시며 죄악을 범하는 마음까지도 성결하게 씻어 주십시오. 죄악의 자리에 있다가 범죄자로 몰리지 않도록 보호해 주십시오.

우리의 반석이 되신 예수님의 이름으로 기도합니다. 아멘.

# Remember the Lord in times of distress

May the Lord answer you when you are in distress; may the name of the God of Jacob protect you.

Psalm 20:1

O Lord, we praise your name. Thank you for being with us today in all of our ways. Thank you for helping our children to understand their lessons at school. Thank you for giving them good friends and for teaching them to share. Lord, help our children to pray for their friends.

Lord, you are our help at all times. Guide our children to seek your help, especially when they are in distress. Help them to remember the Lord their God, who always answers their cries for help. Help them to know that when they are in distress, you are their only fortress and refuge. Lord, be the strength of our children.

We pray in the name of Jesus, Amen.

### 어려울 때에 주를 기억하게 하소서

할렐루야! 주님의 이름을 찬양합니다. 오늘도 우리 가정의 주가 되어 주시고 아이가 일할 때에도, 공부할 때에도, 친구와 놀 때에도 지켜 주시고 함께해 주시니 감사드립니다. 또한 선생님을 존경하며, 가르쳐 주시는 모든 것을 잘 이해하게 하시니 감사드립니다. 친구들과도 사이좋게 지내게 하시고, 자신이 갖고 있는 것들을 친구와 관대하게 나누어 갖게 하시니 감사를 드립니다. 친구를 위해 기도할 수 있는 자녀가 되도록 축복해 주십시오.

언제나 우리의 도움이 되시는 주님, 우리 자녀도 또한 항상 주님의 도움을 구하는 자녀가 되게 해주십시오. 특히 어려울 때마다 주님을 기억케 하시며, 부르짖을 때에 주님이 응답해 주시고 인도해 주시는 분임을 알게 해주십시오. 언제나 주님께 피하고 주님을 피난처로 삼게 하시며 주님을 사랑하는 자가 되게 해주십시오. 주님만이 요새요 피난처 되시며 길이 되시며 해결이 되심을 믿게 해주시옵소서. 언제나 우리 자녀에게 근본적인 힘이 되어 주옵소서.

예수님 이름으로 기도합니다. 아멘.

# Be our shepherd

The Lord is my shepherd, I shall not be in want.                              Psalm 23:1

Dear Lord, thank you for being our shepherd and for giving us everything we need for today. You comfort us when we are lonely and lead us to green pastures to rest. Lord, no one in this world can take care of us like you. Thank you for watching over us without slumber and for guiding us to the water of life.

Dear Lord, we ask you to be our children's shepherd so they may not lack anything in you. Please, be their strength when they are in distress and things aren't going well for them. Lord, Give them the blessings of your presence so they may never be in want. Give them faith that you are with them even when they walk through the valley of the shadow of death. Give them faith that you provide for all of their needs. Lord, help our children to follow their true shepherd in obedience.

We pray in the name of Jesus, Amen.

## 목자가 되어 주소서

우리의 목자가 되시는 주님, 오늘도 저의 목자가 되셔서 필요한 모든 것을 공급해 주셨음을 감사드립니다. 우리가 외로울 때 함께해 주시고 편안히 쉬게 하시며 언제나 푸른 초장으로 인도해 주시니 감사합니다. 이 세상의 어느 누구도 주님과 같은 사랑으로 우리를 돌볼 수 있는 자가 없음을 고백합니다. 졸지도 아니하시고 우리를 생명의 강가로 인도하시는 분은 오직 주님뿐이신 것을 감사드립니다.

사랑의 하나님, 당신께서 직접 우리 자녀의 목자가 되셔서 부족함이 없도록 인도해 주옵소서. 어려울 때에도, 힘들 때에도, 외로울 때에도 우리 자녀에게 힘이 되어 주시고 목자가 되어 주시옵소서. 그래서 이 세상 어느 곳에서도 부족함이 없는 복을 누리며, 주님과 동행하는 복을 누리게 하옵소서. 사망의 음침한 골짜기를 걸을 때에도 주님이 동행하심을 믿게 하시며, 주님께서 우리에게 필요한 모든 것을 공급해 주시는 분이심을 믿게 하옵소서. 온전히 주님께서 인도하는 대로 순종하며 따라가는 자녀가 되게 도와주십시오.

예수님의 이름으로 기도합니다. 아멘.

# Teach us your way

Show me your ways, O Lord, teach me your paths;                    Psalm 25:4

January
**16**

Lord, you are our eternal teacher. Thank you for leading us to follow your way. Although we learn many things at school, your wisdom is eternal. Thank you for choosing our family to walk in your ways. Help our children to be steadfast in their walk with the Lord even from an very young age. Help us to teach our children the ways of the Lord.

Lord, please train our children to see your ways and learn your paths. There are many ways in the world that beckon our children, but help them to discern and choose only the ways of the Lord. You lead those who are meek and gentle, and you teach them your ways. Lead our children also in the ways of your truth, and may the word of God be a lamp unto their feet. Lord, only your ways are righteous and good. Only your ways lead to victory. They are like building a house on solid rock. Help them to find and enter through the narrow gate.

We pray in the name of Jesus, who guides us in the ways eternal. Amen.

### 주의 도를 가르치소서

우리의 영원한 스승이 되시는 주님, 오늘도 주님의 도를 따라 살게 하시고 그 길에서 형통하고 안전하게 하심을 감사드립니다. 학교에서도 귀한 진리와 지혜를 배우지만 주님이 가르쳐 주신 길은 영원하고 천국에 이르는 길임을 압니다. 우리 가정을 오래 전부터 선택해 주셔서 이 길을 걷게 하시는 은혜에 감사드립니다. 어렸을 때부터 배운 주님의 도리가 일생을 통해 우리 자녀들에게 등불이 되게 해주십시오. 우리들이 그러한 주님의 도를 가르치는 부모가 되도록.축복해 주십시오.

우리의 영혼을 밝히시는 주님, 사랑하는 우리 자녀에게 주님의 길과 도를 가르치시고 교훈을 주십시오. 세상에서 많은 길들이 우리 자녀들을 유혹하지만 주님의 도를 가르쳐 주셔서 분별하게 해주십시오. 주님은 온유한 자를 공의로 지도하시며 온유한 자에게 주님의 도를 가르치십니다. 우리 자녀에게도 주님의 모든 진리의 길로 인도해 주시고 주님의 말씀이 영원한 등불이 되게 해주십시오. 그 길만이 가장 의로운 길이며 형통한 길임을 알게 하소서. 그 길만이 승리의 길이며 반석 위에 집을 짓는 것과 같은 길임을 알게 하옵소서. 그러나 그 길이 좁고 협착(狹窄)한 길인 것도 알게 하옵소서. 영원한 길이 되신 예수님의 이름으로 기도합니다. 아멘.

# Keep them from deceitful people

January
17

I do not sit with deceitful men, nor do I consort with hypocrites.                    Psalm 26:4

God of bountiful love and mercy, thank you that you are a good friend to our children. Thank you that they have made good friends at church and at school. May our children have the blessings of friendship so there may be love and fellowship in their lives. May they learn to pray for their friends that they too may follow God's way.

Lord, may our children have friends who truly rejoice in the Lord. May they never associate with those who are deceitful and hypocritical. May they befriend only the sincere and never those who lead others to sin. May they never sit with the deceitful and sin against the Lord. Another things, Lord, may they also contribute to the spiritual growth of whomever they may meet, and may the Lord bless all their gatherings. We trust that you know who would make the most blessed friends for them. May they grow in spirit through each other.

We pray in the name of Jesus, Amen.

## 허망한 사람과 같이 앉지 말게 하소서

사랑과 자비가 풍성하신 주님, 우리 아이에게 좋은 친구가 되어 주셔서 감사합니다. 그리고 학교에서나 교회에서나 주님이 기뻐하시는 친구를 사귀게 하시니 감사드립니다. 우리 자녀가 좋은 친구를 만나는 축복을 주셔서 만나는 모든 친구들이 아름다운 사랑과 우정을 나누게 하옵소서. 그리고 친구들을 위해 기도할 수 있는 자녀가 되도록 도와주십시오. 친구들이 주님의 도를 따라 살 수 있도록 기도하는 자녀가 되도록 인도해 주십시오.

우리의 친구가 되어 주시는 주님, 저희 자녀들이 정말 주님이 기뻐하시는 친구들을 만나게 하시며 악한 자와 허망한 자, 간사한 자들과 동행하지 않게 도와주십시오. 언제나 진실한 친구와 이웃하게 하시며 죄악으로 인도하는 이웃들과 같이 앉지 않게 도와주십시오. 허망한 자들과 앉아서 주님께 악을 행하지 않게 하옵소서. 또한 만나는 이마다 우리 자녀에게 믿음의 성장을 줄 수 있는 이웃들이 되게 하시며 하나님께서 모든 만남의 기회를 축복해 주십시오. 주님께서 어떤 친구가 가장 귀한 친구인지 아시는 줄 믿사오니 그러한 친구들을 통해 인생이 성숙하게 도와주십시오. 예수님의 이름으로 기도합니다. 아멘.

# Do not hide your face from them, Lord

January
18

Do not hide your face from me, do not turn your servant away in anger; you have been my helper. Do not reject me or forsake me, O God my Savior.                    Psalm 27:9

O God of love, all glory and honor to you. You watch over us daily, and you keep us in your wonderful grace and love. May you receive all the glory. May all those who have breath praise you, and may our family praise and give you thanks always. We pray especially for our children. May they grow to give you their chief honor and glory.

Lord, please have mercy on our children. Be with them wherever they are and at all times. Watch over them, especially during times of trouble. Be their help and do not hide your face when they call out to you. May you always smile upon them, and may they have the conviction of your presence. Even when they do wrong, please forgive them. Do not hide your face when they seek your forgiveness so they may go boldly before the Lord.

We pray in the name of Jesus, Amen.

---

### 주의 얼굴을 숨기지 마소서

사랑의 하나님, 주님을 찬양하고 경배합니다. 매일 매일의 삶을 주관해 주시고 특별한 은총과 사랑으로 지켜 주셔서 감사를 드립니다. 주님 홀로 영광을 받으옵소서. 호흡이 있는 자마다 주님을 찬양하게 하시며 우리 가정이 찬양과 감사가 넘치는 가정이 되게 하소서. 특별히 우리 자녀들이 주님에게 최고의 경배를 드리며 주님에게 영광을 돌리는 자녀가 되도록 도와주십시오.

그리고 주님, 우리 자녀를 긍휼히 여겨 주십시오. 언제 어디서나 우리 자녀와 동행해 주시고 두려운 일이 일어날 때에도 주님께서 지켜 주옵소서. 언제나 우리 자녀에게 도움이 되어 주시고 우리 자녀가 주님을 향해 부르짖을 때에 주의 얼굴을 숨기지 마옵소서. 언제나 웃는 얼굴로 동행해 주시고 주님이 언제나 함께하시는 것을 피부로 체험하게 도와주십시오. 우리 자녀를 떠나지 마시며 언제나 따뜻한 사랑으로 감싸주옵소서. 잘못을 범하였을 지라도 자비로 용서해 주시고, 용서를 구하는 저의 자녀로부터 숨지 마시고, 그들이 담대하게 주님 앞으로 나아갈 수 있도록 도와주십시오.

언제나 친구가 되어 주시는 예수님의 이름으로 기도합니다. 아멘.

**61**

# Bless them with peace

The Lord gives strength to his people; the Lord blesses his people with peace.    Psalm 29:11

Hallelujah! Praise to Jehovah Shalom! We give thanks to the Lord who gives us peace in our minds and bodies and true Sabbath rest in the Lord. However, there were times today when our children felt troubled and uneasy because of temptations that came into their lives. They were hurt because of problems with their friends.

O Lord our strength, grant your peace to your children. May they have true peace in their hearts and true rest in the Lord. Above all else, take away their fear and anxiety. Lead them to green pastures where they can lie down in peace. May they have the assurance of your constant love and protection. May they relinquish all things to you. May they realize the great blessing of Shalom, the peace of God, which is everlasting and precious. Give them your strength and peace in their minds, bodies, and spirits.

We pray in the name of Jesus, Amen.

---

 **평강의 복을 주소서**

할렐루야! 여호와 살롬을 찬양합니다. 오늘도 마음과 몸이 모두 평강 가운데 거하게 하시며 주님 안에서 안식을 누리게 해주시니 감사합니다. 그러나 오늘 우리 자녀에게는 두려울 때도 있고 앞으로 다가올 시험 때문에 불안해할 때도 있었습니다. 또한 친구들과의 관계 때문에 마음 아픈 적도 있었습니다.

하지만 우리에게 힘을 주시는 주님, 우리 자녀에게도 평강의 복을 주시옵소서. 마음의 평강을 주시고 주님 안에서 쉼을 갖는 자녀가 되게 하소서. 무엇보다도 두려움과 불안을 거두어 주시고 주님께서 푸른 초장으로 인도해 주시고 편히 누울 수 있도록 인도해 주십시오. 언제나 주님이 인도하시고 도와주시는 것을 믿게 하시고 모든 것을 주님께 맡길 수 있는 자녀가 되게 도와주십시오. 또한 복 중에 가장 큰 복이 '살롬'임을 깨닫게 하시며 주님으로부터 오는 평강이 영원하고 가장 소중한 복임을 알게 하소서. 몸과 영혼과 정신이 모두 주 안에서 쉬고 힘을 얻는 자녀들이 되게 하옵소서.

예수님의 이름으로 기도합니다. 아멘.

# Turn their sadness into joy

You turned my wailing into dancing; you removed my sackcloth and clothed me with joy,

Psalm 30:11

Lord, you are the giver of true joy. Thank you that we can experience the joy that you give us today; you rejoice with us. You attended the wedding in Cana to share in their joy. Help us not to forfeit our joy through disobedience.

You are the source of all joy, O Lord. Do not turn your face away from us, for our hearts will be troubled. When you hear our prayers and give us your mercy, our sorrow turns to joy! When you comfort us, our joy overflows. May our children receive this kind of joy from you, this joy which is overflowing. May they discard their sackcloth and turn their sorrow into dancing. Despite the sadness and despair of their circumstances, may they have the solace and joy that comes only from you and share it with others.

We pray in the name of Jesus, Amen.

### 슬픔이 변하여 기쁨이 되게 하소서

우리에게 기쁨을 주기를 즐거워하시는 주님, 주님이 주시는 기쁨으로 인해 오늘도 즐거움과 낙을 누릴 수 있었음을 감사드립니다. 우리들과 즐거움을 함께 나누시기를 기뻐하시는 주님, 그래서 가나의 혼인 잔치에도 참석하신 주님, 우리가 불신으로 인해 기쁨을 잃어버리지 않게 하옵소서. 우리가 죄악을 범함으로 인해 기쁨을 잃어버리지 않게 하옵소서.

기쁨의 근원이 되시는 주님, 주님이 우리에게서 얼굴을 돌리시면 우리의 슬픔과 근심이 늘어납니다. 그러나 주님께서 우리의 기도를 들으시고 우리를 긍휼히 여기실 때에는 우리의 슬픔이 변하여 기쁨이 됩니다. 또한 주님께서 위로해 주실 때 기쁨이 넘치게 됩니다. 사랑하는 우리의 자녀에게도 이러한 기쁨이 넘치게 하옵소서. 슬픔의 옷을 벗고 기쁨으로 웃고 춤을 추는 복을 허락하옵소서. 주위의 환경이 슬프고 절망적일 때에도 하늘의 위로와 기쁨으로 복을 누리게 하시며 이러한 기쁨을 이웃에게도 나누어주는 자가 되게 해주십시오.

예수님의 이름으로 기도합니다. 아멘.

# January 21

## Forgive them their sins

Blessed is he whose transgressions are forgiven, whose sins are covered.　　　Psalm 32:1

You are the source of all life, O Lord. Thank you so much for the precious children that you have given to our family. Thank you that through our children, we witness the miracle of life, and we learn to share love and joy. We are so thankful whenever we see their faces. Thank you for using us as missionaries and teachers to our children.

Lord, you are glad to forgive us. Please do not remember, but forgive, our sins. Please Help our children to be pleasing to the Lord in their actions. Do not remember the sins for which they have repented. If they stray away, give them wisdom to turn from their wrong path. When they are disobedient, give them the grace of repentance and restoration. Help them to meet their Lord with pure hearts and actions.

We pray in the name of Jesus, Amen.

### 죄 가리움을 받게 하소서

생명의 근원이신 하나님, 우리 가정에 이렇게 귀한 자녀를 주심을 감사드립니다. 자녀를 통해 하나님의 생명의 신비를 체험하게 하시고 사랑과 기쁨을 나누게 하시니 감사를 드립니다. 오늘 하루도 자녀들의 모습을 보면서 느끼는 모든 행복에 대해 주님께 감사를 드립니다. 우리들을 자녀들을 향한 선교사로, 주님의 대리인으로 세워 주심도 감사를 드립니다.

우리를 용서해 주시기를 기뻐하시는 주님, 우리들이 살아가면서 짓는 모든 죄악들을 기억치 마시고 죄를 가리워 주옵소서. 또한 주님이 보시기에 합당하게 행동하는 자녀가 되게 하시며 주님에게 정죄를 당하지 않는 자녀가 되게 하옵소서. 무엇보다도 주님은 회개한 죄를 더 이상 기억하시지 않는다고 하셨사오니 그 복을 우리 자녀들에게도 주옵소서. 무엇보다도 우리 자녀들이 하나님이 기뻐하시지 않는 것들을 깨달아 알게 도와주십시오. 또한 우리 자녀들이 죄악을 범하였을 때에 주님께 자복하는 은혜도 주옵소서. 경건하고 깨끗한 말과 행동으로 주님을 만나는 복도 누리게 하옵소서. 예수님의 이름으로 기도합니다. 아멘.

# Give them the joy of the Lord

Sing joyfully to the Lord, you righteous; it is fitting for the upright to praise him.          Psalm 33:1

Thank you for the joy you have given us today. Your desire for us is to feast daily in your grace. Thank you for the delightful time we shared with our children today. Thank you that we can find joy in the Lord through our family. May we experience the divine joy of heaven and also the abundant joy of earth. May joy overflow in our family life.

Lord, you are the God of history. Many things in this world seduce our children with decadence and indulgence. Worldly pleasures seek to seduce their eyes and ears. There are also those temporary pleasures that can make them forget painful circumstances. The world offers dark and corrupt pleasures all around us. However, these things are not good for our spiritual life, so help our children to find joy and pleasure only in the Lord and in praising him. Help them to earnestly seek the word of God and find their mission in Jesus Christ. Help them to find joy in the eternal things.

We pray in the name of Jesus, Amen.

## 주님을 즐거워하게 하소서

오늘도 즐거움을 주신 주님, 그리고 우리가 날마다 잔치하는 인생을 살기를 원하시는 주님, 저와 우리 아들딸이 하루를 유쾌하고 즐겁게 살게 하심을 감사드립니다. 특별히 주님 안에서 그리고 가정 안에서 즐거움을 누리게 하시니 감사를 드립니다. 하늘의 신령한 기쁨, 땅의 풍족한 기쁨을 두루 누리며 살게 하시고 또한 가정에서도 즐거움이 넘치게 도와주옵소서.

새로운 세기를 주관하시는 역사의 하나님, 이 세상에는 우리 자녀들을 유혹하는 많은 쾌락들이 있습니다. 눈으로, 귀로 육체에 세속적인 즐거움을 주는 것들이 많이 있습니다. 순간적으로 고통을 잊기 위해 주는 즐거움들도 있습니다. 어둡고 부패한 즐거움들이 우리 주위에 너무도 많이 있습니다. 그러나 이런 것들은 우리 영혼에 아무 도움도 되지 못하는 것을 아오니 우리 자녀들은 주님만을 즐거워하게 하시며 주님만을 찬송하게 하옵소서. 주님의 말씀을 사모하게 하시며 그리스도를 기업으로 받는 자녀가 되도록 인도해 주옵소서. 영원한 것을 즐거워하는 자녀가 되게 해주십시오. 예수님의 이름으로 기도합니다. 아멘.

# May they boast in the Lord

My soul will boast in the Lord; let the afflicted hear and rejoice.

Psalm 34:2

O Lord, thank you for watching over us and our children today. You watch over us faithfully because you do not slumber. Thank you for watching over the safety of our children and protecting them from hidden dangers. Thank you for watching over their health and their coming and going. Thank you for the friendships they share at school.

Eternal glory to You, O Lord, Almighty. We lift Your name on high. Help our children to uplift and praise the name of the Lord. Help them to rejoice in the Lord and to boast in your holy name. May they also boast of the Lord to others so that those who do not know you may come and find refuge in you. Help them to be like the Apostle Paul, who boasted only in the Lord and not in the things of this world.

We pray in the name of Jesus, Amen.

## 주님을 자랑하게 하소서

하나님, 오늘도 저와 우리 자녀를 지켜 주시고 동행해 주셔서 정말 감사드립니다. 우리가 어디에 있든지 주님이 졸지도 않으시고 눈동자와 같이 지켜 주심을 믿습니다. 특별히 우리 자녀에게 안전한 하루가 되게 하시고 모든 위험한 순간으로부터 지켜 주셨음을 감사드립니다. 또한 건강을 지켜 주시고 학교로 오가는 길을 안전하게 지켜 주셔서 감사를 드립니다. 학교에서도 친구들과 아름다운 우정을 누리게 하시니 감사를 드립니다.

영원히 영광 받으실 주님, 주님의 이름이 얼마나 광대하시고 위대하신지요. 저희 자녀들이 그 이름을 높이며 찬양하게 도와주십시오. 주님을 즐거워하는 자가 될 뿐만 아니라 주님의 이름을 높이며 자랑하는 자가 되게 도와주옵소서. 그 자랑의 소식을 듣고 곤고한 자들이 기쁨을 누리며 주님께 피할 수 있도록 도와주십시오. 우리 자녀의 영혼이 온전히 주님을 자랑하며 기뻐하게 해주십시오. 사도 바울과 같이 오직 그리스도만을 높이고 자랑하게 하시며 다른 세상의 것들을 자랑하지 않게 도와주십시오.

예수님의 이름으로 기도합니다. 아멘.

# May they commit their ways to the Lord

Commit your way to the Lord; trust in him and he will do this: He will make your righteousness shine like the dawn, the justice of your cause like the noonday sun.                    Psalm 37:5-6

How right it is to give you glory and praise, O Lord. Our hearts rejoice as we lift you up in our praises. Thank you that our children can study during the day and have good rest at night. Help them to find true peace in the Lord, physically and spiritually. Our trust is once again in you; may you watch over them as they sleep throughout the watches of the night.

Lord, you are the way. Give our children hearts that trust in you. Help them to commit all their ways to you whether they are small or great. Help them to trust in the Lord in all things and teach them to wait for the Lord's timing through prayer so they may experience the ultimate victory. May they also experience the amazing work of the Lord as they learn to commit their lives to him as evidence that they belong to the Lord.

We pray in the name of Jesus, Amen.

---

 **주를 의뢰하게 하소서**

영광을 받으시기에 합당하신 주님, 밤이 깊어지면서 주님을 찬양하며 주님으로 인해 즐거움을 누립니다. 낮에는 건강하게 공부할 수 있도록 지켜 주시고 이제 밤이 되어 쉬게 하시니 감사를 드립니다. 언제나 몸과 마음이 주님 안에서 평화를 누릴 수 있도록 도와주십시오. 오늘도 주님께 모든 것을 의뢰하고 맡기며 잠이 드오니 저희의 생명을 밤새 지켜주시옵소서.

우리의 길이 되시는 주님, 우리 자녀에게도 주님을 의뢰하는 마음을 주옵소서. 작은 일에서 큰 일에 이르기까지 언제나 범사에 주님을 의뢰하는 자가 되게 도와주십시오. 범사를 온전히 주님께 맡기는 복을 허락해 주셔서, 주님께서 일하시도록 기도로 동역하게 하시며 의뢰하게 도와주십시오. 그러므로 주님 안에서 형통하는 자가 되게 하시며, 또한 주님의 때를 기다리고 인내하게 하시어 최후의 승리를 누리게 해주십시오. 주님을 의뢰하였을 때에 얼마나 놀랍게 주님이 역사하시는가를 체험할 수 있는 축복도 허락해 주십시오. 그리하여 이웃에게 주님의 사람임을 증거할 수 있게 해주십시오.

예수님의 이름으로 기도합니다. 아멘.

# January 25

# Keep their tongues from sin

I said, I will watch my ways and keep my tongue from sin; I will put a muzzle on my mouth as long as the wicked are in my presence.

Psalm 39:1

Glory and honor to you, O Lord. Thank you for watching over our children at school today and for letting them find true rest in your heart tonight. Teach them wisdom at school, and help them to grow daily in the knowledge of your teachings. Guide them to remain in you and to live in obedience to your word.

Creator God, thank you for giving us the privilege of expressing our thoughts through speech. All things were created through your Word. You raised Lazarus from the dead through your word. Help us to not sin against you with our words. Although it is the smallest of the body parts, the tongue possesses the greatest power. Help our children to control their words so they may be used only to praise God and to share God's love with their neighbors. May their words also have the power of creation and the power to revive those who have fallen into despair. May their words bless those in distress so their sorrows may turn to joy. Bless the words of their lips and may they follow through with action.

We pray in the name of Jesus, Amen.

### 혀로 범죄치 않게 하소서

우리의 경배를 받으시는 주님, 오늘도 학교에서나 길에서나 우리 자녀들을 안전하게 지켜 주시고, 오늘밤에도 주님 품안에서 쉬게 해주시니 정말 감사드립니다. 내일도 학교에 가서 많은 지혜를 배우게 하시고 매일매일 주님을 향해 자라나게 도와주옵소서. 날마다 주님과 동행하며 그 말씀에 순종하는 자녀들이 되도록 인도해 주옵소서.

창조주 하나님, 우리에게 말할 수 있는 특권을 주시고 매일매일 자신의 생각을 말로 표현하게 하심을 감사드립니다. 말씀으로 세상을 창조하신 주님, 말씀으로 나사로를 살리신 주님, 우리 자녀가 말과 행위에서 범죄하지 않게 해주세요. 가장 작은 혀이지만 가장 큰 능력을 갖고 있는 것을 우리가 압니다. 저희 자녀가 입술을 다스리는 자가 되게 하시며 그 입술로 주님을 찬양하며 이웃에게 사랑을 나누는 자가 되게 도와주세요. 그 입을 통해 나가는 말로써 창조의 역사가 일어나게 하시며 쓰러진 자들이 일어나는 능력의 혀가 되게 해주세요. 그러므로 입을 열 때마다 복된 입이 되게 하시며, 복된 말이 되게 하시며, 복된 행위로 연결되게 해주세요. 모든 곤고한 자들이 이 복된 말들을 듣기를 즐거워하게 도와주세요.

서기관보다 권세 있는 말씀을 주신 예수님의 이름으로 기도합니다. 아멘.

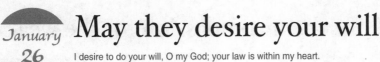

# May they desire your will

I desire to do your will, O my God; your law is within my heart.                Psalm 40:8

Lord, you are the owner of the whole universe. Thank you for giving us such precious children. Please give them good health with which to live in the midst of your blessings. You delight in teaching us your ways, O Lord, teach our children your laws and precepts so they may not sin against you. Teach them to discern your will.

O God of eternal mercy and benevolence, give our children the desire to do your will. Help them to obey your will, not from a sense of obligation, but simply from the desire to obey you. You are glad for obedience rather than sacrifice. You are pleased when we follow you will. May they obey you because they love you. May your name be lifted high as they obey you. Help us to be thankful for all these things.

We pray in the name of Jesus, Amen.

---

### 주의 뜻 행하기를 즐거워하게 하소서

온 우주의 주인이 되시는 주님, 우리 가정에 보화와 같은 귀한 자녀를 주셔서 감사합니다. 이 귀한 생명이 언제나 건강하고 하나님의 복을 누리며 살게 도와주옵소서. 우리에게 주님의 법을 가르치기를 기뻐하시는 주님, 먼저 우리 자녀에게 주님의 법과 뜻이 어떤 것인지 알게 도와주옵소서. 그래서 그 뜻을 범하는 실수를 하지 않게 하시며 그 뜻을 분별할 수 있는 아이가 되도록 해주옵소서.

인자와 자비가 영원하신 주님, 우리 자녀가 주님의 뜻을 행하는 것을 즐거워하게 하옵소서. 새해를 맞이하여 주님의 뜻을 행하는 자가 되게 하시며, 의무로 행하는 것이 아니라 그 법을 즐거워하여 그 안에서 행할 수 있는 힘을 주옵소서. 주님은 어떤 제사보다도 주님의 뜻에 순종하고 그 뜻을 행함을 더 기뻐하시는 것을 압니다. 주님을 사랑함으로 그 뜻을 행하게 하시며, 또한 그 뜻을 행함으로 주님의 이름을 높이는 자녀가 되게 해주십시오. 이 모든 것을 감사함으로 하게 해주십시오.

나사렛 예수의 이름으로 기도합니다. 아멘.

# Give them compassion for the weak

Blessed is he who has regard for the weak; the Lord delivers him in times of trouble.

Psalm 40:1

You are a helper to the weak, O Lord. Thank you for watching over our family and for covering our weakness with your mercy. Without your help, we cannot gain wisdom no matter how much we study. We need your help even when we are making friends. Please help our family, especially our children. Please give them good health.

Almighty God, You are pleased when we help the widows and the orphans, just as you have helped us. We know that you are pleased when we help and counsel those who are weak. May our children also have this kind of attitude. Help us to remember that there have been times when we were the ones in need of help. Teach them to lift up those who are weak and to help those in need through love. Help them to rely on the Lord in their own times of need and bless them with your redemption.

We pray in the name of Jesus, Amen.

### 빈약한 자를 돕는 복을 주소서

연약한 자를 도우시는 주님, 오늘도 우리의 모든 생활 속에서 가족들을 지켜 주시고, 우리의 연약함을 주님의 충만함으로 채워 주심을 감사드립니다. 우리들이 공부할 때에 주님이 도와주시지 않으면 어떠한 지혜도 깨달을 수 없음을 압니다. 그리고 친구와 사귈 때에도 주님의 도우심이 필요한 연약한 존재입니다. 우리 가정과 자녀들을 도와주십시오. 우리 자녀가 언제나 강건할 수 있도록 도와주십시오.

능력의 하나님, 주님이 우리를 도우신 것처럼 우리가 작은 자를 도우며 고아와 과부와 나그네 돕는 것을 주님은 기뻐하십니다. 또한 빈약한 자를 권고하며, 도움을 주며, 힘이 되어 주었을 때에도 기뻐하시는 것을 압니다. 저희 자녀에게도 이러한 복이 임하게 도와주옵소서. 우리도 나그네였으며, 이웃의 도움이 필요한 때가 있었음을 기억하게 하옵소서. 우리 자녀들이 사랑으로 어려움에 처한 이웃들을 도우며 빈약한 자들을 일으키게 해주십시오. 그래서 자신이 어려울 때에도 주님으로부터 도움을 받을 뿐만 아니라, 그 어려움으로부터 건지심을 받는 복이 임하게 도와주십시오.

예수님의 이름으로 기도합니다. 아멘.

# Teach them to yearn for the Lord

As the deer pants for streams of water, so my soul pants for you, O God.          Psalm 41:1

O God of love, thank you for watching over us today. Thank you for providing for our needs abundantly. Our lives are sustained because of your mercy. Help us to recognize this wonderful grace so we may not become foolish in our ingratitude. Teach our children to always have thanksgiving and praise on their lips for the Lord.

You are the source of all creation. Help our children to pant and thirst for your presence. There are so many people in the world who yearn for fame and riches; however, help our children to yearn and seek after the Lord. Help them to seek and hope for the eternal things. Help them to remember the Lord, whether it is night or day, so they may find true satisfaction in their hearts. Protect them from the dark temptations of this world. We pray especially that they may seek the Word of God.

We pray in the name of Jesus, Amen.

## 주님을 사모하게 하소서

사랑의 하나님, 오늘도 주님이 우리의 생활을 지켜 주시고 주인이 되어 주심을 감사드립니다. 그리고 오늘 필요한 모든 것들을 풍족하게 공급해 주심을 감사드립니다. 주님의 도우심으로 호흡하고 생명을 보존하게 하시니 감사드립니다. 그러나 주님이 도와주셨음에도 불구하고 그 은혜를 모르는 어리석은 자가 되지 않도록 도와주시기를 바랍니다. 언제나 주님의 은혜에 감사하고 찬양하는 자녀가 되도록 인도해 주십시오.

모든 만물의 근원이 되시는 주님, 저희 자녀가 주님을 사모하고 주님을 갈급하게 찾는 자가 되게 도와주십시오. 세상에는 부와 명예에 헐떡이며 나아가는 많은 무리들이 있습니다. 하지만 우리 자녀는 주님을 사모하고 주님을 찾는 일에 갈급할 수 있도록 도와주십시오. 영원한 것을 사모하게 하시며 영원한 것을 바라보게 도와주십시오. 낮이나 밤이나, 집에서나 밖에서도 주님을 기억하게 하시며 주님 한 분으로 만족하게 하옵소서. 세상의 것으로 유혹하는 많은 어두움의 세력으로부터 보호하해 주십시오. 특별히 말씀을 사모하고 나아가는 자가 되도록 인도해 주십시오.

예수님의 이름으로 기도합니다. 아멘.

# Be their God

Be still, and know that I am God; I will be exalted among the nations, I will be exalted in the earth.

Psalm 46:10

O God of mercy and love, thank you for another day and for providing for all of our needs. You are the Lord of our lives. Forgive us for not recognizing your grace. Forgive us for being unthankful and for complaining. Teach us so that thanksgiving and praise will always overflow our home. Help us to discern the source of all your blessings.

Lord, be the God of our children that they may truly worship you with everything in them. Teach them to exalt only you. Teach them to know that God is the Creator of the Heavens and the Earth. Be exalted, O Lord, in the praises of our children. In all things, whether small or large, may you receive the honor as their God. Help them to personally experience the true God in their lives.

We pray in the name of Jesus, Amen.

### 하나님이 되어 주소서

사랑과 자비의 하나님, 오늘 하루도 생명을 허락하셔서 지켜 주시고 필요한 모든 것을 공급해 주시니 감사드립니다. 우리의 주인이 되어 주시는 주님, 주님의 은혜를 모르는 우리들을 용서해 주십시오. 범사에 감사하지 못하고 불평하는 우리들을 용서해 주시고, 우리 가정에서는 언제나 감사와 찬양이 넘치게 도와주십시오. 하나님이 베풀어 주시는 은혜가 어디로부터 오는 것인지 분별하게 도와주십시오.

우리의 하나님이 되시기를 원하시는 주님, 우리 자녀에게 하나님이 되어 주십시오. 온전히 우리 자녀가 몸과 마음을 드려 섬기는 하나님이 되어 주십시오. 그래서 하나님께서 우리의 하나님 됨을 알게 하시며 하나님만을 높이는 자녀가 되게 도와주십시오. 온 천하를 창조하시고 다스리시는 분은 오직 하나님뿐이심을 알게 해주십시오. 우리 자녀로부터 경배를 받으시고 높임을 받아 주십시오. 작은 일로부터 큰 일까지, 범사에 주님을 하나님으로 경배하게 해주십시오. 그래서 하나님께서 하나님 되심을 체험하는 자녀가 되도록 인도해 주십시오.

세상을 다스리시는 예수님의 이름으로 기도합니다. 아멘.

# Give them the joy of salvation

Restore to me the joy of your salvation and grant me a willing spirit, to sustain me.

Psalm 51:12

You are the source of all joy, O Lord. Thank you for providing for all of our needs and for sustaining our joy through your blessings. Thank you for watching over our children as they may go safely to and from school in good health. Help them to be sons and daughters who care for and show the love of Jesus to others. Help them to realize that all joy comes only from the Lord.

You are the source of life, O Lord. Thank you for your salvation and giving us eternal life. Please help our children to know the joy of salvation, which springs from your grace. Help them to share this joy with their friends. Give them health in their spirits, minds, and bodies through the assurance of your salvation. May they sing and dance with joy in the Lord.

We pray in the name of Jesus, Amen.

---

### 구원의 즐거움을 주소서

즐거움의 근원이 되시는 하나님, 언제나 우리가 행복한 삶을 누리게 하시고, 그 행복한 삶에 필요한 모든 것을 공급해 주시니 감사드립니다. 학교에서도 건강하고 안전하게 배울 수 있도록 지켜 주시고 숙제도 잘할 수 있도록 도와주셔서 감사드립니다. 학교에서 서로 돕고 사랑하여 주님의 마음을 전하는 딸과 아들이 되게 도와주시고, 모든 즐거움이 주님으로부터 나오는 것을 알게 하옵소서.

생명의 근원이 되시는 주님, 우리에게 구원을 베푸사 영원한 생명을 누리게 하시니 감사합니다. 사랑하는 우리의 자녀에게도 구원의 즐거움으로 매일 웃으며 기뻐하며 살게 하옵소서. 모든 삶의 기쁨이 구원의 즐거움으로부터 나오게 하시며, 이 즐거움을 이웃과 나누게 도와주십시오. 구원의 즐거움으로 인해 몸과 혼과 영이 모두 건강하고, 주님의 품안에서 쉬며 노래하며 춤추는 영혼이 되게 해주옵소서.

예수님의 이름으로 기도합니다. 아멘.

# Give them satisfaction in their souls

My soul will be satisfied as with the richest of foods; with singing lips my mouth will praise you.
Psalm 36:5

Y ou are the Lord of all creation, O God. Thank you for providing for all of our needs and for giving us true rest in our souls. You lead us to quiet waters and give us a Sabbath rest. Thank you for giving us our children, who fill our hearts with joy. Thank you for giving our children good health. Help them to grow before the Lord.

You are the bread of life, O Lord. Give our children the satisfaction of the Lord in their souls. Bless them with all things in their spiritual and physical lives and teach them to live a life of praise. Give them the spirit of joy as they hide in the shadow of your wings all the days of their lives. Just as you sent manna in the wilderness, may our children receive spiritual manna so their souls may be satisfied in the wilderness of this world. Help them to walk with you as they sing and rejoice. Give them the beautiful experience of walking with the Lord while they are pilgrims in this world.

We pray in the name of Jesus, Amen.

## 영혼이 만족하게 하소서

만물의 주인이 되시는 하나님, 우리에게 필요한 모든 것을 공급해 주시고 우리의 영혼이 쉴 만한 물가에서 안식하게 하시니 감사를 드립니다. 사랑스러운 자녀를 주심으로 우리의 마음이 항상 기쁨으로 충만한 것을 감사드립니다. 또한 우리 아들딸에게 건강을 주셔서 온 가정의 즐거움이 되게 하시니 감사합니다. 우리 자녀들이 주님 안에서 항상 성숙하게 자라나도록 도와주옵소서.

우리에게 생명의 떡이 되어 주시는 주님, 사랑하는 우리 자녀에게 영혼이 만족하는 복을 주옵소서. 영혼이 잘됨으로 범사가 잘되는 축복이 임하게 하시며 그 만족함으로 언제나 주를 찬송하며 살게 하소서. 그러므로 "주의 날개 그늘에서 즐거이 부르는" 심령이 되게 하시며 그러한 만족이 '평생' 에 넘치도록 인도해 주옵소서. 광야에서 만나를 내려 주셨던 것처럼, 광야 같은 인생에서 만족스러운 영의 양식을 보내 주옵소서. 인생을 걸어가는 동안 노래하며 즐거워하며 주님과 동행하도록 인도해 주옵소서. 그러므로 비록 인생은 나그네요 순례의 길이지만 아름다운 동산을 거니는 즐거움으로 넘치게 도와주옵소서. 예수님의 이름으로 기도합니다. 아멘.

*Parents' Prayers For* **February**

-Prayers for the blessings of good health-

The most basic physical needs for our children are safety and good health.
They need to be healthy physically, emotionally, and spiritually.

Included in his salvation plan is Gods providence of harmony and healing.
That is why He is called "Jehovah Rophe" which means The "Lord Who Heals."
Bless your children in the Name of the Lord, Jehovah Rophe,
that their lives may overflow with good health, life, and safety.

We must remember as we pray that God desires good health for our children.
Not only so, he delights to bless their health.
God desires for all his children to be healthy and happy.

### 자녀를 위한 2월의 축복 기도

- 건강을 위한 축복 기도 -

자녀들에게 필요한 것은 안전과 건강입니다.
이러한 건강에는 육체적인 것, 정신적인 것, 그리고 영적인 것이 있습니다.

주님은 이 모든 것이 조화를 이루며 치유 받는 것을 온전한 구원의 일부로 보셨습니다.
그래서 주님은 자신의 이름을 "여호와 라파"로 계시하셨습니다.
이러한 주님의 이름으로 자녀들을 축복하십시오. 그러면 자녀들에게 건강, 생명, 안전이 넘칠 것입니다.

그리고 우리가 기도하면서 기억해야 할 것은 우리 주님은 자녀들이 건강한 것을 원하실 뿐만 아니라
건강을 주시기를 기뻐하시는 분이라는 것입니다.

여러분의 자녀들이 건강하기를 소원하는 것보다 더욱 큰 소원이 하나님께 있습니다.
그것은 생명을 누리는 모든 사람들이 건강하고 행복하기를 원하시는 하나님의 소원입니다.

# February 1 — Blessings of longevity and health

The fear of the Lord adds length to life, but the years of the wicked are cut short.

Proverbs 10:27

Thank you, O Lord, for loving our family and for watching over us day by day. Thank you for our children's school life and for giving them wisdom. Be with us, O Lord, even as we breathe, and in all the things that we do during the day. Thank you for watching over us and protecting us, especially during the dangerous times. May you receive glory through our family.

Lord, we pray for good health, and long lives for our children. Give them the blessings of a relationship with God, obedience to him, and the blessings of longevity. Give them good health so they may maintain and care for the life that you have given them.

We pray in Jesus name, who is the source of all life. Amen.

---

### 건강, 장수의 복을 주소서

우리 가정을 사랑해 주시는 주님, 언제나 우리에게 건강한 하루하루를 주시고 눈동자와 같이 지켜 주시니 감사드립니다. 특별히 우리 자녀들이 학교생활에서나 친구관계에서 건강한 만남을 유지하게 하시며 언제나 지혜를 주심으로 함께하시니 감사드립니다. 숨을 쉬는 모든 순간에 우리와 동행해 주시며 우리 자녀들과 함께해 주옵소서. 오늘도 위험한 순간이 있었지만 주님이 지켜 주셨음을 감사드립니다. 우리 가정을 통해 영광 받아 주옵소서.

주님, 우리 자녀들에게 하나님만이 주실 수 있는 생명, 건강, 장수를 허락해 주옵소서. 항상 건강을 누리게 도와주시고, 주님과 복된 관계를 누리게 하시며, 주님께서 순종하는 자, 효도하는 자에게 주시는 장수의 복도 누리게 하옵소서. 건강하게 장수하는 생명력이 넘치는 삶의 복이 우리 자녀에게 임하도록 도와주옵소서. 생명을 주신 주님께서 그 생명을 담을 수 있는 건강도 주옵소서. 그리고 허락하신 건강을 잘 유지하는 슬기로운 자녀가 되도록 축복해 주옵소서. 주님이 주신 건강과 생명을 보존하고 보호하는 자가 되도록 인도해 주옵소서.

생명의 근원이신 예수님의 이름으로 기도합니다. 아멘

# February 2

# Give us health for our bodies

My son, pay attention to what I say; listen closely to my words. Do not let them out of your sight, keep them within your heart; for they are life to those who find them and health to a mans whole body. Above all else, guard your heart, for it is the wellspring of life.          Proverbs 4:20-23

**M**erciful and benevolent Lord, thank you for giving us the necessary health to complete the day. Thank you for watching over our children at school, at home, and on the road. Thank you for listening to even the small prayers and for answering them.

We pray for the children's health because you are the source of all life. Please give them good health for all of their organs and body functions. Not only so, but give them good spiritual health and good mental health. Although we live in a world of injury, please give us speedy healing for all of our wounds. Even if we should get ill because we took poor care of our bodies, even then, Lord, grant us a strong immune system to overcome all illness. If we should happen to be in a serious accident and we need blood transfusion, Lord, please protect us from blood tainted from the AIDS virus.

We pray in the name of Jesus, Amen.

 **몸의 건강을 주소서**

인자하시고 선하신 주여, 오늘 하루도 건강하게 마칠 수 있게 하시니 감사드립니다. 우리 자녀들이 학교에서나 가정에서나 길거리에서나 주님의 보호하심 속에 안전하게 하루를 지내게 하셨으니 감사를 드립니다. 또한 작은 기도라도 기억하시고 응답해 주시고 인도해 주시니 감사를 드립니다.

생명의 근원이 되신 주님, 오늘은 특별히 아이들의 건강을 위해 기도합니다. 신체의 건강을 위해 기도합니다. 우리 아이 몸의 각 기관을 건강하게 하시며 육체의 건강함으로 정신과 영혼의 건강도 누리게 하시고 건강한 몸과 정신의 소유자가 되도록 도와주옵소서. 상처를 받으며 살 수밖에 없는 세상이지만 설혹 받게 되는 상처가 있더라도 건강하게 회복할 수 있도록 도와주시고, 건강 관리를 잘못하여 질병에 걸리게 되더라도 건강한 면역체계로 능히 이기도록 도와주옵소서. 위험한 순간을 만나서 수혈 받을 때가 온다고 할 때에 즉시 응급조치를 받을 수 있도록 인도해 주시며, 에이즈 바이러스가 없는 건강한 피를 수혈 받을 수 있는 축복도 허락해 주옵소서.

건강을 주시는 예수님의 이름으로 기도합니다. 아멘.

**77**

# Be healthy for God's Kingdom

**February 3**

The Lord will keep you free from every disease.

— Deuteronomy 7:15

O Lord, you are glad to give us good health. Thank you for our family's health and helping us so we can work and study hard today. Thank you for our daily bread for the nourishment of our bodies. There are many in this world who are dying of starvation. May the day come when all the people of the world will no longer hunger but feast together. We pray especially for the starving children in Africa and North Korea. Please relieve them of their suffering and give them sustenance.

O God of life, you have given the blessings of old age to those you love. May we enjoy the blessings of a long life before we return to you. Give us the blessings of health in our family life, work life, and school life. May we use this good health, not to take advantage of others, but to help others and to further the territory of Your Kingdom. May we use our good health for the glory of God. Help our children to realize that they too must take care of their health to be used in God's Kingdom.

We pray in the name of Jesus, who gives us good health. Amen.

## 건강으로 주님의 나라를 위해 일하게 하소서

건강 주시기를 즐거워하시는 주님, 오늘도 우리 온 식구가 건강하게 살게 하시고 건강하게 일하고 공부하도록 도와주심을 감사드립니다. 또한 일용할 양식을 주셔서 몸에 필요한 영양을 공급 받게 하시니 감사를 드립니다. 이 세상에는 먹을 것이 없어서 죽어 가는 많은 생명들이 있습니다. 온 인류가 함께 맛있는 양식을 먹을 수 있는 날이 오도록 도와주옵소서. 특별히 북한에 있는 어린아이들의 건강을 지켜 주시고 풍성한 양식을 먹을 수 있도록 도와 주옵소서.

생명의 주님, 주님께서는 사랑하는 자에게 장수의 축복을 허락하셨습니다. 수를 다 누리고 주님께로 돌아가는 축복을 주소서. 언제나 건강하게 직장생활, 가정생활, 학교생활을 할 수 있도록 도와주옵소서. 이 건강으로 다른 사람을 해치지 않게 하시며 다른 사람을 위해 일할 뿐만 아니라 주님의 나라를 확장하는 데에 사용하게 하시며, 이 건강으로 주님을 영화롭게 하는 자녀가 되게 하옵소서. 건강을 돌보는 것이 주님의 나라를 위한 것임을 깨닫는 자녀가 되도록 인도해 주옵소서.

건강을 주신 예수님의 이름으로 기도합니다. 아멘.

**78**

# February 4

# The blessings of healthy eyes

The eye is the lamp of the body. If your eyes are good, your whole body will be full of light. 23But if your eyes are bad, your whole body will be full of darkness. If then the light within you is darkness, how great is that darkness!.                                                                 Matthew 6:22-23

O Lord, our light, thank you for today and thank you for watching over our children as they go to and come back safely from school. As we walk the path of life, may you be the lamp to our feet and light unto our way. Bless our children at school. May your light may give them wisdom and provide for them in areas where they are lacking. May their lives be filled with thanksgiving as they trust in you to provide.

Lord, thank you for giving our children beautiful eyes. May you bless their eyes so they may have healthy sight. When they study or read, give them good vision and protect their eyes from injury. Sustain their sight, even in old age, so they may never fail to read the Bible. May they never misuse their sight by criticizing others or judging others with haughty eyes.

We pray in the name of Jesus, who came to be the Light of the World. Amen.

---

 **건강한 눈이 되게 하소서**

우리의 등불이 되어 주시는 주님, 좋은 날씨를 주시고 학교를 오가는 모든 길에서 우리 아이를 지켜 주시고 인도해 주심을 감사드립니다. 이와 같이 우리가 일생을 걸어가는 동안 주님께서 등불이 되어 주셔서 그 앞길을 인도해 주옵소서. 학교에서 공부할 때에도 지혜를 주시고, 부족함이 없이 필요한 모든 것을 매일 매일 공급해 주시옵소서. 그리하여 부족함이 없도록 채워주시는 주님으로 인해 감사하며 주님께 영광을 돌려 드리는 자녀가 되도록 축복해 주옵소서.

주님, 언제나 우리 아이들에게 건강을 허락해 주시고 밝고 건강한 눈을 주시며 언제나 이 눈의 안전을 지키도록 도와주옵소서. 그래서 책을 읽을 때에도 공부할 때에도 언제나 밝은 시력을 허락하시고 어디에서나 위험한 공격으로부터 아이의 눈을 지켜 주옵소서. 늙어서도 눈이 어두워지지 아니하고 언제나 건강하여 성경책을 읽는 데에 어려움이 없도록 지켜 주옵소서. 그리고 언제나 건강을 지키기 위해 자신이 스스로 수고하고 노력하는 아이들이 되도록 도와주옵소서. 또한 주님께서 주신 좋은 시력과 눈으로 다른 사람의 들보를 보며 미워하고 비판하지 않게 하시고 교만한 눈빛을 갖지 않도록 인도해 주옵소서. 빛으로 오신 예수님 이름으로 기도합니다. 아멘.

**79**

# The blessings of spiritual eyes

*February*
**5**

Open my eyes that I may see wonderful things in your law.　　　　Psalm 119:18

Olord of light and darkness, our children are safely tucked into bed. Thank you for giving us the night so we can rest. Thank you that we can slumber peacefully and enjoy restful and deep sleep. Watch over us throughout the night and sustain us so we may awake in the morning to praise you. Please watch over us moment by moment. We believe and thank you that you will provide in advance for everything that we will need tomorrow. Give our children the faith that God is always with them.

O, God of light, give our children the blessings of spiritual sight that they may see the kingdom of God. You said that there are those who have eyes but cannot see. May this never be true with our children. Give them eyes so they may see all the spiritual lessons which you desire to teach them. Give them eyes to experience all the beautiful things of this world and the eternal world. May they see all of the beautiful creation of God, and praise him. Give them light to their eyes that they may never be enslaved to the darkness, and may they see in advance the spiritual stumbling blocks ahead of time. Also, give them spiritual eyes to understand the sufferings of others.

We pray in the name of Jesus, who is our true Light. Amen.

---

 **영적인 눈이 되게 하소서**

빛과 어둠의 주인이신 주님, 이제 저녁이 되어 우리 아이들이 잠자리에 들게 되었습니다. 피곤할 때에 이렇게 밤을 주셔서 쉴 수 있게 하시니 감사를 드립니다. 또한 평안한 마음으로 잠자리에 들게 하시며 깊고 편안한 잠을 허락하시니 감사를 드립니다. 밤사이에도 주님께서 지켜 주시고 내일 아침에도 눈을 떠 생명의 보호하심을 찬양하게 하옵소서. 매 순간 순간마다 주님께서 지켜 주옵소서. 내일 필요한 모든 것들도 주님께서 미리 아시고 준비해 주실 것을 믿고 감사드립니다. 우리 아이들이 언제나 주님께서 함께하신다는 것을 믿게 하옵소서.

빛의 하나님, 우리 자녀가 하나님의 나라를 볼 수 있는 눈의 복을 주옵소서. 주님께서는 눈이 있어도 보지 못하는 자들에 관하여 말씀하셨습니다. 우리 아이가 그런 자가 되지 않게 해주시고 주님께서 보여 주시기를 원하시는 모든 영적인 비밀들을 볼 수 있는 눈이 되도록 도와주옵소서. 세상의 아름다운 것과 영원한 것을 볼 수 있는 눈을 주시고, 그 눈으로 하나님의 모든 창조물을 보게 하시고 주님을 찬양하게 하옵소서. 영적으로 밝은 눈을 가짐으로써 어둠의 노예가 되지 않도록 하시며, 어둠의 세력이 놓은 장애물에 걸려 넘어지지 않게 도와주옵소서. 또한 다른 사람들의 아픔도 볼 수 있는 눈이 되도록 도와주옵소서.

우리의 등불이 되신 예수님의 이름으로 기도합니다. 아멘.

# February 6

# The blessings of healthy ears

Then will the eyes of the blind be opened and the ears of the deaf unstopped. Then will the lame leap like a deer, and the mute tongue shout for joy. Water will gush forth in the wilderness and streams in the desert.
Isaiah 35:5-6

O Lord, who has given us the sense of hearing, we praise you. Thank you for giving us the ability to hear loud things and soft things. Thank you even more for protecting us from sounds that are harmfully loud. Thank you for giving us the sense of hearing, the sense of seeing, and for giving us everything we need to live in this world. Although we have received many blessings from you, there have been times when we have disobeyed you. Please forgive us and help us to restore our faith and our life of obedience to you.

O God of love, please help our children to have healthy ears so they may hear everything in your creation. Help them to hear and take warning of a ball or anything else coming toward them. Protect them from fevers that result from ear infections. Even when they are old, help them to sustain their healthy hearing so they don't have to rely on hearing aids. Protect them from diseases and illnesses that affect the ears. Give them ears to hear the Word of God. Give them ears so that when they listen to their friends, they can also listen to their hearts.

We pray in the name of Jesus, Amen.

---

 ### 건강한 귀가 되게 하소서

우리에게 청각을 주신 하나님, 찬송을 드립니다. 크고 작은 모든 소리를 듣게 하시되 너무 큰 소리로부터는 보호해 주시는 주님, 더욱 큰 감사를 드립니다. 오늘도 우리 온 식구들이 듣게 하시고, 보게 하시고, 살아가는 데 불편함이 없도록 건강을 주시니 감사를 드립니다. 혹시 이러한 건강을 가지고 주님께 순종하지 않고 살아왔다면 용서해 주시고, 앞으로는 언제나 믿음으로 순종하며 살아가도록 도와주옵소서.

사랑의 하나님, 우리 자녀가 건강한 귀를 가지고 모든 사물의 소리를 들을 수 있도록 도와주옵소서. 어디에서 날아오는 돌이나 공이나 위험한 것으로부터 지켜 주시며, 열이 많이 나서 염증이 생기는 일이 없도록 지켜 주옵소서. 늙어서도 보청기에 의존하지 않고 건강한 귀를 가질 수 있도록 지켜 주시며, 다른 질병이 이 귀를 공격하지 않도록 지켜 주옵소서. 그래서 주님의 말씀을 세밀하게 들을 수 있는 귀가 되도록 인도해 주옵소서. 또한 친구들과 대화할 때에 친구들의 마음의 소리를 듣는 귀가 되도록 축복해 주옵소서. 예수님의 이름으로 기도합니다. 아멘.

## February 7

# The blessings of spiritual ears

The heart of the discerning acquires knowledge; the ears of the wise seek it out.

Proverbs 18:15

We give you thanks for your grace, O God, the giver of eternal life. Thank you for hearing our prayers and for providing us with our daily bread. Thank you once again for watching over our children, whether they are at home or at school. Help us to reflect on our life today, to examine if we have truly lived according to your will. If we did not, then help us to repent and to receive your help.

Lord, we ask that you give our children ears that can discern the news of God's blessing. Give them ears that they may hear the voice of God. Give them ears to hear the cry of the poor, the suffering, and the needy. Give them ears to hear the word of the Lord. Give them attentive ears that they may not be drowsy when they hear the Word of God. Give them ears to hear the heart cry of their neighbors and friends. Open wide their ears to the cry of the destitute that they may not hesitate to help. Give them joy to hear what is good, what is pure, and what is positive.

We pray in Jesus name, Amen.

---

### 영적인 귀가 되게 하소서

영원한 생명을 주신 하나님의 은혜에 감사드립니다. 우리의 기도를 들어주시고 매일 매일 필요한 양식을 공급해 주셔서 감사드립니다. 오늘도 사랑하는 우리 자녀들에게 건강을 주시고 학교에서나 집에서나 지켜 보호해 주신 것을 감사드립니다. 오늘 하루도 주님의 뜻에 합당하게 살았는지 다시 한 번 살펴보게 도와주시고, 그렇지 못했다면 우리가 회개하고 주님의 도움을 구할 수 있도록 인도해 주옵소서.

주여, 우리 자녀가 복된 소식을 듣는 귀를 갖도록 지켜 주옵소서. 하나님의 음성과 자연이 속삭이는 소리를 들으며 아름다운 소식을 들음으로 기뻐하는 귀로 축복해 주옵소서. 가난한 자의 부르짖음을 듣고, 아픈 자들의 고통을 들을 수 있는 귀, 주님의 말씀을 들을 수 있는 귀가 되게 도와주옵소서. 또한 하나님의 말씀을 들을 때에 졸지 않게 하시며, 이웃들이 마음으로 주는 말도 들을 수 있는 깊은 귀가 되도록 도와주옵소서. 모든 연약하고 소외된 이들에게 열려진 귀가 되어 도움을 주기에 주저하지 않게 하시며, 긍정적이고 선하고 참된 말을 듣는 것을 즐거워하게 도와주옵소서.

예수님의 이름으로 기도합니다. 아멘.

**82**

# The blessings of a healthy mouth

**February 8**

After he took him aside, away from the crowd, Jesus put his fingers into the mans ears. Then he spit and touched the mans tongue. He looked up to heaven and with a deep sigh said to him, Ephphatha! (which means, Be opened!). At this, the mans ears were opened, his tongue was loosened and he began to speak plainly.

Mark 7:33-35

O Lord of mercy and kindness, thank you for watching over our lives and giving us our daily bread. Thank you for giving our children wisdom at school and wisdom for living. Thank you for giving us these precious children as a part of our family.

O God of the Word, thank you for giving our children healthy mouths and correct speech. Please sustain their oral health and protect them from wounds and diseases. May they receive the necessary nutrients for good oral health. Please protect them from mouth sores that often result from fatigue. Give them beautiful mouths that are able to take in all the food and drink that the Lord provides. We ask for your constant protection over our mouths..

We pray in the name of Jesus, Amen.

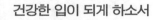

### 건강한 입이 되게 하소서

자비와 긍휼의 하나님, 오늘도 생명을 지켜 주시고 일용할 양식을 공급해 주시고 눈동자와 같이 보호해 주시니 감사를 드립니다. 또한 지혜를 주셔서 우리 자녀들이 학교에서 공부하는 데 부족함이 없도록 하시고, 생활의 지혜도 주셔서 건강하게 생활하게 하시니 감사를 드립니다. 좋으신 하나님, 이러한 귀한 자녀들을 우리 가정에 위탁해 주시니 감사를 드립니다.

말씀의 하나님, 주께서 사랑하시는 우리 자녀에게 건강한 입을 주시고 건강하게 말하게 하시니 감사합니다. 자녀의 입이 건강하게 도와주시고 어디에서도 상처를 당하거나 질병에 걸리지 않도록 도와주세요. 풍성한 영양공급으로 입이 헐지 않게 하시며 병으로 고통 당하지 않도록 도와주세요. 또한 피곤으로 인해 입에 염증이 생겨 괴로워하지 않도록 인도해 주세요. 아름다운 입이 되게 하시며 그 입으로 주님께서 주시는 모든 양식과 물을 마시게 하시며 의사소통을 하게 도와주세요. 언제나 입의 안전을 지켜 주세요.

예수님의 이름으로 기도합니다. 아멘.

**83**

# The blessings of a spiritual mouth

From the fruit of his mouth a mans stomach is filled; with the harvest from his lips he is satisfied.
Proverbs 18:20

Lord, thank you once again for leading us, for watching over us, and for giving us our daily bread. May this be a time when we repent of the sins we have committed with the words of our mouths. Please help our children to be ever praising you and giving you glory. May the words of their mouths be pleasing unto you. May their words lift up and encourage others.

Lord, bless the children's mouths that with them they may pray, praise, give thanks, and bring good news to others. May their words always be truthful, pure, and beautiful. May their words never be fraudulent, vain, gossiping, or babbling. Guard their lips that they may never sin with their words. Give them courage that they may never be mute in spiritual matters. Open their mouths to speak the truth of the gospel message and give them power when they proclaim your word.

We pray in the name of Jesus, Amen.

## 영적인 입이 되게 하소서

주님, 오늘도 주님께서 우리를 인도해 주시고, 지켜 주시고, 일용할 양식을 공급해 주시니 감사를 드립니다. 이제 밤이 깊어 잠을 자게 되었는데, 먼저 우리의 입술로 범죄한 것들을 회개하는 시간이 되게 도와주세요. 우리 자녀들이 어디에서나 주님을 찬양하고 경배하며 주님이 기뻐하시는 입술이 되게 하시며 입에서 나오는 모든 말들이 다른 사람들을 세워 주는 말이 되게 도와주세요.

주여, 우리 자녀에게 복된 입을 허락해 주시며 그 입으로 기도하고 감사하고 찬양하며 복된 소식을 전하게 해 주세요. 언제나 진실하고 참되고 아름다운 말로 이웃과 기쁨을 나누게 하시며 거짓되고 헛되고 속살거리며 재잘거리는 입이 되지 않도록 도와주세요. 그 입으로 범죄하지 않게 하시며 그 입이 영적인 벙어리가 되지 않도록 지켜 주세요. 언제나 입을 열어 복음의 진실을 밝히게 하시며 그럴 때마다 능력이 드러나는 입이 되게 도와주세요.

예수님의 이름으로 기도합니다. 아멘.

# February
## 10

# Thank you for our hands

He who has been stealing must steal no longer, but must work, doing something useful with his own hands, that he may have something to share with those in need.　Ephesians 4:28

O God of love, thank you for leading us with your hands and for being with us. Thank you for comforting our children with your hands when they are tired. Your helping hands give us strength. If there have been times when we have sinned with our hands, help us to repent.

Lord, we pray that you will give our children healthy hands. Help them to work diligently with their hands in serving others and doing their daily tasks. Help them to protect their hands from injuries and accidents. Just as you created the whole universe, help them to use their hands to create beautiful things. Sustain the health of their hands so they may study and write well. Please keep watch over their hands.

We pray in the name of Jesus, Amen.

### 건강한 손이 되게 하소서

　사랑의 하나님, 오늘도 주님의 손길을 느끼게 해주시고 언제나 어디에서나 동일하게 지켜 주시고 도와주심을 감사드립니다. 우리 자녀들이 피곤할 때에도 주님의 따뜻한 손으로 어루만져 주시고 도와주시니 감사드립니다. 오늘도 주님의 다정한 손길로 힘을 얻을 수 있게 해주셔서 감사드립니다. 그리고 오늘 하루도 손으로 범죄한 것이 없는지 회개할 수 있도록 도와주옵소서.

　주여, 우리 자녀에게 건강한 손을 허락해 주옵소서. 그 손으로 부지런히 일하고 봉사하며 생활하는 데에 부족함이 없도록 도와주옵소서. 그 손이 다치지 않게 하시며 사고가 나서 아픔을 당하지 않도록 언제나 안전으로 지켜 주옵소서. 주님께서 당신의 손으로 이 세상을 창조하신 것처럼 이 아이의 건강한 손을 통해 아름다운 예술을 창조해 낼 수 있도록 도와주옵소서. 또한 건강한 손을 허락해 주셔서 글을 쓰고 공부하기에 부족함이 없도록 축복해 주시고 언제나 주님께서 지켜 주시는 손이 되도록 해주옵소서.

　예수님의 이름으로 기도합니다. 아멘.

# Give us holy hands

I want men everywhere to lift up holy hands in prayer, without anger or disputing.

11 Timothy 2:8

Lord, as the day comes to a close, we give you thanks and praise. Help us to reflect on today to examine whether we have lived a life pleasing to you. If there were some displeasing ways about us, help us to repent of those ways and receive your forgiveness. Although we fall short of many things, thank you for supplying us with your abundant blessings and love. May we never cease to give you thanks and praise from our lips. Thank you for showing us the living God and your unchanging love through our children.

Lord, we pray for our children to have holy hands; hands that will be used to serve their neighbors and to serve the Lord. May their hands provide kindness to the poor and comfort to the suffering. In the midst of their serving others, may they show hospitality even to angels (Hebrews 13:2). May their hands never be used to harm others but to give them reverence and devotion.

We pray in Jesus' name, Amen.

### 영적인 손이 되게 하소서

주님, 하루를 마감하면서 주님께 감사와 찬양을 드립니다. 오늘도 우리가 주님이 기뻐하시는 삶을 살았는지 다시 한번 생각해 보게 해주시며 잘못된 생활이 있었다면 회개하고 용서 받게 도와주옵소서. 우리들은 항상 부족하지만 언제나 다정하게 지켜 주시고, 공급해 주시고, 사랑해 주셔서 감사를 드립니다. 언제나 우리 입에서 주님을 향한 감사와 찬양이 그치지 않도록 도와주옵소서. 또한 우리 자녀들을 통해 하나님의 살아 계심과 변함없는 사랑을 체험하게 하시니 감사를 드립니다.

주여, 우리 자녀에게 복된 손을 허락해 주시며 그 손으로 이웃을 섬기며 주님을 위해 일하는 손이 되게 하옵소서. 그 손길이 가는 곳에 가난한 사람들을 보살피며 아픈 자들을 위해 기도하며, 손으로 대접하는 가운데 천사들을 대접하며 주님을 대접하는 손길이 되게 하옵소서. 그 손을 만나는 사람마다 따뜻한 사랑을 느끼게 하시며 그 손으로 폭력을 쓰지 않게 하시며 경건하고 진실한 손길, 따뜻한 손이 되도록 복을 내려 주옵소서.

예쁜 손을 만들어 주신 예수님의 이름으로 기도합니다. 아멘.

# Give them feet that brings good news

Look, there on the mountains, the feet of one who brings good news, who proclaims peace!
Nahum 1:15

O God of love, thank you for giving us a home where we can rest and sleep peacefully at night. Thank you that we have a home to come to whenever we need rest and also for granting us the night when we can sleep. Thank you that our family can pray together. Forgive us for the times we have complained and failed to thank you for all of your blessings. Forgive us for complaining about each other instead of thanking God for our family.

Lord, thank you for the feet that you have given our children. We pray for healthy feet. We pray for healthy feet, for healthy feet promote a healthy body. When they play or serve others, help them not to stumble and fall. Watch over their every step. Help them to use their feet to serve you so they may go everywhere that you send them.

In Jesus' name we pray, Amen.

---

### 건강한 발을 주소서

사랑의 하나님, 오늘도 피곤한 몸을 잠자리에 눕히게 하시고 쉬게 하시는 은혜에 감사드립니다. 이렇게 언제나 쉴 수 있는 집과 방, 그리고 밤을 허락하신 은혜에도 감사를 드립니다. 그리고 함께 기도할 수 있는 예배의 가정으로 불러 주심도 감사를 드립니다. 그럼에도 불구하고 우리가 주님의 은혜를 깨닫지 못하고 불평하고 감사하지 못한 것이 있다면 용서해 주옵소서. 또한 우리 가족이 서로에 대하여 불평만 하고 도리어 감사하지 못했다면 이 또한 용서해 주옵소서.

주여, 우리 자녀에게 복된 발을 창조해 주시고 이 발로 불편함 없이 생활하게 하시니 감사를 드립니다. 언제나 이 발의 건강과 안전을 지켜 주셔서 건강하게 걸어다니고 생활하는 데 부족함이 없도록 지켜 주옵소서. 또한 이 발로 운동도 하고 봉사도 하고 행복한 삶을 살아가게 도와주옵소서. 교통사고나 실족사고가 나지 않도록 도와주시고 그 발걸음마다 주님의 지키심이 동행해 주시기를 바랍니다. 발이 건강해야 온몸도 건강하다고 하였습니다. 든든한 발로 주님을 위해 일하게 도와주옵소서. 건강한 발로 주님께서 가기 원하는 곳에 순종하며 가는 발이 되도록 인도해 주옵소서. 예수님의 이름으로 기도합니다. 아멘.

# Feet that bring good news

How beautiful on the mountains are the feet of those who bring good news, who proclaim peace, who bring good tidings, who proclaim salvation, who say to Zion, "Your God reigns!"

Isaiah 52:7

O God of love, thank you for this time when we can pray for our children. Thank you for blessing us with these children. We confess that they are our greatest blessing. Thank you that we can teach them to pray and to listen to the Word of God. We pray that you will give them a good night's sleep and give them peace, even in their dreams.

Lord, we pray that you will give our children feet that will bring good news of the Gospel to others. Bless their feet that they may go wherever you send them. Bless their feet that they may bring glory to God wherever you send them. Help them to not sit in the seat of mockers nor walk in the way of sinners. We pray that their feet may be used to serve God and to serve their neighbors.

We pray in Jesus' name, Amen.

## 영적인 발이 되게 하소서

사랑의 하나님, 우리에게 기도할 수 있는 시간을 주신 것과 특별히 자녀를 위해 기도할 수 있도록 허락하심에 감사드립니다. 이렇게 건강하고 사랑스러운 자녀를 주심은 우리 가정이 받은 복 가운데 가장 큰 복임을 고백합니다. 또한 우리 자녀들도 주님을 향하여 기도할 수 있게 하시고, 주님의 말씀을 잘 듣게 하심을 감사드립니다. 오늘의 잠도 온전한 휴식이 되게 하시며 꿈 가운데에서도 평강의 나라가 임하게 도와주옵소서.

주여, 우리 자녀에게 복된 발을 허락해 주시어서 그 발로 복음을 전하게 하옵소서. 주께서 원하시는 곳으로 가는 발이 되게 하시며, 가는 곳마다 그 발이 복되게 하시며 주님을 영화롭게 하는 발이 되게 도와주옵소서. 이웃을 도울 수 있는 곳에 달려가는 발이 되게 도와주옵소서. 또한 죄인의 길에 서지 아니하며 오만한 자의 자리에 앉지 않는 복된 발이 되게 하옵소서. 이웃을 위한 발, 이웃을 섬기는 발이 되도록 축복해 주옵소서.

발을 만들어 주신 예수님의 이름으로 기도합니다. 아멘.

# Bless their health

The father of a righteous man has great joy; he who has a wise son delights in him. May your father and mother be glad; may she who gave you birth rejoice! My son, give me your heart and let your eyes keep to my ways, Proverbs 23:24-26

Thank you for leading us with joy, O Lord. Thank you for giving us your abundant blessings. We give you glory and praise. Because of you, O Lord, we lack nothing, and we are joyful. Thank you for watching over our children today. We pray that you will give them wisdom for school. We pray that they may rest tonight in peace and security.

Lord, you have given us joyful lives. Give our children good health, joy, and unending laughter. Help them to share their joy with all those whom they meet. Help them to have a Shalom relationship with God. Help them to live in peace and love with their neighbors. May their lives be filled with joyful songs, and may they never forget the joy of your salvation.

We pray in the name of Jesus, Amen.

### 건강한 생활을 누리게 하소서

우리를 즐거움으로 인도해 주시는 주님, 그리고 우리들로 하여금 가장 풍성하고 풍요한 인생을 누리게 하시는 주님, 감사를 드립니다. 이렇게 주님 앞에서 찬양과 경배를 드립니다. 주님 한 분으로 우리가 즐거우며 부족함이 없습니다. 오늘도 우리 자녀에게 건강한 하루가 되게 하시고 안전으로 지켜 주심을 감사드립니다. 더욱 지혜를 주셔서 공부하기에 부족함이 없도록 도와주옵소서. 오늘밤도 편안하고 아름다운 밤, 온전하게 쉴 수 있는 밤이 되도록 지켜 주옵소서.

인생을 축제로 만드신 주님, 우리 자녀가 건강하고, 행복하고, 웃음이 넘치는 생활을 누리게 하옵소서. 그래서 우리 자녀가 만나는 모든 이들이 행복하며, 즐거움을 체험하게 하옵소서. 주님과 살롬의 관계를 가지며 자신을 사랑하며 이웃과 평강 가운데 교제하는 건강한 아이로 자라나게 도와주옵소서. 그래서 인생의 길이 노래와 즐거움으로 가득 차게 하시며 구원의 즐거움으로 언제나 웃으며 살게 하옵소서.

항상 저희에게 웃음을 주시는 예수님의 이름으로 기도합니다. 아멘.

# Bless their healthy hearts

A mans spirit sustains him in sickness, but a crushed spirit who can bear?    Proverbs 18:14

Heavenly Father, thank you for calling us together to pray for our children, and thank you for helping us to always remember you. Please, guide our prayers that they may not be prayers of the flesh but true prayers for our children. Give us wisdom as we train them to please the Lord. Help them to love God with all their hearts so they may give their utmost devotion to you.

O God of love, we pray for our children's hearts. We pray that their hearts may always be healthy and function well, just as you have created them to function.

We pray in Jesus' name, Amen.

---

 ## 건강한 심장을 주소서

하나님, 감사합니다. 오늘도 우리 자녀를 위해 기도하게 하시고 주님을 기억하게 하시니 감사드립니다. 주님, 이러한 기도가 육신적인 기도가 되지 않게 하시고 진정으로 자녀를 위해 드리는 기도가 되게 하옵소서. 또한 주님이 기뻐하시는 자녀로 키우는 데 부족함이 없도록 우리에게 지혜와 명철도 허락해 주옵소서. 주님, 우리 자녀가 마음과 정성과 뜻을 다하여 주님을 사랑하게 하시고 주님을 최고의 예배를 받으실 분으로 고백하며 살게 도와주옵소서.

사랑의 하나님, 오늘은 우리 자녀의 심장을 위해 기도합니다. 주님의 손으로 안수해 주셔서 심장의 건강을 허락해 주옵소서. 언제나 맑은 피가 흐르게 하시며, 갑자기 심장의 이상을 느끼거나 어려움이 없도록 지켜 주옵소서. 일생 동안 일을 하고 있는 이 심장이 언제나 우리 자녀의 건강을 지켜 주는 중심이 되게 하시며 다치거나 위험한 순간을 만나지 않도록 도와주옵소서. 갑자기 심장이 마비되는 일이 없도록 지켜 주시며 심장을 건강하게 보호하며 청지기의 책임을 다할 수 있도록 도와주옵소서.

예수님의 이름으로 기도합니다. 아멘.

# February 16 Bless their emotional hearts

A happy heart makes the face cheerful, but heartache crushes the spirit.     Proverbs 15:13

O Creator God, we thank you for making your creation so beautiful. Thank you for making us beautiful in your image. Thank you for creating our children so beautifully. May we see the beauty of your creation and find peace in our hearts. Give us the joy that you have when you see the beauty of your creation.

However, Lord, in this world, it is hard to live cheerfully everyday. Lord, you have created our hearts in beauty, help our children to use their hearts to love others. May they never harbor negative thoughts. Always be with them so they may not stress their hearts with worries. May the worries of their spiritual hearts never affect the health of their physical hearts. Help them to live with a positive attitude. We pray for their physical hearts as well as their emotional hearts.

We pray in Jesus' name, Amen.

### 건강한 정신적인 심장을 주소서

세상을 창조하시고 "아름답다!"고 말씀하신 주님, 감사를 드립니다. 이 세상을 아름답게 만드시고 아름다운 사람들을 만들어 주셔서 이 아름다움을 언제나 누리며 살게 하시니 감사를 드립니다. 우리 자녀들도 이 아름다운 창조물 가운데서 살게 하시고 아름다움을 피부로 느끼게 하시니 감사를 드립니다. 이 아름다움을 보고 마음의 평강과 안식을 누리게 하시고 "주님과 함께 보는 즐거움"을 갖게 하옵소서.

그러나 주님, 이 세상에서는 항상 즐거운 마음으로만 살아가기 어려움을 고백합니다. 아름다운 심장을 만들어 주신 주님, 사랑하는 우리 자녀가 이 심장으로 다른 이들을 사랑하게 하시며 이 심장으로 분노를 느끼거나 부정적인 감정을 담아두지 않게 도와주옵소서. 또한 과도한 일로 인해 심장이 스트레스를 받지 않도록 축복해 주시고, 정신적인 심장의 스트레스가 육체적인 심장의 건강에까지 영향을 미치지 않도록 지켜 주옵소서. 우리 아이의 건강하고 긍정적인 감정처리를 도와주셔서 이 심장이 부정적인 감정처리로 인해 상처를 당하지 않도록 도와주옵소서. 언제나 이 심장이 건강하게 일할 수 있도록 우리 자녀의 건강한 감정도 보호해 주옵소서.

예수님의 이름으로 기도합니다. 아멘.

# Give them spiritual hearts

**February 17**

God can testify how I long for all of you with the heart of Christ Jesus.  Philippians 1:8

Heavenly Father, help us to have healthy spiritual hearts. May we use our hearts to love God and to love our neighbors. May we have passion in our hearts, and may that love for you grow. Just as the Apostle Paul loved the Philippians with the love of Christ Jesus, help our children to love others. May their hearts be filled with the love, kindness, mercy, patience, and the forgiving spirit of Jesus.

You told the rich young man that, although he had done everything, he still lacked one thing. Lord, we acknowledge that we too lack many things when we serve you. You require us to love, and you require us to become more and more like Christ. We know that the courage to share love also comes from the heart. May our children live with hearts like this.

We pray in Jesus' name, Amen.

## 영적인 심장을 주소서

우리에게 심장을 허락하신 주님, 이 심장이 영적으로 건강한 심장이 되게 해주세요. 이 심장으로 이웃을 사랑하며 주님을 사랑하게 도와주세요. 마음이 뜨거운 자녀가 되게 하시며 주님을 향한 사랑이 뜨거워지도록 도와주세요. 사도 바울이 그의 뜨거운 심장으로 성도들을 사랑한 것처럼 우리 자녀들의 심장도 하나님과 이웃을 사랑하는 영적 심장이 되도록 도와주세요. 주님의 사랑, 긍휼, 자비, 인내, 용서가 가득 찬 영적 심장이 되도록 지켜주세요.

주님을 찾아온 부자 청년에게 한 가지 부족한 것이 있다고 하신 주님, 우리가 모든 것을 갖고 있으며 모든 지혜와 명철을 가지고 있다 해도 주님은 우리에게 요구하시는 것이 있는 줄을 압니다. 주님은 "사랑"을 요구하셨고, 그 사랑은 "주님을 닮은 거룩한 심장"에서 나오는 줄을 압니다. 또한 사랑을 실천하는 용기도 아름다운 심장에서 나오는 것임을 믿습니다. 우리 자녀가 이러한 심장으로 세상을 살아가며 주님을 섬기게 하옵소서.

예수님의 이름으로 기도합니다. 아멘.

# Give them healthy stomachs

Stop drinking only water, and use a little wine because of your stomach and your frequent illnesses.
1 Timothy 5:23

O Creator God, thank you for giving us the sunshine, the wind, and the air today. Thank you for creating us to live through breathing air. Thank you for giving us a healthy day to share fellowship and to study. If we have complained to you, who provides everything for us, forgive us and give us the heart to repent humbly.

Lord, you have created our stomachs to work everyday. They cannot have even a day of rest. Please give us healthy stomachs. Help us to digest everything well without problems so our bodies may absorb all the good nutrients from the food. Regardless of what we eat, help us to be thankful for the food you have provided us. Help us to eat to gain strength and also to work for the Kingdom of God. Please help us to remember and pray for those who do not have enough to eat and those who suffer from stomach illnesses.

We pray in Jesus' name, Amen.

### 건강한 위를 주소서

창조주 하나님, 모든 날들을 주관하시고 오늘도 햇빛과 바람, 공기로 우리를 살게 하시는 주님, 당신의 놀라운 솜씨를 인해 감사를 드립니다. 오늘도 건강한 하루가 되게 하시고 건강한 교제를 갖게 하시고 건강하게 공부하게 하시니 감사합니다. 만일 이러한 건강을 주신 하나님께 우리가 불평하였다면 용서해 주시고, 주님 앞에서 겸손하게 회개할 수 있도록 도와주세요.

우리 자녀에게 건강한 위를 만들어 주시고 그 위를 통해 건강을 유지하며 살게 하시는 주님, 우리 몸에서 하루도 쉴 수 없는 귀한 기관인 위를 지켜 주시고 건강을 허락해 주세요. 일생 동안 위로 인해 고통을 받지 않게 하시며 음식을 먹는 대로 잘 소화해 영양을 온몸에 공급할 수 있도록 지켜 주세요. 어떤 음식이든지 주님이 주신 것으로 생각하여 감사함으로 먹게 하시며 그 음식으로 힘을 얻어 주의 나라를 위해 일하게 도와주세요. 또한 음식이 없어서 못 먹는 자들을 기억하게 하시며 위병으로 음식을 먹지 못하는 이웃들도 기억하고 기도하게 해주세요.

예수님의 이름으로 기도합니다. 아멘.

# The spiritual stomach

I gave you milk, not solid food, for you were not yet ready for it. Indeed, you are still not ready.

1 Corinthians 3:2

O Lord, thank you for giving us such precious children. Thank you that as we raise these children, we can see into the heart of God. Thank you for the love we have for one another. Thank you that we have the freedom to hold their hands and pray together. May this legacy of prayer never cease so when they have their own families, they will continue to pray with their children.

Gracious Lord, thank you for giving our children healthy stomachs. We pray that they may also have healthy spiritual stomachs so when they hear the words of God, their spirits may digest them to live according to his word. Help them to be trained in God's word and may they guided in all of their actions. Help them to be beyond reproach, and give them strong spiritual stomachs to digest God's word and to do what he says.

We pray in Jesus' name, Amen.

### 영적인 위를 주소서

하나님, 우리 가정에 이렇게 귀한 자녀를 주셔서 감사합니다. 이 자녀를 통해 주님의 마음을 이해하게 하시고 서로 사랑할 수 있게 하시니 감사를 드립니다. 그리고 언제나 자녀의 손을 잡고 기도할 수 있게 하시니 감사합니다. 이 기도의 사역이 그치지 않게 하시고 하나님과 사람에게 유익한 존재로 우리 자녀들이 자라나게 하옵소서. 또한 자녀들이 성장하여 가정을 가질 때에도 기도하는 가정을 이루도록 축복해 주옵소서.

감사하신 주님, 우리 자녀에게 정상적인 위를 주셔서 매일매일 생활할 때에 건강하게 하시니 감사를 드립니다. 우리 자녀가 어떤 말씀을 듣든지 소화할 수 있는 영적인 위를 주옵소서. 하나님의 어떠한 단단한 말씀이라도 자신을 교훈하고 책망하는 말로 받아들이게 하시며 그 말씀으로 인해 온전한 자녀가 되도록 지켜 주옵소서. 사도 바울이 성도들을 향하여 외친 안타까움이 우리 자녀에게는 미치지 않게 하시며, 우리 자녀들의 영적인 위가 단단한 주님의 말씀도 잘 소화할 수 있는 강건한 위로 성장하도록 해주옵소서.

예수님의 이름으로 기도합니다. 아멘.

# Bless their kidneys

My son, pay attention to what I say; listen closely to my words. Do not let them out of your sight, keep them within your heart; for they are life to those who find them and health to a man's whole body.

Proverbs 4:20-22

Lord, You are the Alpha and Omega. Thank you for watching over us today with your sovereign grace. Although we are weak and fail to please you at times, thank you for your constant and faithful love toward us. Above all, thank you for answering our prayers and bearing the fruit of those prayers in our children's lives.

O Creator God, thank you for watching over the health of our children. Thank you for giving them health in their kidneys. Help them to maintain these healthy kidneys so their bodies may safely get rid of all impurities. May they have healthy habits now so as they get older, they can maintain their good health.

We pray in Jesus' name, Amen.

## 건강한 신장을 주소서

알파와 오메가 되신 주님, 우리 삶의 모든 역사를 알고 계시며 인도하시는 주님, 오늘 하루도 주님의 섭리 안에서 건강하게 지낼 수 있게 하심을 감사드립니다. 우리는 언제나 부족하고 주님을 기쁘게 해드리지 못하여도 주님은 따뜻하게 사랑하시고 인도해 주시니 더욱 감사를 드립니다. 무엇보다도 우리의 기도에 응답하시며 그 기도가 하늘에 심기어져서 사랑하는 자녀를 통해 열매 맺게 하시는 은혜에 감사드립니다.

창조주 하나님, 사랑하는 우리 자녀에게 온몸의 건강한 기관들을 주시니 감사합니다. 무엇보다도 신장의 건강을 주시니 감사합니다. 온몸의 더러움을 걸러내어 주는 신장이 언제나 정상적으로 유지하도록 도와주시며 무리하고 피곤하여 신장의 기능이 저하되지 않도록 도와주옵소서. 언제 어디서나 이 신장으로 인해 건강을 유지하게 하시며 혈액순환이 잘되도록 도와주옵소서. 나이가 들수록 더욱 건강하게 보호해 주시며 신장에 무리가 가는 일 없이 건강관리를 잘할 수 있는 지혜를 허락해 주옵소서.

예수님의 이름으로 기도합니다. 아멘.

# Bless their mental health

A patient man has great understanding, but a quick-tempered man displays folly.

Proverbs 14:29

Lord, the provider of all our needs, we give you thanks and praise for your grace today. We pray as we kneel before you. May this prayer be acceptable to God so it may reach your heavenly throne. May our children learn how to pray and start each of their prayers acknowledging God.

Lord, you give us a pure heart and a good mind. We pray that our children may grow with these pure hearts and a clear minds. Protect them from senility in their old age, and may God always lead them. Help them to always have thanksgiving and praise in their hearts. Protect them from having a quick temper. Help them to always have a health and clarity in their minds and spirits. Help them to be a blessing to their families and their neighbors.

We pray in Jesus' name, Amen.

### 정신적인 건강도 주소서

언제나 필요한 것을 공급해 주시는 주님, 오늘도 하나님의 은혜로 인해 찬양과 감사를 드립니다. 이제 또 기도합니다. 무릎을 꿇고 주님 앞에서 기도합니다. 이 기도가 하나도 헛되지 않게 하시고 하늘에 심기어지는 기도가 되게 하시며 주님의 보좌를 움직이는 기도가 되게 하옵소서. 우리 자녀들이 이 기도를 배우게 하시며 기도로 일하는 것을 배우게 하셔서 어떤 일을 하든지 먼저 주님을 인정하고 기도하는 자녀가 되게 하옵소서.

정결한 마음과 온전한 정신을 주시는 하나님, 오늘 사랑하는 자녀를 위해 기도합니다. 어려서부터 건강하고 온전한 정신을 가지고 살아갈 수 있게 도와주옵소서. 나이가 들어서도 치매라는 질병으로부터 보호해 주시며 하나님의 다스림을 받는 정신이 되게 하옵소서. 언제나 주님을 찬양하는 자녀, 감사하는 자녀가 되어서 "혼란스럽고 복잡하고 갈등을 느끼는" 정신으로부터 보호해 주옵소서. 건강한 정신, 온전한 정신을 신체적으로나 영적으로 누리는 자녀가 되게 해주옵소서. 또한 건강한 정신을 줄 수 있는 사회와 가정을 위해 일하는 자녀들이 되도록 인도해 주옵소서.

예수님의 이름으로 기도합니다. 아멘.

# February 22

# Bless their dental health

I gave you milk, not solid food, for you were not yet ready for it. Indeed, you are still not ready.
1 Corinthians 3:2

Lord, you desire for us to have good health. Forgive us for not having prayed for our dental health. Give us healthy teeth for they help us to digest our food and help us to take care of them. You taught us that our bodies are God s temple, so may our teeth serve their each respective temples well.

Creator God, we pray that our children may always have healthy teeth and gums. Please protect them from oral diseases and help them to maintain their  healthy teeth and gums. Give them healthy teeth from an early age so they may chew their food well for good digestion. Help us to supply them with nutrients that are good for the teeth. Lord, give them healthy gums also so  their nerves may not be exposed.

We pray in Jesus' name, Amen.

## 치아를 건강하게 지켜 주세요

우리가 건강하기를 원하시는 주님, 우리들이 가장 중요한 치아에 대해 한번도 기도하지 않았던 것을 용서해 주세요. 일생 동안 우리의 음식이 소화되도록 수고하는 이 치아가 언제나 건강하도록 도와주시고 잘 관리하여 하나님의 칭찬을 받게 해주세요. 우리의 몸이 성전이라고 하였사오니 이 성전을 위해 일하는 치아를 잘 보호하고 관리하도록 도와주세요.

우리 몸의 모든 기관을 창조하신 주님, 우리 자녀가 언제나 건강한 치아를 가질 수 있도록 보호해 주세요. 어려서도 치아의 질병으로부터 보호하시며 나이가 들어서도 치아가 약해지지 않도록 도와주세요. 건강한 치아로 음식을 잘 씹어 먹고 잘 소화하게 해주세요. 그리고 건강하고 단단한 치아를 잘 유지할 수 있게 하시며, 치아의 안전을 지켜 주시고, 치아를 단단하고 튼튼하게 하는 영양도 잘 공급되도록 도와주세요. 또한 신경이 드러나서 고생하는 일이 없도록 도와주시며 잇몸도 건강한 자녀가 되도록 축복해 주세요.

예수님의 이름으로 기도합니다. 아멘.

**97**

# Bless their spiritual teeth

February
23

The day after the passover, that very day, they ate some of the produce of the land: unleavened bread and roasted grain. The manna stopped the day after they ate this food from the land; there was no longer any manna for the israelites, but that year they ate of the produce of Canaan.

Joshua 5:11-12

O God of love, we give you thanks, glory, and praise. Thank you for helping us to prevail when we are faced with difficulties, hardships, and anger. Help us to love you, praise you, and honor you as long as there is breath in our bodies. Since our children will live in the 21st Century, help them to be wise in their choice of foods so they will not eat what is harmful for them.

Help them to have healthy spiritual teeth so they may be able to digest spiritual food. Help them to not be picky but to eat a variety of healthy foods, so they may become strong and prevail during their spiritual battles. Help them to be trained by the Word of God; help them to be corrected by the Word of God; and help them to be empowered by the Word of God.

We pray in Jesus' name, Amen.

## 영적인 치아를 주소서

사랑의 하나님, 정말 감사를 드립니다. 영광을 받아 주시오며 찬양을 받아 주옵소서. 우리가 살아가면서 어려운 일, 힘든 일, 화나는 일 등을 많이 만나지만 주님께서 힘을 주셔서 잘 이겨 나가게 하시니 감사를 드립니다. 우리의 호흡이 살아 있는 한, 주님을 찬양하고 경배하게 하시며 주님을 섬기며 사랑하게 하옵소서. 특별히 우리 자녀들이 21세기를 살아가면서 대중매체로 인해 경건한 생활에 유해한 음식을 먹지 않게 하시며 지켜 보호해 주옵소서.

사랑의 하나님, 언제나 어린아이와 같이 부드럽고 먹기 좋은 음식만 먹는 우리들이 되지 않도록 도와주시며 특히 저의 자녀가 단단한 영의 양식을 먹을 수 있는 건강하고 든든한 치아를 허락해 주옵소서. 젖과 같은 음식만 먹지 않게 하시며 영적으로 씨가 있는 단단한 음식을 먹어서 영적 전쟁에서 승리할 수 있는 자녀가 되도록 지켜 주옵소서. 씨 있는 곡식을 먹을 수 있도록 도와주시며 그 열매를 먹고 가나안 땅에 진입할 수 있는 힘을 주옵소서. 말씀으로 교훈 받고, 책망 받고, 말씀으로 무장할 수 있도록 건강한 영적인 치아를 허락해 주옵소서.

예수님의 이름으로 기도합니다. 아멘.

# Give them healthy bones

A heart at peace gives life to the body, but envy rots the bones.                    Proverbs 14:30

O good and benevolent Lord, thank you, first of all, for watching over us today. Thank you that we can start the day with prayer and finish the day with prayer. Help us to have fellowship with you as we live our daily lives. Help us to realize that we must totally depend upon you. Thank you for loving our children so much. May your hand be always on their heads and anoint them with the oil from heaven.

Gracious and merciful God, we pray for the health of our children. Please give them healthy bones so they may sit, stand, walk, and run without pain. Please watch over them so they may not injure or break their bones. May their bones be strong, even into old age, so they won't develop osteoporosis. Give them the wisdom to eat foods that promote health bones.

We pray in Jesus' name, Amen.

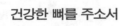

### 건강한 뼈를 주소서

인자하시고 선하신 주님, 먼저 오늘 하루도 안전하게 지켜 주시고 동행해 주셨음을 감사드립니다. 하루를 기도로 시작해 기도로 마치게 하시니 감사합니다. 우리의 삶이 언제나 주님의 전에서 사는 삶이 되게 하시고, 주님과 동행하며 주님을 의지하는 삶이 되게 도와주옵소서. 우리 자녀를 사랑해 주시는 주님, 주님께서 우리 자녀를 어루만져 주셔서 안수해 주셔서 하늘의 신령한 기름 부음을 받는 자녀들이 되게 도와주옵소서.

자비와 긍휼이 넘치는 하나님, 오늘도 우리 자녀의 건강을 위해 기도합니다. 무엇보다도 건강한 뼈를 주셔서 앉거나 일어설 때에나 뛰어갈 때에도 불편함이 없도록 도와주옵소서. 뼈가 상하지 않게 하시며, 혹 사고가 나서 중요한 뼈들이 다치는 일이 없도록 도와주시고 지켜 주옵소서. 건강한 뼈가 되도록 즐거운 마음을 주시며 모든 몸의 작은 부분까지 잘 유지할 수 있도록 도와주옵소서. 든든한 뼈가 될 수 있는 음식도 지혜롭게 먹을 수 있도록 인도해 주옵소서. 그래서 노인이 되어도 골다공증 같은 병으로 고생하지 않게 해주옵소서.

예수님의 이름으로 기도합니다. 아멘.

# February 25

## Give them healthy blood cells

But you must not eat meat that has its lifeblood still in it.                    Genesis 9:4

O God of love, thank you for giving us today. We give you all glory, Jehovah Rophe, God our healer. May the holiness of Jehovah Rophe be magnified in our family. Help us to live healthy lives, and may your life sustain even our blood cells. When we become sick, help us to recover fully.

You have redeemed us through the blood of Jesus Christ, so we pray that you will give us healthy blood cells. You said that the life of the creature is in its blood. Therefore, help our blood cells to be healthy so that they can bring oxygen to our bodies. Please bless the red blood cells and the white blood cells. Bless the organs that make the blood cells. Even as they get older, help them to maintain healthy blood to prevent from becoming seriously ill. Give them the wisdom to eat foods that promote healthy blood cells.

In Jesus' name we pray, Amen.

### 건강한 혈액을 주소서

사랑의 하나님, 오늘 하루도 건강하게 지내게 하시니 감사를 드립니다. 여호와 라파, 건강을 주시기를 기뻐하시는 주님, 영광을 받으옵소서. 여호와 라파의 이름이 거룩하게 우리 가정에서 나타나기를 원합니다. 온 가족이 주님이 주시는 건강과 생명을 누리게 하시고 모든 세포마다 주님의 생명으로 충만하게 도와주옵소서. 주님께서 생명으로 채워 주옵소서. 혹시 아픈 부분이 있다고 해도 새롭게 회복될 수 있도록 축복해 주옵소서.

그리스도의 보혈의 피로 우리를 구원해 주신 하나님, 무엇보다도 우리 자녀가 혈액이 건강하게 도와주옵소서. 주님께서는 피 안에 생명이 있다고 하였사오니 그 혈액이 깨끗하고 건강하여 세포 세포마다 영양과 산소를 공급하기에 부족함이 없게 인도해 주옵소서. 적혈구나 백혈구에도 이상이 없도록 도와주시며 혈액을 만드는 기관에도 복을 내려 주옵소서. 나이가 들어서도 언제나 깨끗하고 건강한 혈액을 유지하게 도와주셔서 혈관에 생기는 질병이 없도록 인도해 주옵소서. 혈액을 깨끗하게 하며 건강하게 할 수 있는 음식도 지혜롭게 먹을 수 있도록 도와주옵소서.

건강한 피를 주시는 예수님의 이름으로 기도합니다. 아멘.

**100**

# Bless their lungs

When their spirit departs, they return to the ground; on that very day their plans come to nothing.

Psalm 146:4

Lord, you are worthy of all glory and praise from the mouths of those who have breath. Thank you that we can breathe freely as we live each day. We pray for healthy lungs for our children. Bless them as they sleep that they may breathe in sufficient oxygen for their bodies. As the day draws to a close, help us to reflect on whether or not we have sinned against you while we have your breath of live in us. And if we have, then help us to repent.

Creator God, thank you for breathing your breath of life into our nostrils when you created us. We pray for healthy lungs so we may not suffer when breathing, and so all the cells in our bodies may receive sufficient oxygen. Help our lungs to resist the germs that cause illness. Give us a clean environment so we may breathe in clean air and grant us healthy lungs. Help us not to choke when we eat.

We pray in Jesus' name, Amen.

---

 **건강한 폐를 주세요**

호흡이 있는 자들의 찬양과 경배를 받기에 부족함이 없으신 주님, 우리 가족이 숨을 쉬게 하시고 하루를 건강하게 보내게 하시니 감사를 드립니다. 오늘도 주님을 호흡하며 살아갈 수 있었던 것을 감사드립니다. 우리 자녀에게도 건강한 폐를 허락하시고 이것으로 인해 온몸이 건강할 수 있게 하심을 감사드립니다. 이제 자는 순간에도 건강한 폐로 호흡하게 하시고 풍성한 산소를 공급 받을 수 있도록 도와주옵소서. 하루를 마감하면서 하나님이 주신 호흡을 갖고 죄를 범하지 않았는가 회개하게 하옵소서.

창조주 하나님, 우리를 만드셔서 주님의 숨을 불어넣어 주시고 인간으로 하여금 살아 있는 존재가 되게 하심을 감사드립니다. 건강한 폐를 허락해 주셔서 숨을 쉬기에 부족함이 없게 하시고 건강한 산소를 호흡하여 세포 세포마다 산소를 충분히 공급하도록 도와주옵소서. 건강한 공기를 마실 수 있도록 환경도 깨끗하게 보존하는 청지기가 되게 하시며 한 순간도 어려움이 없도록 건강한 폐를 허락해 주옵소서. 폐를 공격하는 어떤 병균들도 주님께서 다 막아 주시고 감기나 폐렴 등으로부터도 지켜 주옵소서. 음식을 잘못 먹어서 기도가 막히지 않도록 은총을 내려 주옵소서.

예수님의 이름으로 기도합니다. 아멘.

2/27/·5

# Help us not to be lazy

She selects wool and flax and works with eager hands.                    Proverbs 31:13

G od, our sustainer, we have prayed for good health for the month of February. Thank you for hearing our prayers. We pray that you will bless our children's health and protect them from diseases. Help them to take good care of their bodies, especially in their diet.

Lord, you are the source of life and health. Please keep our children from becoming lazy. Help them to learn diligence in all that they do. Help them to have healthy minds and bodies so they may serve their family and their church. Help us not to take advantage of the good health that you have given us.

We pray in Jesus' name, Amen.

### 게으르지 않게 하소서

우리에게 건강을 주신 주님, 2월 한 달 동안 주님 앞에 드린 건강을 위한 모든 기도가 다 응답 받으며 열매 맺게 하심을 감사드립니다. 우리 자녀들이 일생을 사는 동안 건강의 어려움이 없도록 지켜 주시고 건강을 해치고 공격하는 모든 바이러스들과 위험으로부터 지켜 주시고 보호해 주옵소서. 기도로만 끝나는 것이 아니라 언제나 건강한 몸을 유지하기 위해 열심히 관리하게 하시고, 먹고 마시고 자는 모든 일에서 건강을 돌볼 수 있는 자녀들이 되게 도와주옵소서.

생명과 건강의 근원이 되시는 주님, 주님께서 이 모든 건강을 주셨음에도 불구하고 몸을 움직이기 싫어하거나 게으르게 살지 않도록 우리 자녀들을 지켜 주옵소서. 건강함으로 인해 부지런히 일하며 주님이 맡겨 준 사명들을 잘 감당하게 해주옵소서. 건강한 마음의 동기를 부여해 주셔서 건강한 몸을 개인과 가정, 그리고 교회와 하나님의 나라를 위해 사용할 수 있도록 도와주옵소서. 매일매일 눕고 자고 놀면서 하나님이 주신 건강의 은혜를 헛되게 하지 않도록 지켜 주옵소서.

우리에게 건강을 주시는 예수님의 이름으로 기도합니다. 아멘.

2/28/05

## February
## 28

# Bless them with true Sabbath rest

The Lord is my shepherd, I shall not be in want. He makes me lie down in green pastures.

Psalm 23:1-2

Lord, before the children fall asleep, help our children to remember that God has provided times for different things: time for work, time for studying, time for eating, and time for resting. Although you have provided us physical rest through sleep, more importantly you have granted us true spiritual rest as we receive forgiveness and love in your arms. Help our children to find this true rest in you. Lord, help us to experience true Sabbath rest through good health for our bodies.

Lord, keep our children from the folly of becoming workaholics or from studying so much that they don't have time to serve God or others. Give them wisdom to study diligently, but also to take rests. Protect them from forfeiting rest through drug or alcohol addictions. Give them knowledge of how to care for the body that God has granted them. Above all else, help them to find God's love and true Sabbath rest in their spirits.

We pray in Jesus name, who is our shepherd. Amen.

### 안식하는 자녀가 되게 하소서

주여, 잠자기 전에 우리 자녀가 이것을 기억하게 해주세요. 하나님께서 일하는 시간과 공부하는 시간과 먹을 시간을 주시고 또한 쉴 시간도 주셨음을 기억하게 도와주세요. 육체적으로 쉴 수 있는 잠도 허락하셨지만 하나님 의 품에서 용서 받고 사랑받는 쉼도 허락하셨음을 기억하게 해주세요. 특별히 모든 몸의 기관 기관이 건강함으로 누리는 안식을 허락해 주세요.

주여, 우리 자녀들이 일에 중독되지 않게 보호하시며, 공부하는 일에 매여서 다른 선한 일을 하지 못하는 어리 석음을 범하지 않게 도와주세요. 공부를 다스릴 수 있도록 도와주시며 쉴 때에는 넉넉하게 쉴 수 있는 용기도 허 락해 주세요. 또한 마약이나 술 같은 것에 중독이 되어 쉼을 잃어버리지 않게 도와주세요. 이러한 것이 주님이 주 신 몸을 잘 관리하는 것임을 깨닫게 해주세요. 무엇보다도 자녀들의 영혼이 주님의 깊은 사랑 안에서 안식하게 도 와주세요.

우리의 목자 되신 예수님의 이름으로 기도합니다. 아멘.

**103**

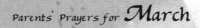

Parents' Prayers for *March*

-The Blessings of Coming Together-

Lent and Easter occur during the months of March and April.
The prayer topics for this month have to do with the blessings of meeting together.
There may me some bad influences from encountering the things of this world,
but there are eternal blessings when our children meet with Jesus
and the characters in the Bible.
Let us pray for these blessings as we come together with our children
and remember the Lenten season, Palm Sunday,
Jesus' crucifixion, and his resurrection.

자녀를 위한 3월의 축복 기도

- 만남을 중심으로 -

3, 4월은 사순절과 부활절이 있는 달입니다.
그래서 특별히 "만남"에 대하여 자녀들을 축복하는 기도를 준비하였습니다.
세상에서의 어떤 만남들은 오히려 자녀들에게 좋지 않는 영향을 주는 경우도 있지만 예수님과의 만남,
성경의 인물들과의 만남은 자녀들에게 영원한 복이 될 것입니다.
사순절 기간 동안, 종려주일, 수난절, 부활절이 있는 3, 4월에 예수님을 만나는
축복이 자녀들에게 임하기를 바라면서 3월에는 "만남"의 복에 대하여 기도합니다.
3월의 명구는 브라더 앤드류의 '하나님의 마음을 움직이는 기도'에서 발췌하였습니다.

*3/1/05 .*

# March 1

# May they come to know Jehovah-Jireh: The Lord Our Provider

So Abraham called that place the Lord Will provide. And to this day it is said, "On the mountain of the Lord it will be provided."

Genesis 22:14

Thank you for this new month. We pray for our children in their school life. May they meet good teachers and good friends. Give them wisdom for their studies and love for their friends. Help them to understand each other and to share their knowledge. May school be a place where they can share the love of God.

We pray that the children will personally meet with God, Jehovah-Jireh, during the Lenten season and during Easter. Give us faith to know that you always provide for them and watch over them. Help them to know Jehovah-Jireh, who provided Abraham with a ram for sacrifice in place of his son Isaac. Help them to trust and rely on God so they will not fear anything. Bless them that they may meet the true Lord.

We pray in the name of Jesus, who provides all things. Amen.

## 여호와 이레의 하나님을 만나게 하소서

새로운 달을 주시고 새로운 마음으로 생활에 임하게 하시는 주님, 감사하는 마음으로 자녀를 위한 기도를 드립니다. 학교생활에서 좋은 스승과 친구들을 만나게 해주시고 공부에 잘 적응하게 해주셔서 감사를 드립니다. 공부를 하는 데 부족하지 않은 지혜를 주시고 무엇보다도 친구들을 사랑하고 위하는 마음을 허락해 주십시오. 서로 간에 양보하고 이해하면서 함께 공부하고 지혜를 나눌 수 있도록 도와주시며 학교에서도 주님의 사랑을 나누는 자가 되게 해주십시오.

사순절 기간과 부활절 기간 동안에 우리 자녀들이 여호와 이레의 하나님을 만나기를 원합니다. 언제나 주님께서 성실하게 우리의 필요를 채워 주실 뿐만 아니라 언제나 가까이에서 지켜 주시고 동행하심을 믿게 하옵소서. 아브라함이 이삭 대신에 다른 제물을 준비해 주신 여호와 이레의 하나님을 만난 것처럼 우리 자녀들도 이러한 하나님을 믿을 뿐만 아니라 친밀하게 만나는 경험을 하도록 도와주옵소서. 그러므로 우리 자녀들이 일생을 살아가는 동안 어떤 것도 두려워하지 않고 근심하지 않으며, 범사에 주님을 의뢰하며 신뢰하게 하옵소서. 주님을 깊이 만나는 체험이 있도록 축복해 주옵소서. 모든 것을 준비해 주시는 예수님의 이름으로 기도합니다. 아멘.

**106**

## March 2
# May they come to know Jehovah-Shalom: The Lord Our Peace

*So Gideon built an altar to the Lord there and called it The Lord is Peace. To this day it stands in Ophrah of the Abiezrites.*
Judges 6:24

We give you thanks and praise, O Lord. You who delights to give us true peace. Thank you for this new month and the Easter season. Help our children to know the meaning of Jesus' suffering, death, and resurrection, even from a young age. Thank you for today that we could share the joy of the life with family and friends.

Just as Gideon experienced Jehovah-Shalom, God Our Peace, help our children to know that God sustains them. Help them to personally experience Jehovah-Shalom, who is their true peace which the world cannot give nor take away. Grant them the experience of Shalom with their friends and teachers at school. Help them to also meet good teachers who have the ability to discover our children's natural gifts.

In Jesus' name we pray, Amen.

### 여호와 살롬의 하나님을 만나게 하소서

우리에게 평강을 주시기를 즐거워하시는 주님, 감사와 찬양을 드립니다. 새로운 달 3월을 주시고 주님과 교제하며 주님의 수난과 부활을 준비하게 하시니 감사를 드립니다. 우리 자녀들이 어려서부터 주님의 수난과 부활을 체험하게 하시고 그 의미를 알게 하옵소서. 오늘도 주님이 인도해 주셔서 건강한 생활을 하게 하시고 인생의 즐거움을 가족과 함께, 친구와 함께 누리게 하시니 감사를 드립니다.

기드온이 주님을 여호와 살롬의 하나님으로 경험한 것처럼 우리 자녀들도 주님의 얼굴을 대면하고 생명을 유지할 수 있도록 인도해 주옵소서. 그래서 주님을 여호와 살롬의 하나님으로 만날 수 있도록 축복해 주옵소서. 어떤 만남이든지 귀한 것이겠지만, 무엇보다도 이 3월이라는 귀한 달에 우리 자녀들이 여호와 살롬을 체험하게 하셔서 이 세상에서 줄 수도 없고 빼앗아 갈 수도 없는 평강을 누리게 하옵소서. 새 달을 맞이하여 새로운 선생님과 친구들을 만나게 되었습니다. 이들과도 주 안에서 만나는 귀한 만남이 되도록 축복하시며 살롬의 관계를 유지하도록 축복해 주옵소서. 믿음의 교사를 만나게 하시며 우리 자녀의 지능과 은사를 발견하여 성장시킬 수 있는 교사를 만날 수 있도록 인도해 주옵소서. 그러나 가장 좋은 교사, 주님을 만날 수 있도록 축복해 주옵소서.

예수님 이름으로 기도합니다. 아멘.

3/3/05

**March**
**3**

# May they come to know Jehovah-Nissi: The Lord Our Banner

Moses built an altar and called it The Lord is my Banner. He said, "For hands were lifted up to the throne of the Lord. The Lord will be at war against the Amalekites from generation to generation."

Exodus 17:15-16

Lord, our banner of victory, thank you for making today a day of victory against our enemies. Help us to prevail over every darkness in our daily lives and wave high the victory banner of our Lord. Just as Moses had helpers who held up his arms when he prayed, likewise give us prayer partners to pray for one another. Help us to experience the victory of God every time we pray.

We believe that our enemies cannot beat us when our God is with us. We believe that you are with us, O Lord, and we believe that you are our victory banner. Help our children to personally experience Jehovah-Nissi, who is God our banner, our victory, our strength.

We pray in the name of Jesus, who gives us the victory. Amen.

---

 **여호와 닛시의 하나님을 만나게 하소서**

승리의 깃발이 되시는 주님, 주님으로 인해 오늘도 승리의 날이 되게 하시고 모든 원수의 목전에서 깃발을 흔들게 하시니 감사를 드립니다. 모든 일상생활에서 우리가 어두움의 세력에 승리하게 하시고 그들에게 영원한 승리의 깃발을 보여 줄 수 있도록 인도해 주옵소서. 모세가 기도할 때에 아론과 훌이 도와준 것처럼 우리가 서로를 위해 기도의 동역자들이 되게 하시고, 기도할 때마다 승리로 이끄시는 주님을 체험하게 하옵소서.

주님이 함께하시면 어떠한 적들도 대적할 수 있다고 믿습니다. 주님이 함께하시고, 주님이 우리의 깃발이 되어 주시면 어떠한 유혹도 이길 수 있다고 생각합니다. 그러한 깃발이 되시는 주님, 승리하게 하시는 주님, 능력의 주님을 이 기간 동안에 만나게 하옵소서. 우리 자녀들이 주님만을 의지하고 신뢰하게 하시며, 믿고 신뢰할 때에 인생의 모든 순간들을 승리의 순간으로 인도하시는 여호와 닛시의 하나님을 만날 수 있도록 축복해 주옵소서. 언제나 승리의 깃발을 날리며 앞으로 전진할 수 있는 자녀들이 되도록 축복해 주옵소서.

우리의 가족을 승리하게 하시는 예수님의 이름으로 기도합니다. 아멘.

# May they come to know Jehovah-Rohi: The Lord Our Shepherd

The Lord is my shepherd, I shall not be in want. — Psalms 23:1

We give you thanks and praise, O Lord, for we live by your providence. Just as David wrote "The Lord is my Shepherd, I shall not be in want," may we also live being shepherded by you. Thank you for being our shepherd and giving us all of our daily needs. Help our children to experience Jesus, their true shepherd, who knows their needs even before they ask.

Help our children to recognize the voice of their true shepherd so they may obey and follow Jesus as he leads them. If they follow their shepherd, they will be safe, satisfied, and happy. May our children always follow the Lord their Shepherd who guides them with his staff and rod. Help them to know that their true Shepherd gave his life for them because he loved them.

We pray in the name of Jesus, who is our true Shepherd. Amen.

## 여호와 라아의 하나님을 만나게 하소서

부족함이 없는 인생을 허락해 주시는 주님, 감사와 영광을 돌려 드립니다. 주님 한 분으로 부족함이 없다고 고백한 다윗과 같이 우리가 목자 되신 주님으로 인해 감사하게 하시며 부족함이 없는 행복을 누리게 하옵소서. 주님이 목자 되어 주셔서 하루에 먹을 양식과 필요한 물질과 건강을 주시고 인도해 주시니 감사합니다. 우리의 필요를 구하기 전에 이미 아셔서 친히 공급해 주시고 보살펴 주시는 주님, 우리 자녀가 그러한 목자 되신 주님을 만나게 도와주옵소서.

목자 되신 주님께서 우리 자녀들을 만나 주심으로 우리 자녀들이 목자의 음성을 들어 알고 따라가게 하시며 목자가 인도하는 대로 순종하여 따라갈 수 있도록 축복해 주옵소서. 목자 되신 주님을 따라가기만 하면 안전하며, 풍성하며, 배부르며, 행복할 것을 믿습니다. 이러한 목자 되신 주님을 우리 자녀들이 놓치지 않게 하시며, 언제나 주님의 지팡이와 막대기가 인도하는 대로 따라가게 하옵소서. 이 세상을 살아가면서 목자 되신 주님, 양을 위해 목숨을 버리며 끝까지 사랑하시는 주님을 우리 자녀들이 만나는 축복을 주시며, 그 만남으로 인해 일생을 풍성하게 노래하며 걸어갈 수 있도록 인도해 주옵소서. 목자 되신 예수님의 이름으로 기도합니다. 아멘.

3/5/05.

# May they come to know
# Jehovah-Rophe: The Lord Our Healer

He said, "If you listen carefully to the voice of the Lord your God and do what is right in his eyes, if you pay attention to his commands and keep all his decrees, I will not bring on you any of the diseases I brought on the Egyptians, for I am the Lord, who heals you." Exodus 15:26

God of love, thank you for giving us breath today so we may share your love with others. As long as we have breath in our bodies, help us to love God, love our neighbors, and love our family. Help our children to know the love of God so they may be an example of Christ wherever they go.

Lord, You delight to give us good health. Help our children to meet Jehovah-Rophe, who is our true healer. When they are sick may their bodies be healed, their minds become clear, and their spirits refreshed. Restore them in body and spirit when they are sick. Although it is important to have good doctors, help them to know the true giver and sustainer of life.

We pray in the name of Jesus, who is our healer. Amen.

## 여호와 라파의 하나님을 만나게 하소서

사랑의 하나님! 주님께서 오늘도 우리에게 호흡할 수 있도록 허락해 주셔서 사랑을 행할 수 있는 기회를 주시니 감사를 드립니다. 호흡이 있는 동안 주님을 사랑하고 이웃을 사랑하며 가족을 사랑할 수 있도록 축복해 주세요. 우리 자녀들에게도 주님의 풍성한 사랑을 허락해 주셔서 주위의 친구들에게 그리스도의 향기를 발하는 자녀가 되도록 인도해 주세요.

우리가 건강하기를 원하시는 주님! 우리 자녀가 여호와 라파, 곧 병 고치시기를 즐거워하시며 영원한 능력의 의원이 되시는 주님을 만날 수 있도록 인도해 주세요. 그래서 몸이 치유 받고 정신이 건강해지며 영혼이 강건하게 회복할 수 있도록 축복해 주세요. 그래서 병들고 지친 영혼과 육신을 건강하게 회복할 수 있도록 인도해 주세요. 이 세상에서 만나는 모든 의원들도 중요하지만 진정으로 병자를 고치러 오신 주님을 만날 수 있도록 도와주시며 언제나 주님에게 의뢰함으로 영육간의 건강과 생명력을 얻을 수 있도록 축복해 주세요. 우리 자녀가 하나님께서 주시는 건강을 힘입어 이 세상을 살아가게 하시며 그 건강을 잘 지켜 나가는 자녀들이 되도록 축복해 주세요.

우리의 의원이 되시는 예수님의 이름으로 기도합니다. 아멘.

# May they come to know Jehovah-Tsidkenu: The Lord Our Righteousness

In his days Judah will be saved and Israel will live in safety. This is the name by which he will be called: The Lord Our Righteousness.                                    Jeremiah 23:6

Lord, you desire for us to be set apart from evil and to have your righteousness. Thank you for being our righteousness and for opening the door to salvation. Forgive our family today when we grieved you with our sins. Although we were hopelessly dead in sin and there was no way we could save ourselves, thank you for being our righteousness so we can be justified. Help us to become purer and to turn away from sin.

Help our children to personally experience Jehovah-Tsidkenu, the Lord who is our righteousness. Although our sins are like scarlet, we may have the Lord's righteousness and become white as fleece. Despite the fact that we are sinners, help us to remember that you have opened the way for our salvation. Help us to clothe ourselves daily with the righteousness of the Lord. May our prayers and repentance never be just a ritual, but help us to truly become like Jesus in our lives.

We pray in Jesus' name, Amen.

### 여호와 치드케누의 하나님을 만나게 하소서

우리가 정결하기를 원하시고 죄악으로부터 구별되기를 원하시는 주님! 주님께서 우리의 의가 되어 주셔서 구원의 길을 열어 주심을 감사드립니다. 우리 가족이 오늘도 세상에서 주님이 슬퍼하시는 죄악을 범한 것을 용서해 주소서. 구원받을 길 없는 우리들이지만 주님께서 우리의 의가 되어 주셔서 우리로 하여금 의롭다 여김을 받는 근원을 제공하여 주심을 감사드립니다. 우리가 더욱 정결하고 죄로부터 떠날 수 있도록 인도해 주옵소서.

우리 자녀들이 이 기간 동안에 여호와 치드케누(여호와 우리의 의)를 만날 수 있도록 도와주셔서 우리의 죄악이 주홍빛 같다고 하여도 주님의 의로 우리의 죄악이 양털같이 희어지도록 인도해 주옵소서. 주님께서 우리를 용서해 주심으로 죄인임에도 불구하고 구원의 길을 열어 주셨음을 기억해 우리가 주님의 의를 옷 입고 날마다 성화에 이를 수 있도록 축복해 주옵소서. 우리가 죄 짓고 회개하는 일을 습관적으로 하지 않게 하시며 진정으로 주님을 닮아 가는 삶, 성화에 이르는 삶을 살게 하시며, 우리 자녀들도 이러한 아름다운 믿음의 길을 걷도록 인도해 주옵소서. 예수님의 이름으로 기도합니다. 아멘.

## March 7

# May they come to know Jehovah-MKaddesh: The Lord Who Sanctifies

Consecrate yourselves and be holy, because I am the Lord your God. Keep my decrees and follow them. I am the Lord, who makes you holy.
Leviticus 20:7-8

O Lord of grace and mercy, thank you for watching over us today and for providing us with our daily bread and clothing. Thank you for teaching us your ways. Thank you for giving us wisdom and good health with which to study. We pray for our children to be blessed with wisdom at school and at home so they will lack nothing.

Lord, you desire for us to be sanctified; however, we live in such a dark and dangerous century. We live in a time of moral decay and depravity. We long to be like you, even in this place, but we are so weak. O Lord, our Sanctifier! Sanctify us so we may participate in your holiness in our lives. Help our children to know the holiness of God. We long to be sanctified; we long to become holy. We seek your help, for only you can sanctify us.

We pray in Jesus' name, Amen.

### 여호와 마카데쉬의 하나님을 만나게 하소서

은혜와 자비가 풍성하신 주님! 감사를 드립니다. 오늘도 안전하게 지켜 주시고 먹을 것과 입을 것을 공급해 주시고 많은 것을 배우게 하시고 즐거운 하루를 보내게 하심을 감사드립니다. 또한 공부할 수 있는 능력과 지혜를 주시고 건강 주심을 감사드립니다. 우리 자녀들에게 총명함과 명철함을 주셔서 학교에서나 가정에서 살아가기에 부족함이 없는 자녀들이 되도록 축복해 주옵소서.

주님은 우리가 거룩하기를 원하시고 깨끗케 살기를 원하시는 줄 믿습니다. 21세기를 살아가는 우리 자녀들, 세상은 너무 험악하고 더럽습니다. 부패하고 패역(悖逆)합니다. 이러한 곳에서 주님처럼 거룩하게 살 수 있기를 원하지만 우리는 너무 힘이 부족합니다. 우리의 의가 되시는 주님! 우리를 성결케 하시고 거룩하게 만들어 주셔서 거룩한 주님과 동행하는 삶을 살게 도와주옵소서. 우리 자녀들이 주님의 거룩함을 체험하기를 원합니다. 거룩해지기를 원하며 정결케 되기를 원합니다. 우리를 거룩케 하시는 주님의 도움을 구합니다. 우리를 거룩케 하시는 주님을 진심으로 만나는 축복을 허락해 주옵소서.

예수님의 이름으로 기도합니다. 아멘.

## March 8

# May they accept Jesus' invitation

Come, follow me," Jesus said, "and I will make you fishers of men." At once they left their nets and followed him.

Matthew 4:19-20

**D**ear Lord, thank you for sending us your one and only Son. Thank you that through his death and resurrection, we have new life in you. Help us to have a joyful family life. Help us to comfort, understand, and encourage one another. Thank you for giving us your love. Help our family to truly love you and rely on you for all things.

We pray that our children will open their hearts to God's word when they hear him calling and immediately obey you. We don't know when you will call them to do things, Lord, but teach them to recognize your voice so they will be ready when you invite them. There are those who will try to deceive them; please protect them so they may respond only to God's invitation.

We pray in Jesus' name, Amen.

### 예수님의 초청을 만나게 하소서

우리를 위해 독생자를 주시고 독생자의 수난으로 인해 새로운 삶을 누리게 하시는 주님, 우리의 가정과 자녀들로 인해 감사를 드립니다. 가정에서 행복한 만남을 갖게 하시고 서로 위로하고, 이해하고, 세워 주며, 격려하게 하시니 감사를 드립니다. 무엇보다도 주님을 사랑하는 마음을 허락해 주셔서 하늘을 바라보며 살아가게 하시니 감사를 드립니다. 우리 가족이 진정으로 주님만을 사랑하며 주님으로 인해 부족함이 없는 인생을 누리게 하옵소서.

우리 자녀를 위해 기도합니다. 주님께서 우리 자녀들을 부르실 때에 듣지 못해 그 기회를 놓치지 않게 하시고 즉각적으로 순종할 수 있도록 인도해 주옵소서. 주님께서 언제 우리를 부르실지 모르지만, 주님이 부르실 때에 주님의 음성을 분별하고 응답하는 자녀들이 되게 하시며 예수님의 초청을 놓치지 않게 도와주옵소서. 자녀들이 주님의 초청을 받는 자가 되게 하시며 주님이 부르시는 곳으로 달려갈 수 있도록 도와주옵소서. 그러나 우리 자녀들은 잘못된 초청에 응할 수 있는 기회가 너무나 많습니다. 그들을 보호해 주시고 주님의 초청을 진정으로 만나는 자가 되게 도와주옵소서. 예수님의 이름으로 기도합니다. 아멘.

# March 9 May they come to know Jesus' restoration

Jesus answered them, "It is not the healthy who need a doctor, but the sick. I have not come to call the righteous, but sinners to repentance."
Luke 5:31-32

Lord, you are the source of life. We thank you and praise you. Thank you for being with us day by day and for making us into a loving and happy family. Thank you for creating in our children strong bodies, minds, and spirits. Help them to learn through their daily passage that Jesus came to minister to the sick and to call sinners to repentance. Help them to experience your restoration and healing.

First of all, help them to experience physical restoration when they are sick. Thank you for suffering for us, Lord, for the Bible says that by your wounds we have been healed. There are deep places in our hearts which have been hurt. Help us to find healing and restoration in these parts. You know the places where we need to be healed. Help us to be whole in body, mind, and spirit so we can have the freedom to love one another. Help us to find restoration in our relationships with you and with our neighbors so we may truly live a life of peace.

We pray in Jesus' name, Amen.

 **예수님의 치유를 만나게 하소서**

생명의 근원이 되시는 주님, 감사와 찬양으로 주님께 나아옵니다. 하루하루를 주님과 호흡하며 살게 하시고 자녀들과 함께 사랑과 행복을 누리게 하시니 감사를 드립니다. 우리 자녀들을 언제나 지켜 주셔서 성장하게 하시고 자라나게 하시고, 건강한 몸과 마음으로 지혜도 자라나게 하시니 감사를 드립니다. 오늘도 말씀을 통해 주님이 병든 자를 위해, 죄인을 위해 오셨음을 가르쳐 주셨습니다. 우리 자녀들이 주님의 치유를 만나게 하옵소서. 그 축복이 우리 자녀들의 것이 되도록 인도하시며 치유하시는 주님을 만나게 하옵소서.

우선 건강한 몸의 치유를 주시는 주님을 만나게 도와주옵소서. 이미 이러한 치유를 위해 친히 채찍을 맞으셔서 우리에게 나음을 주신 주님, 감사를 드립니다. 우리 안에 숨겨져 있는 깊은 상처를 치유하시는 주님을 만나게 도와주옵소서. 주님은 우리가 어디를 고침 받아야 하는지 아십니다. 그러므로 영혼까지 온전하게 치유해 주셔서 참으로 자유와 사랑을 누리며 나누는 자가 되게 도와주옵소서. 치유하시는 주님을 만나서 온전한 치유, 전인격적인 치유, 하나님과 이웃과 살롬을 누리는 치유를 체험하는 자녀들이 되도록 축복해 주옵소서.

치유를 위해 오신 예수님의 이름으로 기도합니다. 아멘.

# Help them to pray like Jesus

Going a little farther, he fell with his face to the ground and prayed, "My Father, if it is possible, may this cup be taken from me. Yet not as I will, but as you will."

Matthew 26:39

Thank you for teaching us how to pray, O Lord. We give you thanks and praise. Thank you for the freedom we have in coming to you daily in prayer so we may find true peace. Help our children to become people of prayer, even from a young age.

Help them to learn discernment through prayer in their lives. Help them to become like Jesus, who prayed and obeyed God's will to the end. Help them to remember how Jesus prayed so earnestly in the Garden of Gethsemane that his sweat became like drops of blood. Teach them to not pray ritually or according to their own will, but help them to pray according to God's will, like Jesus. Help them to obey God like Jesus. Help them to pray in all circumstances and to be led by the Holy Spirit. Teach them the true meaning of the Lord's Prayer.

We pray in Jesus' name, Amen.

### 예수님의 기도와 만나게 하소서

우리에게 기도를 가르쳐 주시는 주님, 감사와 찬양을 드립니다. 오늘도 작은 일에서부터 큰 일에 이르기까지 상세하게 아버지 되신 주님께 기도하게 하시고 마음의 평안을 얻게 하심을 감사드립니다. 우리 자녀들이 어려서부터 기도하는 자녀가 되게 하시며 기도를 통해 하나님의 뜻을 분별하고 인생 길을 걸어가는 자녀가 되도록 인도해 주옵소서. 우리 자녀들이 주님의 기도와 만나기를 원합니다. 마음을 다하여 아버지께 기도하시던 주님! 그리고 아버지의 뜻대로 순종하기를 원하셨던 당신의 기도를 배우게 하시고, 겟세마네 동산에서 피땀 흘려 기도하시던 주님을 기억하게 하옵소서. 형식적으로 기도하지 않게 하시고 자신의 욕심대로 기도하지 않게 도와주시며, 언제나 주님의 뜻을 분별하여 주님이 원하시는 생명의 기도가 되도록 축복해 주옵소서. 먼저 우리 자녀가 주님의 기도를 배우게 도와주옵소서. 주님의 순종을 배우게 도와주옵소서. 그래서 모든 기도의 생활이 생명이 되게 하시며 언제나 성령 안에서 기도하는 자녀가 되도록 축복해 주옵소서. 생명의 기도를 하는 자녀가 될 때에 그들이 어디에 가든지 형통할 것을 믿습니다. 주님의 기도, 겟세마네의 기도, 새벽을 깨우셨던 기도와 만나는 자녀들이 되도록 인도해 주옵소서. 주기도문을 가르쳐 주옵소서. 예수님의 이름으로 기도합니다. 아멘.

# Teach them to obey like Jesus

**March 11**

Then he went down to Nazareth with them and was obedient to them. But his mother treasured all these things in her heart.
Luke 2:51

Lord, thank you for teaching us about your suffering, death, and resurrection during these months. Help us to know your heart, your love, and your comfort. Help us to know how patient you are with us and how much you love us. Just as Jesus was obedient to the Father, help our children to learn that kind of obedience.

First of all, help them to obey their parents and the word of God. Help them to experience the victory and vindication that comes only through obedience to God. Help them to know God's love so they may obey him always. Help them to prevail over the spirit of disobedience and the temptation to disobey. Help them to meet the Lord in sincere obedience.

We pray in the name of Jesus, who taught us the beauty of obedience. Amen.

### 예수님의 순종과 만나게 하소서

주님의 달, 수난과 부활의 달을 주시고 주님과 만날 수 있도록 인도해 주셔서 감사를 드립니다. 주님의 깊은 마음, 사랑, 위로를 만나게 하시고 주님이 우리를 얼마나 기다리시고 사랑하시는가를 알게 하옵소서. 주님이 순종하며 가정생활을 했던 것처럼, 주님이 하나님의 뜻에 순종함으로 삶을 완성하셨던 것처럼 우리 자녀들도 순종을 배우게 하시며 순종의 주님을 만날 수 있도록 복을 내려 주옵소서.

먼저 부모와 스승에게 순종할 수 있는 자녀가 되게 하시며 하나님의 법에 순종하는 자녀가 되도록 인도해 주옵소서. 그리고 순종을 삶으로 보여 주신 주님을 만나게 하시며 그 순종으로 최후의 승리를 얻은 주님을 체험하게 도와주옵소서. 순종을 할 수 있는 깊은 사랑을 먼저 체험하게 하시며 주님을 사랑함으로 순종하는 기쁨을 더하게 해주옵소서. 불순종하는 자들에게 역사하는 어둠의 영들과 대적해 이기게 하시며 시시 때때로 우리를 깊은 불순종으로 들어가게 하는 사탄의 유혹에 넘어가지 않도록 축복해 주옵소서. 끝까지 온전한 순종을 할 수 있는 힘을 주시며 그렇게 순종하셨던 주님을 진심으로 만날 수 있도록 축복해 주옵소서.

아름답게 순종하신 예수님의 이름으로 기도합니다. 아멘.

**116**

5/2/05

## March 12    Help them to learn Jesus' meekness

but made himself nothing, taking the very nature of a servant, being made in human likeness. And being found in appearance as a man, he humbled himself and became obedient to death-even death on a cross!

Philippians 2:7-8

Thank you for showing us and teaching us true meekness by your example, O Lord. Although you are God, you emptied yourself and came to us as a brother and servant. Teach us to learn from your meekness and humility. Although our children live in an age where people boast about even little things, help them to meet Jesus who humbled himself. In this way, they may learn true humility. Teach them to lower themselves to help those who are below them, just as Jesus lowered himself for us.

Mark 10:43-44 says: "Not so with you. Instead, whoever wants to become great among you must be your servant, and whoever wants to be first must be a slave of all." O Lord, we can be so foolish that we try hard to become great before others and quarrel with each other. Help our children not to participate in such foolishness. Help them to lower themselves to the foot of the cross so there they may meet with Jesus.

We pray in the name of Jesus, who teaches us humility. Amen.

### 예수님의 낮아지심을 만나게 하소서

우리에게 섬김을 가르쳐 주시고 낮아지심을 보여 주신 주님, 하나님이셨지만 자신을 비워 종의 형체로 오신 주님, 우리가 주님의 낮아지심을 배우게 하옵소서. 작은 일로도 교만하고 자기를 앞세우려고 하는 이 시대에 우리 자녀들이 주님의 낮아지심을 만나게 하시고 진정으로 낮아지신 그 주님을 만나도록 축복해 주옵소서. 낮아지신 주님을 만남으로 인해 우리 자녀들이 겸손을 배우게 하시며 주님과 함께 낮은 세계로 내려가 세상을 섬기며 헌신할 수 있도록 축복해 주옵소서.

"너희 중에 누구든지 크고자 하는 자는 너희를 섬기는 자가 되고 너희 중에 누구든지 으뜸이 되고자 하는 자는 모든 사람의 종이 되어야 하리라."(막 10:43,44)라고 말씀해 주신 주님, 우리들은 어리석게도 서로 높아지려고만 하고, "누가 더 크냐?"라는 주제로 싸우기도 합니다. 우리의 자녀들이 이러한 어리석은 자들과 함께 앉지 아니하고 온전하게 낮아져서 섬기는 자의 축복을 누리게 해주옵소서. 낮은 곳에 내려가야 비로소 만날 수 있는 주님을 우리 자녀들이 만나는 축복을 허락해 주옵소서.

낮아지심을 삶으로 보여 주신 예수님의 이름으로 기도합니다. 아멘.

# Help them to learn from Peter

Again Jesus said, "Simon son of John, do you truly love me?" He answered, "Yes, Lord, you know that I love you." Jesus said, "Take care of my sheep."    John 21:16

O Lord, you have raised up Peter like a rock. We desire to love and serve the Lord just as Peter did. During this season of Lent and Easter, please help our children to learn from Peter, who loved the Lord and spread the Gospel message with all of his heart.

Peter was weak and even denied the Lord three times. However, he truly repented and restored his relationship with Jesus. Although our children may not be perfect disciples, help them to get up when they fall, just as Peter did. As you lifted up Peter and restored him to his position, may you lift up our children to serve you all of their lives. Help our children to be like Peter, who gave even his own life for the spreading of the Gospel. Help them to have deep faith, fervor, and passion for holiness just as Peter had.

We pray in Jesus' name, Amen.

### 베드로를 만나게 하소서

베드로를 반석으로 키워 주신 주님, 베드로와 같이 주님을 사랑하며 주님을 위해 헌신하기를 원합니다. 주님의 수난의 달에, 부활의 달에, 주께서 사랑하셨던 베드로를 우리 자녀들이 만나는 축복을 허락해 주옵소서. 전심으로 주를 사랑하고, 전심으로 복음 전파에 생명을 내었던 베드로를 만나게 하시며 그와 같은 삶을 사는 자녀들이 되도록 축복해 주옵소서.

연약했던 베드로, 세 번이나 주님을 모른다고 부인한 베드로, 하지만 진정으로 회개하고 주님과의 관계를 다시 회복할 수 있었던 베드로처럼, 우리 자녀들이 완벽한 제자는 될 수 없다 하더라도 다시 회복하고 다시 일어나는 제자가 되도록 인도해 주옵소서. 베드로를 다시 일으켜 새로운 일을 맡기셨던 것처럼 우리 자녀들도 힘들 때마다 다시 일으켜 더 깊은 곳으로 나아갈 수 있도록 힘을 허락해 주옵소서.

주님을 위해, 복음 전파와 선교에 생명을 내어놓은 베드로처럼 주님만을 사랑하고 주님을 위해 생명을 드리는 우리의 자녀들이 되도록 축복해 주옵소서. 우리 자녀들이 베드로의 깊은 믿음, 헌신, 거룩함에의 열정 등을 배우게 하시고, 베드로처럼 '힘써' 주님을 사랑하며 주님을 위해 일할 수 있도록 복을 내려 주옵소서.

예수님의 이름으로 기도합니다. 아멘.

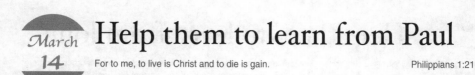

# March 14

# Help them to learn from Paul

For to me, to live is Christ and to die is gain.                    Philippians 1:21

Thank you, O Lord, for loving us to the end and never giving up on us. Thank you for helping our children to maintain their student life. What are we that you should love us so much? Although we are weak and sinful, you give us eternal mercy. Help our children to personally experience this loving kindness.

Help our children to learn from Paul, whom you called to preach the Gospel to the gentiles. He studied the word of God in Arabia for three years and then set out to complete three journeys for world missions. May our children learn from his example.

Bless us with Paul's conversion experience, after which he considered everything he had to be rubbish. Help us to learn from his passion to spread the Gospel to the world. Help us to learn of his joy in dying for Christ. Help us to learn from his contentment, even when he did not have sufficient accommodations.

We pray in Jesus' name, Amen.

### 바울을 만나게 하소서

우리를 끝까지 사랑하시며, 끝까지 포기하지 않으시는 주님, 감사를 드립니다. 우리 자녀들이 학교생활을 열심히 할 수 있도록 건강을 주셔서 감사드립니다. 우리가 무엇이관데 이토록 사랑해 주시나요? 부족하고 연약하고 완악(頑惡)한 우리들이지만 한량없는 자비를 베풀어 주시니 감사드립니다. 우리 자녀들이 주님의 은총을 체험하게 도와주세요.

사도 바울을 택하셔서 이방인 전도의 선교사로 삼으신 주님, 우리 자녀들이 모든 삶의 목표를 주님께 두고 주님만을 사랑했던 사도 바울을 만나는 축복을 허락해 주세요. 3년 동안 아라비아 광야에서 말씀을 공부하고 영성훈련을 하고 3차에 걸쳐 세계 선교에 자신을 바쳤던 사도 바울이 우리 가족들과 친근하게 만나지게 도와주세요.

주님을 만나고 난 후 세상에 속한 모든 것을 배설물로 여기고 오직 그리스도께 잡힌 바 되어 그 목표를 향해 온전하게 달려갔던 사도 바울, 주님을 위해 죽는 것을 기뻐했던 사도 바울, 세상의 명예와 높은 신분을 가지고 있었음에도 불구하고 비천한 곳에 처할 줄도 알았던 사도 바울을 만나는 축복을 허락해 주세요. 사울을 사도 바울로 성장시켜 주신 주님을 만나는 축복도 허락해 주옵소서. 예수님의 이름으로 기도합니다. 아멘.

**119**

# Help them to learn from John

John, your brother and companion in the suffering and kingdom and patient endurance that are ours in Jesus, was on the island of Patmos because of the word of God and the testimony of Jesus.

Revelations 1:9

O God of love, thank you that we could enjoy this day freely; this day that you have created. We thank you because you are the source of our peace and our joy.

Help them to learn from Apostle John, whom you loved so much that he was called "the disciple that Jesus loved." John was there when Jesus hung on the cross and he was given charge of Mary, the mother of Jesus. Help our children to learn from this John, who was calm despite the tribulations around him. Help them to learn from the Gospel of John to love one another. Therefore, help them also to lack nothing as they witness God's word to others like Apostle John. Help them to learn from John, not just in their minds, but also in their hearts.

We pray in Jesus' name, Amen.

## 요한을 만나게 하소서

사랑의 하나님, 주님이 지으신 날을 우리가 값없이 즐기게 하시고 주님으로 인해 즐겁고 기쁘게 하루를 지내게 하심을 감사드립니다. 우리의 모든 삶의 기쁨과 평강이 주님으로 인해 오는 것임을 감사드립니다. 주님의 달, 3월에 우리 자녀들이 성경에 나오는 사도 요한을 만나기를 원합니다.

주님이 너무나 사랑하여 "사랑하는 제자"라고 칭했던 사도 요한, 주님이 십자가에 달렸을 때에도 그 자리에 있었던 사도 요한, 또한 어머니 마리아를 섬기도록 부탁 받은 사도 요한을 우리 자녀들이 만나기를 원합니다. 끝까지 주님을 사랑하여 밧모 섬에서 주님의 환난에 동참했던 사도 요한, 고독과 환난을 사랑으로 이길 수 있었던 사도 요한을 우리 자녀들이 만나기를 원합니다. 사도 요한처럼 "서로 사랑하며" 살 수 있게 하시고 사도 요한처럼 마지막 증인의 삶을 아름답게 장식하는 자녀들이 되도록 인도해 주세요. 그래서 이 시대에 주님의 말씀을 맡길 수 있는 자가 되게 하시며 주님을 증거하기에 부족함이 없는 자가 되도록 축복해 주세요. 단순히 쓰여진 글로써 만나는 것이 아니라, "사도 요한"의 삶과 마음을 만날 수 있도록 축복해 주세요.

예수님의 이름으로 기도합니다. 아멘.

# Help them to learn from Andrew

Another of his disciples, Andrew, Simon Peter's brother, spoke up, "Here is a boy with five small barley loaves and two small fish, but how far will they go among so many?"    John 6:8-9

Lord of love, we long to meet with you because of your love. We long to know your heart, O Lord. We want to know your compassion and mercy which you showed to the 5,000 whom you've fed with bread and with the word of God.

Help our children to learn from Andrew. When the other disciples were calculating how much it would cost to feed such a crowd, Andrew, by faith, brought to Jesus the boy who had five loaves and two small fishes. He brought the little he had found, but which Jesus miraculously multiplied and fed to the five thousand. Help us to be like Andrew, who by faith did all he could, although it was a very small thing. Jesus used this small act of faith to perform a miracle. We live in a scientific age where people scorn and disbelieve

miracles. Help our children to do their best for Jesus, regardless of how big or small, so they may see the miraculous work of God in their lives also.

We pray in Jesus' name, Amen.

---

### 안드레를 만나게 하소서

사랑의 주님, 주님의 따뜻한 마음과 만나기를 원합니다. 생생하게 주님의 마음과 만나기를 원합니다. 말씀을 들으러 나온 오천 명을 불쌍한 마음으로 먹이시는 기적을 베풀어 주신 주님의 깊은 사랑과 긍휼을 만나기를 원합니다. 모든 것을 과학적으로 계산적으로 생각하던 제자들 가운데 서로 안드레처럼 작은 것이지만 주님께 믿음으로 들고 나올 수 있는 자녀들이 되도록 축복해 주세요.

주님에게 작은 아이를 데리고 와서 주님의 기적을 가능케 했던 안드레를 우리 자녀들이 만나기를 원합니다. 최선을 다하고 주님의 축복이 임하기를 기다리는 안드레처럼 우리 자녀들도 주님께 믿음을 가지고 나아갈 수 있도록 도와주세요. 안드레의 믿음, 안드레의 전도, 이것을 배우고 만나도록 인도해 주세요. 주님은 안드레의 믿음을 기뻐하셨고 그 작은 음식을 축복하시어 오천 명을 먹이고도 열두 광주리가 남는 기적을 이루셨습니다. 과학의 시대에 사는 우리 자녀들이 이러한 기적을 무시하지 않게 하시며 그 기적을 이루시는 주님을 진심으로 찾고 만날 수 있도록 인도해 주세요. 그래서 크고 작은, 많은 기적들을 체험하며 사는 자녀들이 되도록 축복해 주세요.

능력을 베푸시는 예수님의 이름으로 기도합니다. 아멘.

3/17/05

# Help them to learn from John the Baptist

You yourselves can testify that I said, 'I am not the Christ but am sent ahead of him.' The bride belongs to the bridegroom. The friend who attends the bridegroom waits and listens for him, and is full of joy when he hears the bridegroom's voice. That joy is mine, and it is now complete. He must become greater; I must become less.               John 3:28-30

We give you thanks, O Lord, for you give us only the best. We praise you, because you know what we need even before we ask. You provide everything for us so abundantly. Thank you that we can live with such abundant blessings. Help us to share these blessings with others.

Help our children to learn from John the Baptist, whom you dearly loved. He prepared the road for the Lord and lived a holy life. He also taught us the great spiritual truth that we must become smaller, and Jesus must become greater in our lives. Help us to have the kind of faith that magnifies the Lord and not ourselves. Help us to have the kind of faith that seeks to glorify God before others even if we must suffer loss. Help us to repent and get rid of trying to magnify ourselves, but to be more like John the Baptist who boldly magnified the Lord Jesus. Help our children to be a voice that calls out in the wilderness to prepare the way for the Lord.

We pray in Jesus' name, Amen.

### 세례 요한과 만나게 하소서

우리에게 가장 좋은 것을 주시기를 원하시는 주님, 감사를 드립니다. 또한 우리에게 무엇이 필요한지를 미리 아시고 언제나 목자처럼 풍성하게 공급해 주시는 주님을 찬양합니다. 우리 가족과 자녀들이 주님으로 인해 항상 넉넉한 삶을 누리며 풍성하고 충만한 삶을 누리게 하시니 감사를 드립니다. 이러한 풍성한 삶을 서로가 나눌 수 있도록 인도해 주옵소서.

우리 자녀들이 주님이 사랑하셨던 세례 요한과 만나기를 원합니다. 주님이 오시는 길을 예비하면서 경건하고 거룩하게 살았던 세례 요한을 만나기를 원합니다. 또한 주님이 흥하여야 하겠고 자신은 쇠하여야 한다는 위대한 고백을 남겼던 세례 요한을 진정으로 만나는 자녀들이 되도록 축복해 주옵소서. 언제든지 주님이 흥하는 일이라면 우리가 쇠할 수 있으며 주님이 영광을 받으시는 일이라면 우리가 수치를 당할 수 있다는 믿음을 허락해 주옵소서. 주님을 이용하여 우리가 영광을 받으려고 하는 어리석음을 버리게 하시고 주님을 영화롭게 하는 일이라면 세례 요한처럼 담대하게 주님을 위해 쇠하여 질 수 있는 축복을 주옵소서. 그래서 광야에서 외치는 소리가 되게 하시며 주님이 오실 수 있도록 길을 닦는 자가 되도록 인도해 주옵소서. 예수님의 이름으로 기도합니다. 아멘.

3/18/05

# March 18

# Help them to learn from Zacchaeus

But Zacchaeus stood up and said to the Lord, "Look, Lord! Here and now I give half of my possessions to the poor, and if I have cheated anybody out of anything, I will pay back four times the amount."

Luke 19:8

Lord, we thank you that you have come to seek the lost and the helpless. You befriend those who are despised and shunned. Help us to also to befriend those who are despised and shunned.

We pray that our children may meet Jesus, just as Zacchaeus did. Help them to actively seek the Lord in their hearts. Help them to repent and bear the fruit of repentance like Zacchaeus. As you loved and accepted Zacchaeus, may our children experience that same love, so they also may turn from their wrongful ways and have a chance to repent. Help them to personally experience the Lord Jesus who restored Zacchaeus as a descendant of Abraham.

We pray in Jesus' name, Amen.

## 삭개오를 만나게 하소서

잃은 자를 찾으러 오신 주님, 부족한 우리들을 주님의 사랑으로 찾아주시어 주님을 찬양하고 섬기게 하심을 감사드립니다. 또한 소외된 자들에게 소망과 위로를 주시며 친구가 되어 주심을 감사드립니다. 우리들도 소외된 자들을 위로하며 격려하며 세워 줄 수 있도록 도와주시며 직접 사랑의 행동으로 그들을 도울 수 있도록 인도해 주세요.

오늘, 우리 자녀들이 삭개오를 만나기를 원합니다. 그토록 주님을 보기를 원하던 삭개오가 주님을 만날 수 있었던 것처럼, 우리 자녀들도 주님을 만나기를 소원하며 적극적으로 주님 곁으로 나아갈 수 있도록 축복해 주세요. 또한 삭개오가 주님을 만나서 감격한 것에 그치지 않고 온전한 회개를 하고 회개에 합당한 열매를 맺었던 것처럼 우리 자녀들도 회개에 합당한 믿음의 열매를 맺는 생활을 하도록 인도해 주세요. 소외된 삭개오가 주님의 따뜻한 영접과 사랑을 받은 것처럼 우리 자녀들에게도 친히 오셔서 함께 거하여 주시고 잘못된 삶을 교정할 수 있는 기회도 허락해 주세요. 우리 자녀들이 삭개오의 고백과 회개, 그리고 회개의 합당한 열매를 만나게 하시고, 삭개오를 아브라함의 자손으로 회복시키신 주님을 만날 수 있도록 축복해 주세요. 예수님의 이름으로 기도합니다. 아멘.

**123**

3/19/05.

# Help them to learn from Stephen

While they were stoning him, Stephen prayed, "Lord Jesus, receive my spirit." Then he fell on his knees and cried out, "Lord, do not hold this sin against them." When he had said this, he fell asleep.

Acts 7:59-60

Dear Lord, we want to learn from Stephen, who was faithful to the end. We want to learn of his love for and utter devotion to Jesus. We want to experience the true joy and peace which Stephen had. He was one of the seven deacons who was filled with the Holy Spirit.

He was a faithful witness of the Gospel of Jesus Christ to the end, even when it required his own life. Help our children to learn about his love, service, and devotion to the Lord. Help our children to likewise have Stephen's faith and be precious tool that are used by God. Also, help them to meet friends who have these same traits so they may encourage one another.

We pray in the name of Jesus, who is the source of all life. Amen.

## 스데반을 만나게 하소서

만남을 인도해 주시는 주님, 우리가 주님 앞에서 충성되었던 스데반과 만나기를 원합니다. 스데반이 얼마나 주님을 사랑하고 주님에게 충성되었는지 알기를 원합니다. 스데반이 얼마나 영혼이 평화로웠으며 기쁨이 충만하였는지 알기를 원합니다. 믿음과 성령이 충만한 사람, 주님의 일을 위해 헌신된 일곱 집사 가운데 하나였던 스데반을 진정으로 만나기를 원하며 담대한 증인으로서 삶을 마쳤던 스데반을 본받기를 원합니다. 우리 자녀들이 그러한 스데반과 만나도록 인도해 주옵소서.

예수 그리스도에 대한 신실한 증인, 담대한 증인, 죽음을 두려워하지 않았던 스데반을 우리가 만나기를 원합니다. 그리고 그가 담대하게 증거하고 죽을 수 있도록 동행해 주신 성령님을 만나기를 원합니다. 우리의 자녀들도 믿음과 성령이 충만하여 스데반처럼 주님의 도구로 사용되어지기를 원합니다. 주님이 기뻐하시는 증인의 삶을 살기를 원하오니 스데반이 가지고 있었던 주님에 대한 사랑, 주님에 대한 신뢰, 주님에 대한 충성을 배우게 하시며 만나게 하옵소서. 우리 자녀들 주위에 이러한 믿음의 친구들을 허락해 주셔서 믿음이 자라나게 하시며 스데반과 같이 주님을 위해 모든 것을 드릴 수 있는 힘을 허락해 주옵소서.

생명의 근원이 되시는 예수님의 이름으로 기도합니다. 아멘.

3/20/05

# March 20

# Help them to learn from Bartimaeus, the blind beggar

"What do you want me to do for you?" Jesus asked him. The blind man said, "Rabbi, I want to see." "Go," said Jesus, "your faith has healed you." Immediately he received his sight and followed Jesus along the road.                                                                 Mark 10:51,52

You came as the true Light, O Lord. Thank you for giving us sight. Help us also to become a light to shine in this world. Thank you for each moment that you guide us. We thank you even for the things that we do not understand. We believe that you plan all things to work for our good. Please help our children at school so they may not experience fatigue while they are studying.

Today, we ask that our children may learn from blind Bartimaeus. You said that whoever calls on the name of the Lord will be saved. Bartimaeus cried out to you, and he was healed from his blindness. He also followed Jesus as a disciple. Although he had previously lived at the mercy of others, then he became a different person who can help others. Help our children to learn from Bartimaeus, who cried out to Jesus and whose life was changed.

We pray in Jesus' name, Amen.

---

### 소경 바디매오를 만나게 하소서

빛으로 오신 주님, 우리에게 광명한 세상을 주시고 보게 하심을 감사드립니다. 우리도 이 세상에 밝은 빛이 되어 일어나 빛을 비추는 자가 되도록 축복해 주옵소서. 오늘도 주님이 인도하신 모든 순간들에 감사를 드립니다. 우리가 이해되지 않는 부분들까지도 감사를 드립니다. 모든 것을 협력하여 선을 이루시는 주님께서 좋은 것으로 인도해 주실 것을 믿습니다. 우리 자녀들이 공부하는 데 피곤함이 없도록 도와주시고 학교 공부를 하기에 부족함이 없도록 매일매일 채워 주옵소서.

오늘은 우리 자녀들이 소경 바디매오를 만나기를 원합니다. 예수 그리스도의 이름을 부르는 자마다 구원을 얻는다고 하였는데, 바디매오는 주님의 이름을 부르고 믿음으로 보는 기적을 체험하게 되었습니다. 또한 그는 주님을 좇는 제자가 되었습니다. 빌어먹고 얻어먹는 인생이 주님을 만남으로 인해 제자의 신분으로 변화되었습니다. 우리 자녀들도 이러한 바디매오를 만나게 하시고, 그가 새로운 신분으로 격상한 것처럼 우리 자녀들도 주님 안에서 새로운 신분으로 태어날 수 있도록 축복해 주옵소서. 바디매오에게 빛을 주신 주님을 만나게 하시며 주님을 좇아 제자의 길을 걸어가도록 축복해 주옵소서. 예수님의 이름으로 기도합니다. 아멘.

**March 21**

# Help them to learn from the Samaritan woman

Then, leaving her water jar, the woman went back to the town and said to the people, "Come, see a man who told me everything I ever did. Could this be the Christ?"  John 4:28-29

O Holy Lord, thank you for creating today and assuring us that we can look to you for sustenance. Thank you for watching over our family. Although we live in this world, help us to overcome difficulties and to magnify our Lord. Help us to spread the message that the Lord is the true Messiah.

We pray that our children learn from the Samaritan woman. She spoke with the Lord about thirst, but found out instead that she was thirsting in her spirit for something eternal. When she found the Messiah, she was no longer ashamed but ran to tell all of her townspeople the good news. Help them to know Jesus, who went to find a Samaritan woman who was tired and ashamed of the life she had led and called her to repentance. Just as she ran to tell the people, come and see, may our children also tell others of Jesus.

In Jesus' name we pray, Amen.

### 수가의 사마리아 여인을 만나게 하소서

거룩하신 주님, 오늘 하루를 성별(聖別)해 주셔서 주님을 바라보게 하시고 주님을 호흡하게 하시니 감사를 드립니다. 우리 가족 모두가 주님의 품안에서 안전하고 건강하게 지낼 수 있었던 것을 감사드립니다. 우리 가족이 세상에 살지만 세상을 이기게 하시고 세상에서 주님을 나타내는 자들이 되도록 인도해 주옵소서. 주님이 진정한 메시아 되심을 전하는 자들이 되도록 인도해 주옵소서.

우리 자녀들이 이 계절에 수가의 사마리아 여인을 만나기를 원합니다. 주님과 목마름에 대한 대화를 나누었던 사마리아 여인을 만나도록 축복해 주옵소서. 자신의 목마름을 영원한 목마름과 연결하여 그리스도를 만났던 사마리아 여인, 그 감격을 마을로 뛰어들어가 전했던 그 여인을 생생하게 만날 수 있도록 축복해 주옵소서. 또한 힘들고 지친 발걸음 가운데도 한 여인의 영적 갈급함의 문제를 해결해 주시기 위해 대화하시며 기회를 주셨던 예수님의 따뜻한 마음과도 만날 수 있도록 도와주옵소서. 사마리아 여인이 "와 보라!"라고 외쳤던 것처럼 우리 자녀들도 담대하게 마을로 뛰어들어가 복음을 전하는 자녀들이 되도록 축복해 주옵소서.

거룩하신 예수님의 이름으로 기도합니다. 아멘.

**March 22**

# Help our children to learn from Abraham

So Abraham called that place The Lord Will Provide. And to this day it is said, "On the mountain of the Lord it will be provided."

Genesis 22:14

Gracious Lord, thank you for today. Thank you for the new life you create everyday, even the trees and the grass. Thank you that our family can live in your grace today. Thank you for teaching our children new things at school and helping them to grow in wisdom and strength. Help them to have peaceful rest tonight.

We pray that our children may learn from their ancestor of faith, Abraham. Help them to learn from him who was called out among a people who worshiped idols and was deemed righteous by his faith. Help them to personally know the God of Abraham, the God of Isaac, and the God of Jacob. Help them to become a source of blessing to others, just as Abraham was. May they be included in the line of Abraham.

We pray in the name of Jesus, who is the source of all blessings. Amen.

 아브라함을 만나게 하소서

감사하신 주님, 건강한 하루와 좋은 날씨 주심을 감사드립니다. 곳곳에서 새로운 생명을 주시고 풀과 나무들로부터 생명의 소리를 듣게 하심을 감사드립니다. 온 가족이 주님의 생명을 공급받으며 하루를 아름답게 마치게 하심을 감사드립니다. 우리 자녀들이 학교생활에 잘 적응하게 하시고 새로운 지혜를 배우고 몸과 마음이 자라나게 하심을 감사드립니다. 오늘밤에도 편히 쉬게 하시고 마음의 평화를 누리도록 도와주옵소서.

우리 자녀들을 위해 기도합니다. 우리 자녀들이 위대한 믿음의 조상, 아브라함을 만날 수 있도록 인도해 주옵소서. 아브라함을 우상숭배가 만연한 곳에서 불러내어 믿음의 아버지로 세워 주신 주님, 결국에는 순종하는 자, 주님을 믿어 의롭다 여김을 받는 자로 성장한 아브라함을 우리 자녀들이 체험적으로 만날 수 있도록 인도해 주옵소서. 그래서 아브라함의 하나님, 이삭의 하나님, 야곱의 하나님을 개별적으로 인격적으로 체험할 수 있도록 인도해 주옵소서. 아브라함이 복의 근원이 되었던 것처럼 우리 자녀들이 그 아름다운 복에 동참할 수 있도록 인도해 주시며, 자자손손 아브라함의 자손의 반열에 들어갈 수 있도록 축복해 주옵소서.

복의 근원이신 예수님의 이름으로 기도합니다. 아멘.

# Help our children to learn from Moses

"Do not come any closer," God said. "Take off your sandals, for the place where you are standing is holy ground."

Exodus 3:5

O Lord of love, thank you that we have the strength to pray today. As we raise our children in the faith and knowledge of the Lord God, we cant help but admit that their life and their talents are in your hands. Help us to remember that they are your children, as we avoid hurting their feelings.

Help our children to learn from Moses, who was a great leader of God's people. Help them to learn from Moses vision of leading the people out of slavery when God called them out. Although it was a dangerous and treacherous journey through the wilderness, he trusted wholly in the God of Israel who led them to Canaan, a land flowing with milk and honey. Lord, help them to learn from the humility of Moses, who did not despise the people for their complaints.

As our children grow up in this dark world, help them to learn the faith, leadership, and vision of Moses, who lived according to the will of God.

We pray in Jesus' name, Amen.

---

### 모세를 만나게 하옵소서

사랑하는 주님, 오늘도 건강한 모습으로 기도할 수 있게 하시니 감사합니다. 주님께서 주신 자녀를 주 안에서 믿음으로 키우게 하심을 생각할 때, 그들의 생명과 재능이 주님의 섭리 아래 있음을 고백합니다. 자녀들의 마음에 상처를 주지 않고 항상 주님의 자녀임을 기억하게 하옵소서.

우리 자녀들이 위대한 민족의 지도자, 모세를 만나게 하옵소서. 하나님의 백성으로서 주님의 섭리를 굳게 믿고 부르심을 받은 대로 자기 민족 이스라엘을 해방의 공간으로 이끌고 나갔던 그의 비전을 보게 하소서. 어렵고 힘든 광야의 여행길에서 이스라엘을 인도하시는 주님께 의지하여 오직 한 마음으로 젖과 꿀이 흐르는 땅, 가나안을 바라보았던 그 믿음을 본받게 하소서. 주님, 이스라엘 백성의 불신앙으로 인한 불평과 불만 속에서도 인간적인 모습을 보이기 보다는 회개 가운데 자신의 온유함을 지키려 했던 모세의 태도가 우리 자녀들에게도 있게 하소서.

오늘의 험한 세상에서 우리 자녀들이 살아갈 때에 모세의 믿음, 모세의 지도력, 모세의 비전을 소유하고 모세처럼 주님의 뜻을 이루어 드리는 일꾼 되게 하시기를 간절히 구합니다.

예수님의 이름으로 기도합니다. 아멘.

# March 24 — Help them to learn from Jacob

I am the God of Bethel, where you anointed a pillar and where you made a vow to me. Now leave this land at once and go back to your native land. Genesis 31:13

Thank you for your love, O Lord. Your love and mercy overflow in our family. Thank you for your love and grace, a love that did not spare even your own son on the cross. Help our children to know this grace that they may live a life of praise and thanksgiving. May we overcome laziness and greed. Help us as parents to teach our children, not just through words but also by example.

When our children are going through difficult times, please help them to learn from Jacob. Although they will make mistakes through out their lives, help them to know that they must first restore their relationship with God through repentance. Although Jacob had to sleep out in the field with a rock under his head during his flight, when he met the living God, he was encouraged and comforted. Although his uncle Laban treated him unfairly, he trusted in his God. May this kind of faith and trust be present in our children also. We believe that the living God is guiding our family. We thank you and praise you as we live day by day in your love and providence.

We pray in the name of Jesus, Amen.

### 야곱을 만나게 하옵소서

우리를 사랑하시는 주님, 감사합니다. 주의 인자하심과 성실하심이 우리 가족에게 넘치나이다. 예수님을 십자가에 내놓으시기까지 우리를 사랑하신 주님의 은혜를 생각합니다. 우리 자녀들이 주님의 은혜를 잊지 않고 감사하고 찬양하며 살도록 가르칩니다. 주님의 사랑과 지혜가 저희 가정에 넘치게 하소서. 어려운 때에, 욕심과 게으름대신 감사와 믿음이 있게 하소서. 우리 부모들이 솔선하여 말로만 아닌 행동으로 가르치게 하소서.

우리 자녀들이 힘들 때에 야곱을 만나게 하소서. 야곱을 통해 살아 계신 주님이 어떻게 역사하셨는지를 우리 자녀들이 알게 되기를 원합니다. 때로는 인간적인 실수가 자신을 실망시켜도 주님께 매달려 하나님과의 관계를 먼저 회복시킬 줄 알았던 야곱을 본받게 하옵소서. 야곱은 밤하늘을 이불 삼아 돌베개를 하며 잠을 잤지만 하나님을 만나서 위로와 용기를 얻었습니다. 삼촌 라반의 푸대접을 오직 주님을 의지하는 맘으로 이겨낼 수 있었던 야곱의 끈기와 신념이 우리 자녀들에게도 있기를 소망합니다. 자신이 서원한 대로 반드시 이루어 주시는 주님을 야곱이 바라보았듯이 그렇게 바라보게 하옵소서. 살아 계신 우리 주님이 오늘 우리와 우리 자녀들에게도 동일하게 역사하시는 줄을 믿습니다. 하루하루가 주님의 섭리와 사랑 가운데 있사오니 주님을 찬양합니다. 감사하며 예수님의 이름으로 기도합니다. 아멘.

**129**

# March 25

# Help our children to learn from Joseph

Then he had another dream, and he told it to his brothers. "Listen," he said, "I had another dream, and this time the sun and moon and eleven stars were bowing down to me."

Genesis 37:9

O God of Creation, we praise you, knowing that all the things of today and tomorrow are given through your grace. Help us to remember your great love for us despite our imperfect ways. Teach our children to be thankful for their parents through whom their basic daily needs are met.

Help our children to learn from Joseph. Help them to be like Joseph, who proclaimed God's greatness through his dreams. Joseph had the wisdom to interpret his dreams even in the midst of severe tribulation. Those who hold onto their dreams have hope. They can endure severe hardships and wait for God's timing. May our children learn from Joseph, who sat with his brothers and forgave them for selling him as a slave to Egypt. He had the power of death over them, but he showed them his forgiveness. Help them to realize that true strength is not found through power and money, but rather it is faith in God's guidance and not losing hope in one's dreams.

We pray in Jesus' name, Amen.

---

### 요셉을 만나게 하시옵소서

창조주 하나님, 오늘도 내일도 모든 일들이 주님의 은총 가운데 있음을 믿사오며 주님을 찬양합니다. 세상에는 많은 사람들이 있지만 부족한 우리를 주께서 사랑해 주시는 것을 생각하고 항상 자족하는 마음으로 하루를 살아가게 하소서. 우리 자녀들이 부모를 통해 의식주를 해결하고 학교생활을 통해 좋은 친구를 만나게 된 것을 항상 감사하게 하옵소서.

우리 자녀들이 요셉을 만나게 해주소서. 우리 자녀들이 요셉처럼 꿈꾸는 자가 되게 하옵소서. 꿈을 통해 미래를 열어 간 요셉처럼 주님의 위대하심을 증거하게 하소서. 요셉은 시련 중에도 자신의 꿈을 실현할 줄 아는 지혜가 넘쳤습니다. 꿈의 실현을 통해 주님이 만들어 주신 그릇의 크기를 주님과 사람들 앞에서 드러낼 수 있었던 인물이었습니다. 꿈이 있는 자는 망하지 아니하며, 유혹이 와도 이를 물리칠 수 있고, 시련이 앞을 가려도 실망하지 않고 주님의 때를 기다릴 줄 압니다. 혈육을 상봉하는 자리에서 자신을 사지로 몰아넣었던 형들을 용납할 줄 아는 요셉의 아량이 우리 자녀들에게도 있기를 구합니다. 세상에서 가장 큰 힘은 권력과 물질이 아니요, 요셉처럼 주님의 인도하심을 믿고 자신의 꿈을 실현시키는 바로 그 믿음이라는 것을 우리 자녀들이 알게 하옵소서.

요셉을 있게 하신 주님의 이름으로 기도하옵나이다. 아멘.

# Help our children to learn from Elisha

When they had crossed, Elijah said to Elisha, "Tell me, what can I do for you before I am taken from you?" "Let me inherit a double portion of your spirit," Elisha replied.          2 Kings 2:9

Holy, holy Lord, thank you for your fellowship with us today. Lead us to experience your holiness and your loving heart toward us. Help our children to know the true Sabbath rest that is in you.

We pray blessings for our children today. We don't ask for the blessings of this world, but for the blessings of the Lord. We pray for our children to meet spiritual mentors like Elisha had so they may also receive a double portion of their spirit. Elisha recognized this most important gift of Elijah. May our children also realize the importance of spiritual matters so they may seek what is truly a blessing. May their hope not be in the blessings of this world, but may their hearts search for a double portion of spirit just as Elisha did. May they seek this to the end and not give up. When Elisha received a double portion of Elijah's spirit, his miracles and works were double that of Elijah's. However, this did not happen automatically; Elijah had training, discipline, and perseverance. May our children also learn this kind of perseverance. We pray in Jesus' name, Amen.

 **엘리사를 만나게 하소서**

거룩하시고 거룩하신 주님, 주님의 품안에서 하루를 마치게 하심을 감사드립니다. 주님의 품안에서 거룩함을 체험하게 하시며 따뜻한 주님의 마음을 만날 수 있도록 인도해 주옵소서. 그래서 진정한 안식을 당신의 품안에서 누리며 쉴 수 있는 자녀들이 되도록 인도해 주옵소서.

오늘도 우리 자녀들이 복 받기를 원합니다. 이 세상에 속한 복이 아니라 주님이 주시는 복을 받기를 원합니다. 우리 자녀들이 엘리사처럼 좋은 영적인 선배를 만나게 하시고, 그 선배를 통해 갑절의 영감을 받을 수 있도록 축복해 주옵소서. 엘리야가 가지고 있었던 가장 소중한 것, 귀한 것을 구하는 엘리사처럼 우리 자녀들이 마땅히 구해야 할 것이 무엇인지 깨닫고 담대하게 구하는 자들이 되도록 축복해 주옵소서. 세상적인 축복이 아니라 영감을 갑절로 구하는 간절한 엘리사의 외침이 우리 자녀의 것이 되도록 축복하시고, 끝까지 구할 것을 포기하지 않고 끈질기게 구하는 우리의 자녀가 되도록 축복해 주옵소서. 엘리야보다 사역도 두 배, 기적도 두 배를 일으킨 엘리사가 저절로 그렇게 된 것이 아니라, 훈련과 열심, 사모함, 끈질기게 구함을 통해 얻게 된 것임을 믿습니다. 우리 자녀들에게 엘리사의 열심을 허락해 주옵소서. 감사하오며 예수님의 이름으로 기도합니다. 아멘.

**131**

# Help our children to learn from Jonathan

I grieve for you, Jonathan my brother; you were very dear to me. Your love for me was wonderful, more wonderful than that of women. 2 Samuel 1:26

Lord, our instructor and counselor, thank you for our children's school life and their good friends. Teach them to learn from Jonathan's and David's friendship. They were willing to risk their own lives for each other. Help them to learn this kind of loving friendship.

First of all, we pray that our children may find friends who are like Jonathan. Help their friends to love God with their hearts. Help our children also to become a friend to others like Jonathan. May their friendships be based on love and fellowship and not on selfish ambition or manipulation. Lord, you said that the greatest love is to lay down your life for your friend, but this is impossible for us unless you help us. Teach our children this kind of great love.

We pray in Jesus' name, Amen.

### 요나단을 만나게 하소서

우리들의 교사가 되어 주시고 좋은 상담자가 되어 주시는 주님, 자녀들이 즐겁게 학교생활을 하게 하시고 좋은 친구들을 만나는 기쁨을 누리게 하심을 감사드립니다. 오늘도 요나단을 통해 진정한 우정이 어떤 것인지 배우게 하시고 자녀들에게 요나단이 만나는 기쁨을 주시니 감사를 드립니다. 다윗과 요나단을 생명을 걸고 서로를 사랑하고 위했던 것처럼 진정한 친구를 만날 수 있도록 자녀들을 인도해 주옵소서.

먼저 우리 자녀에게 요나단과 같은 귀한 친구를 만날 수 있도록 인도해 주세요. 마음으로 사랑하며 생명을 나누는 친구를 만날 수 있도록 축복해 주세요. 인생을 살아가는 동안 이러한 귀한 친구를 만나게 하시며 그 친구가 주님을 진정으로 깊이 사랑하는 친구가 되도록 인도해 주세요. 또한 우리 자녀가 다른 친구들에게 요나단과 같은 귀한 친구가 되어 줄 수 있도록 축복해 주세요. 실리적이며 이기적인 친구의 관계가 아니고 몸과 마음을 다해 서로 사랑하며 위할 수 있는 친구가 되어 줄 수 있도록 축복해 주세요. 주님께서는 친구를 위해 목숨을 버리면 그보다 더 큰사랑이 없다고 하였습니다. 그러나 이러한 사랑을 하기 위해서는 주님의 도움이 없으면 불가능하다고 생각합니다. 주님께서 우리 자녀들에게 고귀한 사랑을 허락해 주세요.

감사하오며 예수님의 이름으로 기도합니다. 아멘.

# Help them to learn from Samuel

Moses and Aaron were among his priests, Samuel was among those who called on his name; they called on the Lord and he answered them.                                      Psalm 99:6

Lord, thank you for today. Help our family to hear your voice when you answer our prayers. Help our children to remember your works when they discern your answers to their prayers. Help them to have thanksgiving and humility when they succeed, and hope and faith when they fail. Let them not be discouraged. Thank you for helping our children to grow, O Lord. We will not forget your grace in hiding our children under your wings and training them in wisdom and integrity.

Lord, help our children to learn from Samuel, your prophet. You raised up Samuel as a prophet of Israel so David could be chosen as king. Samuel is a good role model for our children, for he made straight the crooked in proclaiming the word of God. Samuel fearlessly indicted the vice and disobedience of Saul, and when Israel was in distress, he restored them by bringing them a message of repentance and comfort. May our children have ears and lips like Samuel so they may discern what they must hear and what they must proclaim. We pray in the name of our Savior, Jesus Christ, Amen.

 사무엘을 만나게 하옵소서

주님, 오늘 하루도 지켜 주셔서 감사합니다. 주님의 음성이 우리 가정에 들리게 하시고 우리 기도에 응답하실 줄을 믿나이다. 항상 겸허한 마음으로 주님의 뜻을 헤아릴 줄 아는 우리 자녀들이 되게 하옵소서. 잘할 때에 오직 감사와 겸손이 있게 하시고, 못할 때에 소망과 믿음으로 낙심을 물리치게 하소서. 우리 자녀들이 주 안에서 건강하게 성장하오니 진심으로 감사드립니다. 주님의 날개 아래 보호하시며 슬기와 지혜로써 인도하시니 그 은혜를 잊지 않겠나이다.

주님, 우리 자녀들이 사무엘을 만나게 하소서. 이스라엘을 세우실 때 쓰셨던 예언자 사무엘이 있었기에 다윗이 있게 된 것을 압니다. 굽은 길을 곧게 하고 어그러진 것을 펴서 주님의 뜻을 전했던 사무엘이 오늘 우리 자녀들에게 참으로 본받을 만한 교훈의 인물이 될 것을 믿습니다. 사울을 단호히 물리치고 그의 부정과 불순종을 고발하여 하나님의 뜻을 바로 세운 한편, 이스라엘의 곤고함에 대하여는 위로와 회개의 메시지를 전해 극복하게 했던 사무엘의 예지와 믿음이 우리 자녀에게 있게 하옵소서. 우리 자녀들이 주님을 전적으로 의지해 들을 귀와 말할 입을 준비할 줄 아는 주님의 일꾼들로 성장하게 하옵소서. 우리를 구원하신 예수님의 이름으로 기도합니다. 아멘.

**133**

# Help them to learn from Daniel

March
29

Now when Daniel learned that the decree had been published, he went home to his upstairs room where the windows opened toward Jerusalem. Three times a day he got down on his knees and prayed, giving thanks to his God, just as he had done before.　　　　Daniel 6:10

Lord, we give you glory and thanks, for you give us the strength to pray and seek you with perseverance. We pray that your name may be glorified through our family. There are times when we live just like the people of this world, although we profess to be Christians.

　　Lord, who gives us bold faith, help our children to be like Daniel, who called out boldly to God even when he was in exile in Babylon. Teach our children to be like Daniel who refused to bow down before an idol, but he was willing to die being faithful to the Lord. May our children learn to pray even three times a day just as Daniel prayed toward the city of Jerusalem. Protect our children from the schemes of Satan in this world, and help them to look toward God in all things. Our children live in the 21st Century where society says that there is no God. May our children become more like Daniel, even in a world like this.

　　We pray in the name of Jesus Christ, Amen.

## 다니엘을 만나게 하소서

　　우리에게 기도할 수 있는 힘을 주셔서 구해야 할 것을 끝까지 구하도록 하신 주님, 감사와 영광을 돌려 드립니다. 우리 가정을 통해 주님의 거룩한 이름이 높여지기를 원하며 영광 받으시기를 원합니다. 하지만 우리들은 세상 사람들과 똑같이 살면서 그리스도인이라는 사실을 숨기는 경우가 많이 있습니다.

　　우리에게 담대한 믿음을 선물로 주시는 주님, 바벨론에서도 용감하게 기도하여 주님을 전한 다니엘을 우리 자녀들이 만날 수 있도록 축복해 주세요. 우상숭배를 거부하면 생명의 위협을 받는 그곳에서도 주님만을 한결같이 섬겼던 다니엘의 믿음을 우리 자녀들이 만날 수 있도록 축복해 주세요. 하나님 없는 문화, 사회생활, 학교생활에서도 담대하게 주님을 전할 수 있는 자녀들이 되기를 원합니다. 그리고 하루에 세 번씩 주님을 향해 기도할 수 있는 자녀들이 되기를 원합니다. 세상에서 일어나는 사탄의 유혹을 바라보지 않고 언제나 주님에게 마음을 고정할 수 있는 자녀들이 되기를 원합니다. 21세기, 세속화되고 하나님 없는 문화 가운데 살아가는 우리 자녀들을 다니엘과 같은 위대한 믿음의 사람들이 되도록 축복해 주옵소서.

　　예수 그리스도의 이름으로 기도합니다. 아멘.

3/30/05

# March
# 30

# Help our children to learn from David

For David had done what was right in the eyes of the Lord and had not failed to keep any of the Lord's commands all the days of his life-except in the case of Uriah the Hittite.    1 Kings 15:5

Heavenly Father, the good Shepherd of our lives, thank you for providing us with food, clothing, and a place to lie down. You have created the seasons, a time to be born and a time to die. Help our children to continue to do well in all things; and in those things where they fail, meet them at the point of their need so they can prepare to do better. Help them to never postpone today's work until tomorrow. Instead help them to live and do their best as long as it is called today.

Teach our children to learn from David, who repented before God although his sins were great. May they also have this kind of faith. David was a truly great king, because he always lived before God. David knew how to revere God's servants. He repented of his sins, and he always kept his promises to God. Help our children to persevere during times of trial and may they always live by mercy and justice.

In Jesus' name we pray, Amen.

## 다윗을 만나게 하옵소서

우리 평생에 선하신 목자요, 먹을 것과 입을 것과 누울 곳을 주시는 하늘 아버지, 감사합니다. 인생에 사계절이 있고 날 때와 죽을 때가 있게 하신 주님, 오늘 하루도 우리 인생의 한 부분임을 생각합니다. 오늘 잘할 때에 내일도 잘할 수 있고, 오늘 못할 때에 내일의 어려움을 예비하지 못할 것입니다. 우리 자녀들에게는 살아야 할 날이 더욱 많사오니 이러한 지혜를 얻게 하소서. 오늘 할 일을 내일로 미루는 안이한 삶을 살지 않으며 항상 오늘에 최선을 다하는 사람이 되게 하옵소서.

우리 자녀들이 다윗을 만나게 하옵소서. 비록 큰 죄를 저지른 때도 있었으나 회개할 줄 아는 그의 믿음을 본받게 하옵소서. 주님 앞에 올곧게 살아 큰 축복을 누렸던 다윗 왕은 진실로 훌륭한 왕이었습니다. 무엇보다도 주님의 종을 두려워할 줄 알았던 다윗, 자신의 잘못으로 자초한 시련 앞에 겸허하게 무릎 꿇어 기도할 줄 알았던 다윗, 사람과 하나님 앞에서 약속을 반드시 지켰던 다윗 왕의 모습이 우리 자녀들을 이끄는 교훈이 되게 하소서. 시련 가운데서도 주님의 뜻을 따라 앞을 향해 갈 줄 알고, 정의와 자비의 마음을 가지고 평생을 주님 앞에 바르게 살려고 애쓰는 우리 자녀들이 되게 하소서. 예수님의 이름으로 기도합니다. 아멘.

**135**

# Help them to learn from Esther

Then Esther sent this reply to Mordecai: "Go, gather together all the Jews who are in Susa, and fast for me. Do not eat or drink for three days, night or day. I and my maids will fast as you do. When this is done, I will go to the king, even though it is against the law. And if I perish, I perish."

Esther 4:15-16

Lord, thank you for watching over our children during the month of March. Thank you for helping them to grow and mature. Thank you for teaching them through the role models in the Bible, who were your servants. We learned that the weak become strong when they trust in the Lord. We learned that your servants in the Bible were not great by themselves, but they received their help from God.

Today we pray for our children to have great faith like Esther. May they learn that out of her love for her own people, came the faith to appear before the king that put her life in danger, and the commitment that said, If I perish, I perish.. If she had tried to save her life, then her people, the Israelites, would be annihilated. If she risked her very life, they could be saved. She chose to give her life for the lives of her people. May our children also learn to love their own countrymen, love the Word of God, and be used by God in critical times.

We pray in the holy name of Jesus, Amen.

### 에스더를 만나게 하소서

귀한 만남을 주셨던 하나님, 3월 한 달 동안 우리 자녀들에게 성장과 성숙을 주심을 감사드립니다. 성경에 나오는 인물들을 만나게 하시고 그들을 그렇게 위대한 인물로 만드신 주님의 손길을 만나게 하심을 감사드립니다. 주님에게 붙잡히면 연약한 자들이 강하여지고 부족한 자들이 담대해진다는 것을 배웠습니다. 모든 성경의 인물들이 자신의 힘으로 그렇게 산 것이 아니라 주님의 도움으로 그렇게 되었음을 깨닫게 하옵소서.

오늘은 우리 자녀들이 위대한 믿음을 가진 에스더를 만나기를 원합니다. 민족을 구하기 위해 금식하며 규례를 어겨 어전에 나아갔던 담대한 믿음, 죽으면 죽으리라고 나아갔던 에스더를 우리 자녀들이 만나기를 원합니다. 자신이 살려고 하면 모든 민족이 죽을 것이요, 자신이 죽고자 하면 모든 민족이 살 수 있는 기로에 있었을 때, 담대하게 일어나도록 주님이 에스더를 도와주신 것을 감사드립니다. 무엇보다도 우리 자녀들에게 민족을 사랑하고 하나님의 말씀을 사랑하는 자가 되도록 도와주셔서 주님이 계획하시는 위대한 사역에 도구로 사용 받을 수 있도록 축복해 주옵소서. 거룩하신 예수님의 이름으로 기도합니다. 아멘.

# *April* Prayers of Blessings for the Family

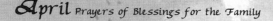

-The Blessings of Joy for the family-

We celebrate the importance of the family during the month of April.
We will pray for the happiness of our family.
Because the May prayers will be for the everyday blessings for our children,
I thought it would be appropriate to first pray for the family in April.
May is also the month of celebrating the family,
so it would be meaningful to pray a full month before May arrive.
I suggest that you use the prayers at family prayer time with your children.
May your family become one and find victory together.

가정을 위한 4월의 축복 기도

- 가정의 행복과 축복을 중심으로 -

가정의 달인 5월을 맞이하기 전에 먼저 가정의 행복을 위해
축복 기도하는 시간을 가져 보려고 합니다.

5월에는 자녀들의 전반적인 생활을 위한 축복 기도문을 준비했기 때문에 가정에 관한 기도문을 4월에 준비했습니다.
가정의 달이 오기 전에 미리 한 달 동안 가정을 위해 기도하는 것도 의미가 있다고 봅니다.

자녀들과 함께 온 가족이 가정예배를 드리면서 이 기도문을 사용하십시오.
여러분의 가정이 하나가 되고, 함께 승리하는 가정이 되리라고 봅니다.
4월의 명구는 최효섭 목사님의 『결혼과 가정』에서 인용하였습니다.

# May we become a family established by God

Blessed is the man who does not walk in the counsel of the wicked or stand in the way of sinners or sit in the seat of mockers. But his delight is in the law of the Lord, and on his law he meditates day and night. *Psalm 127:1-2*

O Lord of all Creation, thank you for establishing the family. We pray for our family. We want to restore the image of the family, which you have created, and restore our rights as your children, which Satan has taken from us. We want to restore the Garden of Eden in our lives so our family may know the true joy that God has meant us to have. More than anything else, help us to become the family that you have established us to be. The family that is not established by you will fall apart regardless of how hard its members try. May we be established and sustained by God. Help our family to bear fruit and grow in you. May the foundation of our family be established on the Word of God. May that foundation never shake, despite the wind and the storm. May the husband, wife, and the children all be rooted in the Word of God, and may we be established by your wisdom. Lord, may your hands build our home, because  a home built by merely human hands can fall apart.

We pray in the name of Jesus, who establishes solid homes. Amen.

---

## 주님이 세워 주시는 가정이 되게 하소서

창조의 가장 극상품으로 가정을 창조해 주신 주님, 감사와 찬양을 드립니다. 우리 가정을 위해 기도합니다. 우리 가정이 하나님께서 창조하셨을 때의 아름다운 모습을 회복하기를 원하며 사탄에게 빼앗겼던 모든 하나님의 자녀로서의 권리를 찾기를 원합니다. 그래서 에덴 동산을 회복하기를 원합니다. 에덴 동산에서의 가정의 행복을 다시 찾기를 원합니다.

무엇보다도 하나님께서 세워 주시는 가정이 되게 해주옵소서. 아무리 인간이 잘 짓는다고 해도 주님께서 세워 주시지 않으면 모두 무너질 수밖에 없는 줄을 압니다. 주님이 세워 주시고 주님이 지켜 주시는 가정이 되도록 인도해 주세요. 그래서 수고한 대로 열매가 맺히게 도와주시고 세운 것만큼 든든하게 자라 나가는 가정이 되도록 인도해 주세요. 주님의 말씀 위에 세워지는 집이 되도록 인도해 주세요. 그래서 바람이 불고 창수(漲水)가 나도 흔들리거나 무너지지 않도록 인도해 주세요. 남편과 아내, 그리고 자녀들이 모두 말씀의 가족이 되게 하시고 말씀 위에 주님이 주시는 지혜로 집을 세울 수 있도록 인도해 주세요. 우리가 육신과 세상을 따라 짓는 집은 무너질 수도 있사오니 주님께서 온전하고도 견고하게 집을 지어 주시기를 원합니다.

견고한 집을 세워 주시는 예수님의 이름으로 기도합니다. 아멘.

# Help us to raise steadfast children

**April 2**

Sons are a heritage from the Lord, children a reward from him. Like arrows in the hands of a warrior are sons born in one's youth. Blessed is the man whose quiver is full of them. They will not be put to shame when they contend with their enemies in the gate. Psalm 127:3-5

We give you praise and thanks, O Lord, for giving us our children as your gift and reward. Thank you for your beautiful creation of life in our family and for commissioning us to raise these children. Help us to raise these precious lives to be steadfast in all of their ways.

We know that you gave us these children so we may raise them to belong to the Kingdom of God. We confess that these lives do not belong to us; rather they belong wholly to you. Help us to raise them to be steadfast in all their ways so they may find your will for them.

Children are like a crown for their parents so they may never be put to shame in front of their enemies. Guide us to raise these precious lives you have given us according to your word, your wisdom, and your will. Help us not to neglect and disrespect them. Help our family to raise steadfast children.

We pray in the name of Jesus, who gives us life. Amen.

---

### 경건한 자녀를 키우는 가정이 되게 하소서

우리 가정에 귀한 자녀를 선물로 주시고 상급으로 주신 하나님, 감사와 찬양을 드립니다. 생명의 태를 열어 주시고 하나님께서 창조하신 아름다운 자녀를 우리 가정에 위탁해 주심을 감사드립니다. 귀한 생명의 선물을 우리가 잘 지킬 수 있도록 인도해 주옵소서. 이 자녀들을 경건한 자손이 되도록 잘 키워서 다시 하나님께로 돌려 드리는 가정이 될 수 있도록 축복해 주옵소서.

가정에 자녀를 주신 이유는 자녀를 하나님의 나라에 합당하게 키워서 돌려 드려야 하는 것임을 알고 있습니다. 이 생명이 우리에게 속한 것이 아니라 전적으로 주님의 것임을 고백합니다. 우리에게 지혜를 허락해 주셔서 자녀들을 경건한 후손으로 양육할 수 있도록 도와주시고, 하나님이 원하시는 목표에 맞도록 길러서 돌려보내 드릴 수 있도록 인도해 주옵소서. 자녀가 잘될 때에 부모에게 면류관이 된다고 하셨습니다. 그래서 원수들에게도 수치를 당하지 않는다고 하셨습니다. 주님이 허락하신 이 귀한 생명을 하나님의 말씀대로, 지혜대로, 뜻대로 합당하게 키울 수 있도록 인도하시며, 우리 마음대로 자녀들을 학대하거나 무시하거나 내버려두고 무관심하지 않도록 힘을 주옵소서. 우리 자녀들이 가장 행복하게 자라날 수 있는 가정이 되게 하시고 경건한 후손으로 양육할 수 있도록 복을 주옵소서. 생명의 선물을 주신 예수님의 이름으로 기도합니다. 아멘.

**139**

# *April* 3 Help our family to revere God

Blessed are all who fear the Lord, who walk in his ways. You will eat the fruit of your labor; blessings and prosperity will be yours. Your wife will be like a fruitful vine within your house; your sons will be like olive shoots around your table. Thus is the man blessed who fears the Lord.                                                    Psalm 128:1-4

We pray for your blessings for our family: for the husband, the wife, and the children. We do not desire the blessings of this world, but rather we ask for the blessings of revering your name, and of knowing the holy fear of God. We want to receive the blessings you have already planned for us.

First of all, help our family to fear and revere God and to put God's will above everything else. We want to receive the blessings that come from fearing the Lord, and we want to eat the fruit of our labor according to the above passage. Guide us so none of our labor will be in vain. May you watch over and guide all the works of our hands.

We ask for the blessings of prosperity that come from having the holy fear of God. May the will of God be the first priority in our family. We ask for your blessings when we sit down to share our meals. May the blessings that come from revering God abound in our family.

We pray in Jesus' name, Amen.

---

 **여호와를 경외하는 가정이 되게 하소서**

주여, 우리 가정에 복 주시기를 원합니다. 남편도 복을 받고, 아내도 복을 받고, 자녀도 복을 받고, 부모도 복을 받는 가정이 되게 하옵소서. 그것이 세상에서 줄 수 있는 복이 아니라 여호와를 경외함으로 오는 복이 되기를 원합니다. 주님께서 처음으로 계획하시고 주시기를 원하셨던 경건한 복을 받기를 원합니다.

먼저 우리들이 하나님을 경외하고 두려워하는 가정이 되게 해주시고 제일 먼저 주님을 우선순위로 두는 가정이 되도록 인도해 주옵소서. 여호와를 경외함으로 주시는 복, 수고한 대로 열매를 맺는 복을 허락해 주시기를 원합니다. 수고가 하나도 헛되지 않는 복을 얻기를 원합니다. 주님께서 그 수고를 지켜 주시는 가정이 되기를 원합니다. 또한 주님을 경외함으로 주님 안에서 모든 것이 형통하기를 원합니다. 그러한 복이 우리 가정에 넘치기를 기도합니다. 언제나 제일 먼저 주님을 생각하게 하시고 주님의 뜻이 우리 가정의 가장 근본적인 지혜요, 지침이 될 수 있도록 인도해 주옵소서. 그러므로 온 식구가 한 상에 둘러앉아서 함께 먹고 마시며 안식하는 축복을 허락해 주옵소서. 주님께서 주셔야만 받을 수 있는 축복, 하나님을 경외함으로 받는 축복이 우리 가정에 넘치게 하옵소서.

우리 가정을 축복하시는 예수님의 이름으로 기도합니다. 아멘.

4/4/05.

## April 4

# May we see the blessings of Jerusalem

Thus is the man blessed who fears the Lord. May the Lord bless you from Zion all the days of your life; may you see the prosperity of Jerusalem, and may you live to see your children's children. Peace be upon Israel.

Psalm 128:4-6

Lord, we seek your blessings today, knowing that you delight to bless our family. We want to receive the precious blessings of God. We long to receive God's wonderful blessings, which the world cannot give us. The world considers money, fame, and power to be blessings. However in our family, we long for God's blessings and the blessings of Jerusalem. You said that you would bless us from Zion; may that blessing abide in our family.

May the blessings of Jerusalem be passed down to our descendants, and may they see your precious blessings for generations to come. We believe that the blessings of Jerusalem will be given to the worshipers of God. As we worship, may we be God-centered, Bible-centered, and grace-centered. May our cups overflow with your blessings. You have promised that we will see our children's children. May the blessings of Jerusalem abide with them forever. Help us to be peaceful and not quarrelsome. Help us to have peace with God through worship. May we long for these true blessings.

We pray in Jesus' name, the giver of blessings. Amen.

### 예루살렘의 복을 보게 하소서

우리 가정에 복을 주시기를 즐거워하시는 주님, 오늘도 주님에게 우리 가정의 복을 구합니다. 주님이 주시는 귀한 복을 받기를 원합니다. 세상이 줄 수 없고 이해할 수 없는 신령한 복을 받기를 원합니다. 세상에서는 물질이 늘어나고 명예를 얻고 권세를 잡고 형통한 것이 복이라고 말합니다. 그러나 우리 가정은 그러한 복보다는 하나님께서 주시는 예루살렘의 복을 받기를 원합니다. 주님께서 우리들에게 시온으로부터 복을 주신다고 하였사오니 우리 가정이 평생에 그 복을 누리게 하옵소서. 예루살렘의 복이 자자손손 내려가게 하시며 가장 중요하고 소중한 복, 생명과도 같은 복을 대대손손 누리게 하옵소서. 예루살렘의 복은 예배자들이 받는 복인 것을 믿습니다. 하나님이 임재하시고 우리가 예배드리며 주님 중심으로, 말씀 중심으로, 보좌 중심으로 사는 삶인 것을 믿습니다. 우리 온 식구가 이 귀한 복을 넘치도록 받을 수 있게 인도해 주옵소서. 또한 자손의 자손을 본다고 하였사오니 경건한 자손들이 대를 이으며 내려가게 하시고, 주님이 주시는 예루살렘의 복과 평강의 복이 영원히 임하도록 축복해 주옵소서. 다툼이 없는 화목한 가정이 되게 하시고, 예배를 통해 하나님과 화목하고 이웃과 화목하여 영원히 평강을 누릴 수 있도록 축복해 주옵소서. 그러한 축복을 기대하고 사모하는 가정이 되도록 인도해 주옵소서. 복 주시기를 즐거워하시는 예수님의 이름으로 기도합니다. 아멘.

**141**

# *April 5*

# Rule over the creation

God blessed them and said to them, "Be fruitful and increase in number; fill the earth and subdue it. Rule over the fish of the sea and the birds of the air and over every living creature that moves on the ground."

Genesis 1:28

God, you are the Lord of our family. You made the family the climax of your creation and made it the crown among all the others. May that blessing come to our family. You commanded us to increase in number, fill the earth, and to subdue it. Grant our family the ability to subdue our environment and not be subdued by it. Help us to be good stewards of the earth and to rule over it. Help us to rule over the things of the earth and to appropriately use the authority you have given us. Help us to be good stewards of our material wealth. Keep us from becoming slaves to riches.

Help our family to also rule over the feelings of anxiety and worry. Free us from worrying about the things of tomorrow. Give us strength to subdue our worries. Also, when the temptations of alcohol and gambling ensnare us, give us strength to subdue and rule over those feelings so we may never become slaves to addictions. Keep us from being subdued and ruled by other things. Rather, help us to be good stewards of the authority you have given us to subdue and to rule over the earthly things.

We pray in Jesus' name, Amen.

### 정복하는 가정이 되게 하소서

우리 가정의 주인이 되시는 주님, 주님께서 가정을 창조의 극치(climax)로 삼으시고 면류관으로 만드신 것을 감사드립니다. 그 복이 우리 가정의 복이 되도록 축복해 주옵소서. 주님께서 가정에 생육하고 번성하여 땅에 충만하라고 말씀하셨고 또한 땅을 정복하라고 명령하셨습니다. 우리 가정이 정복당하는 가정이 아니라 정복하는 가정이 되도록 인도해 주옵소서.

우리 가정이 땅을 다스리고 정복할 수 있는 가정이 되게 도와주옵소서. 땅으로부터 오는 모든 것들을 정복할 수 있게 하시며 우리에게 위임해 주신 권위를 잘 사용할 수 있도록 인도해 주옵소서. 우리 가정이 재물을 정복하고 다스릴 수 있도록 인도해 주옵소서. 재물의 노예가 되지 않고 재물을 다스리고 정복하는 권위를 허락해 주옵소서.

우리 가정이 근심을 정복하고 다스릴 수 있도록 축복해 주시고, 내일 일을 위해 근심하고 걱정하고 두려워하는 모든 것으로부터 자유하게 하시어 세상 근심을 정복할 수 있도록 힘을 허락해 주옵소서. 또한 술과 도박 등의 중독이 찾아올 때에 담대하게 중독을 다스릴 수 있도록 축복하시고 그러한 것들의 노예가 되지 않도록 인도해 주옵소서. 그래서 정복당하고 다스림을 당하는 가정이 아니라 온전하게 주님이 주신 권세를 사용하는 가정으로 축복해 주옵소서. 우리 가정에 정복하는 복을 주신 예수님의 이름으로 기도합니다. 아멘.

4.6.05 .

# April 6 — Help us to rest with the Lord

By the seventh day God had finished the work he had been doing; so on the seventh day he rested from all his work. And God blessed the seventh day and made it holy, because on it he rested from all the work of creating that he had done.
Genesis 2:2

Lord, you have created the family to become a place of rest. Help us to find that true rest in you. In this modern age, the family in the home has been reduced to merely people in a house. The home has become a place of only sleep. The families today live a life of fatigue and busyness. Help our family to find true rest in the Lord even in the midst of these times.

Lord, you have blessed the 7th day. Help us to be blessed on the 7th day having fellowship with you. You have called us to rest on that day, so help our family to find true rest. Help us to learn that true rest comes only from the Lord and the Lord's forgiveness. Help our family to experience God's true forgiveness.

Help us to realize that God's Sabbath rest can result only when we have a Shalom (peace) relationship with the Lord. May true healing come to our family when we find true rest in the Lord. Help our family not to become a slave to the clock. Help us to participate in that holy day so we may experience the blessings of the 7th day.

We pray in Jesus' name, Amen.

## 주님과 안식하는 가정이 되게 하소서

가정을 안식처로 주신 주님, 우리 가정을 주님과 함께 쉬고 안식하는 가정으로 축복해 주옵소서. 언제나 분주한 현대인의 생활에서 이제는 가정이 가정(home)이 아니라 집(house)으로 전락하여, 단지 잠만 자고 나가는 곳이 되어 가고 있습니다. 또한 진정한 쉼을 얻지 못해 언제나 피곤하고 바쁘고 지친 삶을 살아가고 있습니다. 이러한 분주함 가운데서도 주님과 함께 쉴 수 있는 가정이 되도록 인도해 주옵소서. 주님께서 일곱 번째 날을 복 주셨사오니 우리 가정이 그날의 복을 누리는 자가 되게 하시며, 주님과 교제하며 거룩하게 지낼 수 있도록 축복해 주옵소서. 주님께서 그날에 우리가 쉬기를 원하시오니, 우리 가족이 함께 쉴 수 있도록 인도해 주옵소서. 그러나 이러한 안식이 주님 안에서만 가능하며, 또한 진정한 안식은 용서받음으로 인한 감격에서 나오는 것임을 깨닫고 주님의 용서를 체험하는 우리 가족이 되도록 축복해 주옵소서. 주님을 찬양하고 경배하며 주님으로부터 진정한 용납을 받았다는 감격이 주님과 함께 진정한 안식으로 들어갈 수 있게 해주는 것임을 알게 하소서. 또한 주님과의 진정한 샬롬의 관계가 이루어질 때 우리가 참으로 편안하게 쉴 수 있음을 알게 하소서. 우리 가족이 함께 쉬며 주님을 예배하는 가운데 치유가 일어날 수 있도록 도와주시고 시간에 쫓기며 일에 매여 사는 가정이 되지 않도록 보호해 주옵소서. 그러기 위해 우리가 거룩한 날에 동참하여 그날에 허락하신 복을 누리게 하옵소서. 예수님의 이름으로 기도합니다. 아멘.

**143**

# Helpful partner

**April 7**

The Lord God said, "It is not good for the man to be alone. I will make a helper suitable for him." So the man gave names to all the livestock, the birds of the air and all the beasts of the field. But for Adam no suitable helper was found.
Genesis 2:18, 20-21

Dear God of love, thank you for creating a wife for every family. Thank you that she teaches her family how to love God and becomes a helpful co-worker with her husband. May the wife in our family truly follow God's will for her and become reborn in the Lord, as a beautiful woman of God. May the husband experience the help of God through his wife.

May the wife help her husband to have a healthy physical relationship, and may they become true friends. May they work together, growing mentally and spiritually. May they always walk hand in hand and become loving spouses to each other.

May you bless the wife that she may be a spiritual helper to her husband. Help them to build a family altar. Help the wife to be strong that she may bear children, and give both parents wisdom in raising their children. More than anything else, give them wisdom to discern the temptations of Satan. Help the husband to look to God in all things. Thank you for creating the wife in the family.

We pray in Jesus' name, Amen.

---

### 돕는 배필이 되게 하소서

사랑의 하나님, 가정마다 아내 주심을 감사드립니다. 아내로 하여금 가정에서 주님을 사랑하고 가정을 돌보는 동역자로 주시고 남편에 대하여 돕는 배필로 주심을 감사드립니다. 우리 가정에서 아내가 진정으로 하나님이 원하시는 아내의 사명을 감당하게 하시고 주님 안에서 다시 태어나는 아름다운 아내가 되도록 인도해 주옵소서. 아내를 통해 남편이 "하나님의 도우심"을 체험하게 인도해 주옵소서.

아내가 육체적으로 남편을 돕는 배필이 되게 하옵소서. 건강한 부부관계를 가질 수 있게 하시고 육체적으로 좋은 친구가 되게 하옵소서. 또한 정신적으로 아내가 남편에게 좋은 벗이 되게 하시고 믿음의 동반자로서 힘이 되도록 축복해 주옵소서. 언제나 함께 손을 잡고 걸어가게 하시고 진정으로 돕는 배필의 사명을 감당하게 도와주옵소서. 아내가 영적으로 남편을 돕는 배필이 되도록 지혜를 허락해 주옵소서. 함께 가정 성전을 이끌어 가는 데 부족함이 없도록 인도해 주옵소서. 또한 아내가 생명의 은혜의 유업(遺業)을 함께 나눌 자로서 부족함이 없도록 인도하시고 생명을 낳고 경건한 자손을 키우는데 좋은 배필이 되도록 축복해 주옵소서. 무엇보다도 사탄의 유혹에 분별하여 대처할 수 있는 영적인 지혜도 허락해 주셔서, 그렇게 함으로 남편이 하나님을 바라보기에 부족함이 없도록 인도해 주옵소서. 아내를 가정에 주신 예수님의 이름으로 기도합니다. 아멘.

# 48

# May the husband and wife become one flesh

*April 8*

The man said, "This is now bone of my bones and flesh of my flesh; she shall be called 'woman,' for she was taken out of man."

Genesis 2:23

O Lord, thank you for creating the man and the woman. Thank you for establishing the family through their union. Help the husband and the wife to work together in raising godly children. Help them to further the kingdom of God through maintaining their family.

Lord, you have created the husband and wife to be become one. Please help us to become one before you. Help us to know the mystery of Christ's marriage to the church. Help us, the husband and wife, to become one in love, to become one in flesh, and to respect and revere one another.

Help us, both to become one in spiritual mission so we may praise and worship God with one heart. Help us to be one when we raise our children according to Christian values. Help us to share the same vision, and to become one in all things.

We pray in Jesus' name, Amen.

## 남편과 아내가 한 몸이 되게 하옵소서

남자와 여자를 창조하시고 그들에게 복을 주신 주님, 또한 하나로 연합하시기 위해 가정을 창조하신 주님, 우리 가정에서 남편과 아내를 허락하시고 인생의 좋은 동반자가 되게 하시니 감사를 드립니다. 남편과 아내가 함께 생명사역에 동참하게 하시며 경건한 후손을 양육하는 데 서로에게 힘이 되도록 축복해 주옵소서. 그래서 하나님의 나라를 확장하는 데 작은 사명을 감당하도록 인도해 주옵소서.

남편과 아내가 한 몸이 되고 연합하기를 원하시는 주님, 우리 부부가 주님 앞에서 하나가 되도록 인도하시고 그리스도와 교회가 연합하는 비밀을 깨달을 수 있도록 축복해 주옵소서. 먼저 남편과 아내가 사랑으로 하나 되도록 인도해 주시고 사랑 안에서 한 몸으로 연합하여 서로를 존중하고 귀히 여기게 도와주옵소서.

또한 남편과 아내가 영적으로 하나가 되어서 함께 찬양하고 예배드리며 한 마음으로 주님을 섬길 수 있도록 축복해 주옵소서. 그리고 한 마음으로 자녀를 그리스도의 교훈으로 양육하게 도와주시고 한 마음으로 가정의 비전을 바라볼 수 있도록 축복해 주옵소서. 또한 가계를 꾸리는 데 있어서도 한 몸으로 연합할 수 있도록 도와주셔서 주님이 원하시는 온전한 부부가 되도록 축복해 주옵소서.

한 몸으로 연합하기를 원하시는 예수님의 이름으로 기도합니다. 아멘.

49

# April 9

# Help us to accept one another just as we are

For this reason a man will leave his father and mother and be united to his wife, and they will become one flesh. The man and his wife were both naked, and they felt no shame.

Genesis 2:24-25

God of all blessings, we desire to receive a wonderful blessing. We do not wish for the fame and riches of this world, but we want to receive your blessings in our home. Help us to accept one another with love so we don't feel any shame with each other. Help us to love one another and to be loved just as we are.

May our family love and accept one another so all of us may experience peace and healing. Help us to become a united family. Help us to teach our children to be honest and sincere and not to be afraid of showing who we truly are. May we never become like those who hide themselves behind a mask.

Although we may be rejected and hurt out in the world, let our home be the place where we find acceptance and healing. May our home be a place where we experience true joy. Help us to accept our children just as they are and not to demand that they be something else. Give us the blessings of accepting each other just as You have created us.

We pray in Jesus' name, Amen.

---

### 있는 그대로를 용납하는 가정이 되게 하소서

우리의 가정에 복을 주시는 주님, 신령한 복을 받기를 원합니다. 세상이 요구하는 부와 명예를 구하기를 원하지 않습니다. 가정 성전에 주시는 가장 귀한 복을 받기를 원합니다. 허락해 주옵소서. 우리 가정에서 남편과 아내, 혹은 자녀들이 벌거벗어도 부끄럽지 않은 가정이 되도록 복을 주옵소서. 있는 모습 그대로 사랑하고 사랑받을 수 있는 가정이 되게 하시고, 있는 모습 그대로를 용납하고 받아 주는 가정이 되도록 인도해 주옵소서.

벌거벗어도, 어떤 위선과 가식 없이 자신을 나타내어도 있는 그대로 용납 받고, 인정받고 사랑받을 수 있는 가정, 그래서 모든 가족이 편안하게 쉬고 치유 받을 수 있는 사랑의 공동체가 되도록 인도해 주옵소서. 먼저 우리들이 정직하고 솔직하게 있는 모습을 그대로 내어놓을 수 있는 용기를 주시고 가면 같은 것으로 위장하는 자들이 되지 않도록 축복해 주옵소서.

가정 밖에서 상처 받고 소외당한 모든 것이 가정에서 치유 받을 수 있게 하시고, 가정에서는 온전하게 용납 받고 있는 그대로를 인정받고 사랑받을 수 있도록 도와주셔서 마음의 행복을 누리는 가정이 되도록 인도해 주옵소서. 자녀들도 있는 그대로를 용납하고 받아들이게 하시며 자녀들에게 필요 이상의 완전한 행위를 요구하지 않도록 인도해 주옵소서. 주님이 만들어 주신 그 모습 그대로를 사랑할 수 있도록 축복해 주옵소서.

예수님의 이름으로 기도합니다. 아멘.

146

# Lord, heal our family

Then the man and his wife heard the sound of the Lord God as he was walking in the garden in the cool of the day, and they hid from the Lord God among the trees of the garden. But the Lord God called to the man, "Where are you?"
Genesis 3:8-9

God who established Adam's family, help our family to know where we are spiritually so we may not hide from your presence. There are many families who hide from God; they cannot live before you. Help us to see where we stand so we may seek you all the more and receive your healing.

O God of love, how can we know where we are standing? Are we hiding from God? Guide us to be pleasing to you. Help us to see our own spiritual condition. Give us good health, and heal all of our wounds and hurts.

God of grace, sometimes we misunderstand that you are the God of judgment from which we run away in our fear. Help our family to experience God, who is the true healer. Even if we have sinned, help us to come to you, knowing the grace of our Father. If we have run away from you, please forgive us. Restore our family with your forgiveness.

We pray in the name of Jesus, who called us in grace. Amen.

## 주여, 우리 가정을 치유해 주소서

아담의 가정을 찾으신 주님, 우리 가정도 어디 있는지 알게 하시며 만약 잘못된 장소에 숨어 있다면 치유해 주옵소서. 모든 가정들이 자신들의 낯을 주님으로부터 피하며 살고 있습니다. 주님 앞으로 떳떳하게 나아가지 못하고 있습니다. 먼저 우리 가정이 어디에 있는지 알게 하시며 주님의 낯을 피하지 말고 주님 앞으로 나아가 치유 받는 가정이 되게 하옵소서.

사랑의 하나님, 우리가 과연 우리 가정이 어디에 있는지 알 수 있을까요? 우리가 주님을 피하고 있는 가정인지, 아니면 주님과 거닐며 대화하며 동행하는 가정인지 밝히 알 수 있도록 인도해 주옵소서. 그래서 자신의 참 모습을 있는 그대로 볼 수 있는 축복을 허락해 주시고, 그렇게 함으로써 건강한 가정으로 회복하게 하시고 상처와 죄책감을 치유 받을 수 있도록 인도해 주옵소서.

은혜의 하나님, 우리는 주님을 정죄하시고 심판하시는 하나님으로 잘못 알아 주님을 피하고 도망가며 주님 앞으로 나아오지 못하고 있습니다. 먼저 우리 가정이 당신의 치유하시는 은혜를 체험하게 하시고 죄를 범했을지라도 당신의 은혜를 힘입어 담대하게 아버지께로 나아갈 수 있도록 인도해 주옵소서. 우리 가정이 주님의 낯을 피하고 있다면 용서해 주시고 온전한 모습으로 회복할 수 있도록 치유해 주옵소서.

은혜로 우리를 불러 주신 예수님의 이름으로 기도합니다. 아멘.

# April 11

# Help us to become an obedient family

If you fully obey the Lord your God and carefully follow all his commands I give you today, the Lord your God will set you high above all the nations on earth. All these blessings will come upon you and accompany you if you obey the Lord your God:                    Deuteronomy 28:1-2

Lord, you desire for our family to grow spiritually. Please help us to become obedient to you. Although we want to live a faithful life, forgive us for the times we have disobeyed. We ask for the blessings of obedience. Please forgive us for the times we did not live according to the word of God.

Help us to become a family that heeds the word of God. Even as we approach the end times, help us parents and children to be united in obeying the Word of God. Help us to show our obedience through our actions.

The Lord blesses the obedient family. You have promised to bless those among all nations if they obey you. They will be blessed in the city, and they will be blessed in the fields. However, help us to know that our motive for obedience may not be only for blessings, but because we love you, thank you, and praise you.

We pray in the name of Jesus, who is the source of all blessings. Amen.

---

 ## 순종하는 가정이 되게 하소서

우리 가정이 믿음의 가정으로 서기를 원하시는 주님, 먼저 순종하는 가정이 되도록 축복해 주옵소서. 주님을 구주로 고백하고 믿음 가운데 살기를 원하면서도 주님이 주시는 명령을 지켜 행하지 못하는 것을 용서해 주옵소서. 순종하는 자에게 주시는 놀라운 축복을 우리 가정에도 내려 주시기를 원합니다. 그러나 우리 가정이 말씀대로 살아가지 못하는 것을 용서해 주옵소서.

우리 가정이 주님의 말씀을 듣는 가정이 되게 도와주옵소서. 말의 홍수 시대에 무엇보다도 먼저 하나님의 말씀을 즐겨 듣는 가정, 부모와 자녀 모두가 한마음이 되어 온전하게 말씀을 듣는 가정이 되도록 인도해 주세요. 그리고 그 들은 말씀을 그대로 지켜 행할 수 있도록 힘을 주옵소서.

주님은 순종하는 가정에게 복을 주시고, 세계 모든 민족 위에 뛰어나게 하신다고 약속해 주셨습니다. 순종하는 가정은 성읍에서도 복을 받고 들에서도 복을 받는다고 하였습니다. 그러나 이러한 복을 받기 위해서가 아니라 주님을 사랑하기 때문에 순종하는 가정이 되도록 축복해 주옵소서. 주님을 사랑하고 감사하고 찬양하며 순종하는 가정이 되게 인도해 주시고, 주님을 사랑하는 가정이 가장 큰 복을 받는 것임을 깨닫게 해주옵소서.

복의 근원이신 예수님의 이름으로 기도합니다. 아멘.

*April*
**12**

# Bless our descendants

All these blessings will come upon you and accompany you if you obey the Lord your God: You will be blessed in the city and blessed in the country. The fruit of your womb will be blessed, and the crops of your land and the young of your livestock-the calves of your herds and the lambs of your flocks. Your basket and your kneading trough will be blessed. You will be blessed when you come in and blessed when you go out. Deuteronomy 28:2-6

Lord, you require us to be obedient to your word. Guide our family always revere you and obey you as we follow your word.

Lord, you are the source of all blessings. You promised that you would bless those who obey you, whether they are in the city or in the field. Bless our family at home, on the road, at school, in society, and in the church. Also bless our offspring, according to your promises.

Help us to teach our children obedience to God through modeling it ourselves. Help us to teach them that our first priority is to obey God's word so blessings may be passed on through the generations. May we be a family that lacks nothing in the blessings of the Lord.

We pray in the name of Jesus, Amen.

### 자손들이 복 받는 가정이 되게 하소서

순종하기를 원하시는 주님, 주님의 말씀을 즐겨 듣고 순종하고 준행하기를 원하시는 주님, 우리 가정이 온전히 말씀에 순종하는 가정이 되도록 인도해 주옵소서. 가정의 달 5월을 바라보면서 단지 5월에만 주님께 순종하는 가정이 아니라, 언제나 주님을 하나님으로 경배하고 주인으로 섬기는 가정이 되어서 말씀에 온전하게 순종하도록 인도해 주옵소서.

복의 근원이신 주님, 순종하는 가정에게는 성읍에서도, 들에서도, 어디에서나 복을 받는다고 약속해 주셨습니다. 우리 가정이 집에서도 길에서도 학교에서도 사회에서도 교회에서도 복 받는 가정이 되도록 인도해 주옵소서. 또한 자손들에게도 복을 주시고 토지의 소산과 짐승의 새끼까지도 복을 받는다고 하셨사오니 그러한 복이 우리 가정에도 임하도록 축복해 주옵소서.

우리 자녀들이 순종을 배우게 하시고 순종하는 부모의 생활을 본받게 하시며, 하나님의 말씀을 순종하는 것을 최우선순위에 두는 자녀들이 되어서 주님께서 자손들에게 주시는 축복을 함께 누리게 하옵소서. 부모들이 순종하는 본을 보일 수 있도록 부모의 믿음을 지켜 주시고 자녀들이 본받기에 부족함이 없는 믿음의 생활을 허락해 주옵소서. 토지의 소산, 짐승의 새끼까지도 모두 축복해 주시는 주님, 주님의 축복으로 인해 부족함이 없는 가정이 되도록 인도해 주옵소서. 감사하오며 예수님의 이름으로 기도합니다. 아멘.

# Bless the work of our hands

The Lord will grant that the enemies who rise up against you will be defeated before you. They will come at you from one direction but flee from you in seven. The Lord will send a blessing on your barns and on everything you put your hand to. The Lord your God will bless you in the land he is giving you.

Deuteronomy 28:7-8

O God of mercy and compassion, give our family wisdom to know what is pleasing to you. Help us to know your will and to obey it. May the promises of blessings in Deuteronomy 28 be manifest in our family as we obey you. May your grace be upon our family.

There are many problems, enemies, and attacks we must endure in life. Help us to call upon your name as we face these things. According to your promises, may our enemies come at us from one direction but flee in seven directions. Bless our storehouses and the work of our hands, according to your promises. May our plantings not be in vain so we may harvest what we have sown. May all the work of our hands bear abundant fruit and may we enjoy the fruit of our work together at our table.

Protect our children as they face danger, fear, and sadness; and give them victory in the presence of their enemies.

In Jesus' name we pray, Amen.

## 우리 가정이 하는 모든 일에 복을 주소서

자비와 긍휼의 하나님, 우리 가정이 주님을 사랑함으로 주님이 원하시는 것이 무엇인지 아는 지혜로운 가정이 되도록 인도해 주옵소서. 주님이 원하시는 것을 순종하는 아름다운 가정이 되도록 축복해 주옵소서. 그렇게 함으로 순종하는 자녀들에게 주시리라 약속하신 신명기 28장의 복이 우리 가정에 온전히 임하도록 인도해 주세요. 천 대(代)에 이르러 내려가는 은총을 우리 가정에 내려 주옵소서.

인생을 살아가면서 많은 대적들을 만나고, 공격을 받고, 두려운 순간들이 많이 있지만 그럴 때에도 주님의 이름을 부르는 가정이 되게 하시고, 대적들이 공격해 올 때에도 주님께서 약속하신 대로 그들이 한 길로 왔다가 일곱 길로 도망가도록 인도해 주옵소서. 또한 우리 창고와 우리 손으로 하는 모든 일에 복을 내려 주신다고 주님은 약속하셨습니다. 우리가 심은 것이 헛되지 않고 그대로 거둘 수 있는 복을 주옵소서. 심은 대로 열매 맺는 가정이 되게 하시고 그 열매를 한 상에 둘러앉아 먹을 수 있는 행복도 허락해 주옵소서.

우리 자녀들이 세상에서 위험한 일, 두려운 일, 슬픈 일 등을 만나게 될 때에도 주님이 지켜 주시고 대적들을 자녀들 앞에서 패하게 해주셔서 우리 자녀들이 승리할 수 있도록 축복해 주옵소서.

축복 주시기를 즐거워하시는 예수님의 이름으로 기도합니다. 아멘.

# May we see the storehouses of your bounty

*April 14*

The Lord will open the heavens, the storehouse of his bounty, to send rain on your land in season and to bless all the work of your hands. You will lend to many nations but will borrow from none. The Lord will make you the head, not the tail. If you pay attention to the commands of the Lord your God that I give you this day and carefully follow them, you will always be at the top, never at the bottom.

Deuteronomy 28:12-13

Lord, you are the way, the truth, and the life. Thank you for inviting us to life and allowing us to experience the God of resurrection. Guide our family to experience your resurrection and your life in our daily lives. Help us to become a family that is pleasing to you, so we may see heaven open up upon the storehouses of your bounty, and gratefully know that we lack nothing.

You promised to give rain to the land on which we live and to bless the work of our hands. Thank you. You promised that we will lend to others but borrow from none. Let us live in the grace of your bounty and become a family that lends to others. Bless us not only with material abundance but also with spiritual blessings. Give us the bread for which our spirits yearn. Help us to be filled with Your Word and your spiritual riches. Provide for us at the point of our needs so we may truly know Jehovah Jireh, God our Provider.

In Jesus' name we pray, Amen.

---

### 아름다운 보고를 여는 가정이 되게 하소서

길이요 진리요 생명 되신 주님, 우리 가정이 부활의 하나님을 체험하게 하시고 생명으로 초대 받게 하심을 감사드립니다. 우리 가정도 주님 안에서 부활하는 가정이 되게 하시며 생명을 누리는 가정이 되도록 인도해 주옵소서. 주님이 보시기에 기뻐하시는 가정이 되어서 하늘의 보고를 열어 주시는 복이 임하도록 축복해 주옵소서. 주님이 보고(寶庫)를 열어 주시면 부족함이 없을 줄을 믿습니다.

우리가 사는 땅에, 농사를 짓는 땅에 때를 따라 비를 내려 주시고 우리 손으로 하는 모든 일에 복을 주신다고 주님은 약속하셨습니다. 그러므로 이 복된 손으로 인해 더욱 감사드립니다. 또한 꾸어 줄지라도 꾸지 아니하는 백성이 된다고 하셨습니다. 언제나 주님의 부요(富饒)를 누리면서 남에게 꾸어 주는 가정이 되도록 인도해 주옵소서. 우리에게 주시는 물질의 축복과 아울러 영적인 축복도 누리게 하옵소서. 때를 따라 우리 영혼에 필요한 양식을 주시고, 말씀을 나누어 주는 가정, 영적인 부요를 나누어 주는 가정이 되도록 축복해 주옵소서. 그래서 언제나 나누어 줄 것이 있는 가정이 되게 하셔서 나누어 줄수록 더욱 풍성한 가정이 되도록 복 주옵소서. 주님이 때를 따라 주심으로 인해 우리 가정이 여호와 이레의 하나님을 찬양하게 하옵소서.

예수님의 이름으로 기도합니다. 아멘.

**151**

**April 15**

# May our family meet those who can help us

The Lord will cause you to be defeated before your enemies. You will come at them from one direction but flee from them in seven, and you will become a thing of horror to all the kingdoms on earth. Your carcasses will be food for all the birds of the air and the beasts of the earth, and there will be no one to frighten them away.                                   Deuteronomy 28:25-26

Lord, you are our champion who defeats all of our enemies. Thank you for teaching us in Deuteronomy 28 the blessings for families that obey you and the curses for families that disobey you. Help us not to become a disobedient family. Let us not turn to the right or to the left. Help us to walk a straight course in following your words and keep us from committing idolatry.

Thank you for warning us about disobedience. Help us to become an obedient family, and whenever we face hardship, danger, or a crisis, please send someone to our aid. If there is ever a time when our lives may be threatened, please rescue and save us.

In Jesus' name we pray, Amen.

### 돕는 자를 만나는 가정이 되게 하옵소서

모든 대적을 물리치시는 우리들의 대장 되시는 주님, 신명기 28장의 말씀을 통해 순종하는 가정에게 주시는 축복과 불순종하는 가정에게 주시는 저주를 알려 주시니 감사드립니다. 주님, 우리 가정이 저주로 인해 어디에서도 돕는 자를 만나지 못하는 가정이 되지 않도록 인도해 주옵소서. 우리 가정이 좌로나 우로나 치우치지 않고 주님의 말씀을 듣고 지켜 행하는 자가 되게 하시고 우상 숭배하지 않는 가정이 되도록 축복해 주옵소서.

불순종하는 가정에게 내리시는 저주 가운데 "돕는 자"를 만나지 못하는 저주를 오늘 말씀을 통해 알게 하심을 감사드립니다. 무엇보다도 우리 가정이 순종하는 가정이 되어 어려운 일이 있을 때, 위험한 일이 있을 때, 급박한 순간이 닥칠 때, 생명의 위험을 느낄 때에 돕는 자를 만날 수 있는 축복을 허락해 주세요. 생명을 위협하는 적을 만나 두려움과 공포로 떨고 있는 순간에도 돕는 자를 만날 수 있도록 인도해 주옵소서. 우리가 인생을 살아가면서 이러한 어려운 일들을 만나게 될 때에 돕는 자를 허락하셔서 위험한 순간들로부터 구원해 주옵소서.

우리의 돕는 자 되시는 예수님의 이름으로 기도합니다. 아멘.

# April 16

# Give us the blessings of healing

The Lord will afflict you with the boils of Egypt and with tumors, festering sores and the itch, from which you cannot be cured. The Lord will afflict you with madness, blindness and confusion of mind.

Deuteronomy 28:27,29

Jehovah Rophe, Lord our Healer, we want to be a healthy family. If we should become seriously ill, we desire your healing. Our health is in your hands. Thank you for teaching us the blessings for those who obey you. We face many illnesses as we live in this world, but we believe that you will bring healing to those that you love.

Keep us from the curses that inflict the disobedient family. If we should become seriously ill, please be near us and give us your healing. Bless our family in our bodies, our minds, and in our spirits.

May our family to always obey your words so we may know the blessings of the Lord. Help us to be good stewards of our bodies and minds, remembering that our bodies are the temples of the Holy Spirit by which we glorify God. Help us to be healthy in spirit and in body so we may be used by God.

In Jesus' name we pray, Amen.

### 치료함을 받는 가정이 되게 하소서

여호와 라파, 치료의 하나님, 우리 가정이 건강한 가정이 되기를 원합니다. 또한 질병에 걸렸을 때에도 치료의 길을 얻기를 원합니다. 우리의 건강도 주님의 손안에 있으며 순종하는 자에게 주시는 축복임을 알게 하시니 감사를 드립니다. 이 세상에 살면서 누구나 병에 걸리며 연약한 상태에 빠지기도 하지만 축복 받는 가정에서는 도움자를 만나고 치료의 길을 만나게 하시는 하나님이심을 우리가 믿습니다.

저주 받은 가정이 만나게 되는 모든 무서운 질병들로부터 우리 가정을 지켜 주시고 보호해 주시며, 무서운 질병에 걸렸다고 하여도 주께서 친히 치료자가 되어 주시고 치료의 길을 허락해 주옵소서. 정신적으로, 육체적으로, 영적으로 건강한 가정이 되도록 축복해 주옵소서. 치료가 불가능한 질병에 걸려 절망하는 가정이 되지 않도록, 주님, 축복해 주옵소서.

그러나 주님, 이러한 축복이 우리 가정을 향한 축복이 되기 위해 우리 가정이 겸손하게 주님의 말씀을 듣고 지켜 행할 수 있도록 이 또한 축복해 주옵소서. 그리고 몸과 마음을 잘 관리하여 성전으로서의 몸으로 하나님께 영광 돌리게 하시며 건강한 몸과 마음으로 주님이 명령하시는 모든 일에 쓰임 받는 귀한 도구가 되도록 축복해 주옵소서. 감사드리며 예수님의 이름으로 기도합니다. 아멘.

# May we plant grape vines and eat of its fruit

You will sow much seed in the field but you will harvest little, because locusts will devour it. You will plant vineyards and cultivate them but you will not drink the wine or gather the grapes, because worms will eat them. You will have olive trees throughout your country but you will not use the oil, because the olives will drop off.

Deuteronomy 28:38-40

Thank you for giving us Deuteronomy 28, so we know that God desires absolute obedience from us. When we obey we are rewarded with immeasurable blessings. According to the passage today, may our plantings not be in vain. Help us to realize that obedience is necessary in order for us to experience your grace and to eat of the fruits that we have planted.

The land has been cursed since the time of Adam's sins, and it has produced thorns and thistles. Man has struggled with the land to cultivate food by the sweat of his brow. The land has not yielded as much as man has sown. We know the consequences of disobedience that fall upon us personally, to our families, and to our descendants if we do not obey God. May we realize this truth and live accordingly so we may fully harvest what we have planted in our lives through obedience and humility. We know the meaning of planting vines and harvesting the grapes. It means that we shall harvest the fruit of our work without loss. It means that we shall wait for the harvest in peace without turmoil. Lord, guide our family to obey so we may receive these blessings. In Jesus' name we pray, Amen.

## 포도를 심고 열매를 먹는 가정이 되게 하소서

신명기 28장을 우리에게 주신 하나님, 주님이 원하시는 것이 무엇인지 알게 하시니 감사를 드립니다. 주님이 원하시는 것은 온전한 순종이며 그렇게 순종할 때에 말할 수 없는 형통을 주시고 축복 주심을 알게 하시니 감사드립니다. 오늘 말씀을 통해 우리가 심은 것이 헛되지 않게 하시고, 열매를 먹기 위해 주님의 은총과 우리의 온전한 순종이 필요함을 깨닫게 하심도 감사를 드립니다.

아담으로 인해 온 인류가 저주를 받아 땅과 인간이 반목하게 되었고, 땅은 엉겅퀴를 내어서 인간이 아무리 수고해도 수고한 것만큼 열매를 맺지 못하게 되었습니다. 주님, 또한 불순종이 계속될 때에 가정마다, 개인마다, 그리고 그 자손에게 주님은 저주를 내리시고 형통치 못하도록 하시는 것을 압니다. 그러한 진리를 우리가 깨닫게 하시고, 심은 대로 거두고 열매 맺기 위해 우리가 주님 안에서 순종하는 겸손한 자가 되게 하여 주옵소서.

포도를 심고 그 열매를 거둔다는 말은 심은 대로 거두고 열매를 맺는 것을 의미하며, 또한 포도를 심고 열매를 거둘 때까지 전쟁이 없이 평안하였다는 것을 의미하는 것임을 압니다. 주님, 순종하는 가정에게 이러한 축복을 허락해 주시고 우리 가정이 이러한 축복의 반열에 들어가도록 인도해 주세요.

예수님의 이름으로 기도합니다. 아멘.

# Forgive the generational sins of our family

April
18

On the twenty-fourth day of the same month, the Israelites gathered together, fasting and wearing sackcloth and having dust on their heads. Those of Israelite descent had separated themselves from all foreigners. They stood in their places and confessed their sins and the wickedness of their fathers. They stood where they were and read from the Book of the Law of the Lord their God for a quarter of the day, and spent another quarter in confession and in worshiping the Lord their God.

Nehemiah 9:1-3

O Lord, forgive us, the descendants of Adam, who have been living lives of sin, turmoil, and suffering because of his disobedience. We know that you hate sin and call us to stop our sinning. Forgive the sins of our forefathers, and forgive us for the same sins we have committed.

Remove from us all traces of the curse that comes from disobedience, and newly restore our family as worshipers of God who live according to your promises. Help us to always revere and obey God so we may remain under your protective wings.

Forgive the sins of our forefathers, who were idolaters and lived in worldly ways. Shield us from the curse of their disobedience. Set apart our family for the Lord so satanic powers have no foothold on our family.

We pray in the name of Jesus, Amen.

---

### 가계의 죄악을 용서해 주소서

죄를 미워하시는 주님, 아담의 불순종으로 인해 모든 인류가 죄와 사망, 그리고 저주 아래에 들어가게 된 것을 용서해 주옵소서. 하나님께서는 죄악을 미워하시고 그 죄악으로부터 단절되기를 원하시는 줄 믿습니다. 우리 조상들이 이러한 죄악을 범했다면 용서해 주시고 또한 그러한 죄악들을 우리가 그대로 보고 따르고 있다면 그것도 용서해 주옵소서.

불순종하는 가정에게 주시는 모든 진노를 거두어 주시고 저와 우리 가정이 주님만을 섬기고 주님만을 찬양하게 하시고 특별히 우리 자녀들은 어디에서 언제든지 주님의 언약에서 떠나지 않는 자녀가 되도록 축복해 주옵소서. 주님만을 신뢰하게 하시며 범사에 주님을 의뢰하게 하셔서 주님이 형통하게 보호해 주시는 가정이 되도록 인도해 주옵소서.

우리 조상들이 주님의 말씀에 불순종하고 우상을 섬기며 세상과 짝하여 하나님을 섬기지 아니한 죄악을 용서해 주시고, 그로 인해 자손들에게 미칠 모든 악들을 주님께서 막아주셔서 우리 가정을 보호해 주옵소서. 이러한 불순종으로 인해 악한 권세가 공격하는 틈이 되지 않도록 우리 가정이 성별되어 주님 앞으로 나아갈 수 있도록 인도해 주옵소서. 예수님의 이름으로 기도합니다. 아멘.

# Teach us brotherly forgiveness

So watch yourselves. "If your brother sins, rebuke him, and if he repents, forgive him. If he sins against you seven times in a day, and seven times comes back to you and says, 'I repent,' forgive him."
Luke 17:3-4

Thank you, Lord, for giving us brothers and sisters in our household. Thank you for making us one family so we may have fellowship as we eat and drink together. We want our children to be forgiving, gracious, and comforting to each other. We want them to be united in covering over each other's weaknesses. Please help them to have the right attitude about material goods so they are not jealous or greedy with each other. Above all else, may they be brothers and sisters in Christ as they worship the Lord. Help them to be good co-workers when they work to serve you. May mission work start in the family and go from there out into the world. May our children also be united in prayer. You promised that when two or three are gathered in your name, you would be with them. Help them to realize this truth so they may pray when they gather. May they help their brothers and sisters with selflessness, and never forsake each other. Also, teach them the grace of forgiveness when their brother or sister sins against them and comes to ask for forgiveness. Give them the blessings of never keeping a record of others' sins once they have forgiven them. You taught us to make peace with our brothers and sisters before offering a sacrifice to God. Help them to help each other and to be forgiving so they may always live in peace. May they taste the brotherly fellowship of Heaven, even on this earth.

We pray in Jesus' name, Amen.

### 형제를 용서하는 가정이 되게 하소서

우리 가정에 형제와 자매를 주신 주님, 그들로 인해 감사를 드립니다. 한 가족이 되어서 주님을 찬양하며 함께 먹고 마시게 하시니 감사를 드립니다. 이들이 서로 화목하고 서로 용서하며 감싸 주고 위로하기를 원합니다. 허물을 덮어 주는 사랑으로 하나 되기를 원합니다. 물질로 인해 서로 불화하지 않도록 물질의 가치관이 바로 서도록 인도해 주옵소서. 무엇보다도 함께 주님을 섬기는 형제자매가 되게 인도해 주옵소서. 주님의 일을 할 때 좋은 동역자들이 되게 하시며 주님의 선교가 가정에서부터 이루어져서 세상을 향해 나아갈 수 있게 도와주옵소서. 또한 함께 연합하여 기도하는 형제자매가 되도록 축복해 주옵소서. 두세 사람이 모인 곳에 주님께서 함께하신다고 하였사오니 모일 때마다 기도하는 형제자매가 되도록 축복해 주옵소서.

자신보다 형제자매를 먼저 돌보는 가족이 되게 하시며 어려운 처지에 있는 형제나 자매를 외면하지 않도록 인도해 주옵소서. 또한 형제나 자매가 죄를 범하고 용서를 구할 때에 몇 번이라도 용서할 수 있게 하시고 기억치 않는 복을 허락해 주옵소서. 형제자매가 불화하면 기도가 주님께 상달될 수가 없사오니 먼저 형제자매가 화목하고 용서하며 위로하고 도우며 살아가는 가정이 되도록 축복해 주시고 천국에서 누릴 형제자매 간의 사랑을 미리 맛보는 가정이 되도록 축복해 주옵소서. 예수님의 이름으로 기도합니다. 아멘.

# Give us a continual feast

Six days before the Passover, Jesus arrived at Bethany, where Lazarus lived, whom Jesus had raised from the dead. Here a dinner was given in Jesus' honor. Martha served, while Lazarus was among those reclining at the table with him.

John 12:1-2

O God of celebration, you desire that we share in the joys of the heavenly feast. Help us to be a family that enjoys a continual feast. Give us the joy of salvation, knowing that all of our desires are met in you. We thank you and praise you for your mercy and grace to our family.

Help us to be like Mary and Martha and Lazarus whose household held feasts for the Lord. May our feasts be pleasing to you. May they be feast of continuous profession to the Lord. Help us to gladly serve others at this feast. Restore to us the joys of the Garden of Eden as we walk with the Lord.

We pray in the name of Jesus, the guest of honor at our feast. Amen.

---

### 잔치하는 가정이 되게 하소서

축제의 하나님, 우리와 함께 언제나 천국의 즐거움과 기쁨을 나누기 원하시는 주님, 우리 가정이 언제나 즐거운 축제의 가정이 되기를 원합니다. 구원의 즐거움으로 인해 모든 가족 구성원들이 행복하도록 인도해 주시고, 주님 한 분으로 인해 부족함이 없는 가정이 되게 해주세요. 언제나 주님께서 우리 가정을 위해 베풀어 주신 일들로 인해 찬양과 감사를 드립니다.

마르다와 나사로의 가정처럼, "예수를 위해 잔치하는 가정"이 되도록 축복해 주세요. 예수님이 즐거워하시는 축제, 잔치를 베푸는 가정이 되도록 축복해 주세요. 먼저 주님을 위해 귀한 고백을 드리는 잔치를 베풀게 하시고, 주님이 우리의 구주이심을 온 동네에 알리는 증인의 고백을 드리는 잔치가 있도록 축복해 주세요.

또한 마르다처럼 주님을 위해 잔칫상을 준비하는 가정이 되도록 인도해 주세요. 잔치를 위해 즐거움으로 봉사하는 가정이 되도록 축복해 주세요. 우리 가정이 언제나 잔치하는 가정이 되어 에덴의 즐거움을 회복하게 하시고 주님과 동산을 거닐며 대화하며 교제하는 가정이 되도록 축복해 주세요.

우리의 잔치의 주인이 되시는 예수님의 이름으로 기도합니다. 아멘.

# Help us to be a giving family

Here a dinner was given in Jesus' honor. Martha served, while Lazarus was among those reclining at the table with him. Then Mary took about a pint of pure nard, an expensive perfume; she poured it on Jesus' feet and wiped his feet with her hair. And the house was filled with the fragrance of the perfume.
John 12:2-3

Lord, you delight in our love. Thank you for teaching us lessons about Lazarus family. He hosted a dinner party for you, and Mary brought out a very expensive perfume. Mary poured out this expensive perfume on Jesus' feet and wiped them with her hair. Lord, this is such a beautiful image of devotion. May our family also learn this kind of devotion to the Lord. Teach our family to be like Mary and Martha, who acted in devotion and service to the Lord. Teach us to bring forth before the Lord our most precious treasures. In doing so, help us to be a family that confesses Jesus as our Lord, with thanksgiving.

Lord, what can we offer up to you in devotion? First of all, help us to offer you all of our love, and may this love for you become like the expensive perfume that Mary poured out on your feet.

We pray in Jesus' name, Amen.

## 드림이 넘치는 가정 되게 하소서

우리의 사랑을 받으시기를 즐거워하시는 주님, 나사로의 가정을 통해 우리가 많은 것을 배우게 하시고 성장하게 하시는 은혜를 감사드립니다. 나사로가 예수님을 위해 잔치를 베풀고 마르다가 일을 볼 때에 마리아가 귀한 향유를 들고 나온 것을 보게 됩니다. 마리아는 비싼 향유를 주님 발에 붓고 자기 머리털로 주님의 발을 씻어 드렸습니다. 주님, 이 얼마나 아름다운 헌신인지요? 우리 가정에 이러한 헌신과 드림이 풍성하기를 원합니다.

마리아가 향유를 드리고, 마르다가 봉사를 주님 앞에 드린 것처럼 우리 가정이 물질과 시간, 봉사를 주님 앞에 드릴 수 있기를 원합니다. 가장 귀하고 소중한 것을 주님 앞에 내어놓을 수 있기를 원합니다. 그래서 주님을 구주로 고백하며 감사할 수 있는 가정이 되기를 원합니다.

우리 가정이 주님 앞에 드릴 수 있는 것이 무엇이 있을까요? 먼저 사랑과 감사를 드릴 수 있도록 축복해 주세요. 범사에 감사하고 주님을 진정으로 사랑할 수 있도록 인도해 주시고, 그러한 사랑으로 인해 가장 귀한 우리의 향유를 주님 앞에 드릴 수 있는 용기 있는 가정이 되도록 축복해 주세요.

예수님의 이름으로 기도합니다. 아멘.

# Teach us to serve one another

When he had finished washing their feet, he put on his clothes and returned to his place. "Do you understand what I have done for you?" he asked them. "You call me 'Teacher' and 'Lord,' and rightly so, for that is what I am. Now that I, your Lord and Teacher, have washed your feet, you also should wash one another's feet. I have set you an example that you shoul.

John 13:12-14

Lord, you washed the feet of your disciples. Thank you for teaching us how to live a life of service through your example. Help us to learn to serve others by first learning to serve one another in our family.

Lord, help us to follow your example, just as you washed the feet of your disciples. Help us to think of others before ourselves. Help us to teach our children the meaning of serving others through your example. In doing so, allow us to taste what Heaven is like through serving and having Jesus as the Lord of our family.

We pray in the name of Jesus, who came as a servant. Amen.

## 서로 섬기는 가정이 되게 하소서

제자들의 발을 씻기신 주님, 남의 발을 씻기는 도를 우리에게 직접 보여 주심으로 섬김의 삶을 알게 하시니 감사를 드립니다. 주님께서 우리에게 섬길 수 있는 가정을 주시고 섬김의 도를 실천할 수 있게 하심도 감사드립니다. 우리 가정에 부족한 섬김의 삶을 허락해 주시고 서로를 섬길 수 있도록 축복해 주옵소서.

주님이 우리에게 본을 보여 주셨으니 우리 가정이 그 본을 따라 서로의 발을 씻기는 가정이 되게 하시고, 겸손하여 서로에게 낮아질 수 있도록 인도해 주옵소서. 우리가 서로를 섬기는 것이 곧 그리스도를 섬기는 것이요 그리스도의 사랑을 실천하는 것임을 알게 하시고, 가장 좋은 것으로 나누며 섬기며 세워 줄 수 있도록 축복해 주옵소서.

우리 가정이 누가 누구를 지배하는 가정이 아니라 주님의 마음으로 섬기는 가정이 되게 하시고, 언제나 나보다 남을 더 좋게 여기는 가정이 되도록 인도해 주옵소서. 부모들이 자녀들에게 섬김의 도를 삶으로 보여 줄 수 있게 하시고 자녀들도 섬김의 삶을 실천할 수 있도록 도와주옵소서. 그래서 우리 가정은 미리 천국의 아름다운 삶을 맛보게 하시며 그리스도가 주인이 되시는 가정이 되도록 축복해 주옵소서.

하나님이시면서 종의 형체로 오신 예수 그리스도의 이름으로 기도합니다. 아멘.

4/22/05

**April**
**23**

# Help us to become parents of faith

Children, obey your parents in the Lord, for this is right. "Honor your father and mother"-which is the first commandment with a promise- "that it may go well with you and that you may enjoy long life on the earth." Fathers, do not exasperate your children; instead, bring them up in the training and instruction of the Lord.

Ephesians 6:1-4

Lord, thank you for watching over us in this month of April. We give you thanks and praise! Thank you for giving us our daily bread and our good health. Thank you for guiding us in our walk of faith. Thank you for establishing this precious family and for calling us to have a restored relationship with God. Lord, receive all glory and reverence through our family. Help us to become a beautiful and spiritually healthy family. Help us to raise our children in the discipline of the Lord. Guide us and give us wisdom in rearing our children, and may we offer them back to you for your glory. We want to raise them as children of God, according to His Word as given to us in the Bible.

Help us to refrain from being too harsh, and taking advantage of our parental power, always remembering that they were created in the image of God. We pray that we may raise them as people of character whose spiritual heritage will be that of love.

We pray in the name of Jesus, Amen.

### 믿음의 부모가 되게 하소서

4월 한 달도 우리 가정에 은총을 베풀어 주신 주님, 감사와 찬양을 돌립니다. 언제나 필요한 양식을 공급해 주시고, 안전과 건강을 지켜 주시고, 믿음을 성숙케 하시니 감사드립니다. 우리에게 귀한 가정을 주셔서 생명의 태로서 사명을 다 감당하게 하시고, 주님의 작은 천국으로 회복하게 하심을 감사드립니다. 영광 받아 주시며 당신의 이름이 우리 가정을 통해 거룩히 여김을 받으시기를 원합니다.

건강하고 아름다운 가정이 되기 위해 먼저 우리들이 믿음의 부모가 되게 하시고 주의 교양과 훈계로 자녀를 양육할 수 있도록 인도해 주옵소서. 믿음의 자녀로 키울 수 있는 부모가 되기를 원합니다. 하나님이 원하시는 자녀의 모습으로 키워서 주님께 돌려 드리기를 원하오니 지혜를 주시고 인도해 주옵소서. 하나님의 자녀이므로 하나님의 말씀으로 양육하기를 원합니다. 말씀으로 자녀들을 양육하는 믿음의 부모가 될 수 있도록 인도해 주옵소서. 우리가 하나님의 형상대로 지음을 받은 우리 자녀들을 노엽게 하지 않도록 해주시고, 자녀들을 인격적으로 키울 수 있는 부모가 되도록 축복해 주옵소서. 자녀들에게 귀한 영적인 유산을 남겨 주는 부모가 되게 하시며 주 안에서 다시 태어나는 부모가 되도록 축복해 주옵소서. 자녀에 대한 소유권을 주장하지 않게 하시고 사랑으로 대해야 함을 깨닫게 도와주옵소서. 감사하오며 예수님의 이름으로 기도합니다. 아멘.

160

# Help them to be children of faith

April
24

Children, obey your parents in the Lord, for this is right. "Honor your father and mother" -which is the first commandment with a promise- "that it may go well with you and that you may enjoy long life on the earth." Fathers, do not exasperate your children; instead, bring them up in the training and instruction of the Lord.
Ephesians 6:1-4

Thank you for giving our family the precious gift of children. The joy that they give us cannot be compared with anything the world has to offer. We gain insight into God's heart, love, forgiveness, patience, and provisions through raising our children. Not only this, but we also realize how much you love us and long to be with us. Thank you for showing us your "father-heart" through them.

Help our children to obey their parents in the Lord. Bless them to honor their father and mother so all things may go well with them, and they will enjoy long life on this earth. Help them to know that God has established parents in the family to whom they must show great respect.

We pray that these children may learn to love God and to grow in faith. Help them to meet and to know our invisible God. Open up for them the invisible spiritual world in which they may hear your voice and confess their faith. Help them to see the Kingdom of God through eyes of faith and share this fellowship of faith with others.

We pray in Jesus' name, Amen.

### 믿음의 자녀들이 되게 하소서

우리 가정에 귀한 자녀를 선물로 주신 주님, 이 자녀들로 인해 감사를 드립니다. 귀한 자녀들이 우리에게 주는 즐거움은 이 세상이 주는 어떤 즐거움보다 더 큰 것이며 깊은 것임을 고백합니다. 자녀들을 통해 하나님의 마음, 사랑, 용서, 인내, 공급하심 등을 배우게 하시며, 자녀들을 향한 부모의 마음을 통해 주님이 얼마나 우리를 찾으시고 함께하시기를 원하시는지 알게 하심에 감사를 드립니다.

우리 자녀들이 주 안에서 부모를 순종할 수 있는 자녀들이 되도록 인도해 주옵소서. 그리고 아버지와 어머니를 공경하는 자녀들이 되도록 축복해 주옵소서. 그러므로 모든 일이 잘될 뿐만 아니라 이 땅에서 장수하는 축복이 우리 자녀의 것이 되도록 인도해 주옵소서. 하나님께서 가정에 파송한 부모, 하나님께서 세우신 부모를 공경하며 귀하게 여기는 자녀들이 되도록 인도해 주옵소서. 또한 우리 자녀들이 하나님을 사랑하고 믿음으로 성장하는 자녀들이 되도록 축복해 주옵소서. 보이지 않는 하나님을 믿음으로 알고 만나고 믿게 하시며 보이지 않는 신령한 세계가 열려지고 들려지고 고백되어질 수 있도록 인도해 주옵소서. 하나님을 믿음으로 영원한 세계를 볼 수 있도록 축복하시며 하나님을 믿음으로 이웃들이 우리 자녀들과 믿음의 관계를 맺을 수 있도록 축복해 주옵소서. 믿음을 선물로 주시는 예수님의 이름으로 기도합니다. 아멘.

# Help us to become a spirit-filled family

Be very careful, then, how you live-not as unwise but as wise, making the most of every opportunity, because the days are evil. Therefore do not be foolish, but understand what the Lord's will is. Do not get drunk on wine, which leads to debauchery. Instead, be filled with the Spirit.

Ephesians 5:15-18

Lord, you require us to worship you in spirit and in truth. We ask that our family may be filled with the Holy Spirit. Help us to be a spirit- filled family that never ceases to worship and praise you. We ask that your Holy Spirit be with us so we may discern your will in all that we say and do.

May our family never get drunk on wine or on the other harmful things of this world. But rather, let us be drunk with the Holy Spirit so there may be a change in our praise, in our worship, and in our devotion.

May we be filled with the spirit when we praise you from deep within our hearts. Help us to always follow the guidance of the Holy Spirit so we will always be pleasing to you. Help us to pray in the spirit and to remember others in our prayers.

We pray in Jesus' name, Amen.

## 성령 충만한 가정이 되게 하소서

신령과 진정으로 드리는 예배를 원하시는 주님, 우리 가정이 성령 충만한 가정이 되기를 원합니다. 축복해 주옵소서. 성령 충만한 가정이 되어 가정에서 예배와 찬송이 그치지 않게 하시며 기도가 성령 안에서 무시로 드려지는 가정이 되도록 인도해 주옵소서. 성령 충만한 가정이 되게 하시고, 성령 충만한 부모가 되게 하시며, 성령 충만한 자녀가 되도록 인도해 주옵소서. 그래서 주님의 뜻을 분별하고 이해하는 가정이 되기를 원합니다.

우리 가정이 술에 취하거나 중독되지 않게, 그리고 세상 것에 취하지 않도록 보호해 주옵소서. 우리 가족 개개인이 신령한 새 술에 취하는 자들이 되게 하시며, 세상의 술에 취하고 방탕하지 않도록 인도해 주옵소서. 성령 충만을 받고 찬송이 달라지고 예배가 달라지고 헌신이 달라지게 도와주옵소서.

성령 충만하여 신령한 노래들이 넘치게 하시며, 심령 깊은 곳에서 주님을 찬송하며 노래하는 가정이 되도록 축복해 주옵소서. 그래서 성령을 좇아 사는 가정과 부모, 자녀가 되게 하시고 성령을 소멸하거나 성령을 근심하게 하지 않도록 축복해 주옵소서. 언제나 성령 안에서 기도하게 하시며, 중보 기도가 살아나게 하시며, 감사와 찬양이 넘치게 하옵소서.

예수님의 이름으로 기도합니다. 아멘.

## April 26

# Teach us devotion to the Lord

Slaves, obey your earthly masters with respect and fear, and with sincerity of heart, just as you would obey Christ. Obey them not only to win their favor when their eye is on you, but like slaves of Christ, doing the will of God from your heart. Serve wholeheartedly, as if you were serving the Lord, not men,

Ephesians 6:5-7

Thank you for establishing the family and for training us to forge our human relationships. You are our trainer in the spiritual realm. Thank you for helping husband and wife to nurture each other. Thank you also for giving us the responsibility of raising these children. Thank you for teaching us to be devoted to one another in the marital relationship and also within the whole family. Thank you for teaching us what it means to be devoted to each other.

Please help us as husband and wife to become what you have created us to be. Help us to not remain in "Eros" love but also to grow in "Agape" love for one another. Help us to realize that our children are precious gifts from you, Lord. May we always remember to devote ourselves to them also.

May the relationships within our family bring about life, and may our family be the safe ground where we learn about all human relationships. Show us the areas in which our family is lacking so we may become aware of and resolve them. Help each of us to grow in spirit and in character through the relationships in our family.

We pray in the name of Jesus, Amen.

### 섬기기를 주께 하듯 하게 하소서

가정을 주셔서 깊은 인간관계의 훈련을 하게 하시는 주님, 주님이 우리 가정의 영성 훈련의 대장이 되어 주시고, 남편과 아내는 좋은 파트너로서 서로를 키워 주고 세워 주게 하심을 감사드립니다. 또한 가정을 섬김의 공동체로서 우리에게 허락하셔서 자녀를 키우는 것도 섬김이요, 부부관계도 섬김이요, 가정을 향한 모든 봉사가 섬김이 되게 하심을 감사드립니다. 가정에서 섬김을 배우게 하시고 섬김이 성장하게 하심을 감사드립니다. 우리 온 가족이 가정에서 섬김을 깊이 배울 수 있고, 행할 수 있도록 인도해 주옵소서.

남편과 아내의 관계에서도 서로 주께 하듯 하는 가정이 되도록 인도해 주옵소서. 에로스의 사랑에 머물지 않게 하시고 아가페 사랑을 할 수 있도록 힘을 주시어 서로를 위해 가장 좋은 것들을 해주며 서로에 대하여 주께 대하듯 하게 하옵소서. 또한 자녀들을 우리에게 맡기신 귀한 선물로 알고 주님께 대하듯 섬길 수 있도록 힘을 허락해 주옵소서.

그래서 가정에서의 모든 인간관계가 생명이 되도록 축복하시고, 모든 인간관계를 통해 우리의 겉 사람이 처리되는 훈련을 받도록 축복해 주옵소서. 가족관계에서 부족한 점을 발견하고 서로 보완할 수 있게 하시며, 가족들을 통해 영성과 인성이 성장할 수 있도록 축복해 주옵소서. 감사하오며 예수님의 이름으로 기도합니다. 아멘.

# Help us to deem one another lovingly

Husbands, in the same way be considerate as you live with your wives, and treat them with respect as the weaker partner and as heirs with you of the gracious gift of life, so that nothing will hinder your prayers.

I Peter 3:7

God of love, we pray for our family as we look forward to the new month. Guide us to become a family that has true love for one another. There are some families where the husband disrespects the wife, claiming falsely that this is what it is to be masculine. Help us to be a family where everyone respects and loves one another.

Give the husband a heart that lovingly regards the wife. You said that the wife is an heir with the husband in the precious gift of life. In this way, prayers will reach you. Restore our family so the husband may truly love and respect his wife as God intended. Also, help the wife to love and respect her husband.

May the children in our family lovingly regard their parents. Help them to learn that parents do more than just provide shelter, food, and clothing for their children. They have been given stewardship over them by God to provide spiritual leadership and guidance. May we never become mere financial providers for the family. Help us to be upright in character rather than merely gaining riches.

We pray in Jesus' name, Amen.

---

### 서로를 귀히 여기는 가정이 되게 하소서

사랑의 울타리를 주신 주님, 가정의 달 5월을 바라보면서 우리 가정을 위해 기도합니다. 이 가정이 진정한 사랑의 울타리가 되게 하시며 서로 귀하게 여기는 가정이 되도록 인도해 주옵소서. 남편이 아내를 무시하고 비인격적으로 대하는 가정이 너무나 많습니다. 그리고 그러한 태도가 남자답고 당연한 것이라고 착각하는 경우도 많습니다. 우리 가정은 서로를 인격적으로 존중해 주고 귀하게 여겨 주는 가정이 되도록 인도해 주옵소서.

남편이 아내를 귀하게 여길 수 있도록 축복해 주옵소서. 남편은 아내를 "생명의 은혜를 유업으로 함께 받을 자로 알아 귀히 여기라."고 말씀해 주셨습니다. 그래야 기도가 막히지 않는다고 하셨습니다. 남편이 아내를 진정으로 귀히 여길 수 있는 가정으로 회복할 수 있도록 축복해 주옵소서. 또한 아내는 남편을 귀하게 여기며 남편에 대하여 항상 감사하며 존중해 주도록 축복해 주옵소서.

자녀들이 부모를 귀하게 여기는 가정이 되게 해주소서. 자녀에게 있어 부모는 단지 물질적인 것을 채워 주고 양육만 하는 존재가 아니라, 하나님께서 가정에 파송한 귀한 영적 지도자, 선교사임을 깨닫게 하옵소서. 부모가 돈만 벌어오는 도구처럼 비하되지 않도록 도와주시고, 경제력에 좌우되지 않고 온전하게 인격적으로 있는 그대로 귀하게 여기고 존중하는 가정이 되도록 인도해 주옵소서. 예수님의 이름으로 기도합니다. 아멘.

# Help us to have the spiritual armor of God

Finally, be strong in the Lord and in his mighty power. Put on the full armor of God so that you can take your stand against the devil's schemes. For our struggle is not against flesh and blood, but against the rulers, against the authorities, against the powers of this dark world and against the spiritual forces of evil in the heavenly realms. Therefore put on the full armor of God, so that when the day of evil comes, you may be able to stand your ground, and after you have done everything, to stand.

Ephesians 6:10-13

Thank you for establishing the family as your most beautiful creation. Keep us, O Lord, from the attack of Satan who charges at us like a lion waiting to devour its prey. Give us strength to overcome the dark powers. People have forgotten the sanctity of the family, and now families are broken apart by divorce, abuse, and addiction. Give your blessings upon this land that the broken families may be restored and healed.

Help our family to fulfill the mission to which you have called us. Help us to sustain your blessings of fruitfulness, prosperity, and abundance so we may not forfeit these to Satan, who tries to steal them from us.

Grant us the spiritual gift of discernment so we may not make the same mistake that Adam and Eve made. Help us to put on the full armor of God. Help us to be spiritually dressed for battle and receive the necessary training so our family may always have the victory in you.

We pray in Jesus' name, Amen.

## 영적으로 무장하게 하소서

가정을 가장 아름다운 창조의 작품으로 만들어 주신 주님, 이 가정을 공격하고 무너뜨리기 위해 우는 사자와 같이 달려드는 사탄과 어둠의 세력들로부터 이 가정을 지킬 수 있도록 힘을 허락해 주옵소서. 가정의 소중함을 모르고 이혼과 별거, 폭력, 중독 등으로 너무나 많은 가정들이 깨어지고 있습니다. 이 땅에서 가정들이 다시 회복될 수 있는 축복을 주시고, 사탄에게 패하지 않도록 인도해 주옵소서.

우리 가정이 생명의 태로서 사명을 감당하게 하시고 녹색지대의 가정, 생명의 가정이 되도록 인도해 주옵소서. 또한 우리 가정이 하나님께서 가정에 주신 축복, "생육하고 번성하고 충만하라"는 축복을 빼앗으려는 사탄의 유혹을 분별하고 이기게 도와주옵소서. 가정으로부터 이러한 복을 빼앗아서 세상을 다스리려고 하는 사탄의 궤계를 깨뜨리게 하옵소서.

우리 가정에 영 분별의 은사를 허락해 주셔서 아담과 이브가 쓰러졌던 것 같은 일이 없도록 축복하시며, 온 가족이 주님이 입혀 주시는 전신갑주를 입을 수 있도록 축복해 주옵소서. 온전하게 전신갑주를 입고 무장하게 하시고, 바르게 무장하게 하시고, 바르게 훈련 받아서 승리하는 가정이 되도록 인도해 주옵소서.

우리의 대장 되시는 예수님의 이름으로 기도합니다. 아멘.

# April 29

# Help us to become a holy family

But just as he who called you is holy, so be holy in all you do; for it is written: "Be holy, because I am holy."
1 Peter 1:15-16

Creator God, who made us in your own image, thank you for creating us to resemble your holiness and creativity. Help our family to become like you more and more so we may share fellowship with you.

Lord, you desire to spend time with our family. This time is holy and precious; let it be a time of holy fellowship that we set apart for you. Lord, let us also set aside our holy tithe to you so the whole may become holy. You have required circumcision of the Israelites so they could be set apart for you. Likewise, help us to set apart ourselves for you through devoting all that we are and have in your service. Help us to become a family that sets apart time, possessions, and service to offer it up to you so we may be found to be spotless in the Day of the Lord.

We pray in the name of Jesus, Amen.

### 거룩한 가정이 되게 하소서

주님의 형상대로 우리를 지어 주신 창조의 하나님, 주님의 거룩하심과 그 예술성을 닮게 하시니 감사를 드립니다. 또한 주님의 도덕성, 정치성, 영성을 닮게 하시니 감사를 드립니다. 우리 가정이 이러한 주님을 닮는 가정이 되어서 주님과 친밀하게 교제할 수 있도록 인도해 주옵소서. 주님이 주님의 형상대로 만들어 주셔서 다른 짐승과 같지 아니하고 주님과 거룩한 교제를 나누게 하심을 감사드립니다. 우리 가정이 이러한 당신의 거룩한 성품을 닮게 도와주옵소서. 시간을 거룩하게 하셔서 그 안에서 우리와 교제하기를 원하시는 주님, 우리 가정의 시간이 주님 안에서 거룩하게 성별(聖別)될 수 있도록 축복해 주옵소서. 수입의 십의 일을 하나님께 드려서 물질을 성별하도록 하신 주님, 우리 가정이 주님 앞에 감사함으로 십의 일을 드림으로 물질을 거룩하게 하는 가정이 되도록 축복해 주옵소서. 또한 주님은 이스라엘에게 할례를 베푸시고 몸의 성별을 주신 줄을 믿습니다. 우리 가정이 몸과 육체까지도 온전히 주님께 속하였음을 알게 하시고 주님을 좇아 거룩한 자들이 되도록 인도해 주옵소서.

우리 가정이 이렇게 몸과 마음과 물질, 시간을 성별(聖別)하여 하나님께 드릴 수 있는 가정이 되게 하시고, 주님이 오실 때에 흠과 점이 없는 정결한 가정으로 나아갈 수 있도록 축복해 주옵소서.

감사드리며 예수님의 이름으로 기도합니다. 아멘.

# April 30 Help us to become a temple

Don't you know that you yourselves are God's temple and that God's Spirit lives in you? If anyone destroys God's temple, God will destroy him; for God's temple is sacred, and you are that temple.
1 Corinthians 3:16-17

God of love, thank you that we could pray throughout the month of April for our family. We could not pray for every little detail, however you know our needs, so bless us even in the things for which we didn't pray. Help us to realize that everyday is a precious day for our family.

Bless us that our family may become a spiritual temple of God. Let us become a temple that is filled with the Word of God, prayer, and unending worship. Help us to become living sacrifices to God. May our family to be holy, sincere, and devoted to God.

Help us to be filled with the Word of God as we become your temple. Help us to be filled with prayer, so our home may become a house of prayer. May our home never become a marketplace, but rather let it become a house that is holy. May the temple of God be established in our family and in our home so God may dwell with us always.

We pray in the name of Jesus, who is the true temple. Amen.

---

 **가정이 성전이 되게 하소서**

사랑의 하나님, 4월 한 달 동안 가정을 위해 기도하게 하심을 감사드립니다. 우리가 모든 것을 일일이 다 기도하지 못했지만 주님께서는 아시는 줄 아오니 기도하지 않는 부분에서도 인도해 주시고 축복해 주옵소서. 5월 가정의 달을 맞이하면서, 5월에만 가정이 소중한 것이 아니라 언제 어디서나 소중한 가정의 날들이 이루어질 수 있도록 인도해 주옵소서. 우리 가정이 성전으로 세워질 수 있도록 축복해 주옵소서. 가정 성전이 세워져서 말씀과 기도가 충만하며 모든 삶이 예배가 될 수 있도록 축복해 주옵소서. 우리의 몸이 산 제사가 되게 하시며 우리의 삶이 주님을 위해 드려지는 희생 제물이 될 수 있도록 인도해 주옵소서. 그러므로 거룩한 가정, 정결한 가정, 경건한 가정이 되어서 주님 안에서 다스림을 받는 행복을 누리게 하옵소서.

우리 가정이 성전으로 세워져서 말씀이 충만할 수 있도록 인도해 주옵소서. 또한 기도가 충만하게 인도해 주옵소서. 언제나 기도의 향이 그치지 않는 성전처럼 우리 가정도 거룩한 기도의 집이 되도록 축복해 주옵소서. 장사꾼의 집이 되지 말게 하시고 거룩하고 성결한 주님이 임재하시는 가정 성전이 되도록 도와주옵소서. 주님이 언제나 임재하셔서 우리와 만나 주시는 그 성전이 우리 가정에서 세워질 수 있도록 축복해 주옵소서.

성전이 되시는 예수님의 이름으로 기도합니다. 아멘.

**167**

# *M*ay *Prayers of Blessings for the Children*

-The Blessings of Good Health-

May is the month for celebrating the family,
and it is also children's month in Korea.
Pray for your family that you may love one another
grow, play, and together become a vibrant family.
Also pray for the future blessings of your children
and commit all of these things to the Lord.

## 자녀를 위한 5월의 축복 기도

- 건강한 생활을 위한 축복 기도-

5월은 가정의 달이며, 또한 어린이의 달입니다.
우리 가정에서 아이들이 마음껏 사랑하며, 자라며, 놀 수 있는 녹색 가정이 되도록 우리들은 기도해야 합니다.

또한, 자녀들의 생활과 그들의 미래를 주님의 손에 맡기는 축복 기도가 풍성한 5월이 되어야 하겠습니다.

# Make us good parents

**May 1**

Listen, my sons, to a father's instruction; pay attention and gain understanding. I give you sound learning, so do not forsake my teaching. When I was a boy in my father's house, still tender, and an only child of my mother, he taught me and said, "Lay hold of my words with all your heart; keep my commands and you will live.

Proverbs 4:1-4

Lord, you always give us the best, and we want to thank you especially for our children. We ask you to bless them on this first day of May. Help them to grow physically, mentally, and spiritually.

Lord, help us, as parents, to be a blessing to our children. Help us to be parents who revere and worship God. May our children inherit a rich spiritual legacy from us. Help us to become parents of faith. Help us to show them God's patience, forgiveness, love, and protection.

Train us, Lord, to be excellent parents. Do not let us be merely biological parents, but also spiritual parents who raise our children in the Word of God so they may abide in God's will. Give us love and wisdom in rearing our children. May our children learn the love of God through their parents' love.

We pray in Jesus' name, Amen.

 부모를 잘 만나는 복을 주소서

언제나 우리에게 선하고 좋은 것으로 주시기를 즐거워하시는 주님, 우리에게 자녀로 인해 감사를 드립니다. 5월을 맞이하여 우리 자녀에게 하나님의 넘치는 복을 허락해 주옵소서. 몸과 마음과 영혼이 건강하게 자라는 시기가 되도록 복을 주옵소서.

주여, 우리의 자녀들이 부모를 잘 만나는 복을 주옵소서. 하나님을 섬기며 하나님을 경배하는 경건한 부모를 만나는 복을 주시며, 그 부모를 통해 신앙의 유산을 물려받을 수 있는 자녀가 되게 하옵소서. 또한 믿음의 부모를 통해 하나님의 인내, 용서, 사랑, 돌봄, 공급하심을 체험하게 하옵소서.

그리기 위해 우리를 좋은 부모로 훈련시켜 주시기를 바랍니다. 단지 자녀를 낳은 부모가 아니라 말씀으로 잘 양육하는 부모가 되게 하시고 하나님의 뜻에 합당하게 자녀를 키울 수 있도록 도와주옵소서. 자녀들을 잘 키울 수 있는 지혜와 사랑을 주옵소서. 그래서 우리 자녀들이 주님의 사랑을 부모로부터 배울 수 있게 도와주옵소서.

예수님의 이름으로 기도합니다. 아멘.

# Bless our eyes

The eye is the lamp of the body. If your eyes are good, your whole body will be full of light. But if your eyes are bad, your whole body will be full of darkness. If then the light within you is darkness, how great is that darkness! Matthew 6:22-23

Thank you, Lord, for giving our children eyes and sight, but help them to also have spiritual eyes through which they may see the Kingdom of God. Pour out your anointing oil upon their eyes so their spiritual eyes may be opened. Thank you for giving them healthy eyes. Please protect their sight from harm and give them a positive attitude about all the things they see.

Lord, you came as the Light. Help our children to have caring eyes that notice and others pain and comfort them. Help them to see the beautiful and the good things in life. Help them to see the eternal things of life so they may live blessed lives. Help them to see the beautiful creation of God. Help them to see God's gracious salvation so they may praise you. Help them not to sin with their eyes, but may these eyes be sensitive to other people's needs.

We pray in the name of Jesus, who came as the Light. Amen.

## 복된 눈이 되게 하소서

우리 자녀에게 눈을 주시고 시력을 주시고 빛을 주신 하나님, 이 자녀가 언제나 영원한 하나님의 나라를 볼 수 있는 믿음의 눈을 갖게 하시고, 그 눈에 기름을 부어 주셔서 신령한 것을 볼 수 있는 영안(靈眼)이 열리게 하옵소서. 우리 자녀에게 건강한 눈을 주셔서 감사합니다. 언제나 건강한 시력을 유지하게 도와주시고 어디에서도 눈이 상하는 일이 없도록 보호하고 지켜 주옵소서. 그리고 아름다운 면을 볼 수 있는 긍정적인 눈이 되도록 복을 주옵소서. 빛으로 오신 주님, 우리 자녀의 눈을 축복하셔서 꼭 보아야 할 것을 보게 하시고 아름다운 눈으로 다른 사람의 아픔을 위로할 수 있도록 도와주옵소서. 일생을 아름답고 선한 것, 영원한 것만을 보게 하시며 축복 받고 행복한 인생을 바라보며 살게 하옵소서. 그 눈으로 하나님의 모든 창조물을 보게 하시고, 주님이 이루신 구원을 보게 하시며, 주님을 찬양하게 하옵소서. 눈으로 범죄하지 않도록 도와주시며 다른 사람의 아픔도 볼 줄 아는 눈이 되게 하옵소서. 빛을 주신 예수님의 이름으로 기도합니다. 아멘.

# Bless our ears

But blessed are your eyes because they see, and your ears because they hear. For I tell you the truth, many prophets and righteous men longed to see what you see but did not see it, and to hear what you hear but did not hear it.

Matthew 13:16-17

Lord, you said, "He who has ears, let him hear." Our family longs to hear your voice, O Lord. We want to hear your sweet words that comfort our hearts. Help us today to share deep fellowship with you, and may this be the day that we hear your voice.

We pray for our children to have spiritual ears so their hearts may be opened to the eternal message of the Gospel. Anoint their ears with oil so they may discern and hear the spiritual things of God. Lord, give them ears of faith when they hear the good news of God. Teach them to hear and obey their parents in the Lord. May they open their ears to the cry of the poor and have compassion for those who are suffering. May their ears be open to the Word of God. May you also bless their physical ears so they will always be healthy and not lose their hearing as they grow older.

We pray in Jesus' name, Amen.

### 복된 귀가 되게 하소서

들을 귀 있는 자들은 들으라고 말씀하신 주님, 우리 모두가, 우리 온 가족이 주님이 세미(細美)하게 말씀하시는 음성을 듣기를 원하며 주님이 다정하게 들려주시는 위로의 말씀을 듣기를 원하나이다. 오늘도 주님에게 가까이 나아가 깊은 교제를 하는 날이 되게 하시며 주님의 음성을 들을 수 있는 귀로 복 받기를 원합니다.

우리 자녀에게 귀를 주시고 듣게 하신 주님, 언제나 영원한 복음을 들을 수 있도록 믿음의 귀를 갖게 하시며 그 귀에 기름을 부어주셔서 신령한 것을 들을 수 있도록 도와주옵소서. 주여, 우리 자녀가 복된 소식을 듣는 믿음의 귀를 갖는 복을 누리게 하시며 하나님의 음성을 듣고 부모에게 순종하며 아름다운 소식을 기뻐하는 귀로 축복해 주옵소서. 가난한 자의 부르짖음을 듣게 하시고 아픈 자들의 고통을 들을 수 있는 귀를 허락하시며 주님의 말씀을 들을 수 있는 귀가 되게 하옵소서. 신체적으로도 이 귀가 병들지 않게 하시며 나이가 들어서도 좋은 청력을 가질 수 있도록 도와주옵소서. 예수님의 이름으로 기도합니다. 아멘.

# Bless our lips

From the fruit of his mouth a man's stomach is filled; with the harvest from his lips he is satisfied.

Proverbs 18:20

O God of Love, thank you for giving our children healthy lips. Thank you that they can use their lips to talk to their friends and to express their thoughts and knowledge. Bless their lips and mouth so they may be healthy. Protect their mouths from injury.

Lord, bless the children's lips, so they may use them to pray, give thanks, praise, and be bearers of good news. May their lips speak only what is true and sincere so those who are listening may be blessed. Keep them from using their lips for lies, gossip, and vain chatter. Bless their lips that they may be a source of comfort and encouragement to others. Anoint their lips so they may resemble their God when they speak. Lord, be the guardian of their lips so they may never speak what is vain or false.

We pray in Jesus' name, Amen.

### 복된 입이 되게 하소서

사랑의 하나님, 우리 자녀들에게 건강한 입을 주셔서 감사합니다. 그 입으로 친구와 대화를 나누기에 부족함이 없게 하시고 자신의 생각과 지혜를 표현할 수 있게 하시니 감사합니다. 앞으로도 건강한 입과 치아를 허락하셔서 인생을 살아가는 동안 불편함이 없도록 지켜 주옵소서. 입술의 안전을 지켜 주시고 보호해 주옵소서.

주여, 우리 자녀에게 복된 입을 허락해 주시어 그 입으로 기도하고, 감사하며, 찬양하며, 복된 소식을 전하게 하옵소서. 언제나 진실하고 참되고 아름다운 말로 이웃에게 기쁨을 나누게 하시며 거짓되고 헛되고 속살거리며 재잘거리는 입이 되지 않도록 도와주옵소서. 그 입이 복되게 하시며 누구에게나 힘을 주고 위로하는 선한 말을 하게 하옵소서. 하나님을 닮은 언어생활을 하도록 입술에 기름 부어 주옵소서. 주님이 우리 입의 파수꾼이 되어 주셔서 헛되고 악한 말을 하지 않도록 지켜 주옵소서.

예수님의 이름으로 기도합니다. 아멘.

# Bless the work of their hands

Be devoted to one another in brotherly love. Honor one another above yourselves. Never be lacking in zeal, but keep your spiritual fervor, serving the Lord. Be joyful in hope, patient in affliction, faithful in prayer.
Romans 12:10-11

Lord, bless the hands of our children. May they use them to serve others and to do the work of God. May their hands help the poor, comfort the hurting, and even entertain angels among their guests. May those who meet them receive warmth and love. May their hands never be used to harm others, and bless their hands to be strong and supporting.

Wherever these hands go, may a messy place become organized, may the sick receive comfort, may the needy be served, and the rough places be made beautiful. May their hands be like the hands of the wife of noble character in Proverbs 31. Give them hardworking and busy hands. May their hands be used creatively and bear much fruit. May their hands write beautiful messages from the Gospel to share with others.

We pray in Jesus' name, Amen.

## 복된 손이 되게 하소서

주여, 우리 자녀에게 복된 손을 허락해 주시어 그 손으로 이웃을 섬기며 주님을 위해 일하는 손이 되게 하옵소서. 가난한 사람들을 보살피며 아픈 자들을 위해 기도하며 손 대접하는 가운데 천사들을 대접하며 주님을 대접하는 손길이 되게 하옵소서. 그 손을 만나는 사람마다 따뜻한 사랑을 만나게 하시며 그 손으로 폭력을 쓰지 않게 하시며 경건하고 진실한 손길이 되도록 축복해 주옵소서.

이 복된 손이 머무는 곳마다 더러운 곳이 깨끗해지게 하시고, 아픈 사람들이 위로 받게 하시며, 섬김을 받으려고 하는 곳에서는 섬김의 손이, 추한 곳에서는 아름다움을 만들어 가는 손이 되게 하옵소서. 또한 잠언 31장에 나오는 부지런한 아내의 손같이 어디에서나 게으르지 않고 부지런한 손이 되게 하여 창조적이고 생산적인 기업을 이루게 하옵소서. 그 손으로 말씀을 쓰며 복된 소식을 써서 전하는 문서선교를 할 수 있게 하시며, 그 손으로 건강하고 복된 인생을 누리게 하옵소서. 귀한 손을 주신 예수님의 이름으로 기도합니다. 아멘.

# Bless their feet

How beautiful on the mountains are the feet of those who bring good news, who proclaim peace, who bring good tidings, who proclaim salvation, who say to Zion, "Your God reigns!"

Isaiah 52:7

Lord, bless the children's feet so they may become messengers of the Gospel. May your will guide the paths of their feet so they may bring you glory wherever they go. May their feet never stand in the way of sinners or sit in the seat of mockers. May their feet go forth to comfort the poor and the outcast. Bless the places where these feet stand.

Help them to learn from Abraham, who walked out into an idolatrous world to follow the Lord. May their feet obey God so they may come out from darkness into the light. Help them not to follow Jonah's example. His feet went wherever he wished, not according to God's command. May their feet go forth to bring you glory.

We pray in Jesus' name, Amen.

## 복된 발이 되게 하소서

주여, 우리 자녀에게 복된 발을 허락해 주사 그 발로 복음을 전하게 하옵소서. 주님이 원하시는 곳으로 가는 발이 되게 하시며 가는 곳마다 그 발이 복되게 하시며 주님을 영화롭게 하는 발이 되게 하옵소서. 죄인의 길에 서지 아니하며 오만한 자리에 앉지 않는 복된 발이 되게 하옵소서. 가난한 자와 소외된 자가 위로 받는 발이 되게 하시며 이 복된 발이 머무는 곳마다 사람들이 행복을 누리게 하옵소서.

우상의 세계에서 주님의 부르심을 받고 일어나 떠난 아브라함처럼, 모든 것을 버리고 주님을 따른 제자들의 발처럼, 이 자녀의 발이 주님의 명령에 순종하는 발이 되어서 악에서 나와 빛 가운데 걸어가는 발이 되게 축복해 주옵소서. 요나와 같이 자기가 가고 싶은 곳에 가는 발이 아니라 순종하는 발이 되어서 이 발로 주님을 영화롭게 하도록 인도해 주옵소서. 건강한 발을 주신 예수님의 이름으로 기도합니다. 아멘.

## May 7

# Bless them with health and a long life

Children, obey your parents in the Lord, for this is right. "Honor your father and mother" -which is the first commandment with a promise- "that it may go well with you and that you may enjoy long life on the earth."

Ephesians 6:1-3

Lord, we pray that our children may have life, health, and longevity, which only you can give them. Provide them with good health to enjoy fellowship with you. Give them the blessings of a long life as they learn to obey and love their parents. May the blessings of health and a long life dwell with the children. May their health be used to serve God and to serve their country.

Lord, also bless their mental health. Help them to be sound and well balanced in mind and body. We live in a world where injury is unavoidable, but may they be restored and have complete healing. Help them also to comfort other people's injuries. Bless them to live out their natural life span. Protect them from illness and accidents so when they die, they will have had a healthy, full life.

We pray in Jesus' name, Amen.

### 건강, 장수의 복을 주소서

주여, 우리 자녀에게 하나님만이 주실 수 있는 생명, 건강, 장수를 허락해 주옵소서. 언제나 건강으로 주님과 복된 관계를 누리게 하시며 순종하는 자, 효도하는 자에게 주시는 장수의 복도 누리게 하옵소서. 건강하면서 장수하는 복이 이 아기에게 임하게 도와주옵소서. 이 건강으로 주님을 영화롭게 하며 주님의 나라를 확장하는 데 사용하게 하옵소서.

이 건강으로 정신적 건강도 누리게 하시어 건전하고 조화를 이루는 몸과 정신이 되게 하옵소서. 상처를 받고 살 수밖에 없는 세상이지만 이 상처도 건강하게 회복할 수 있도록 도와주시며, 다른 사람의 상처를 위로할 수 있는 건강함도 주옵소서. 주님께서는 사랑하는 자에게 장수의 축복을 주셨습니다. 수(壽)를 다 누리는 축복을 주셨습니다. 이러한 복이 우리 자녀에게 임하게 하옵소서. 교통사고나 병으로 죽는 것이 아니라 수를 다하고 평안하고 건강하게 죽을 수 있는 죽음의 복도 허락해 주옵소서. 건강을 주신 예수님의 이름으로 기도합니다. 아멘.

**176**

# Bless their vocation

**May 8**

Bless all his skills, O Lord, and be pleased with the work of his hands. Smite the loins of those who rise up against him; strike his foes till they rise no more." Deuteronomy 33:11

Hallelujah! Thank you that we can enjoy fellowship with you today. Thank you that we can enjoy your presence. Father God, we pray for the children that when they grow up, they may know the vocation to which you have called them. May they be faithful stewards of God in their workplace. Give them good health and wisdom in their place of employment and help them to meet spiritual coworkers. May their profession be used to further the Kingdom of God. May they offer you the fruit of their labor so it may be used for mission work. May they also take part in proclaiming the Gospel in this way.

Lord, please don't let them feel like slaves to their work, but give them joy in all that they do. Remind them of the Lord's Sabbath rest, even as they work. May they never neglect time with their family because they are too busy.

We pray in Jesus' name, Amen.

### 직업의 복을 주소서

할렐루야, 오늘 하루도 주님 품에서 건강하게 지낼 수 있게 하심을 감사드립니다. 오늘도 주님과 함께 동행한 날이 되었음을 감사드립니다. 하나님, 우리 자녀들을 위해 기도합니다. 우리 자녀가 자라나서 일을 하게 될 때에 주님이 허락하시는 일을 찾게 하시며, 그 일을 통해 주님의 창조물을 잘 관리하고 지킬 수 있는 복을 주옵소서. 일 할 수 있는 건강과 지혜를 주시고 직업을 가질 때에도 좋은 동료들을 만나는 복도 누리게 하옵소서. 그리고 그 직업이 하나님의 나라를 확장하는 도구가 되게 하옵소서. 그 수입으로 하나님 나라를 확장케 하며, 하나님의 사람을 키우는 선교에 동참하며, 복음을 전하는 일을 하도록 복 주옵소서.

또한 일을 할 때에 일의 노예가 되지 않게 하시며, 일을 사랑하며 즐기게 도와주시고, 일을 하는 가운데 주님 안에서 누리는 안식을 잃어버리지 않게 해주옵소서. 그 일로 인해 가정의 소중함과 가족과 함께하는 시간을 무시하지 않도록 도와주옵소서. 좋은 직업으로 인도하실 예수님의 이름으로 기도합니다. 아멘.

**177**

# Bless their storehouses

The wealth of the rich is their fortified city, but poverty is the ruin of the poor. The wages of the righteous bring them life, but the income of the wicked brings them punishment.

Proverbs 10:15-16

Lord, you clothe the lilies in the valley and provide food for the birds of the air. Thank you for giving us, not only our daily bread, but also clothing and shelter. Provide our children with all their needs throughout their lives so they don't have to worry about what to eat, what to drink, or what to wear.

May the generational blessings of obedience abide with our children eternally. May they show generosity, and thanksgiving, and give aid wherever they go. May they lend to many people, but borrow from no one. Bless them with abundance, physically and spiritually. Help them to become good stewards of God's rich resources here on earth.

We pray in Jesus' name, Amen.

### 재물의 복을 주소서

들에 있는 백합화와 풀과 꽃들, 그리고 새들에게 필요한 모든 것을 공급하시며, 사랑하는 자녀에게 필요한 모든 것을 공급해 주시는 주님, 우리 가족에게 하루에 필요한 양식과 더불어 입고 마실 것까지 공급해 주심을 감사합니다. 우리 자녀가 인생을 살아가는 동안 무엇을 먹을까 무엇을 입을까 무엇을 마실까 걱정하지 않게 하시며 언제나 필요한 양식을 주님께서 공급해 주옵소서.

순종하는 가정에게 대대로 내려 주시는 이 풍성한 복이 우리 자녀에게 영원히 임하게 하시며, 이러한 복을 일생 나누며 살게 하옵소서. 어디에 가든지 관대함과 감사함을 나누고 구제하며 주님의 나라를 위해 드리는 생활을 하게 하시며, 꾸어 주는 자가 되며 꾸지 않는 인생이 되도록 복을 주옵소서. 재물의 축복을 주시기를 원하시는 주님, 이것과 아울러 풍성한 영적인 축복도 받게 하옵소서. 믿음의 복도 허락하시며 재물을 다스리는 영적인 권세도 주옵소서. 복의 근원이 되시는 예수님의 이름으로 기도합니다. 아멘.

# Bless their future marriages and families

"For this reason a man will leave his father and mother and be united to his wife, and the two will become one flesh." This is a profound mystery-but I am talking about Christ and the church. However, each one of you also must love his wife as he loves himself, and the wife must respect her husband.

Ephesians 5:31-33

Lord, you love sharing fellowship with us, and you have created us to have relationships. Help our children to meet their spiritual partners of faith. May they experience joy and delight in their marriage. May the Lord bless this marriage.

God of love, bless our children while they are under our care, but bless them also when they find their life partners. May they meet the partners that you have prepared for them in advance. May they marry at the right time, according to your will. May they establish godly families in the Lord and enjoy God's blessings. We know that the best spouse is not someone who is perfect, but rather it is someone who is suitable for each individual. Although we don't know who that may be, Lord, you already know them. Please help them to meet the suitable mate that you have already provided for them so  they may establish a family of faith.

We pray in the name of Jesus, Amen.

## 복된 결혼과 가정을 이루게 하소서

함께 사는 것을 즐거워하시는 주님, 그리하여 인간을 만드시고 그와 함께 교제 나누기를 기뻐하시는 주님, 사랑하는 우리 자녀에게도 고독하지 않도록 믿음의 배우자를 만날 수 있도록 도와주시옵소서. 결혼을 통해 즐거움과 낙을 누리게 하시며, 하나님이 주시고자 하는 복 받는 결혼이 되게 해주옵소서.

사랑의 주님, 우리 자녀에게 부모와 함께 사는 동안에도 복을 누리게 하시고 새로운 반려자를 만나서 사는 인생 또한 복되게 도와주옵소서. 주님이 예비하신 아름다운 믿음의 배우자를 만나게 하시며 가장 좋은 시기에 가장 복된 결혼을 하게 하옵소서. 그래서 주님이 천 대에 이르기까지 주시리라 약속하신 복을 누리는 가정 되게 하옵소서. 가장 좋은 배우자는 가장 완전한 짝이 아니라 가장 적합한 배우자인 줄 믿습니다. 우리들은 잘 알지 못하지만 주님은 우리 자녀에게 가장 좋은 배필이 누구인지 아시는 줄 믿습니다. 가장 적합한 배우자를 주님께서 준비해 주시고 만나게 하시고 믿음의 가정을 이루게 하옵소서.

우리를 신부로 사랑해 주시는 예수님의 이름으로 기도합니다. 아멘.

**179**

# Protect them

Even though I walk through the valley of the shadow of death, I will fear no evil, for you are with me; your rod and your staff, they comfort me.                    Psalm 23:4

Lord, you are our refuge and fortress in times of trouble. You have promised us that you will be with us to the ends of the earth, and that you will never leave us nor forsake us. We thank you and praise you, Lord. Who is faithful like you? Thank you for watching over our every breath and for protecting us.

Lord, our present society harbors cultural supremacists who bring hatred and destruction. There are dangers in many places. Lord, we are helpless without your help. Please protect our children not only physically, but also mentally, so they won't be traumatized and deeply wounded by other people. Whenever they face danger, please send them helpers who can safely aid them. Please deliver our children from danger. May they find rest for their souls, and may that Sabbath rest be in the Lord. May the promise of God's love and faithfulness abide with our children. May the Lord be their fortress, their shield, and refuge.

We pray in Jesus' name, Amen.

### 안전하게 지켜 주소서

우리의 피난처가 되시며 환난 중에 큰 도움이 되시는 주님, 우리와 땅 끝까지 동행하시며 고아와 같이 버려 두지 않으시는 주님, 주님으로 인해 감사드리며 언제나 신실하신 주님을 경배합니다. 날마다 숨쉬는 순간마다 주님께서 안전하게 지켜 주시고 인도해 주심을 감사드립니다.

현대 사회에는 문명의 이기가 도리어 더 큰 상처와 위험을 주고 있습니다. 곳곳에 위험이 도사리고 있는 세상에서 주님이 지켜 주시지 않는다면 자녀들이 안전할 수 없음을 고백합니다. 우리 자녀들이 육체적인 안전을 누리게 하시며 정신적으로도 충격을 받거나 상처를 받지 아니하도록 보호해 주옵소서. 교통사고나 위험한 일을 만나지 않게 하시고 위험한 일이 일어날 때에는 적합한 돕는 자를 만나게 하시어 그 위험으로부터 구원해 주옵소서. 또한 영혼의 안식처를 찾게 하시며 그 안식처가 주님이 되도록 도와주옵소서. 땅 끝까지 동행하시겠다는 약속이 사랑하는 우리 자녀에게도 임하게 하시며, 어디에 가든지 주님께서 견고한 산성(山城)이 되시고 방패가 되시고 피난처가 되어 주옵소서. 예수님의 이름으로 기도합니다. 아멘.

5/이/05 .

# May 12

# Bless them to know God's proper time

Let us not become weary in doing good, for at the proper time we will reap a harvest if we do not give up. Therefore, as we have opportunity, let us do good to all people, especially to those who belong to the family of believers.
Galatians 6:9-10

Lord, you give us the blessings of opportunities in your proper time. May our children also be blessed with the gift of abundant opportunities in God's proper time. In your time, please help them to meet good friends, wise mentors, and suitable spouses. Help them to know God's proper time so they may not lose opportunities. Bless them that they may have many opportunities to serve the Lord with their time and resources. Give them discernment to know God's proper timing. Whether they take the opportunity or lose it, help them to bring God the glory.

Bless them also to give many opportunities to other people. Bless the people that our children meet and let them be met with gladness wherever they go. Lord, bless our children with the blessings of opportunities; opportunities of learning, serving, resting, helping others, and receiving grace.

We pray in Jesus' name, Amen.

---

## 하나님이 주신 기회를 놓치지 않게 하소서

충만한 기회의 복을 주시는 주님, 우리 자녀에게 풍성한 기회의 복을 주옵소서. 아름답게 살아갈 기회, 좋은 친구와 스승을 만날 기회, 좋은 배우자를 만날 기회를 허락해 주옵소서. 주실 때마다 놓치지 않고 주님의 도움으로 붙잡게 하옵소서. 주님을 위해 봉사하며, 시간을 드리며, 헌신할 수 있는 기회들을 풍성하게 주옵소서. 또한 이러한 기회를 분별하게 하시며 기회를 얻든지 못 얻든지 항상 주님께 영광을 돌리게 도와주옵소서.

이 자녀가 살아가면서 다른 사람들에게 복된 기회를 나누어 주는 자가 되게 도와주옵소서. 우리 자녀를 만나는 자들이 복된 기회를 만나게 하시며 가는 곳마다 기쁨으로 환영 받게 하옵소서. 주님, 우리 자녀에게 기회의 복을 부어 주세요. 배움의 기회, 앎의 기회, 봉사의 기회, 쉼의 기회, 다른 사람을 도울 수 있는 기회, 은혜 받을 기회를 풍성하게 허락해 주세요. 우리를 위해 죽으신 예수님의 이름으로 기도합니다. 아멘.

# Bless them with good friends

**May 13**

My command is this: Love each other as I have loved you. Greater love has no one than this, that he lay down his life for his friends. You are my friends if you do what I command.

John 15:12-14

Thank you for showing us love through our friends. Help our children to find good friends of faith wherever they go. Teach them brotherly love through their friends and help them to give of themselves for these friends. Help them to find friends with whom they can share their dreams and visions.

Help our children to also be good lifetime friends to others. Help them to find true friendships like the one David and Jonathan shared. Help them to be friends who are help heal others' hurts and who comfort and encourage those who are weak. May their friendships bring life and happiness to others. Help them to give and receive friendly love wherever they go.

We pray in the name of Jesus, who is our friend. Amen.

## 좋은 친구를 만나게 하소서

우리를 친구로 사랑해 주시는 하나님, 우리 자녀들이 어디에 살든지 좋은 믿음의 친구들을 만나도록 도와주옵소서. 서로를 위로하며 사랑을 나누는 친구, 서로를 위해 희생하며 도와줄 수 있는 친구를 만나는 복을 허락해 주옵소서. 또한 주님이 주시는 꿈, 비전을 함께 나누는 친구들이 되도록 도와주옵소서.

또한 다른 사람들에게 좋은 친구가 되는 복도 허락해 주옵소서. 다윗과 요나단같이 진심으로 사랑하는 친구가 되게 하시며, 다른 사람들에게도 인생의 좋은 친구가 되도록 도와주옵소서. 깊은 상처를 치유하며 위로하며 용기를 줄 수 있는 친구가 되게 하시며, 이 자녀로 인해 다른 사람들이 노래하며 인생을 걸어가도록 도와주옵소서. 어디에 가든지 친구들의 사랑을 받고 그들에게 사랑을 주는 자녀가 되게 하여 주옵소서.

우리의 친구가 되신 예수님의 이름으로 기도합니다. 아멘.

# Bless them with wisdom

and how from infancy you have known the holy Scriptures, which are able to make you wise for salvation through faith in Christ Jesus.

2 Timothy 3:15

Lord, you are the source of all wisdom. The fear of the Lord is the beginning of wisdom. May the wisdom of God enrich our children's lives abundantly. We receive wisdom when we hear and meditate on your holy words. Help us to live with this kind of godly wisdom. May the blessings of wisdom dwell with our children all the days of their lives. Give them wisdom to discern words and spiritual matters. Give them wisdom to lead prosperous lives. Give them the love for wisdom that comes from God.

Teach them to seek wisdom just as Solomon did. Teach them to be good stewards of the blessings of wisdom. Through this godly wisdom, teach them to help those who are in darkness so they may become their eyes, hands, and feet. Teach them the frailty of life so they may trust only in the wisdom of God.

We pray in Jesus' name, Amen.

### 지혜의 복을 주소서

지혜의 근본이신 주님, 지혜는 주님을 경외하는 것으로부터 나온다고 말씀하셨습니다. 이러한 지혜가 사랑하는 자녀에게 임하게 하시며 인생을 살아가는 동안 풍성히 넘치게 도와주옵소서. 거룩한 자를 아는 것과, 거룩한 자의 말씀을 듣고 묵상하는 데서 귀한 지혜가 생기는 것을 믿습니다. 이러한 지혜의 소중함을 알게 하시고 이 지혜대로 살도록 인도해 주옵소서. 이러한 지혜의 복이 자녀의 인생에 따라오게 하옵소서. 말씀을 분별할 수 있는 영적 지혜를 은혜로 내려 주시고 삶을 풍요롭게 하는 지혜, 하늘로부터 내려오는 지혜를 사랑하는 자녀가 되게 해 주옵소서.

솔로몬이 지혜를 구한 것처럼 우리 자녀들도 지혜를 구하는 것이 가장 아름다운 일임을 알게 하시고, 그 지혜의 복을 누릴 수 있는 자녀들이 되게 도와주옵소서. 그래서 그러한 지혜로 어두움에 있는 자들의 발이 되고, 손이 되고, 눈이 되게 하옵소서. 또한 하나님 앞에서 너무나 연약한 인생임을 깨닫게 하시고 주님의 지혜를 의지하는 자가 되게 하옵소서. 지혜의 근본이신 예수님의 이름으로 기도합니다. 아멘.

# Bless them with good mentors

He who heeds discipline shows the way to life, but whoever ignores correction leads others astray.

Proverb 10:17

Lord, you are our true mentor, and we thank you for your guidance. We thank you once again for opening the way of truth. May our children meet the Lord, who is their eternal mentor, so they may know the way of salvation and the way of truth. Lord, please help them also to meet other godly mentors who will teach them clearly about the ways of life and the ways of death. We live in a time when the concept of mentoring is disappearing, but Lord, please raise up godly mentors for the generations to come. May our children learn from their mentors the true value of life.

Lord, please help our children to meet good mentors in their areas of study. Help them to meet mentors who will teach them about the Creator God, who molded the universe with a specific design. Help them to resemble the Creator God, who is the master designer of all his works.

We pray in the name of Jesus, Amen.

 좋은 스승을 만나게 하소서

우리의 영원한 스승이 되시는 주님, 우리 인생에서 주님이 온전히 스승이 되신 것을 감사드립니다. 진리의 길을 열어 주신 주님으로 인해 또한 감사드립니다. 영원한 스승 되신 주님을 우리 자녀가 만나게 하옵소서. 그래서 구원의 도를 깨닫게 하시고 진리를 알게 하옵소서. 삶과 죽음을 진실하게 보여 줄 스승을 우리 자녀들이 만나도록 인도해 주옵소서. 우리는 스승이 더 이상 존재하지 않는 세상에 살고 있습니다. 우리 자녀들이 자라나는 시대에는 더욱 그러할 것입니다. 하지만 주님이 허락하시면 가장 좋은, 귀한 스승을 만나게 될 줄 믿습니다. 그 스승을 통해 값진 인생의 길을 배우게 하옵소서.

또한 온 우주 만물을 빚어서 만드신 예술가이신 주님, 사랑하는 우리 자녀의 예술성을 발견하고 창조적으로 키워 줄 수 있는 진정한 예술인을 스승으로 만나게 하옵소서. 그래서 예술가이신 주님을 닮아 세상을 아름답게 그리고, 노래할 수 있도록 도와주옵소서.

삶으로 진리를 보여 주신 예수님의 이름으로 기도합니다. 아멘.

# Bless them with obedience

May
16

Children, obey your parents in the Lord, for this is right. "Honor your father and mother" -which is the first commandment with a promise- "that it may go well with you and that you may enjoy long life on the earth."
Ephesians 6:1-3

Lord, you delight in our obedience. Help our family to have absolute obedience to the word of God. You desire obedience rather than sacrifice. You have set aside great blessings for those who obey. May our family learn and master obedience, especially our children. First and foremost, teach them to revere and obey the authority of God's word. Teach them also to obey the authority of their parents in the Lord.

Help them to live Bible-centered lives. Give them the joy of obedience. Lord, we believe that you provide for all of our needs when we obey you fully. Also, give us wisdom to be good teachers of obedience. Give our children good character so they may obey God and their parents with willingness and trust and not because of duty or obligation. May they experience for many generations the promises of God's blessings to the obedient in Deuteronomy 28.

We pray in the name of Jesus, who taught us obedience through his example. Amen.

---

 순종하는 자가 되게 하소서

순종을 받으시기를 즐거워하시는 주님, 우리 가정이 주님 말씀에 순종하며 그대로 행하는 가정이 되도록 도와주옵소서. 제사보다도 순종을 원하시는 주님, 그리고 순종하는 자에게 놀라운 복을 예비하신 주님, 우리 온 가정이 순종하는 가정이 되게 하시며 특히 우리 자녀들이 이 순종을 배우게 하옵소서. 무엇보다도 하나님 말씀의 권위에 순종하게 하시며 하나님께서 세우신 부모의 권위에 순종하는 자녀가 되도록 인도해 주옵소서.

또한 우리 자녀들의 인생에서 말씀이 권위의 중심이 되게 하시며 하나님의 말씀에 즐거운 마음으로 순종하게 해주옵소서. 순종의 복이 임하면 다른 것까지도 주님께서 온전하게 채워 주실 것을 믿습니다. 또한 부모 된 우리에게는 순종을 가르칠 수 있는 지혜를 주시며, 우리 자녀에게는 의무적으로 순종하는 자녀가 아니라 즐거운 마음으로 순종할 수 있도록 아름다운 인품을 허락해 주옵소서. 그리하여 순종하는 자들에게 주시는 신명기 28장의 복이 우리 자녀들에게 자자손손 임하도록 도와주옵소서.

순종을 몸소 보여 주신 예수님의 이름으로 기도합니다. 아멘.

# Bless them through faith

**May 17**

For it is by grace you have been saved, through faith-and this not from yourselves, it is the gift of God- not by works, so that no one can boast.                    Ephesians 2:8-9

Hallelujah! We praise the name of the Lord. Thank you for calling us to be a family of faith and allowing us to raise our children in the Lord. Thank you that our children can lead lives of faith, even from a young age. Thank you for giving us your peace today so our family can rest safely in you.

God of love, let us rely on you alone by faith. Help us to cast away doubt. You said that faith is a gift from God. May this gift of faith come to our family. Help us to overcome illness with faith. Help us to overcome fear with faith. Help us to see the eternal things by faith. Give us salvation by faith. Help us to fight the good fight by faith to the end. Give us strong faith to help our friends when they become weak.

We pray in Jesus' name, Amen.

---

## 믿음의 복을 받게 하소서

할렐루야! 주님의 이름을 찬양합니다. 우리 가정을 이렇게 믿음의 가정으로 택해 주시고 자녀들에게도 믿음으로 양육할 수 있는 지혜를 주시니 감사를 드립니다. 우리 자녀가 어려서부터 믿음으로 살게 하시고 주님만을 믿음으로 바라보게 하시니 감사를 드립니다. 오늘 하루도 주님이 지켜 주셔서 온 식구가 편안하고 안전하게 지낼 수 있게 하심을 감사드립니다.

사랑의 주님, 우리 자녀가 일생을 걸어가는 동안 온전히 주님만을 바라보며 신뢰할 수 있도록 믿음을 주시며 의심하여 쓰러지지 않게 해주옵소서. 믿음은 선물이라고 하셨사오니 하늘로부터 오는 이 선물을 사랑하는 이 생명에게 풍성하게 주시기를 원합니다. 믿음으로 병을 치유하며, 믿음으로 두려움을 이기게 하시고, 믿음으로 영원한 것을 보게 하시며, 믿음으로 구원받게 하시며 ,믿음으로 선한 싸움을 끝까지 싸울 수 있도록 도와주옵소서. 특히 믿음이 연약한 친구들을 일으켜 세워 줄 수 있는 강한 믿음도 허락해 주옵소서.

믿음을 주시는 예수님의 이름으로 기도합니다. 아멘.

**186**

# May 18
# Bless us with love

Dear friends, since God so loved us, we also ought to love one another.　　　I John 4:11

Lord, you teach us what true love is. May our children learn the meaning of that true love. Help them to experience the depth and the width of God's love. Lord, teach our children to give love instead of expecting it. Teach them to show love to others wherever they go. Help them to be good friends who love others just the way they are. Help them to love their friends with the love of Jesus.

Help them to realize that they were created with much love from God. Help them receive much love from others also. May they live a life with the abundant love of God and family. May they learn to love the work to which you have called them. Help them to remember God's love when things in life become difficult and troubled.

We pray in Jesus' name, Amen.

---

### 열심히 사랑하며 살게 하소서

우리에게 사랑을 가르쳐 주신 하나님, 우리 자녀에게도 사랑을 가르쳐 주옵소서. 또한 주님이 얼마나 우리를 사랑하시는가를 체험할 수 있도록 복을 내려 주시고, 하나님의 넓고 깊고 크신 사랑을 알게 하옵소서. 주님, 우리 자녀가 사랑을 받기보다는 먼저 줄 수 있는 자녀가 되게 하시며 어디에서나 사랑이 필요한 곳에서는 사랑을 나누어 주는 사랑의 사절단이 되게 도와주옵소서. 이기적인 마음으로 사랑하지 않게 하시고 있는 모습 그대로를 사랑할 줄 아는 인생이 되게 하시며 친구를 위해 그리스도의 마음으로 사랑할 줄 알게 도와주옵소서.

또한 우리 자녀로 하여금 자신이 사랑받기 위해 태어난 귀한 존재임을 알게 하시며 언제나 건강하게 사랑을 받을 수 있도록 도와주세요. 하나님의 사랑과 가족의 사랑을 마음껏 받고 누릴 수 있는 건강한 인생이 되게 하시며, 또한 주님이 맡기신 일도 사랑하게 해주옵소서. 인생이 어려워질 때에도 이 사랑을 잃어버리지 않게 하시며 사랑의 하나님을 바라볼 수 있도록 인도해 주옵소서.

사랑을 위해 죽으신 예수 그리스도의 이름으로 기도합니다. 아멘.

# May
## 19
# May they bless others with blessings and peace

As you enter the home, give it your greeting. If the home is deserving, let your peace rest on it; if it is not, let your peace return to you.

Mathew 10:12-13

O God of peace, thank you for giving our family overflowing blessings. Thank you for giving us your true peace. Your true blessings of peace are things that the world cannot give, but you have given them to us. We thank you that our children have become the descendants of Abraham.

Help our children to live lives of God's blessings and peace. Teach them to find true Sabbath rest for their hearts and their spirits. Help them to experience the blessings of Jesus Christ. Teach them the great worth of such blessings and help them to yearn earnestly for these blessings.

Lord, may our children become instruments of God's peace and blessings wherever they go. May they be received with welcome and love. May they bring God's peace and blessings into the homes of others.

We pray in Jesus' name, Amen.

---

 **평화와 복을 나누어 주는 자가 되게 하소서**

평강의 하나님, 우리 가족에게 넘치도록 복을 주심을 감사합니다. 또한 평강을 주심을 감사드립니다. 특별히 이러한 복과 평강이 세상에서는 이해하지도 못하고 줄 수도 없는 신령한 복인 것을 감사드립니다. 또한 우리 자녀들도 이러한 복된 인생을 살아가며 아브라함의 자손이 되게 하심을 감사드립니다.

먼저 우리 자녀가 이 놀라운 평강과 복을 누리는 인생을 살게 도와주옵소서. 마음의 안식, 영혼의 안식을 찾을 수 있도록 도와주시며, 예수 그리스도를 통해 주시는 복을 누리게 도와주옵소서. 그리고 이러한 복의 가치를 알게 하시며 그 복을 받기를 사모하게 하옵소서.

주여, 사랑하는 자녀가 어디에 가서도 평화와 복을 나누어 주는 사절단이 되게 도와주옵소서. 어디에 가나 환영 받고 사랑받게 도와주옵소서. 우리 자녀가 걸어가는 모든 인생 길에서 만나는 이웃들이 우리 자녀로 인해 주님이 주신 모든 복들을 받게 하시며, 어디를 가든지 다른 사람들을 위해 복을 빌며 복의 아름다움과 평강을 전하는 복된 인생이 되도록 해주옵소서. 예수님의 이름으로 기도합니다. 아멘.

# Bless them to serve and help others

God is not unjust; he will not forget your work and the love you have shown him as you have helped his people and continue to help them.
Hebrews 6:10

Lord, thank you for giving us true life. May your life be with our children and may they bring that life to others also. Every good thing has its source in you, so may all things be used for your glory. Help our children to share their time, their money, their wisdom, their hearts, and their love, and hope with others.

Help our children to humble themselves and serve others just as Jesus washed the feet of his disciples. Help them to share the visions of the Lord with love, comfort, and the Word. May they not bury their talents in the ground, but rather may they share them with others with sincerity. Help them to live lives that are devoted wholly to the Lord.

We pray in the name of Jesus, who came to serve. Amen.

### 섬기며 살게 하소서

우리에게 생명까지도 나누어 주신 주님, 그러한 나눔의 삶이 우리 자녀에게 임하게 도와주시며 이 자녀의 인생을 통해 다른 사람들이 복을 받을 수 있게 도와주옵소서. 모든 것이 주님으로부터 왔으므로 모든 것을 주님을 위해 사용하며 나누게 도와주옵소서. 시간을 나누고, 재물을 나누고, 지혜를 나누고, 마음과 사랑과 믿음과 소망을 나누고, 위로를 나누는 자녀가 되게 도와주옵소서.

주님이 제자들의 발을 씻어 주신 것처럼 우리 자녀도 스스로 낮아져서 남을 섬기고 가난하고 소외된 자들의 발을 씻어 주는 인생을 살게 하시며, 사랑과 위로와 말씀을 나누고 주님의 비전을 나누게 하옵소서. 주님의 나라를 위해 시간으로 섬기고, 말씀으로 섬기고, 기도로 섬기며, 성결한 마음으로 섬기도록 도와주옵소서. 주님이 주신 모든 것을 땅에 묻어두지 아니하고 관대한 마음과 즐거운 마음으로 그것을 나누고 섬기며 살게 하소서. 주님께 온전히 드리며 기쁨을 누리는 삶을 살게 인도해 주옵소서.

섬기러 오신 예수님의 이름으로 기도합니다. 아멘.

# Bless them with dreams and visions

May
21

*Where there is no revelation, the people cast off restraint; but blessed is he who keeps the law.*
*Proverbs 29:18*

Lord, may our children live with the dreams and visions from the Lord. You said that where there is no revelation, the people cast off restraint. We pray that God's purpose may be planted in their hearts. May they find hope and dreams through the word of God and may they nurture them to fruition.

Help us to find and nurture our children's hopes and dreams. May their hopes, visions, and dreams be used for the Kingdom of God. May their visions uphold them in times of adversity. May they arm themselves with the Word of God, and may they power of darkness never prevail over their visions and dreams.

We pray in Jesus' name, Amen.

---

 꿈을 갖고 살게 하소서

주여, 우리 자녀들이 하나님이 주시는 꿈과 비전을 갖고 살아가게 하옵소서. 꿈이 없는 백성은 망한다고 하셨사오니 주님이 주시는 영적인 목표를 가지고 살아갈 수 있도록 복을 주옵소서. 먼저 주님의 꿈을 자녀의 마음에 심어 주십시오. 자녀의 마음에 말씀으로 꿈을 심어 주셔서 주님이 주시는 꿈을 사랑하고 감사하게 도와주시며, 그 꿈을 잘 가꾸며 살 수 있도록 도와주옵소서.

부모 된 우리에게 자녀들의 꿈을 발견할 수 있는 지혜를 주시어 그 지혜로 꿈을 키워 주고 격려해 주는 부모가 되게 도와주옵소서. 무엇보다도 그 꿈이 하나님 나라를 위한 비전이 되게 하시며 그 꿈이 이루어지도록 기도하고 순종하도록 도와주옵소서. 그러한 꿈으로 인해 역경 가운데서도 쓰러지지 아니하고 일어나는 인생이 되도록 축복해 주옵소서. 어둠의 세력이 그 꿈을 좌절시키지 못하도록 말씀으로 무장하게 하옵소서.

귀한 꿈을 주시는 예수님의 이름으로 기도합니다. 아멘.

# Bless them to live truthfully

**May 22**

It gave me great joy to have some brothers come and tell about your faithfulness to the truth and how you continue to walk in the truth. I have no greater joy than to hear that my children are walking in the truth.

3 John 1:3-4

Lord, you have taught us the principles of sowing and reaping. You are not pleased with our negativity and falsehood. You are never deceived by our schemes. Please teach our children the importance of being truthful so they may never deceive anyone or practice falsehood. Help them to search their own hearts to see if there is any deceit in them. May they never rejoice in their own or others falsehood.

Lord, you delight in sincerity and truth. Teach our children to know what is pleasing to you. Teach them to test their own hearts so they may live a life of steadfast sincerity. Help them to be truthful with their friends, their teachers, their spiritual mentors, and leaders. We live in a world where people lie and deceive to get ahead. Give them strength to remain truthful, even in a world like this.

We pray in Jesus' name, Amen.

### 정직하게 살게 하소서

만홀(漫忽)히 여김을 받지 아니하시는 하나님, 우리가 무엇을 뿌리든지 그대로 거두게 하시며 우리의 부정한 마음과 거짓을 싫어하시는 주님, 우리의 거짓에 속지 아니하시는 주님, 이 사랑하는 자녀가 남을 속이며 살지 않게 도와주시며 정직하게 살아갈 수 있게 도와주옵소서. 또한 자신의 부정직함을 기뻐하지 않게 하시며 다른 사람들의 부정직함도 기뻐하지 않게 하옵소서.

진실과 정직을 기뻐하시는 주님, 사랑하는 우리 자녀들이 주님이 무엇을 기뻐하시는지 알게 하시며 먼저 자기 자신에게 정직할 수 있게 도와주세요. 그리고 이웃과 친구, 스승과 영적 지도자들에게도 정직하게 하시며, 특히 주님 앞에서 진실하고 정직하게 살도록 인도해 주옵소서. 이 세상은 속이며 거짓말하며 부정직하게 살아야 쉽게 살 수 있는 사회입니다. 이러한 사회에서 사랑하는 자녀에게 정직하게 살아갈 수 있는 용기와 힘을 허락해 주옵소서. 진리이신 예수님의 이름으로 기도합니다. 아멘.

# Teach us humility

**May 23**

Young men, in the same way be submissive to those who are older. All of you, clothe yourselves with humility toward one another, because, "God opposes the proud, but gives grace to the humble." Humble yourselves, therefore, under God's mighty hand, that he may lift you up in due time.

I Peter 5:5-6

Lord, you are merciful and gracious. Thank you for being our Lord today and for guiding us through another day. Thank you for watching over us moment by moment and for providing for our daily needs. We bow our heads with meekness before our provider God. We put down our pride before you, who are the Lord and owner of all things. Please teach our children the humility of Jesus, who came to be one of us although he was God. Help them to be like Jesus, who clothed himself in lowly humanity and obeyed the Father from whom have salvation.

We confess that it is not easy to remain humble. Although our spirits are willing, our flesh is weak. Lord, bless us with true humility so we may bear its fruits. In our efforts, help us not to have false or superficial humility, but rather, help us to be humble in Jesus so we may bear the fruits of humility.

We pray in the name of Jesus, who came to serve. Amen.

## 겸손하게 살게 하소서

자비와 은총의 하나님, 하나님께서 오늘 주인이 되어 주시고 인도해 주심을 감사드립니다. 매 순간마다 지켜 주시고 필요한 모든 것을 풍족하게 공급해 주심을 감사드립니다. 모든 것을 가지신 주님 앞에 우리가 겸손히 머리를 숙입니다. 모든 것의 주인이신 주님 앞에 우리의 교만을 내려놓습니다. 우리 자녀에게도 주님의 겸손을 배우게 하시고, 하나님이시면서 우리와 같은 낮은 곳으로 내려오신 주님의 겸손을 배우게 하옵소서. 주님이 이 땅에 종의 형체로 오신 것을 배우고 따르게 하시며 겸손과 순종으로 구원을 이루신 그리스도의 성품의 복을 누리게 하옵소서.

그러나 이러한 겸손이 쉽지 않음을 고백합니다. 마음은 원하지만 육신이 따라가지 않는 것입니다. 주님, 주님 안에서 이러한 겸손의 열매가 맺어지게 하시며 진정한 겸손의 복을 누리게 하시며 위장된 겸손, 가라지와 같은 겸손이 되지 않게 하시며 주님 안에서 진정으로 열매 맺는 겸손이 되도록 인도해 주옵소서.

섬기러 오신 예수님의 이름으로 기도합니다. 아멘.

# May 24

# Help us to take responsibility for our words and actions

Be very careful, then, how you live-not as unwise but as wise, making the most of every opportunity, because the days are evil.
Ephesians 5:15-16

Lord, you are faithful and merciful. We praise you for giving us this day. Forgive us for the times that we have praised you with our lips, but we didn't follow your words with our actions. Please forgive our children and help them to repent for the times they did not obey God's word. Please help them to live truthfully and sincerely.

Lord, your words and your actions are always consistent. Likewise, please help our children to have their words match their actions. Please teach them the concept of responsibility in all of their actions. First of all, please help them to take responsibility for their words and not pass on this own responsibility to others. Teach them to take responsibility even for words that were said in passing. May they never speak any falsehood. May their words and actions be used to advance the Kingdom of God. May they learn to be faithful in their words and actions just as the Lord was.

We pray in Jesus' name, Amen.

## 말과 행동에 책임을 지게 하소서

신실하시고 인자하신 주님, 오늘 하루도 주님으로 인해 귀한 삶을 살게 하심을 찬양드립니다. 그러나 입으로는 찬양하면서도 행실에 있어서는 주님의 뜻을 떠난 행동이 있었음을 용서해 주옵소서. 우리 자녀에게도 말씀을 떠난 행실이 있었다면 회개할 수 있도록 도와주시고, 진실하고 바르게 살 수 있도록 힘을 주옵소서.

언제나 말씀과 행동이 일치하신 주님, 우리 자녀도 말과 행동이 일치하는 책임감 있는 자녀가 되도록 복을 주옵소서. 먼저 책임이 무엇인지 배우게 하시며 책임감 있는 행동을 하도록 도와주옵소서. 우선 말한 것에 대해 책임을 질 줄 알게 하시며 이것을 다른 사람에게 전가하지 않도록 하옵소서. 어떤 무익한 말에도 책임을 질 줄 알게 하시며 허튼 말을 하지 않도록 조심하게 하옵소서. 또한 우리 자녀의 말과 행동이 성실한 나라, 하나님의 나라를 세우는 데 귀한 병기(兵機)가 되도록 인도하시며, 언제나 주님이 말씀과 약속이 일치하셨던 것처럼 말과 행동이 일치하는 자녀가 되도록 복을 주옵소서. 예수님의 진실한 이름으로 기도합니다. 아멘.

**193**

# Bless us to be content and thankful

**May 25**

I am not saying this because I am in need, for I have learned to be content whatever the circumstances. I know what it is to be in need, and I know what it is to have plenty.

Philippians 4:11-12

Lord of love, we live in a generation where nothing is ever enough. We live in an age of materialism, and although we buy more and more, we cannot find real fulfillment. Please help our children to avoid this trap, and to learn to be fully satisfied in the Lord. Help us to model for our children the thankful attitude of being content in our situation. Forgive us for the times we complained.

Lord, you are everything to us. You give us eternity, which this world can never give. Bless our children that they may understand this precious gift of eternity. May they be content only in the Lord their God. May God provide for all of their needs so they may always be satisfied in the Lord. Help them to seek the blessings of being content and thankful. Give them wisdom to find the wonderful truth that God provides everything for their contentment.

We pray in the name of Jesus, who provides all things for us. Amen.

## 자족하며 감사하며 살게 하소서

사랑의 주님, 이 시대는 전혀 만족할 수 없는 시대가 되었습니다. 물질주의가 팽배하고 아무리 가져도 만족이 없는 시대가 되었습니다. 우리 사랑하는 자녀가 이러한 것을 추구하지 않게 하시고 주님 한 분으로 만족하는 삶을 살도록 인도해 주옵소서. 자족과 감사의 성품을 주옵소서. 부모인 저희가 먼저 자족과 감사를 배우게 하시며 그 배움이 생활로 드러나도록 힘을 주시고, 만족하지 못하고 도리어 불평하며 살아온 것도 용서해 주옵소서.

모든 것 되시는 주님, 이 세상이 주지 못하는 귀하고 영원한 것을 우리 자녀들이 누리며 살게 하시며, 그 귀한 것이 얼마나 소중한지를 깨닫는 복을 허락해 주옵소서. 오직 주님만을 추구하는 인생이 되게 하시어 진정 주님만으로 부족함이 없고 넉넉한 인생을 살게 하옵소서. 이러한 자족하는 복을 구하는 자녀가 되게 하시며, 우리 자녀들이 일생을 통해 이러한 비결을 깨닫고 실천할 수 있도록 힘을 주옵소서.

우리에게 모든 것이 되어 주시고 부족함이 없도록 하시는 예수님의 이름으로 기도합니다. 아멘.

# Bless them with fitness and good health

And the child grew and became strong in spirit; and he lived in the desert until he appeared publicly to Israel.
Luke 1:80

Lord, you are happy to give us good health. You have created us with life, and now it must be maintained through healthy living. We know that you want us to be healthy and to take care of ourselves. Bless us with all the good health that you desire to give us.

Life- giving Lord, help our children to learn to take care of the bodies which God has given them through exercising and healthy eating. Help us to remember that our bodies are the temples of the Lord and so we must live holy lives. Help us to rest well, eat well, and exercise well so we may bring glory to God with our good health. Give us good immune systems to fight off the germs that make us sick. Help us to preserve the precious life which the Lord has given us.

We pray in Jesus' name, Amen.

## 운동하며 건강하게 살게 하소서

우리에게 건강 주시기를 즐거워하시는 주님, 주님이 우리 자녀들을 생명으로 창조해 주신 것처럼, 건강도 허락해 주셔야만 가능한 것을 믿습니다. 주님은 자녀들이 건강한 것을 원하시며 자녀들이 병들어 아파하는 것을 기뻐하시지 않는 것을 알고 있습니다. 주님이 주시기를 원하는 건강이 우리 자녀의 것이 되도록 복을 주옵소서.

생명의 하나님, 우리 자녀가 주님이 주신 건강의 복을 잘 지킬 수 있도록 도와주시고, 이러한 건강을 위해 열심히 운동하며 몸을 관리하도록 인도해 주옵소서. 특별히 우리의 몸은 주님의 성전이라고 하였사오니 성결한 삶을 허락해 주옵소서. 또한 잘 쉬며 잘 먹고 운동하며 안식하며 건강하게 살게 하시어 이러한 건강으로 하나님께 영광을 돌리고 함께 생활하는 모든 이들에게 도움을 주는 인생이 되도록 도와주옵소서. 항상 우리를 공격하고 있는 질병을 이길 수 있는 힘을 주시고 언제나 주님이 주신 생명을 귀하게 지킬 수 있도록 인도해 주옵소서.

건강의 근원이신 예수님의 이름으로 기도합니다. 아멘.

# Bless us to live a life of integrity

Don't you know that you yourselves are God's temple and that God's Spirit lives in you? If anyone destroys God's temple, God will destroy him; for God's temple is sacred, and you are that temple.

1 Corinthians 3:16-17

Holy, holy Lord, when we are created in your image, it means that we resemble your holiness and integrity. We know that we can only be truly joyful in holiness and truly free in integrity. Bless our children that they may grow in your holiness and integrity more and more every day. We see the effects of the end times in our society today. Please help our children to stand firm in their faith and to live by the Word of God, so they may prevail over all these temptations which bombard them every day. May they learn to love the Lord their God above all things.

Lord, help our children to be pure in their bodies, their minds, and in their spirits. May the protection of God's word be with them always so they may live a holy life, even in this sinful and treacherous world. Help them to walk with God in holiness.

We pray in Jesus' name, Amen.

### 순결하게 살게 하소서

거룩하시고 성결하신 주님, 주님이 우리를 당신의 형상대로 만드신 것은 우리가 주님의 거룩함과 성결함을 닮았다는 것을 의미합니다. 우리는 거룩할 때 비로소 행복하고 성결할 때 참으로 자유하게 되는 것을 압니다. 사랑하는 우리 자녀들이 순결의 복을 받고 주님을 닮아 가게 하옵소서. 이 사회는 어디를 보아도 말초신경을 자극하고 부도덕합니다. 사랑하는 우리 자녀들이 마음에 확실한 주님의 가치, 도덕성을 배움으로 말씀으로 이러한 유혹을 이기게 하시며 다른 어떤 것도 하나님보다 더 사랑하게 되는 일이 없도록 지켜 주옵소서.

우리의 자녀들의 몸과 마음과 영혼이 순결하게 하시며 그들의 삶이 정결하게 하시며, 이를 위해 언제나 말씀으로 보호해 주시고 유혹이 많고 더럽고 부패한 세상이지만 하나님과 동행하며 거룩한 삶, 순결한 삶을 누리도록 주께서 인도해 주옵소서. 육체와 정신과 영혼이 모두 주님을 향해 순결하고 정결할 수 있도록 도와주옵소서.

한 번도 죄와 타협하지 않으신 예수님의 이름으로 기도합니다. 아멘.

# Bless them with laughter

**May 28**

All the days of the oppressed are wretched, but the cheerful heart has a continual feast.

Proverbs 15:15

Lord, you fill our mouths with laughter. Thank you for blessing us with the laughter of our children. We consider our children's laughter to be a wonderful gift from God. There is no music that compares to this. Bless them that they may live with laughter throughout their lives. Teach them to be able to laugh even during difficult times. There are many hard times in the road of life, but the Apostle Paul taught us that we can overcome all these things through the love of Christ. May our children also have the love of Christ and the Word of God prevail over the hardships in their lives, so they may learn to laugh even during the difficult times.

May they bring new hope to the people they meet through their smiles and laughter. May the confession of the Psalmist (119:54) also be on their lips, Your decrees are the theme of my song wherever I lodge. May they bring joy and laughter to those who are troubled, sad, and lonely.

We pray in the name of Jesus, who gives us the joy of salvation. Amen.

---

### 웃으며 살게 하소서

우리 입에 웃음을 가득히 주시는 하나님, 우리에게 행복한 자녀의 웃음을 선물로 주시니 감사합니다. 그 웃음소리가 하나님으로부터 온 가장 큰 선물임을 감사드립니다. 그보다 더 듣기 좋은 음악은 없습니다. 우리 자녀가 모든 인생 길에서 웃음 짓고 살 수 있도록 복을 주옵소서. 특별히 어려운 순간에도 웃을 수 있게 해주옵소서. 세상을 살아가다 보면 어려운 일에 많이 부딪칩니다. 사도 바울은 주님이 주시는 사랑으로 이 모든 고난을 넉넉히 이긴다고 하였습니다. 우리 자녀도 주님의 말씀과 사랑으로 이러한 어려움을 넉넉히 이기게 하시며 절망적이고 절박하게 느껴지는 순간에도 주 안에서 웃을 수 있도록 도와주옵소서.

그러므로 우리 자녀가 걸어가는 모든 인생 길에서 만난 사람들이 우리 자녀로 인해 희망을 가지게 되며 웃을 수 있도록 도와주옵소서. 시편 119편 54절에서 시편 기자의 "주의 율례가 나의 노래가 되었나이다." 라는 고백이 우리 자녀의 고백이 되게 하셔서 인생을 노래하며 걸어가게 하시어 절망하고, 외롭고, 상처 입은 심령에게 웃음의 사절단이 되게 해주옵소서. 구원의 기쁨을 주신 예수님의 이름으로 기도합니다. 아멘.

**197**

# Fear not and be courageous

The Lord is my rock, my fortress and my deliverer; my God is my rock, in whom I take refuge. He is my shield and the horn of my salvation, my stronghold.                                    Psalm 18:2

Thank you for watching over us today. We believe that you will be with our children eternally. Lord, give them faith to know that God is with them moment by moment, so they may not look to the world, but only to the Lord.

Lord, help us to learn from Peter, who was encouraged by Jesus. Help us to learn from Elijah, whom God raised again. Please teach our children to know the value of following God's will and avoid taking the easy way out. Lord, teach them to have the deep faith; that only comes from loving and serving the Lord. Give them strength, moment by moment, to live with confidence and courage. You have taught us that there is no fear in love. May our children know the love of God so they may not fear anything in this world.

We pray in the name of Jesus, who is our shield. Amen.

 두려워하지 말고 용기 있게 살게 하소서

우리 자녀와 영원히 동행해 주실 주님, 오늘 하루도 주님의 인도하심으로 담대하게 살 수 있게 하심을 진심으로 감사드립니다. 우리 자녀에게 인생 길을 걸어가는 모든 순간마다 주님께서 함께하신다는 믿음을 허락해 주셔서 세상을 바라보지 않고 온전하게 하시는 주님을 바라보게 하옵소서.

또한 베드로에게 용기를 주시고 엘리야를 다시 일으켜 세워 주신 주님, 우리 자녀들이 인생을 쉽게 살려고 하지 않고 주님이 주시는 사명을 감당하며 대담하고 용기 있게 인생을 살아가도록 인도해 주옵소서. 그러기 위해 깊은 믿음을 주시고 그 믿음이 주님을 사랑하고 신뢰하는 데서 나오는 믿음이 되도록 축복하옵소서. 인생의 매 순간마다 주님으로 인해 담대하게 살아가며 용기를 얻을 수 있도록 힘을 주옵소서. 또한 모든 사랑은 두려움을 이긴다고 하셨으니 주님의 사랑 안에서 세상을 두려워하지 않고 근심하지 않고 살아가도록 인도해 주옵소서.

우리의 방패가 되시는 예수님의 이름으로 기도합니다. 아멘.

# Help us to live according to God's design for creation

So God created man in his own image, in the image of God he created him; male and female he created them. God blessed them and said to them, "Be fruitful and increase in number; fill the earth and subdue it. Rule over the fish of the sea and the birds of the air and over every living creature that moves on the ground."
Genesis 1:27-28

Creator God, you are the Master Designer. You created this universe full of beauty. Thank you for giving us your beautiful creation that cannot be copied; Lord, this land is so beautiful! Lord God, even you said, "It was very good." Thank you that our children can experience your beautiful creation. Lord, help our children to find the purpose of their creation. Help us to nurture them so they may find the work which you have created them to do. Help us to nurture this hope of creation in their hearts.

Help us to teach them the value of God's creation. Help them to hold God's values rather than the values of this world. Help them to live according to the purpose of God's creation in this world.

We pray in the name of Jesus Christ, Amen.

---

 창조적으로 살게 하소서

창조의 하나님, 예술가이신 하나님, 이 세상을 아름답게 만드셔서 어느 누구도 모방할 수 없는 광대한 우주를 우리에게 주심을 감사합니다. 주님의 나라가 얼마나 아름다운지요! 주님께서도 "보시기에 참 좋았더라!"고 말씀 하셨습니다. 이 아름다운 세상에서 우리 자녀가 살게 하심을 감사드립니다. 이러한 광대하고 위대한 세상을 우리 자녀를 위해 만들어 주심을 감사드립니다. 우리 자녀도 창조적으로 자라게 하옵소서. 우리도 자녀의 창조성을 키워 주게 하시며 그 창조성을 무시하거나 외면하지 않도록 하셔서 소망을 갖고 개발할 수 있도록 인도해 주옵소서.

특별히 다른 가치, 창조적 가치를 갖고 자라게 하옵소서. 세상에서 주장하는 가치가 아니라 주님이 원하시는 가치대로 바르게 살아가는 자녀가 되도록 힘을 주옵소서. 이 세상을 향해 다르게 사는 것이 어떤 것인지 보여 줄 수 있는 자녀가 되게 하시며 다르게 살 수 있는 용기를 주옵소서.

창조적 자아를 주신 예수님의 이름으로 기도합니다. 아멘.

# Help us to finish the race

I have fought the good fight, I have finished the race, I have kept the faith. Now there is in store for me the crown of righteousness, which the Lord, the righteous Judge, will award to me on that day-and not only to me, but also to all who have longed for his appearing.   2 Timothy 4:7-8

Lord, you will give the crown of victory to the one who has fought the good fight and the one who has finished the race. May our children be contenders for that crown of righteousness as they learn to fight the good fight. May they finish the race by asking the Lord for help and guidance.

Lord, you have prepared the crown of victory for those who serve you, even unto deaths threshold. May our children be owners of such crowns. Help them to be faithful and love the Lord even unto the end.

Please bless our children with the grace to finish the race with faithfulness. May your mighty arm uphold them in the last hours of their lives.

We pray in Jesus' name, Amen.

### 끝까지 성실하게 달려가게 하소서

인생을 경주하게 만드신 하나님, 끝까지 선한 싸움을 다 싸우고 달려간 자에게 의의 면류관을 준비하신 주님, 우리 자녀들도 이러한 의의 면류관을 받을 수 있도록 선한 싸움을 다 싸우고 승리하는 자가 되게 하옵소서. 주님과 동행하면서 주님의 도움을 구하면서 마지막에 승리하는 자가 되게 하옵소서.

생명의 면류관을 준비하신 주님, 죽도록 충성한 자, 죽음의 문턱에까지 성실하게 주님을 사랑한 자에게 주시는 생명의 면류관을 준비하신 주님, 우리 자녀들이 이러한 면류관의 주인이 될 수 있도록 인도해 주옵소서. 끝까지 한 마음으로 주님만을 사랑하며 인생을 경주하게 하시며 승리한 자에게 주시는 이 면류관을 상급으로 받게 하옵소서.

우리 자녀에게 이러한 복, 끝까지 성실하게 달려가는 복을 허락해 주시며 이 싸움에서 승리하도록 주님이 언제나 동행해 주옵소서. 우리 자녀들이 세상을 떠나는 순간까지 주님께서 강한 팔로 붙잡아 주시고 인도해 주옵소서.

함께 인생을 경주하시는 예수 그리스도의 이름으로 기도합니다. 아멘.

# June *Prayers of Blessings for the Children*

-The Blessings of Proverbs, Part I-

King Solomon teaches us wisdom through the Proverbs.
Wisdom was present from the beginning of the Creation.
Wisdom is, in fact, Christ himself. Through these words of wisdom
we are able to thrive, be blessed, experience long life, and be praised.
And also through wisdom, we are able to share with
and serve our neighbors. The prayers for June and July will focus
on wisdom for our children. Although we pray often for things that are visible,
we forget to pray for wisdom, discipline, and other eternal blessings.
Share these prayers with your children
along with the scriptural verses from proverbs.
Our children will learn the ways of blessings and the ways of failure
through understanding the Proverbs.

자녀를 위한 6월의 축복 기도문

- 잠언을 중심으로 -

솔로몬 왕은 잠언을 통해 우리들이 지켜야 할 지혜의 말씀을 주고 있습니다.
이 지혜의 말씀은 창조 때부터 하나님과 함께 계셨습니다. 이 지혜는 곧 그리스도이십니다.
이 말씀으로 인해 세상에서 형통하며, 복 받고 살며, 장수하며, 칭찬을 받으며, 이웃을 도우며 나누고 섬기며 살 수 있는 것입니다.

6, 7월에는 자녀를 위해서 이러한 지혜의 말씀을 구하는 기도를 하려고 합니다.
우리는 흔히 보이는 행복에 대해서는 많이 기도하지만 지혜, 훈계, 명철 등과 같은 영원한 축복에 대해서는 기도하지 않습니다.

날마다 이 기도문과 함께 잠언을 자녀들에게 들려주십시오.
자녀들이 패망에 이르지 않고 생명의 복락에 이르는 길이 잠언에 있습니다.

# June 1

# Help them to acquire discipline

for acquiring a disciplined and prudent life, doing what is right and just and fair;   let the wise listen and add to their learning, and let the discerning get guidance-                 Proverbs 1:3-5

Thank you for this new month and for this new day. We give you thanks and praise. We thank you, Lord, as we await the summer and see your creation bloom to life. Help us to stay healthy so we may live with hope. Help our children to bear the fruit of their studies as they finish up the school year.

Lord, give our children your words in the Proverbs so they may learn to correct themselves through God's word. May they hear many words of wisdom and admonition. Help them to live with righteousness, justice, and fairness through the word of God. Help them to listen to God's wisdom with thankful hearts.

We pray in Jesus' name, Amen.

### 훈계를 받는 자가 되게 하소서

새로운 달을 주시고 새로운 마음으로 하루를 살게 하시는 주님, 감사와 찬양을 돌려 드립니다. 이제 날씨도 더워져서 모든 생물이 활발하게 생명을 누리고 온 세계가 푸르러질 것을 기다리며 감사를 드립니다. 건강을 지켜 주시어 언제나 소망 가운데 살 수 있도록 도와주옵소서. 우리 자녀들이 새로운 달을 맞이하여 더 충만한 생활을 하게 하시고 학기가 끝나는 날에 좋은 열매를 맺게 도와주옵소서.

잠언에서 지혜의 말씀을 주시고 그 말씀을 듣고 자신의 행실을 고치는 자녀들이 되도록 인도해 주옵소서. 지혜롭게 살 수 있는 훈계를 듣게 해주옵소서. 의롭게 살 수 있는 훈계도 감사함으로 듣게 도와주시고, 정직하고 공평하게 행할 수 있는 힘을 말씀으로부터 공급 받을 수 있도록 인도해 주옵소서. 무엇보다도 이 훈계를 마음으로 듣고 감사함으로 들음으로 진정으로 지혜로운 자, 하나님을 사랑하는 자가 되게 도와주옵소서.

감사드리며 예수님의 이름으로 기도합니다. 아멘.

# Keep them from folly

**June 2**

The fear of the Lord is the beginning of knowledge, but fools despise wisdom and discipline.

Proverbs 1:7

Lord, you are full of grace and truth. Thank you for today and this time of prayer. Help our children to get used to school and give them the desire to learn. Lord, give them your Sabbath rest as they go to sleep, and meet them in the morning, clothing them with your strength.

We pray for our children that they may learn knowledge through the holy fear of the Lord. You have taught us that fools despise wisdom and discipline. May our children listen closely and carefully to the word of God, and live accordingly in their lives. Help them to give thanks for the discipline that comes from the Lord. May they never be found to be foolish like those who despise wisdom and discipline. May they follow God's word to the end so they may have the victory.

We pray in Jesus' name, Amen.

### 미련한 자가 되지 않게 하소서

은혜와 진리가 충만하신 주님, 하루의 일과를 건강하게 마치게 하시고 주님 앞에 겸손하게 기도하게 하심을 감사드립니다. 우리 자녀들이 학교생활에 잘 적응하게 도와주시고 공부를 하고 싶은 내적 동기가 생기도록 허락해 주옵소서. 이제 밤이 되어 잠을 잘 때에도 주님이 주시는 안식을 누리게 하시며, 내일 아침에도 다시 일어나 건강한 생활을 할 수 있도록 힘을 허락해 주옵소서.

오늘도 우리 자녀를 위해 기도합니다. 말씀에서 이미 주신 대로 하나님만을 경외하는 자가 되게 하시고 미련한 자가 되지 않게 도와주옵소서. 미련한 자는 지혜와 훈계를 멸시하고 자기 뜻대로, 자기 방식대로 사는 자라고 가르쳐 주셨습니다. 우리 자녀들이 주님의 말씀을 경청하고 그 말씀대로 살아갈 수 있도록 도와주시며, 언제나 주님이 주시는 훈계를 감사함으로 들을 수 있게 인도해 주옵소서. 그래서 미련한 자나 어리석은 자가 되지 않게 하시며 주님의 말씀에 따라 마지막에 승리하는 자녀가 되도록 도와주옵소서.

우리의 지혜가 되시는 예수님의 이름으로 기도합니다. 아멘.

**203**

# Keep us from temptation

My son, if sinners entice you, do not give in to them.                    Proverbs 1:10

God of love, we have come before you with our heads bowed down. There are many things in this world which tempt us, but thank you for protecting us with your word. If in your sight, we have been led astray by temptation, please lead us to repent. Help us to never compromise with the standards of this world. Lord, we pray especially for our children that they may not be led astray by the temptations of this world. Give them strength to overcome these temptations.

Jehovah Nissi, you are the Lord our Banner. You are our strength. Help our children to hold your words in their hearts so they may never be devoured by temptation. Help them to prevail over temptations through the Word of God. Help us to realize how weak we are by ourselves. Help us to put on the armor of God's word and prayer, for you are our shield.

We pray in the name of Jesus, who is the King of Victory. Amen.

---

### 유혹 받지 않게 하소서

사랑의 하나님, 오늘도 우리가 세상에서 살다가 다시 주님 앞에 무릎을 꿇었습니다. 세상에서 우리를 공격하고 유혹하는 일들이 많이 있지만 주님이 말씀으로 보호하시며 안전하게 지켜 주심을 감사드립니다. 만일 주님이 보시기에 우리가 세상을 좇아 유혹을 받은 일이 있다면 이 시간에 회개하고 돌이키게 하시며 앞으로는 작은 일에도 주님의 도움을 구하게 도와주옵소서. 세상과 타협하지 않도록 도와주옵소서. 사랑의 하나님! 무엇보다도 우리 자녀들이 세상의 유혹을 좇지 않게 하시며 세상에 살지만 세상을 이길 수 있는 힘을 허락해 주옵소서.

여호와 닛시, 우리의 깃발 되시며 힘이 되시는 주님, 우리 자녀들이 언제나 주님의 말씀을 좇고 유혹에 쓰러지지 않도록 도와주시며 아주 작은 일에도 주님의 말씀으로 승리하게 도와주옵소서. 그리고 우리의 힘으로는 작은 것에도 쓰러지기 쉽다는 것을 깨닫고 말씀으로 깨어서 기도하며 무장할 수 있도록 인도해 주옵소서. 주님만이 우리의 방패가 되심을 기억하게 하옵소서.

승리의 왕, 예수님의 이름으로 기도합니다. 아멘.

# May their walk be blameless

He holds victory in store for the upright, he is a shield to those whose walk is blameless,

Proverb 2:7

God of mercy and truth, thank you for being the shepherd of our family once again today. Lord, our children have come back from school where they have learned many things; however, help them to desire more than mere knowledge and academic learning. Help them to live a life of constant learning.

We desire that our children live according to God's words more than anything else, so they may learn wisdom and walk blamelessly. Help them to grow into the person whom God has created them to be and to never walk in pride and arrogance.

Lord God, help us to be good parents whose walk is blameless so we may set a good example for our children. You never slumber, and you watch over us even when we are sleeping. Watch over us tonight.

We pray in Jesus' name, Amen.

### 행실이 온전한 자가 되게 하소서

인자와 성실이 풍성하신 주님, 오늘도 목자가 되어 주셔서 우리 가족과 자녀들이 안전하고 건강하게 생활하게 하심을 감사드립니다. 사랑하는 우리 자녀가 오늘도 학교에서 많은 것을 배우며 많은 것을 나누며 생활하고 돌아 왔습니다. 하나님, 우리 자녀들이 학교에서 그저 공부를 잘하고 지식이나 많이 배우는 것에 만족하지 않게 해주시고 배우는 것이 삶에서 실천될 수 있도록 인도해 주옵소서.

그리고 무엇보다도 말씀을 따라 살 수 있는 자녀들이 되게 하셔서 배우는 지식과 아울러 행실이 온전한 자녀가 되도록 인도해 주옵소서. 또한 주님이 보시기에 기뻐하시는 온전한 생활, 온전한 인격을 가진 자녀가 되게 하시며 어디에서나 교만하지 않도록 도와주옵소서.

하나님, 먼저 부모가 행실이 온전해질 수 있도록 하시어 자녀들에게도 삶을 통해 교육할 수 있도록 도와주옵소서. 잠자는 이 시간에도 주님으로 인해 기뻐하며 감사를 드립니다. 우리가 잠을 자는 순간에도, 졸지도 않으시고 주무시지도 않으시며 우리를 지켜 주시는 주님, 우리 가정과 자녀들을 이 밤에도 지켜 주옵소서.

예수님의 이름으로 기도합니다. 아멘.

# May their souls be joyful

For wisdom will enter your heart, and knowledge will be pleasant to your soul.　　Proverbs 2:10

God of wisdom, thank you for watching over us today in your wisdom. Thank you for giving our family joy at the end of the day.

You have taught us that knowledge is pleasant to your souls. The people of the world try to find happiness for their bodies and minds, but we thank you for helping us to find true joy in our souls through God's words. May the wisdom of God be abundant in our children's lives, and may they know the true joy that comes from the Lord.

Help them to value this true joy so they may not seek after instantaneous gratifications. Help them to realize that momentary bliss is not true joy.

We pray in Jesus' name, Amen.

### 영혼이 즐겁게 하소서

　지혜의 하나님, 오늘도 주님의 지혜로 건강히 생활하게 하시고, 공부하게 하시고, 우리 가족이 열심히 일하게 하심을 감사드립니다. 또한 우리 가족들에게 즐거움을 주셔서 하루를 웃으며 마치게 하심을 또한 감사드립니다.

　오늘 주님은 말씀을 통해 우리 마음에 지혜가 들어갈 때에 우리 영혼이 즐겁다고 하셨습니다. 세상 사람들은 몸과 마음만 즐거움을 얻으려고 세속적인 곳에서 즐거움을 찾고 있지만 주님을 믿는 우리들은 진정한 즐거움, 영혼의 즐거움을 말씀을 통해 구하게 하심을 감사드립니다. 우리 자녀들에게도 지혜가 넘치게 하시며 이것으로 인해 영과 혼, 그리고 몸에 온전한 즐거움이 넘치게 하옵소서.

　그리고 이러한 지혜가 주는 즐거움에 귀중한 가치를 두게 하시고 세속적인 즐거움, 찰나적이고 쾌락적인 즐거움을 추구하지 않게 도와주옵소서. 그러한 즐거움이 결코 우리를 행복하게 할 수 없는 것임을 깨닫게 도와주옵소서.

　예수님의 이름으로 기도합니다. 아멘.

# June 6
## May they win favor with God and man

Let love and faithfulness never leave you; bind them around your neck, write them on the tablet of your heart. Then you will win favor and a good name in the sight of God and man.

Proverbs 3:3-4

**P**recious and holy Lord, thank you for loving us so much and for watching over us moment by moment. Thank you for giving us such beautiful and precious children. Thank you for teaching us your providence through caring for these children. It is from them that we receive the gift of laughter.

Holy Lord, you have taught us the way to win favor with God and man. May love and faithfulness never leave us. Let it be written on the tablets of our hearts. May we know the peace that comes from the Word of God. Please watch over our children as they sleep so they may have true rest in you.

We pray in Jesus' name, Amen.

---

### 귀중히 여김을 받게 하소서

귀하시고 거룩하신 주님, 주님께서 우리를 이토록 귀중히 여겨 주시고 매 순간마다 최고의 보호로 인도해 주심을 감사드립니다. 또한 아름다운 자녀들을 주셔서 그 자녀들을 통해 하나님의 섭리를 체험하게 하심을 감사드립니다. 자녀들이 우리에게 가장 귀한 존재임을 감사드립니다. 귀한 생명을 주시고 웃음이 넘치는 가정을 허락하시니 감사드립니다.

존귀하신 주님, 주님께서는 오늘 하나님과 사람 앞에서 은총과 귀중히 여김을 받는 길을 보여 주셨습니다. 인자와 진리로 우리에게서 떠나지 않고 그것을 우리 마음 판에 새기면 존귀하게 여김을 받는 길이 열린다고 말씀하셨습니다. 주님의 진리와 인자를 마음 판에 새기는 자녀들이 되도록 도와주시며 그 말씀으로 인해 언제나 평강과 형통을 누리게 하옵소서.

이 밤에도 귀한 생명이 잠을 잘 때에 주님께서 지켜 주시고, 편안함 주시고, 진정한 안식을 누릴 수 있도록 복 주옵소서.

예수님의 이름으로 기도합니다. 아멘.

# Acknowledge God in all of our ways

in all your ways acknowledge him, and he will make your paths straight.    Proverbs 3:6

Gracious Lord, thank you for your grace today as we prepare to sleep. May the grace of our Shepherd be overflowing in our souls. Thank you for watching over us this first week of June while we were in school, on the street, and at home.

You have taught us that you want us to acknowledge you in all of our ways. Teach our children, even from their young age, to acknowledge the Lord in all of their ways and to listen to the Word of God. In doing so, help them to be led by the Lord in all that they say and do.

Thank you for providing us with clothing and our daily bread. Thank you for guiding us with wisdom when we are bewildered. Thank you for the night, because it is the time for us to rest. Let us rest peacefully in your heart tonight. Help us to acknowledge you daily in all of our ways.

We pray in Jesus' name, Amen.

## 범사에 주님을 인정하게 하소서

은혜가 풍성하신 주님, 오늘도 주님의 은총 가운데 살게 하시고 은총 가운데 잠들게 하심을 감사드립니다. 목자 되신 주님의 은총이 우리 가족의 심령에 감사로 넘치게 하옵소서. 6월에 들어서서 일주일 동안 한 순간도 주님께서는 우리를 버려 두지 아니하시고 학교에서나 길거리에서나 집에서나 존귀하게 지켜 주셨습니다.

주님은 오늘도 우리가 주님을 인정하기를 원하시며 언제나 하나님을 최우선에 두기를 원하시는 것을 깨닫게 해주셨습니다. 사랑하는 우리 자녀들이 어려서부터 주님을 제일 먼저 인정하고 주님의 말씀에 귀를 기울이는 자녀가 되도록 축복해 주옵소서. 그리하여 범사에 주님을 인정하고 범사에 주님의 인도함을 받을 수 있도록 도와주옵소서.

오늘도 일용할 양식과 입을 옷을 예비해 주시고 매순간 어려울 때마다 지혜로 인도해 주신 주님, 밤을 주셔서 쉬게 하심을 감사드립니다. 이 밤도 주님 품안에서 편히 쉬는 밤이 되게 하시고, 주님께서 다시 생명을 주셔서 하루를 인도하실 때에 주님만을 인정하는 자가 되게 도와주옵소서.

감사드리며 예수님의 이름으로 기도합니다. 아멘.

# Do not forsake wisdom

Do not forsake wisdom, and she will protect you; love her, and she will watch over you.

Proverbs 4:6

Lord, we come before you with thanksgiving and praise. Thank you for watching over us today. Help our children to always remember the grace of God.

Lord, help our children to never forsake wisdom. Give them discernment to know what to keep and what to discard. Give them wisdom to keep the precious things. Although it may be worthless to the people of this world, help us to sell all we have to gain godly wisdom.

The Apostle Paul regarded fame and riches as losses, compared to God's grace. Help us to forsake the worldly things and keep the wisdom of God eternally. We ask that your protection and love will always abide with our children.

We pray in Jesus' name, Amen.

---

### 지혜를 버리지 않게 하소서

주여, 감사와 찬양을 가지고 주님 앞에 나아옵니다. 주님의 따듯한 손안에서 우리의 하루가 지나가게 하심을 감사드립니다. 우리 자녀들이 언제나 이러한 감사를 잃어버리지 않게 하시고 먼저 주님을 기억하는 자녀가 되도록 인도해 주옵소서.

주여, 우리 자녀들이 주님의 지혜를 버리지 않도록 기도합니다. 버려야 할 것과 우리가 간직해야 할 것이 무엇인지 알게 하시어 버려야 할 것을 가지려고 집착하지 않게 하시고, 간직해야 할 것을 소홀히 하거나 버리지 않게 하옵소서. 가장 소중한 것을 버리지 않게 도와주옵소서. 세상 사람들에게는 하찮은 것일지 모르지만 우리는 우리의 모든 소유를 팔아 주님의 지혜를 얻기를 간절히 바랍니다.

사도 바울은 이 세상에서 얻은 모든 것들, 명예와 신분, 부요 등을 배설물같이 버렸다고 고백했습니다. 세상이 주는 것들은 잠시 우리에게 있는 것에 불과하므로 과감히 버릴 수 있도록 도와주시고 주님이 주시는 지혜는 영원히 간직하게 하옵소서. 주님의 보호와 사랑이 영원히 우리 자녀에게 임하기를 간절히 바라옵니다.

예수님의 이름으로 기도합니다. 아멘.

**209**

# Do not swerve to the right or to the left

Do not swerve to the right or the left; keep your foot from evil.

Proverbs 4:27

Faithful Lord, Eternal Lord, we thank you that you are our Lord. Thank you for the breath you give us everyday, and thank you for this time of prayer with our children.

Please forgive our children for the sins they have committed against you. Help them to repent before God with sincere hearts. Thank you for teaching us today to not swerve to the right or to the left, but to follow only the Lord.

May our children keep their feet from evil, and may their repentance be sincere before God. Give them repugnance for evil. Help them to love God, to know God and to receive God's blessings. Lord, give us peaceful rest tonight for our souls.

We pray in Jesus' name, Amen.

## 좌우로 치우치지 않게 하소서

신실하신 주님, 영원하신 주님, 당신이 우리의 주님이 되심에 깊은 감사를 드립니다. 주님으로 인해 호흡하게 하심을 감사드리며, 오늘도 우리 자녀를 허락하시고 이 자녀를 위해 기도하게 하심을 감사드립니다.

우리 자녀들이 주님 앞에서 행한 악을 용서해 주옵소서. 그리고 그들이 진실한 마음으로 주님 앞에 나와 회개할 수 있도록 도와주옵소서. 오늘 말씀을 통해 우편으로나 좌편으로나 치우치지 말고 오직 주님 가운데 거할 것을 알려 주셨습니다. 어디에도 치우치지 않게 하시고 오직 주님의 선함 가운데 거할 수 있도록 도와주옵소서.

우리 자녀들이 악에서 발을 떠나게 하시며 악에 물들지 않도록 보호해 주시며 악을 싫어하고 미워하게 하옵소서. 온전히 주님만을 사랑하며 주님만을 바라보며 살 수 있는 자녀가 되게 하시고 주님을 최고로 아는 축복을 허락해 주옵소서.

주님, 이 밤에도 건강한 호흡을 허락하시어 편안한 영혼의 쉼을 내려 주옵소서.

예수님의 이름으로 기도합니다. 아멘.

**June 10**

# Pay attention to words of wisdom and insight

My son, pay attention to my wisdom, listen well to my words of insight, that you may maintain discretion and your lips may preserve knowledge.

Proverbs 5:1-2

Lord, although you live in the highest place, we thank you and praise you for coming down to the lowest place to dwell among us. May your name be revered and holy in our family. You have given us the day to work and study and the night to rest; give us peaceful rest tonight.

We pray for our children that they may not go after the follies of popular culture, but that they may pay attention to the Word of God and to wisdom. The vices of the popular culture compete for the attention of our children. Please protect them from such follies so they may pay attention to the eternal things. Clothe them with wisdom and action and help them to guard their lips. Help them to gain godly wisdom to guard the words of their mouths and the meditations of their hearts.

We pray in Jesus' name, Amen.

---

### 주의 명철에 귀 기울이게 하소서

가장 높은 곳에 계신 주님, 그리고 이 낮은 곳에 오셔서 우리와 함께 동행해 주시는 주님께 찬양과 경배를 드립니다. 우리 가정에서 당신의 이름이 거룩히 여김을 받으옵소서. 낮과 밤을 주셔서 우리에게 일하게 하시고 공부하게 하시고 또 쉬게 하시는 주님, 온전한 쉼이 이루어지도록 도와주옵소서.

저의 자녀들을 위해 기도합니다. 그들의 귀가 세속적인 문화매체에 귀를 기울이기보다는 온전하게 주님의 말씀과 명철에 귀를 기울이게 해주옵소서. 요즘은 좋지 않은 대중 문화가 우리 자녀들의 귀를 혼잡하게 하고 있습니다. 그러한 것들로부터 우리 자녀들을 지켜 주시고 영원한 것에 귀를 기울이게 하옵소서.

우리 자녀들이 주의 명철로 무장하여 근신하게 하시며 입술을 지킬 수 있는 자들이 되게 도와주옵소서. 삶의 지혜를 얻게 하시고 주님의 말씀을 섬길 수 있도록 입술과 마음을 지켜 주옵소서.

온전한 지혜를 주시는 예수님의 이름으로 기도합니다. 아멘.

**211**

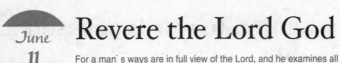

# Revere the Lord God

For a man's ways are in full view of the Lord, and he examines all his paths.　　Proverbs 5:21

God of love, thank you for giving us our children and for the chance to pray for them. May these daily prayers be stored up in heaven before the throne of God.

There are many fearful things awaiting our children in the 21st century. Please help them to put God first before everything else, and give them reverence in their hearts for the Lord. Help us to remember that all of our ways are in full view of the Lord. Help us to bring all things to you so we may receive your blessings for all of our ways.

The world is full of people who desire power so they may devour and conquer. However, may our children have a reverent fear of the Lord God as they remember that all of their ways are in full view of the Lord.

We pray in Jesus' name, Amen.

 **여호와를 경외하게 하소서**

사랑의 하나님, 당신을 향해 기도하게 하심을 감사드립니다. 특히 자녀를 주시고 자녀들을 위해 매일 기도하게 하심을 감사드립니다. 매일 드리는 이 기도가 자녀들을 위해 하늘에 심는 기도가 되게 하시고 언제나 살아 움직이는 기도, 하나님의 보좌에 상달되는 기도가 되게 해주옵소서.

21세기를 살아가는 우리 자녀들에게는 두려운 것들이 많이 있습니다. 그러나 무엇보다도 주님을 경외하게 하시며 주님을 최우선순위에 두는 자녀들이 되게 도와주옵소서. 우리들이 걸어가야 할 모든 길들, 그리고 우리가 걸어온 길들이 모두 주님 눈앞에 다 드러나는 것을 깨닫게 하시고, 우리가 주님 앞에 모든 것을 맡길 때에는 그 길이 형통하게 되는 것도 믿게 해주옵소서.

세상에는 세상을 정복하는 권력이 있고 세상을 지배하는 세속적 문화와 매스컴들이 있지만, 우리의 자녀들이 하나님을 두려워하고 경외할 수 있는 자녀가 되어 주님 앞에서 어떤 것도 감출 수 없음을 깨닫게 도와주옵소서.

예수님의 이름으로 기도합니다. 아멘.

# Learn from the ants

June 12

Go to the ant, you sluggard; consider its ways and be wise!                    Proverbs 6:6

Living Lord, the God of Abraham, Isaac, and Jacob, we glorify you with our praises. Thank you for the sunlight and the air we breathe. Thank you, not only for giving us life, but also for all things necessary to maintain our lives. Thank you for providing all things for our children, including their school, teachers, and friends.

Thank you for teaching us wisdom through the little creatures of the world. Help our children to learn life-giving wisdom and training from observing the ant. Although they don't speak any words, ants work very hard. Help us to learn from the ants. Help our children to learn diligence in their tasks and to prepare in advance for the future. Give them wisdom to take responsibility for their tasks everyday. Keep them from procrastination and from being a burden to others through irresponsibility. Help them to be thankful for each day and each moment as they work faithfully in their given tasks.

We pray in Jesus' name, Amen.

---

### 개미로부터 지혜를 배우게 하소서

살아 계신 주님, 아브라함과 이삭과 야곱의 하나님, 참으로 주님이 함께 계심으로 인해 경배와 찬양을 드립니다. 주님께서 모든 호흡하는 자에게 주시는 따듯한 햇볕과 공기로 인해 무한한 감사를 드립니다. 오늘 우리에게도 이렇게 귀한 생명을 주시고 생명을 유지하기 위한 모든 것을 공급해 주셔서 감사를 드립니다. 특별히 우리 자녀들에게 필요한 모든 것을 공급해 주시고 학교에서 공부할 수 있는 기회와 건강과 그리고 좋은 선생님과 친구들을 주심으로 인해 감사를 드립니다.

이 세상에 있는 모든 미물(微物)을 들어서 우리에게 지혜를 가르쳐 주시는 주님, 우리 자녀들이 개미로부터 귀한 인생의 교훈을 배우게 해주옵소서. 개미는 아무 말도 하지 않지만 가장 큰 교훈을 우리에게 주는 줄 믿습니다. 부지런하고 성실한 개미의 모습을 통해 우리가 삶의 중요한 지혜를 깨닫게 해주소서. 또한 언제나 자신이 하는 일에 있어 부지런하게 일하며 미리 미리 준비하는 개미의 성실함을 배우게 해주옵소서. 자신이 할 수 있는 일을 성실하게 하며 남에게 의존하거나 무책임하게 일을 미루지 않게 하시며 하루하루 주어진 시간을 성실하게 살아갈 수 있는 지혜를 주옵소서. 예수님의 이름으로 기도합니다. 아멘.

**213**

# June 13

# Hate what the Lord hates

There are six things the Lord hates, seven that are detestable to him: haughty eyes, a lying tongue, hands that shed innocent blood, a heart that devises wicked schemes, feet that are quick to rush into evil, a false witness who pours out lies and a man who stirs up dissension among brothers.
Proverbs 6:16-19

God of abounding grace, although we claim to love you, forgive us for the times our actions have displeased you. Those who truly love the Lord will follow his commands. Forgive us, Lord, for claiming to love you when we did not show it with our deeds.

May our children learn what is hateful to God so they may remember to never commit any of them. Lord, the Bible says that you hate haughty eyes, so please teach our children true humility that comes from the heart. Help them to remain humble even when they achieve great things. Keep them from arrogance, which is so despicable to you. Lord, the Bible says that you hate a lying tongue. Lord, let there be a guard over their lips so they may not lie. Keep them from the curse of false witnesses. May they never cause dissension among brothers.

Lord, those who obey your commands are those who truly love you. Help our children to remember your words in the Bible and to obey them fully so they may receive the blessings of obedience.

We pray in Jesus' name, Amen.

## 주님이 미워하는 것을 미워하게 하소서

은혜가 넘치는 주님, 우리가 주님을 사랑한다고 하면서도 주님이 싫어하는 일을 매일 매일 하는 것을 용서해 주옵소서. 주님을 사랑하는 자는 주님의 계명을 지킨다고 하였는데 우리들은 주님이 가장 싫어하는 일을 하면서도 여전히 주님 앞에 나와서 사랑을 고백하는 것을 용서해 주옵소서.

주님이 미워하시는 것이 무엇인지 우리 자녀들이 알게 하시며 우리 자녀들이 그러한 일을 하지 않도록 그 발을 지켜 주시고 마음을 지켜 주옵소서. 주님은 교만한 눈을 싫어하신다고 하셨사오니 마음으로부터 주님의 겸손을 배우게 하옵소서. 무엇을 가졌음으로 인해 교만하지 않게 하시며, 주님이 싫어하시는 그 교만으로부터 멀리 떠나게 도와주옵소서. 또한 주님은 거짓된 혀를 싫어하신다고 하셨습니다. 입술에 파수꾼을 세워 주셔서 거짓과 거짓을 말하는 망령된 증인을 멀리하며, 형제 사이에 이간하는 자가 되지 않도록 도와주옵소서.

주님을 사랑하면 주님의 계명을 지키는 자가 되는 것을 믿습니다. 우리 자녀를 위해 이 밤에 기도합니다. 매 순간 주님의 말씀을 지키고 순종하는 자녀가 되도록 축복해 주옵소서.

예수님의 이름으로 기도합니다. 아멘.

# Write them on the tablet of your heart

Keep my commands and you will live; guard my teachings as the apple of your eye. Bind them on your fingers; write them on the tablet of your heart.

Proverbs 7:2-3

Lord, you find delight in guiding us in the way of your righteousness. Even when we are on the wrong path, thank you for your mercy and love that guide us to the right way. Thank you for this beautiful day. You know all the thoughts of our hearts. We have no fear when you are with us.

Lord, we pray for our children that you will bless them and uphold them with your hand. Lord, May our children engrave your words in their hearts from an early age, and help them to experience God's power and might through obeying his commands. May the Bible verses that they read today be written on the tablets of their hearts, so they may remember God's word when critical times call for wisdom.

We pray in Jesus' name, Amen.

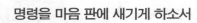

## 명령을 마음 판에 새기게 하소서

우리를 바른 길로 인도하시기를 즐거워하시는 주님, 주님의 사랑에 감사를 드립니다. 우리가 잘못된 길을 걸어가고 있을 때에도 여전히 사랑해 주시고 인도해 주시는 주님, 당신의 인내와 사랑에 감사를 드립니다. 오늘 하루를 참으로 아름답게 보내게 하시니 감사를 드립니다. 우리의 필요와 마음을 아시는 주님은 얼마나 자상하고 인자하신지요? 우리가 주님 안에 있는 한 어떤 두려움도 없다는 것을 배웠습니다.

주님, 사랑하는 자녀들을 위해 기도합니다. 축복해 주시고 주님의 장중(掌中)에 붙들어 주시옵소서. 우리 자녀들이 어릴 때부터 주님의 명령을 마음 판에 새기게 하시며 그 법을 지키는 자가 되게 해주옵소서. 주님의 말씀을 마음 판에 새길 뿐만 아니라 그 법을 지킬 때에 주님의 능력과 임재를 체험하는 저희가 되게 해주옵소서. 어떤 말씀보다도 먼저 주님의 말씀이 어린 우리 자녀들의 마음에 새겨질 수 있도록 도와주옵소서. 오늘도 읽은 말씀이 우리 자녀들 마음 판에 새겨지기를 기도합니다. 그리하여 어떤 순간이 닥쳐오든지 그 말씀에 붙잡힌 바 되어 승리하게 해주옵소서.

예수님의 이름으로 기도합니다. 아멘.

# More precious than silver

June
15

Choose my instruction instead of silver, knowledge rather than choice gold,     Proverbs 8:10

Lord, you are our wonderful counselor and the banner of our victory. Thank you for this time with you through prayer. Thank you for providing for all of our needs and even our very breaths. Thank you for establishing the family where we can comfort and pray for one another.

Thank you for teaching us through the Bible that there is something more precious than gold or silver. Although we seek out the comfort and ease of this world which gold and silver can provide, you teach us in the Bible that the Lord's instruction and knowledge are more precious.

Help us to teach our children the value of these lessons. Help them to know that all the riches of this world will perish, but the Lord's instruction and knowledge will endure eternally. Help them to know that the riches of the world bring turmoil, but the instruction and knowledge of the Lord bring life. Help them to understand that God's instruction is higher and greater than the academic wisdom they learn at school. Guide them to seek and find what is of true worth and value.

We pray in Jesus' name, Amen.

 **은보다 귀한 것을 받게 하소서**

우리의 좋은 상담자 되시며 승리의 깃발이 되시는 주님, 기도로 주님을 만나게 하심을 감사드립니다. 모든 일상적인 필요를 공급하시며 호흡할 수 있는 신선한 공기 주심을 감사드립니다. 또한 가족을 허락하셔서 언제나 위로하고 서로를 위해 기도하게 하심을 진심으로 감사드립니다.

오늘 우리 가정에게 주시는 말씀을 통해 은보다 더 귀한 것, 정금보다 더 귀한 것이 있음을 주님은 알려 주십니다. 우리가 추구하는 세상적인 가치가 안락한 생활이요 은과 금이지만, 주님은 그보다 주님의 훈계와 지식이 더 귀한 것이라고 알려 주셨습니다.

우리 자녀들이 이러한 가치를 알게 하시고 세상의 것은 없어지지만 하나님의 훈계와 지식은 영원한 것이며, 세상의 것은 우리를 멸망으로 인도하지만 하나님의 훈계와 지식은 우리를 살리는 것임을 알게 해주옵소서. 학교에서 배우는 지식도 중요하지만 하나님으로부터 오는 지식이 더 크고 높고 영원한 것임을 우리 자녀들이 알게 해주옵소서. 그리고 매일 매일 삶에서 진정한 가치를 추구하게 하시며 그 가치가 주님이 기뻐하시는 가치가 되도록 인도해 주옵소서. 예수님의 이름으로 기도합니다. 아멘.

216

# June 16

# Wisdom is more precious than rubies

for wisdom is more precious than rubies, and nothing you desire can compare with her.
Proverbs 8:11

God of love, you teach us something that is more precious than rubies. You show us what is even more precious than silver or gold. Thank you for giving us your divine wisdom and instruction. They cannot compare with anything else.

Please teach our children also that there are things more precious than rubies and diamonds in this world. Give them the desire to sell all they have to gain these precious things from God. Although the people of this world pursue rubies, diamonds, gold, and silver, may our children pursue divine wisdom, instruction, and knowledge, which endure eternally.

Help us as parents to learn this first so we may teach our children through our example. Help us to lead God-centered lives. May the precious things of God also become precious to us. May what is despicable to God become despicable to us also.

We pray in Jesus' name, Amen.

### 진주보다 귀한 것을 받게 하소서

사랑의 하나님, 주님은 우리에게 진주보다도 더 귀한 것을 알려 주십니다. 은보다 금보다 더 귀한 것을 보여 주십니다. 어떤 것도 그것과 비교할 수 없는 것, 곧 주님의 지혜와 지식을 우리에게 가르쳐 주심을 감사드립니다.

사랑하는 우리의 자녀들에게도 진주보다 더 귀한 것, 다이아몬드보다 더 귀한 것이 이 세상에 있음을 알게 하시고, 이 귀한 것을 위해 모든 재산을 팔아 사고자 하는 마음을 갖도록 허락해 주옵소서.

세상 사람들은 진주나 다이아몬드, 금은보화에 관심이 있지만, 우리 자녀들은 주님만을 가장 소중한 가치, 지혜, 지식임을 깨닫게 하시어 영원한 것을 구하는 자들이 되게 하옵소서.

무엇보다도 우리 가족 전체가, 먼저 부모가 이러한 가치를 알게 하시어 생활에서 진주보다 더 귀한 것을 구할 수 있게 해주옵소서. 주님께서 가장 귀하게 생각하시는 것이 우리에게도 가장 귀한 것이 되게 하시며, 주님이 가장 미워하시는 것들을 우리가 미워할 수 있도록 인도해 주옵소서.

감사드리며 예수님의 이름으로 기도합니다. 아멘.

# Help us to love wisdom

**June 17**

The Lord brought me forth as the first of his works, before his deeds of old;　　　Proverbs 8:22

God of peace, Jehovah Shalom, we glorify your name in our family. Thank you for giving us your Sabbath rest and peace. May your kingdom and rule be upon our children, and may we taste the beauty of the kingdom of heaven through our family.

Help us to love wisdom, which was with God even before the creation. We have learned from Proverbs that you desire for us to find wisdom. Wisdom brings life and in turn guides us to eternal life. May our children know the value and the ways of wisdom. Help us to live according to your divine wisdom and realize what blessing this is. May we have success as we follow the ways of wisdom. May our children sleep peacefully tonight.

We pray in Jesus' name, Amen.

---

### 창조 때부터 있었던 지혜를 사랑하게 하소서

평강의 하나님, 샬롬의 하나님, 주님의 이름이 우리 가정에서 자녀를 통해 거룩히 여김을 받으시기를 간절히 바라옵니다. 주님이 주시는 안식을 누리게 하시고 주님 안에서 평안히 쉴 수 있도록 인도해 주옵소서. 주님이 원하시는 나라와 다스림이 우리 자녀 위에 이루어지게 하시고, 우리 가정에서부터 주님 나라의 아름다움을 맛볼 수 있도록 하옵소서.

창조 그 이전부터 주님과 함께 계셨던 지혜를 우리와 우리의 자녀들이 사랑하게 도와주옵소서. 주님께서 잠언을 통해 우리에게 주시는 말씀 가운데 지혜의 중요성이 가장 강조되고 있는 것을 보게 됩니다. 생명과 같은 지혜, 영생으로 인도하는 지혜가 우리 자녀들의 삶에서 거룩히 여김을 받게 하시며 그 지혜를 따라 살아갈 때 모든 것이 형통하게 되는 축복을 내려 주옵소서. 주님의 지혜를 따라 살며 언제나 그 가운데 거하는 것이 가장 큰 축복임을 깨닫게 하시고, 지혜를 좇아 살 때에 실패가 없는 승리가 이루어지도록 도와주옵소서. 이 밤에도 우리 자녀들이 주님의 품안에서 평안히 쉬게 도와주옵소서.

예수님의 이름으로 기도합니다. 아멘.

# Revere the Lord

The fear of the Lord is the beginning of wisdom, and knowledge of the Holy One is understanding.

Proverbs 9:10

Lord, you are the source of life. Thank you, Holy Spirit, for being with us today and blessing us. Thank you for giving us our daily bread, not just for our bodies, but also for our spirits. Thank you for the fellowship we have with you, Lord. Thank you for strengthening us daily so we can always give you our praise. May these blessings be visited upon our descendants for generations to come.

We pray for your children, Lord. Help us to bring up these precious ones with the Word of God, and help us to teach them to have reverence for God. You have taught us that the fear of the Lord is the beginning of wisdom. May our children also learn to have the holy fear of God. May they be heirs of divine wisdom and instruction so they may praise God and drink the living water which flows from the throne of God.

We pray in Jesus' name, Amen.

## 여호와를 경외하게 하소서

생명의 근원이신 주님, 오늘도 성령님께서 우리와 동행해 주셔서 하루를 건강하고 안전하고 풍성하게 해주심을 감사드립니다. 또한 매일 먹을 양식과 영혼의 양식을 공급해 주시고 친밀한 관계를 허락하심을 감사드립니다. 매일매일 새로운 힘으로 우리를 일으키시고 주님을 바라보며 찬양하게 하심을 감사드립니다. 이러한 경건의 행복이 천 대를 내려가며 누리게 하시고 "예루살렘의 복"을 자자손손 누릴 수 있도록 도와주옵소서.

오늘도 주님의 자녀를 위해 기도합니다. 주님이 우리에게 위탁하신 귀한 생명이 주님의 말씀으로 양육 받을 수 있도록 하시고, 자녀들이 주님을 경외하며 살게 하옵소서. 여호와를 경외하는 것이 모든 지혜의 근본이라고 하셨으니 주님의 자녀들이 하나님을 알고 경외할 수 있도록 도와주옵소서.

지혜와 명철을 주님으로부터 공급 받게 하시고 하늘로부터 오는 참다운 지혜와 명철의 소유자가 되게 하옵소서. 그러므로 삶을 통해 그 높으신 주님을 찬양하며 보좌 앞에서 흘러나오는 생명수를 마시고 사는 자녀들이 되도록 인도하옵소서.

감사드리며 예수님의 이름으로 기도합니다. 아멘.

## Give them knowledge of the Holy One

**June 19**

The fear of the Lord is the beginning of wisdom, and knowledge of the Holy One is understanding.
Proverbs 9:10

Holy Lord, you call us to be holy as you are holy. Thank you for teaching us that the knowledge of the Holy One is understanding. We thought that understanding was learned in school, but you have taught us that true understanding comes from the knowledge of the Holy Lord. Although the concept of holiness has almost disappeared in our society, please teach our children to know and personally experience God, who is the source of all holiness.

Lord, you desire the children, the family, and the church to become holy. May our children be raised up as holy temples which house the Lord's holiness. May our home be raised up as God's temple in which the holiness of the Lord dwells. Lord, when they study at school, please help them to discern the nature of this world so they may hold onto the truth that comes from God. Please help them to have true understanding through humility. May your love and grace be upon our children and prepare them for another day tomorrow.

We pray in Jesus' name, Amen.

### 거룩하신 자를 알게 하소서

거룩하신 주님, 주님이 거룩하시므로 우리도 거룩하기를 원하시는 주님, 주님은 거룩하신 자를 아는 것이 명철(明哲)이라고 말씀해 주셨습니다. 우리들은 명철을 학교에서 얻는 것인 줄로 알고 있었지만, 주님은 진정한 명철이 바로 거룩하신 주님을 아는 것임을 가르쳐 주셨습니다.

"거룩함"이라는 개념조차 잘 이해하기 힘든 이 세속화된 사회 속에서 우리 자녀들이 거룩한 주님의 임재를 체험하게 하시며 "거룩함"의 주인을 알게 하옵소서.

자녀와 가정과 교회가 거룩하게 성별되기를 원하시는 주님, 우리 자녀들이 신령한 집으로 세워져서 거룩하신 주님이 임재하시기에 부족함이 없도록 도와주시고 우리 가정이 성전이 되어서 거룩하신 분과 매일 동행하게 하옵소서. 학교에서 공부할 때에도 세상적인 명철에 의존하지 않게 하시고 주님으로부터 오는 명철을 붙잡게 하시며 이러한 명철과 함께 겸손한 마음도 허락해 주옵소서. 사랑하는 자녀들을 주님께서 오늘도 어루만져 주시고 힘을 주셔서 내일 새로운 날에 더욱 힘차게 생활할 수 있도록 당신의 품에 품어 주시기를 원합니다.

예수님의 이름으로 기도합니다. 아멘.

# The wise bring joy to their father

The proverbs of Solomon: A wise son brings joy to his father, but a foolish son grief to his mother.

Proverbs 10:1

Lord, thank you for establishing the family with both a mother and a father. You are the true father and mother of our family. That is why our children live in your peace, joy, and love. Please help our children to understand the importance of their family.

Guide our children to bring joy to their parents. Help them to respect the spiritual order in the family which God has established. May they respect and obey their parents' authority; this will bring them great spiritual joy. Help them to honor their parents so that all may go well with them, as God has promised. Help them to understand that honoring their parents also brings glory to God. Honoring one's parents is the first of God's commands which has a promise. May the blessings of obeying one's parents be upon our family for generations to come.

We pray in Jesus' name, Amen.

## 아비를 기쁘게 하는 자가 되게 하소서

가족을 주신 주님, 그리고 아버지와 어머니, 부모를 가정에 세우신 주님께 감사를 드립니다. 주님은 우리 가정의 아버지가 되시고 어머니가 되십니다. 그래서 우리 자녀들이 언제나 평안을 누리며 행복을 누리고 생명을 누립니다. 가정의 귀중함과 소중함을 우리 자녀들이 깨닫게 하옵소서.

주님께서 명령하신 대로 부모를 기쁘게 하는 자녀들이 되게 도와주시며, 하나님께서 가정에 파송하신 부모의 영적 권위를 인정하고 질서를 지키는 자녀들이 되도록 인도해 주옵소서. 21세기를 사는 우리 자녀이 더욱더 부모의 영적 권위를 알게 하시어 진정으로 부모를 사랑하고 기쁘게 하는 자들이 되도록 도와주옵소서.

먼저 부모를 기쁘게 하는 것이 무엇인가를 알게 하시고 그로 인해 이 땅에서 장수하고 하나님께 영광을 돌릴 수 있도록 축복해 주옵소서. 이 땅에서 약속 있는 첫 계명이 부모를 공경하라는 명령임을 알게 하시어 부모를 공경하여 받는 축복이 자자손손 임하게 하시며, 특별히 주님이 맡기신 우리의 자녀들에게 임할 수 있도록 도와주옵소서.

예수님의 이름으로 기도합니다. 아멘.

# Make them righteous

**June 21**

What the wicked dreads will overtake him; what the righteous desire will be granted.

Proverbs 10:24

God of hope, thank you for upholding us with your word. We give you all our glory and praise, for you give us true joy in our hearts. Your words for us today give us great hope. Although what the wicked fears will overtake him, what the righteous desires will be granted. Lord, help us to become righteous in you.

We learned that the desires of the righteous will be granted, and that the righteous are free from fear. Lord, you have sent us your one and only son, Jesus, so we can become righteous in him. May our children first know Jesus and become righteous so their desires will be granted.

We pray in Jesus' name, Amen.

### 의인이 되게 하소서

소망의 하나님, 말씀으로 우리를 일으켜 세워 주시고 마음에 기쁨을 주시는 주님께 찬양과 경배를 드립니다. 우리 가정을 통해 영광 받으시고 거룩히 여김을 받으옵소서. 오늘 우리에게 주시는 말씀은 우리에게 큰 소망이 됩니다. 악인은 그가 평소에 두려워했던 것이 실제로 일어나지만 의인은 마음의 소원하는 것들이 이루어진다고 했습니다. 그러므로 우리들은 아무 걱정함이 없이 먼저 주님 안에서 의롭다 여김을 받는 자들이 되게 하옵소서.

먼저 의인이 될 때에는 마음에 소원하는 것들이 모두 이루어질 뿐만 아니라 우리가 전혀 두려워하거나 불안해 할 필요가 없음을 알게 되었습니다. 우리를 의롭다 하시기를 즐거워하시며 독생자 예수님을 우리에게 보내 주신 하나님, 사랑하는 우리 자녀들이 주님 안에서 먼저 의로운 자가 되게 하시며 주님 안에서 소원하는 모든 것들이 형통하게 이루어지는 축복을 허락해 주옵소서.

은혜로우신 예수님의 이름으로 기도합니다. 아멘.

# June 22

# Teach them humility

What the wicked dreads will overtake him; what the righteous desire will be granted.

Proverbs 11:2

Thank you Lord, for creating springtime when new growth appears, and we see life coming back in nature. Thank you for the new leaves and the buds that are ready to flower. We praise God for creating such beauty in nature.

Help us to be humble before the Creator God, who made the whole universe. Lord, teach our children to be humble toward their neighbors and friends so they may gain the wisdom that comes with humility.

Lord, give them good health so they may study well at school and learn wisdom that brings aid to their neighbors. We know that God uses the humble to bring about his will. May our children learn to be humble before everyone so others may see the characteristics of a true Christian. We pray that the blessings of wisdom imparted to the humble may be with our children and for all the generations to come.

We pray in Jesus' name, Amen.

---

### 겸손하게 하소서

봄을 창조하신 주님, 그래서 모든 식물이 싹이 나게 하시고 새로운 생명과 활력을 주신 주님, 감사드립니다. 새 싹과 아름다운 꽃들, 개나리와 진달래 등으로 세상을 아름답게 하심을 감사드립니다. 모든 식물과 꽃을 창조하신 예술가 중의 예술가이신 주님을 찬양합니다.

우리들이 주님 앞에서 겸손하게 하시고 우주를 창조하신 주님께 경배와 찬양을 돌리게 하옵소서. 또한 우리의 자녀들이 이웃을 향해, 친구를 향해 겸손한 인격을 갖게 하시고 겸손한 자에게 주시는 지혜를 얻을 수 있도록 도와주옵소서.

건강한 학교생활을 허락해 주시어 학교에서 배우는 모든 삶의 지혜가 하나님께서 기뻐하시는 지혜가 되게 하시고 이웃에게도 도움이 되게 도와주옵소서. 하나님께서는 또한 겸손한 자를 사용하시고, 겸손한 자에게 주님의 사역을 맡기시는 줄을 저희가 압니다. 어디에서나 누구 앞에서나 겸손한 그리스도의 인격이 우리들을 통해서 드러날 수 있도록 도와주옵소서. 겸손한 인격의 축복이 자자손손 이어지게 도와주시기를 간절히 바라옵니다.

예수님의 이름으로 기도합니다. 아멘.

223

# Help them to be upright

**June 23**

The righteousness of the upright delivers them, but the unfaithful are trapped by evil desires.

Proverbs 11:6

Good and merciful God, thank you for your goodness which sustains us all of our days. Although we are hopeless sinners, you have forgiven us with your loving kindness. Lord, open up our hearts so we may truly repent of our sins against you.

You have taught us in the Bible today that the righteousness of the upright delivers them. Lord, you give salvation to those who are righteous. Please help our children to become upright people.

You have given us the grace of salvation through faith. Lord, please keep us from lies and falsehoods. Help us to be upright so we may live with true freedom. Lord, the world considers the upright to be foolish; however, help us to resist the world's temptations and overcome by faith.

We pray in Jesus' name, Amen.

## 정직하게 하소서

인자하시고 선하신 주님, 주님의 선하심으로 인해 우리가 호흡하고 생명을 연장케 하심을 감사드립니다. 우리는 부족한 죄인임에도 불구하고 주님께서는 성실하시고 선하신 사랑으로 우리를 용서해 주셨습니다. 오늘 하루를 살면서 주님의 마음을 아프게 한 것이 있다면 깨닫게 하시고 회개할 수 있는 마음을 허락해 주옵소서.

주님은 오늘 말씀에서 정직한 자들이 구원을 얻는다고 하셨습니다. 주님께서는 거짓이 없고 정직한 자들을 기뻐하시고 그들에게 구원을 베푸시는 줄을 압니다. 사랑하는 우리 자녀들이 정직함을 갖게 하시고 이 정직함으로 인해 구원을 얻는 복을 누리게 하옵소서.

하나님께서 주시는 구원은 믿음으로 말미암아 얻는 것으로서, 이 정직함으로 얻는 구원은, 거짓을 말하면서 자기의 악에 사로잡히는 것으로부터의 자유이며 구원인 것을 압니다. 주님, 거짓과 악으로 인해 스스로 결박당하지 않게 하시고 정직함으로 인해 참으로 자유로운 생을 누리게 하옵소서. 정직한 사람을 어리석은 자로 여기는 이 세상에 유혹 받지 않게 하시고 승리할 수 있도록 도와주옵소서. 예수님의 이름으로 기도합니다. 아멘.

# Give us prudence

A fool shows his annoyance at once, but a prudent man overlooks an insult.    Proverbs 12:16

Almighty God, the source of all wisdom, we give you thanks. Lord, watch over our children as they sleep tonight, and may the hands of angels protect them as they sleep in peace. Thank you for creating the day and the night. You know the prayer requests of our children. You taught us not to hinder children from coming to you. Lord, hear their prayers and answer them. Lord, please help our children to come to know God and to grow spiritually through prayer.

Lord, you have called us to be prudent. You said that a prudent man overlooks an insult. Lord, may our children become prudent so they too may overlook insults. Help them to live with prudence and patience. Give them discernment to know when to overlook an insult and when to speak out boldly.

We pray in Jesus' name, Amen.

 슬기로운 자가 되게 하소서

전지전능하시고 지혜의 근원이신 하나님, 감사를 드립니다. 우리 자녀들이 하루를 마치고 잠을 자려고 합니다. 주님, 밤사이에도 천사의 손길로 보호해 주시고 편안한 쉼을 누리게 도와주옵소서. 밤과 낮을 주신 주님께 감사를 드립니다. 우리 자녀들이 기도하는 기도의 제목들이 있습니다. 주님께서는 어린아이들이 주님께 오는 것을 막지 말라고 하셨사오니 우리 자녀들의 기도를 즐겁게 들으시고 응답해 주실 줄을 믿습니다. 우리 자녀들이 기도를 통해 주님과 친밀한 관계를 맺으며 성장하도록 도와주옵소서.

우리 자녀들을 위해 오늘도 기도를 드립니다. 주님은 슬기로운 자가 되라고 말씀하셨습니다. 슬기로운 자들은 분노를 당장에 타내지 않고 잘 인내하며 참는다고 하셨습니다. 우리 자녀들이 이러한 슬기를 가지게 하시고, 어디에서나 노하기를 더디 하는 자녀들이 되도록 도와주시며, 그러한 인내와 참음으로 인해 하늘나라를 누리게 하옵소서. 우리 자녀들이 언제 참아야 하며, 또한 주님이 담대하게 말씀하신 것처럼 꼭 해야 할 말을 해야 할 때를 분별하게 하옵소서.

예수님의 이름으로 기도합니다. 아멘.

# Give them diligent hands

**June 25**

Diligent hands will rule, but laziness ends in slave labor.                    Proverbs 12:24

Lord, you are the foundation of our faith. Thank you for allowing us to confess that you are the Lord of our family. Thank you for choosing our family and for your many blessings. Lord, we pray for our children, whom we love very much; you have them to our care. We pray that they may grow and mature in the Lord. We pray that they will have fellowship with God as they grow up. Give them faith that does not try to get something from God, but rather faith that comes from loving God and having true loving fellowship with him.

Please give them diligent hands that they may obey God's command in Genesis to subdue and rule over all creation. Help them to be diligent in their studies and work so they may be able to help others also. You have taught us that the obedient will always be the first and not the last. May our children always become first in obeying God's word.

We pray in Jesus' name, Amen.

### 부지런한 자의 손이 되게 하소서

우리 믿음의 근거가 되시는 주님, 우리 가정이 주님을 주로 고백하고 사랑하게 하심을 감사드립니다. 우리 가정을 택해 주셔서 주님의 은혜를 누리게 하심을 감사드립니다. 오늘도 사랑하는 자녀, 주님이 우리 가정에 위탁한 자녀를 위해 기도합니다. 하나님, 우리 자녀가 주님 안에서 장성한 분량까지 자라나기를 원합니다. 그리고 주님과 친밀한 관계로 교제할 수 있기를 기도합니다. 주님께 무엇을 얻으려고 나아가는 신앙이 아니라, 주님을 사랑하고 주님과 가까이 대화하며 교제를 누리기 위해 나아가는 믿음이 되도록 도와주옵소서.

또한 우리 자녀가 주님이 기뻐하시는 자, 곧 부지런한 자가 되어서 주님이 우리에게 주신 명령인 "정복하고 다스리는" 자가 될 수 있도록 도와주옵소서. 또한 부지런하게 일하고 공부하고 산업을 일으켜 다른 이웃들을 구제하고 도와주는 자가 되도록 도와주옵소서. 주님께서 또한 순종하는 자는 꼬리가 되지 않고 머리가 된다고 하셨사오니 우리 자녀들이 주님 안에서 부지런하고 성실하게 살며 주님의 말씀을 온전히 순종함으로써 머리가 되는 축복을 허락해 주옵소서.

예수님의 이름으로 기도합니다. 아멘.

**226**

## June 26

# Good fruits

From the fruit of his lips a man enjoys good things, but the unfaithful have a craving for violence.

Proverbs 13:2

Lord, you have created the universe with your word. We praise your almighty power and glory. Thank you for creating us in your image and for giving us words for our mouths. We have said many words today. Some of the things we have said were necessary, but other things we have said were not necessary. Please forgive us for the sins we have committed with our words. Lord, help us to never use our words to judge others, to doubt others, or to bring to light their weakness. Help us to speak words that only bring to light the goodness of God.

You have taught us that we will be blessed or judged by the things we say out of our mouths. You said that words are seeds that are planted, which then sprout, and we eat of its fruit. Lord, help our children to use words which will bear only good fruits. May they have God's words in their hearts and cleanse them from any filth that appears there. You have created our lips for praising God. May praise and worship of God always come out from them.

We pray in Jesus' name, Amen.

 ## 입의 복록(福祿)을 누리게 하소서

말씀으로 세상을 창조하신 하나님, 당신의 능력을 찬양하고 영광을 돌리옵니다. 우리에게 입을 주시고 말을 주셔서 주님을 닮게 하시고 매일매일 의사 소통에 불편함이 없도록 인도하심을 감사드립니다. 오늘 하루도 많은 말을 했습니다. 어떤 것은 필요한 말이기도 하지만 어떤 것은 하나님께서 기뻐하시지 않는 말이였을지도 모릅니다. 우리의 입술로 범죄한 것이 있으면 용서해 주옵소서. 우리의 입에서 남을 비판하거나 남을 오해하거나 남의 약점들을 드러내지 않도록 도와주시고, 오직 주님이 원하시는 덕을 세우는 말들이 나오도록 도와주옵소서.

우리의 입에서 나온 말들로 인해 우리가 복도 받고 저주도 받게 되는 것을 주님께서 가르쳐 주셨습니다. 말들이 씨가 되어 뿌려지고 열매를 맺어서 그 열매를 먹는다고 하였사오니, 주님 이제부터 우리 자녀들이 좋은 열매를 맺을 수 있는 말을 사용하게 인도해 주옵소서. 그러기 위해 무엇보다도 말씀을 허락하시고 마음에 더러운 것이 있으면 씻어 주옵소서. 찬양하기 위해 창조된 우리들의 입에서 주님을 경배하고 찬양하는 말들이 나오도록 인도해 주옵소서. 예수님의 이름으로 기도합니다. 아멘.

# June 27

## May their hopes be fulfilled

Hope deferred makes the heart sick, but a longing fulfilled is a tree of life.　　　Proverbs 13:12

Hallelujah! Lord, we give you thanks and praise for watching over our lives. Lord, we give you glory. Thank you for providing us with food, clothing, and shelter so we lack nothing in our lives. We thank you for watching over us and for letting us share fellowship with you. We give praise to you, for you are the Lord of each of our days.

We can live with hope, because we know that you are with us. Lord, plant your promises in our hearts, and may these promises be fulfilled as we wait in hope. Lord, plant the hope of life in our children's hearts so they may experience God's fulfillment of those hopes. Teach them to hope for the eternal things instead of hoping for personal gain and for the things of this world that perish. Lord, teach them to have hope in God's word.

We pray in Jesus' name, Amen.

### 소망이 이루어지게 하소서

　할렐루야! 생명을 주관하시는 주님, 감사와 찬양을 드립니다. 영광 받아 주옵소서. 부족한 우리들을 이렇게 입히시고 먹이시고 인도해 주시고 부족함이 없도록 사랑해 주시는 은혜에 감사드립니다. 오늘도 온 가족이 건강하고 안전하게 지낼 수 있게 하시고 주님과 가까운 교제를 나누게 하심도 감사드립니다. 모든 날들의 주인이신 주님께 감사와 찬양을 돌립니다.

　주님이 우리와 함께 동행해 주시기에 우리들은 소망 가운데 살 수 있음도 감사드립니다. 주님이 우리 마음에 약속으로 심어 주신 모든 말씀이 이루어지게 하시며 그것에 소망을 둔 우리들에게 속히 그 소망을 이루어 주옵소서. 또한 우리 자녀들에게도 생명과 같은 소망을 심어 주시고 그 소망이 주 안에서 이루어지는 기쁨을 누리게 하옵소서. 그러므로 세상의 썩어질 것들을 마음에 품지 않게 하시고, 자신의 이익이 이루어질 것에 마음을 두지 않게 하옵소서. 오직 말씀이 이루어지는 것에 소망을 두게 하옵소서.

　예수님의 이름으로 기도합니다. 아멘.

# Teach us to be kind to the needy

He who despises his neighbor sins, but blessed is he who is kind to the needy.

Proverbs 14:21

L ord, you have commanded us to help the orphan, the widow, and the foreigner. You have commanded us to help those who are weak and needy. Please plant your compassion in our children's hearts also. Teach them to show kindness to the needy so they may never despise, scorn, or disrespect the weak.

You have taught us that it is a blessing to have compassion for the needy. Lord, help our children to truly love their neighbors. There are many times when we only help others because we expect something back from them. Sometimes we think about the benefits of helping others. Lord, help our children to be sincere so they may show kindness to others from a pure heart that comes from the Lord. Help them to seek and find those who are in need of help. Help us to always remember that we ourselves are strangers and pilgrims in this world.

We pray in Jesus' name, Amen.

 빈곤한 자를 불쌍히 여기게 하소서

고아와 과부와 나그네를 도우라고 명령하신 주님, 이 세상에서 가장 힘이 없고 약하고 가난한 자들을 도우라고 명령하신 주님, 우리 자녀들에게 이러한 빈곤한 자를 불쌍히 여기는 마음을 허락해 주옵소서. 가장 도움이 필요한 자들을 업신여기지 않게 하시며 무시하거나 외면하지 않도록 도와주옵소서.

가난한 자들을 불쌍히 여기며 돌보는 것이 복이 된다고 하셨사오니, 주님 안에서 이웃을 사랑하는 열매를 거두는 자녀들이 되도록 인도해 주옵소서. 우리들은 흔히 상대방으로부터 무엇인가를 기대하는 마음으로 돕고 있으며, 도울 가치가 있다고 할 때에 마음을 주는 경우가 너무나 많습니다. 우리 자녀들이 이기적이며 육신적인 마음으로 구제를 하지 않게 하시고, 주님의 마음을 품어 빈곤한 자들을 돌보고 찾아갈 수 있도록 인도해 주옵소서. 우리 모두가 순례자인 것을 깨닫게 하시며 나그네였던 것도 기억하게 도와주옵소서.

가난한 처소까지 내려가신 예수님의 이름으로 기도합니다. 아멘.

# Help us to be long-suffering

A patient man has great understanding, but a quick-tempered man displays folly.

Proverbs 14:29

Lord, you are patient and long- suffering. We can live with hope, knowing that this is true. Although we fail to live according to your commands, you are patient with us and you forgive us our sins.

Lord, help us to be patient and long- suffering parents with our children. Help us to teach our children to also be patient so they may not become foolish. Help them to be patient and have a healthy and positive attitude as they talk to other people.

Lord, teach them that hastiness leads to folly, especially hasty words, which lead to broken relationships. Grant them maturity and character to live and act according to Biblical standards.

We pray in Jesus' name, Amen.

## 노하기를 더디 하게 하소서

노하기를 더디 하시는 주님, 감사를 드립니다. 주님께서 노하기를 더디 하시기 때문에 우리에게 소망이 있고 지금까지 건강하게 생활할 수 있음도 감사를 드립니다. 우리들은 너무나 연약하여 주님이 명령하신 말씀대로 살지 못하지만 주님은 언제나 우리에게 대하여 노하기를 더디 하심으로 우리를 용서하십니다.

우리들도 부모로서 노하기를 더디 하게 하시며 은혜로 자녀들을 양육할 수 있도록 도와주옵소서. 특별히 우리 자녀들이 노하기를 더디게 하여 어리석음을 나타내지 않도록 하시며 언제나 건전한 감정 표현으로 참고 인내할 수 있도록 인도해 주옵소서.

너무나 마음이 급해 주님이 원하시지 않는 일을 하지 않게 하시고, 급히 감정을 표현해 대인관계가 깨어지지 않도록 우리 자녀들에게 성숙한 인격을 허락해 주옵소서. 무엇보다도 말씀으로 마음을 다스리게 하시고 주님의 온유한 마음을 자녀들에게 넘치도록 부어 주옵소서.

감사드리며 예수님의 이름으로 기도합니다. 아멘.

# Grant them a gentle answer

A gentle answer turns away wrath, but a harsh word stirs up anger.     Proverbs 15:1

Praise the Lord, O my soul; my soul rejoices in you, God. My spirit calls out to you. Holy Lord, hear our prayers. We want to please you and become a people of praise. Thank you that our family can praise you together. We know that you have watched over us today, moment by moment. We thank you, Lord.

Lord, we have folded our hands in prayer for our children. Grant them the blessings that come from gracious words. Grant them to have a gentle demeanor and gentle answers that turn away wrath. Lord, first grant them your peace, joy, and fulfillment in their hearts so their words will likewise reflect your grace and bless others. May their gentle answer turn away others' wrath, and may their gentle words bring peace to others.

We pray in Jesus' name, Amen.

## 유순하게 대답하게 하소서

하나님, 나의 마음이 주를 찬양하며 나의 마음이 주를 기뻐하나이다. 나의 영혼이 주를 우러러보나이다. 거룩하신 하나님, 우리의 기도를 받아 주옵소서. 주님이 기뻐하시는 자, 찬양의 백성이 되도록 인도해 주옵소서. 오늘도 우리 자녀들의 손을 잡고 함께 주님을 찬양하게 하심을 감사드립니다. 주님께서 어떻게 하루 종일 우리 가정에게 공급하시며 인도하시고 보호해 주셨는지 저희들은 잘 알고 있습니다. 참으로 감사를 드립니다.

오늘도 이 작은 손을 내밀고 함께 기도하는 우리 자녀들이 입술로 축복 받는 자들이 되도록 인도해 주시며, 언제나 유순한 성품과 유순한 대답을 하는 자가 되도록 도와주옵소서. 먼저 마음에 평화와 기쁨과 만족을 허락해 주셔서 입을 열고 말하고 대답할 때에 다른 이들에게 덕이 되며 기쁨이 되게 하소서. 그래서 언제나 유순한 대답으로 분노를 잠재우게 하시며 다른 이들의 마음에도 평강을 전해 줄 수 있는 복을 허락해 주옵소서.

거룩하신 예수님의 이름으로 기도합니다. 아멘.

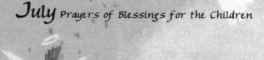

# July *Prayers of Blessings for the Children*

-The Blessings of Proverbs, Part II-

The prayers for July will be a continuation from June,
using topics from the book of proverbs for blessing the children.
Let us pray for the children
so that they may become wise, love God's word, and learn to revere the Lord.
Let us pray for our children according to the Word. Pray without ceasing,
even if the children do not yet understand the meaning of the prayer.
Remember that prayer is a seed that you plant in heaven.
Prayer never dies. Your prayers for your children will be recorded
in heaven and saved there for them.

## 자녀를 위한 7월의 축복 기도

- 잠언을 중심으로 -

6월에 이어서 7월에도 잠언을 중심으로 자녀들을 위해 축복 기도를 하겠습니다.
삶의 지혜자가 되고, 말씀을 사랑하는 자가 되고, 무엇보다도 주님을 경외하는 것이
최고의 복임을 깨닫는 자가 될 수 있도록 말씀을 중심으로 자녀들을 위해 기도하시기 바랍니다.
자녀들이 말씀의 의미를 잘 모른다고 해도 지속적으로 기도하시기 바랍니다.
기도는 하늘에 심는 것입니다.
기도는 죽지 않습니다.
여러분이 드리는 자녀를 위한 기도는 생명으로 하늘에 저축될 것이며 기록될 것입니다.

# May our children be upright

The Lord detests the sacrifice of the wicked, but the prayer of the upright pleases him.

Proverbs 15:8

Lord, you are the giver of our breaths. We praise you always and give you our daily supplication. Help us to become your instrument in working out your will. Help us to be an obedient family and to pray with upright hearts. You have taught us that the prayers of the upright please God. Lord, help us to become upright before you, and may our worship be sincere. Help us to put aside our merely routine religious acts.

You have commanded us to "pray without ceasing." Grant our children thankful hearts that they can call on God in prayer through Jesus Christ. Lord, we pray that they may not become mere cultural Christians who pray because of tradition or duty. Help them to become true Christians who cry out to God in prayer with upright hearts.

We pray in the name of Jesus Christ of Nazareth, Amen.

 하나님이 기뻐하시는 기도를 하게 하소서

우리에게 호흡을 주신 하나님, 내가 주님을 송축하며 내 영혼이 주님을 자랑합니다. 날마다 주님을 찬양하며 날마다 주님을 의뢰합니다. 주님께서 우리 가정에 향하신 뜻을 이루시고 우리가 주님의 의의 병기(兵機)로 사용될 수 있도록 도와주옵소서. 또한 먼저 순종하는 가정이 되게 하시며 주님이 기뻐하시는 기도를 하게 하옵소서. 주님께서는 정직한 자의 기도를 기뻐하신다고 하셨사오니, 우리가 먼저 주님 앞에서 정직한 자가 되게 하시며 형식적으로 드리는 예배를 거두게 하옵소서.

우리에게 "쉬지 말고 기도하라."고 명령하신 주님, 우리 자녀들이 언제나 주님을 향해 기도하게 하시고 예수 그리스도로 인해 주님을 만나고 주님께 부르짖을 수 있게 하심을 감사하게 하옵소서. 형식적으로 의무적으로 기도하는 종교인이 되지 않게 하시며 주님과의 진정한 교제를 간구하며 기도하는 성도가 되도록 인도해 주옵소서. 그러므로 주님께서 기뻐하시는 기도를 드리게 하시며 기도에 있어서 꼬리가 되지 않고 머리가 되도록 인도해 주옵소서.

나사렛 예수 그리스도의 이름으로 기도합니다. 아멘.

# Grant them peaceful lives

When a man's ways are pleasing to the Lord, he makes even his enemies live at peace with him.

Proverbs 16:7

Thank you for this new month and for the opportunity to pray for our children. Thank you for giving them good teachers and good friends at school. Thank you for helping them to become used to school life. Grant them wisdom in their studies and love for their friends. Help them to be good friends and to have good friends with whom they can share the love of God.

You have taught us today that when our ways are pleasing to God, you make even our enemies live at peace with us. Lord Jesus, you have come to this world to reconcile relationships. Help our children to grow to be messengers of God's peace to bring about reconciliation. In doing so, may their lives be pleasing to you, Lord.

We pray in the name of Jesus, our true peace, Amen.

### 화목하게 하소서

새로운 달을 주시고 새로운 마음으로 생활에 임하게 하시는 주님, 감사하는 마음으로 자녀를 위한 기도를 드립니다. 학교생활에서 좋은 스승과 친구들을 만나게 해주시고 공부에 잘 적응하게 해주심을 감사드립니다. 공부하는 데 부족하지 않은 지혜를 주시고, 무엇보다도 친구들을 사랑하고 위하는 마음을 허락해 주옵소서. 서로 양보하고 서로 이해하면서 함께 공부하고 지혜를 나눌 수 있도록 도와주시며 학교에서도 주님의 사랑을 나누는 자가 되게 해주옵소서.

오늘도 주님은 말씀을 통해 우리들의 행위가 주님을 기쁘시게 하면 우리의 원수라도 더불어 화목하게 하신다고 말씀하셨습니다. 주님이 이 땅에 오신 것은 화목케 하시려고 오신 줄을 압니다. 십자가에서 모든 것이 화목하게 되었음을 압니다. 우리의 자녀들이 어디에서나 화목케 하는 일을 감당하게 하시고 평화를 가져다 주는 복된 인생이 되게 하옵소서. 그러기 위해 우리 자녀들의 모든 삶의 행위가 주님을 기쁘시게 하는 행위가 되게 하시며 막힌 담을 헐고 화평케 하는 자가 되도록 인도해 주옵소서.

화평을 위해 오신 예수님의 이름으로 기도합니다. 아멘.

# July 3 — Grant them your guidance

In his heart a man plans his course, but the Lord determines his steps.  proverbs 16:9

You give life to the trees and the flowers. You make the pastures green and beautiful. Lord, give us this kind of life and beauty in our family. Grant our family laughter and joy. Lord, be with our children wherever they go that they may have the joy of the Lord. Help them to remember that you are always with them, and remind them to give thanks to God.

Lord, help them to remember that you are the Lord of all situations, and help them to acknowledge God as the one who answers their prayers. Lord, help our children to understand that no matter how meticulously they plan their future, it is all in vain unless you bless those plans. Although we should work late and get up early, our work is in vain unless the Lord is with us. Help our children to follow God's wisdom and guidance in all that they do. Help them to prevail over all things in the Lord, and may the work of their hands never be in vain.

We pray in Jesus' name, Amen.

---

## 주님의 인도를 받게 하소서

모든 나무들과 꽃들에도 생명을 주시고 온 동산을 푸르게 하시는 주님, 우리의 가정에도 아름다움과 푸르름의 축복을 더하여 주옵소서. 언제나 즐거움과 웃음, 그리고 유쾌함이 넘치는 가정이 되도록 인도해 주옵소서. 우리 자녀들도 어디에 있든지 행복한 생활을 하게 하시며 주님이 언제나 동행해 주심을 깨닫게 해주시며 이를 감사하게 하옵소서.

우리 자녀들이 주님이 모든 일에 주관자가 되심을 알게 하시고 언제나 범사에 주님을 인정하고 의뢰할 수 있도록 도와주옵소서. 그래서 우리가 아무리 계획을 철저하게 하고 완벽하게 한다고 할지라도 주님께서 그 계획에 함께하시고 인도하시지 않으면 모든 것이 헛된 것임을 알게 하옵소서. 주님께서 그 계획에 복을 주시지 아니하시면 헛된 수고임을 알게 도와주옵소서. 시편 127편에서 주님은, 주님께서 도와주시지 아니하시면 늦게 누우며 일찍 일어나도 그 수고가 헛되다고 하셨사오니 우리 자녀들이 주님의 인도함을 받는 지혜로운 자녀가 되게 도와주옵소서. 그리하여 언제나 주님 안에서 승리하게 하시고 헛수고하는 자녀들이 되지 않도록 지켜 주옵소서.

예수님의 이름으로 기도합니다. 아멘.

236

# Help them to be good friends

A frined lovers at all times, and a brother is born for adversity.                    Proverbs 17:17

O Lord of abounding grace, thank you for watching over our lives today. Thank you that we have a good home in which to rest when the day comes to a close. Thank you for being with us today, moment by moment, and for providing for all of our needs. We know that all things come from you, Lord. May your name be uplifted and glorified in our family.

O Lord of abounding love, help our children to meet friends who are sincere in the faith. Before they expect others to be good friends, help them to become a good friend who loves, and encourages others. Help them to be sincere in their love and friendship, and not self-centered. May they make friends with sincere people.

We pray in the name of Jesus, who is our true friend. Amen.

## 좋은 친구가 되게 하소서

은혜가 충만하신 주님, 오늘도 주님의 은혜를 호흡하며 살아온 것에 감사드립니다. 그리고 저녁에 되어 쉴 수 있는 시간과 편안하게 잠을 잘 수 있는 집을 주시니 감사를 드립니다. 오늘 하루도 모든 순간에 주님이 우리와 함께해 주시고 필요한 모든 것들을 풍성하게 공급해 주셔서 감사합니다. 이 모든 것이 주님으로부터 온 것임을 감사드립니다. 주님의 이름이 우리 가정을 통해 높임 받으시기를 기도합니다.

사랑이 충만하신 주님, 우리 자녀들이 진실한 믿음의 친구를 만나게 도와주옵소서. 하나님께서 보내 주시는 그 믿음의 사람과 친구가 될 수 있도록 도와주옵소서. 그리고 다른 이들이 우리에게 좋은 친구가 되기를 바라기 전에 우리 자녀들이 다른 이들에게 좋은 친구가 되어서 서로 사랑하고 힘을 주며 인생의 좋은 경험들을 나눌 수 있게 도와주옵소서. 이기적이고 실리적인 사랑을 하지 않게 하시며 마음으로 진실을 전하는 친구를 만나고, 또 그런 친구가 될 수 있도록 인도해 주옵소서.

우리의 친구가 되시는 예수님의 이름으로 기도합니다. 아멘.

## July 5 — Give them an aversion to quarrels

He who loves a quarrel loves sin; he who builds a high gate invites destruction.

Proverbs 17:19

Immanuel, God with us, from everlasting to everlasting, we give you thanks and praise. How beautiful are your hands! We are so joyful because of your presence. We give you glory and praise. We are saddened to see the deterioration of this beautiful world that you have created. Lord, forgive us that we as people quarrel and war against each other, destroying the true nature of the purpose of your creation. Forgive us that we have not been good stewards of this earth.

God of peace, may our children grow up to be good stewards, stewards of peace, so they may bring the gospel message of peace wherever they go. Lord, give them disdain for quarrels so they may live a life of peace. Lord, help them to bring your peace to places of strife and war. Give them meekness in their hearts so they may become delegates of peace wherever you send them.

We pray in Jesus' name, Amen.

### 다툼을 싫어하게 하소서

영원부터 영원까지 우리와 함께하시는 임마누엘의 하나님, 감사와 찬양을 돌려 드립니다. 주님의 손길이 얼마나 아름다운지요! 주님의 동행하심이 우리에게 얼마나 즐거움인지요! 감사와 영광을 돌려 드립니다. 주님께서 만드신 이 아름다운 세계가 점점 무너져 내리는 것이 너무나 가슴이 아픕니다. 서로 다투고 싸우고 전쟁하며, 아름답고 평화로운 세계가 점점 창조 본연의 모습을 잃어 가는 것을 용서해 주옵소서. 우리들이 좋은 청지기가 되지 못했음을 용서해 주옵소서.

평강의 하나님, 우리 자녀들이 좋은 청지기가 되게 하시며 평화의 청지기가 되어서 가는 곳마다 평강의 복음을 전하게 하옵소서. 무엇보다도 다툼을 싫어하게 도와주셔서 주님이 원하시는 평화로운 생활을 할 수 있도록 인도해 주옵소서. 싸움이 있는 곳에 평강을 가져다 주게 하시며 우리 자녀들이 가는 곳마다 다툼이 멈추게 도와주옵소서. 그러기 위해 먼저 온유한 마음을 주시고 온유한 마음으로 가는 곳마다 평화의 사절단이 되게 도와주옵소서.

예수님의 이름으로 기도합니다. 아멘.

**238**

# Help them to guard their mouths

A fool's mouth is his undoing, and his lips are a snare to his soul.                    Proverbs 18:7

Lord, you have created the universe with your word. Thank you for the blessing that we too can speak words. Of all the living creatures, you have given only us the ability to speak. But Lord, forgive us for the times we have sinned with our words. Help us to reflect if we have ever hurt others with our judgment, condemnation, or rumors.

Lord, you raise the dead to life with your words. May our words also have creative power. Bless the words of our children's lips; may their words be used to pray, praise, give thanks, and be messengers of good news. May their words always be sincere and truthful, and guard them from telling lies and whispering rumors. Help them to guard their mouths, and anoint them to speak good things from the Lord.

We pray in Jesus' name, Amen.

### 입술을 지키게 하소서

말씀으로 온 세상을 창조하신 주님, 주님께서 우리에게도 말을 할 수 있도록 축복하심을 감사드립니다. 모든 창조물 가운데 오직 인간만이 말을 하게 하시고 입을 열어 감사와 찬양을 하게 하심을 감사드립니다. 그렇지만 이 입술로 범죄한 것이 있으면 용서해 주옵소서. 남을 비판하고 우매한 자처럼 헛된 소문들을 전하는 자가 되지는 않았는지 자신의 입을 살펴보게 하옵소서.

말씀으로 죽은 자를 살리시는 주님, 우리 입이 창조적인 입이 되게 도와주옵소서. 우리 자녀에게 복된 입을 허락해 주시며 그 입으로 기도하고 감사하며 찬양하며 복된 소식을 전하게 도와주옵소서. 언제나 진실하고 참되고 아름다운 말로 이웃에게 기쁨을 나누게 하시며 거짓되고 헛되고 속살거리며 재잘거리는 입이 되지 않도록, 입술을 지키는 자가 되게 해주옵소서. 그 입이 복되게 하시며 입술에 기름을 부어 주옵소서. 우리 자녀의 입술에 파수꾼이 되어 주셔서 주님이 기뻐하시는 입술이 되도록 축복해 주옵소서.

예수님의 이름으로 기도합니다. 아멘.

# Give them disdain for gossip

The words of a gossip are like choice morsels; they go down to a man's inmost parts.

Proverbs 18:8

Holy, holy, holy Lord, thank you that we are children of God. Thank you for making us holy as your people. Although you have commanded us, " Be holy because I am holy," there were times we failed to follow after your holiness. Lord, if you don't help us to guard our words, we can't do it by ourselves.

Lord, forgive us for tainting our lips, which you have created, with gossip. Anoint our lips so from now on we may speak beautiful and sincere words to encourage and uplift others. Help us to seek forgiveness for our offenses. May our lips never be used to judge others or to gossip. Lord, we have learned that words have the power to destroy others, ruin people's reputation, and injure others. Help us to speak your words so we may bless others with its fruit.

We pray in Jesus' name, Amen.

## 남의 말 하기를 싫어하게 하소서

거룩하시고 거룩하신 주님, 주님의 자녀가 된 것을 감사드립니다. 주님의 백성으로 거룩하게 해주심을 감사드립니다. 주님께서 "내가 거룩하니 너희도 거룩하라."고 하셨지만 우리가 그렇게 살지 못했음을 용서해 주옵소서. 그리고 무엇보다도 입술이 거룩해지지 못하는 것도 용서해 주옵소서. 주님이 도와주시지 않으면 이 입술을 지키고 성결하게 할 수가 없사오니 주님이시여 도와주옵소서.

주님이 주신 귀한 입으로 남의 말 하는 것을 좋아하는 우리들을 용서하시고 입술에 기름을 부어 주셔서 덕을 세우는 말, 진실하고 아름다운 말을 할 수 있도록 도와주옵소서. 이웃을 세워 주고 그 허물을 덮어 줄 수 있는 사랑을 허락하시고, 남을 정죄하거나 비판하며 남의 말 하기를 좋아하며 헛된 소문을 전하는 자가 되지 않게 인도해 주옵소서. 말에는 능력이 있어서 파괴하기도 하고 남을 쓰러지게도 하며 명예에 상처를 주기도 하오니 우리의 입이 주의 성전이 되게 하옵소서. 그러므로 입술의 열매로 복락을 누리는 자가 되게 인도해 주옵소서.

감사하오며 예수님의 이름으로 기도합니다. 아멘.

# Keep us from laziness

Laziness brings on deep sleep, and the shiftless man goes hungry.          Proverbs 19:15

**July 8**

Lord, thank you for granting us work in our lives and the health to carry out our jobs. Thank you for the grace of good health so we could work and study today. Help us to reflect on our work and study attitudes. Were there times when we were lazy in our responsibilities?

Lord, keep us from laziness, physically and spiritually. Help our children to lead lives of diligence through the strength that comes from God. Give them diligence so they may never go hungry because of laziness. With this same diligence, please give them the grace to help others in need, and also to serve in spreading the gospel. Lord, keep them from using their diligence for selfish reasons, but rather help them to serve God and others. Jesus has taught us that his command was to do the work of him from whom he was sent. Lord, likewise may our children work with diligence in the Lord.

We pray in Jesus' name, Amen.

### 게으르지 않게 하소서

우리에게 일을 주신 주님, 그리고 일을 할 수 있는 건강까지 주신 주님, 우리 온 가족이 그 건강에 힘입어 오늘 하루를 일하게 하시고 공부하게 하심을 감사드립니다. 하지만 우리들이 게으르고 해이하고 나태하지 않았는지 살 필 수 있도록 도와주시고 너무 게을러서 주님께서 기뻐하시지 않는 하루였다면 용서해 주옵소서.

우리의 육신과 영혼이 게으르지 않게 도와주옵소서. 우리 자녀들이 언제나 주님이 주시는 건강을 힘입어 부지 런하게 살아갈 수 있도록 도와주시며, 그럼으로 언제나 먹을 것이 있고 풍성한 인생이 되도록 인도해 주옵소서. 또한 이러한 부지런함으로 남을 도울 수 있게 하시며 주님의 나라를 위해 봉사하고 헌신할 수 있도록 축복해 주옵 소서. 자신만을 돌보는 이기적인 사람이 되지 않게 하시며 부지런하여 이웃과 하나님에게 유익한 존재가 되도록 도와주옵소서. 주님은 열심히 일하시면서 그것이 "주님의 양식"이라고 하셨습니다. 우리 자녀들도 주님 안에서 일을 하며 부지런하고 성실하게 사는 인생이 되도록 복을 내려 주옵소서.

감사드리며 예수님의 이름으로 기도합니다. 아멘.

**241**

# Teach them to honor their parents

He who robs his father and drives out his mother is a son who brings shame and disgrace.

Proverbs 19:26

Lord, thank you for giving us parents. Thank you for Jesus who taught us how to obey by absolute obedience to his Heavenly Father. Lord, thank you for giving us life through our parents. Thank you for showing us their example of God's love, patience, forgiveness, and providence. We learn of God's fatherly love for us through our parents.

Lord, may our children receive the blessings that come from honoring their parents. May they never scorn their parents, and thereby incur the wrath of God. Help them to love and respect their parents in the Lord. Help them to live by faith and in good health, which is what we desire for them.

Lord, you have taught us that honoring our parents is the first command that comes with the promise of living well and for many years. Help us to be parents worthy of being honored by our children. Help our children to heed our words and learn wisdom from them. Help them to be children who can show gratitude to their parents.

We pray in Jesus' name, Amen.

## 부모를 존경하게 하소서

우리에게 부모를 허락하신 주님, 감사를 드립니다. 하늘 아버지께 끝까지 순종하심으로 부모에 대한 순종의 모범을 보여 주신 예수님께 감사드립니다. 부모를 통해 육신의 생명을 허락 받고 부모를 통해 하나님의 사랑과 인내, 용서, 돌보심과 공급하심을 깨닫게 하심을 감사드립니다. 주님의 사랑을 가장 가깝게 느끼게 하는 부모를 주신 것을 감사드립니다.

우리 자녀들이 부모를 공경함으로 받는 하늘의 축복을 누리게 하옵소서. 부모를 구박하여 주님으로부터 징계를 받지 않게 하시며 존경과 사랑으로 부모를 공경할 수 있도록 도와주옵소서. 또한 부모가 필요한 것을 배려하는 자녀들이 되게 하시며 부모가 원하는 건강한 삶, 믿음의 삶을 사는 자녀들이 되게 도와주옵소서.

우리 자녀들이 약속 있는 첫 계명을 지킴으로, 즉 부모를 공경함으로 이 땅에서 부요와 장수를 누릴 수 있도록 도와주시며 자신의 자녀들로부터 공경을 받는 부모가 되도록 인도해 주옵소서. 부모가 하는 말을 잘 듣고 지혜를 얻는 자들이 되게 하시며 부모의 마음을 기쁘게 하는 자녀, 부모에게 감사할 수 있는 자녀들이 되도록 인도해 주옵소서.

우리에게 좋은 부모님을 주신 예수님의 이름으로 기도합니다. 아멘.

# July
# 10

# Bless their descendants

The righteous man leads a blameless life; blessed are his children after him.        Proverbs 20:7

OGod of Abraham, Isaac, and Jacob, thank you that our family belongs to the line of Abraham, by faith. Thank  you for calling us to become the descendants of Abraham just as Zacchaeus was. Thank you for the promises of  blessings that we have received through Abraham. May we also leave the legacy of Abraham's blessings of land and many descendants to our children.

You have taught us today that the righteous lead a blameless life; blessed are their  children after them. May our children receive the blessings of the righteous. Help us to teach our children through our example about living a life of faith and obedience to God. May our lives be renewed, and may our faith bear fruit through our actions. Lord, bless our children with the blessings of the righteous, and may they claim your promises in Deuteronomy 28.

We pray in Jesus' name, Amen.

---

### 후손이 복 받게 하소서

아브라함과 이삭과 야곱의 하나님, 우리 가정이 아브라함의 후손이 되게 하신 것을 감사드립니다. 삭개오가 주님을 만나고 아브라함의 자손이 된 것처럼 우리들도 일찍부터 아브라함의 후손으로 불러 주시고 그 언약으로 들어가게 하심을 감사드립니다. 아브라함이 받은 복을 우리도 누리게 하옵소서. 아브라함이 광대한 땅과 후손의 복을 받은 것처럼 우리도 그 복을 누리게 하시며 우리 자녀들도 그 복의 자녀가 되게 하옵소서.

완전히 행하는 자가 의인이며 그 의인의 후손은 복이 있다고 하셨으니 우리의 자녀들이 의인의 후손이 받는 복을 누리도록 도와주옵소서. 그러기 위해 우리 부모들이 주님 앞에서 행하는 자가 되게 하시며 주님의 율례를 따라 살아가는 올바른 행실을 자녀들에게 보여 줄 수 있도록 인도해 주옵소서. 생활이 새로워지게 하시며 언행일치의 생활을 하게 하시며 믿음이 행동으로 나타나는 생활을 하도록 힘을 허락해 주옵소서. 우리 자녀들이 어디에 가든지 의인의 후손이 받는 복으로 인해 들어가도 복을 받고 나가도 복을 받는 신명기 28장의 복이 임하게 도와주옵소서.

예수님의 이름으로 기도합니다. 아멘.

**243**

## July 11

# Keep them from falsehood

The Lord detests differing weights, and dishonest scales do not please him.     Proverbs 20:23

God of truth, thank you for choosing our children to be children of truth. Thank you for helping us to raise them in God's truth so they may live lives of freedom and liberty.

Lord, although we know your truth, there have been times when we have not been totally honest in our ways. Help us to learn the value of truth and sincerity. Keep our children from defrauding others, for the Lord hates different weights.

Lord, keep them in the truth which sets them free and keeps them from other sins. Keep them from lies and fraudulent words that injure others. Lord, before Zacchaeus had met the Lord, he was a cheater and a liar; but after he met Jesus, he paid them back four times what he had taken from all those he had wronged. If we have cheated others in the past, give us the courage to repent and pay them back. Lord, may your spirit of truth be poured out upon our children so they may prevail over all temptations to cheat others.

We pray in Jesus' name, Amen.

---

 ### 속이지 않게 하소서

진리의 하나님, 우리 자녀가 진리 가운데 살 수 있도록 불러 주시고 택해 주심을 감사드립니다. 태어날 때부터 진리 안에서 양육 받게 하심을 감사드립니다. 언제나 진리 안에 거하며 자유하는 인생을 누리게 하옵소서.

어려서부터 진리 가운데 살아왔음에도 불구하고 우리들이 남을 속이고 거짓을 말하고 부패한 양심을 따라 살 때가 너무나 많습니다. 우리 자녀들이 정직함의 가치를 깨닫게 하시며 남을 속이는 일들이 주님께서 가장 싫어하시는 일임을 깨닫게 하옵소서.

정직함으로 일생의 자유를 누리게 하시고 정직함으로 또 다른 죄악을 범하지 않게 도와주옵소서. 거짓을 말하고 또 거짓을 낳지 않게 하시며 남을 속여서 마음에 상처를 주지 않게 도와주옵소서. 남을 속이고 살았던 삭개오가 주님을 만나서 그 모든 죄를 회개하고 새로워진 것처럼 우리도 남을 속인 적이 있으면 4배로 갚을 수 있는 용기를 주옵소서. 우리 자녀들의 마음에 정직한 영을 부어 주셔서 속이도록 하는 모든 유혹으로부터 승리하게 도와주옵소서.

예수님의 이름으로 기도합니다. 아멘.

# Open their ears to the cries of the poor

If a man shuts his ears to the cry of the poor, he too will cry out and not be answered.

Proverbs 21:13

O God of the pilgrim, God of the orphan and the widow, thank you for having given us food, drink, and respite when we were strangers in a foreign land. Lord, we know that you love those who are poor, and you long to relieve their needs. You delight in showing your love to the orphan and the widow. Lord, may we never shut our ears to the cry of the poor, but may we help them with love and material goods.

Help us to help those who are poor in spirit and meek. May our children learn to have a compassionate and merciful heart so they may give food to the poor, clothe the orphans, and comfort the widows. Lord, they will meet many poor people in their lives. May they see them with kind eyes, and provide for their needs. You have taught us that we are giving to the Lord when we help the needy, and that you will surely repay us. Lord, help our children to do likewise so they too may have riches stored in heaven.

We pray in Jesus' name, Amen.

## 가난한 자를 돕게 하소서

순례자의 하나님, 가난한 고아와 과부의 하나님, 우리가 나그네 되었을 때에 먹여 주시고 입혀 주시고 마시게 하시고 쉬게 하셨음을 감사드립니다. 주님은 가난한 자를 사랑하고 나누어 주기를 원하시는 분이신 것을 압니다. 또한 주님은 고아와 과부에게 사랑을 베풀기를 원하십니다. 우리가 가난한 자의 부르짖음을 외면하지 않게 하시고 사랑과 물질로 도와줄 수 있도록 인도해 주옵소서.

영적으로 가난한 자와 심령이 상한 자를 돌보게 하옵소서. 우리 자녀들에게 긍휼히 여기는 마음을 허락하시어 가난한 자들에게 음식을 주며, 고아들을 입히며, 과부들을 위로할 줄 아는 자가 되도록 인도해 주옵소서. 일생을 살아가는 동안 만나는 모든 가난한 자들에게 선한 눈으로 도움을 베풀 수 있도록 인도하시며, 그러한 자들을 도울 수 있는 마음을 허락해 주옵소서. 이러한 가난한 자들을 돕는 것은 주님께 꾸이는 것과 같으며 주님이 꼭 갚아 주신다고 약속하신 것을 믿사옵니다. 가난한 자들을 돌보면서 하늘에 축복을 쌓는 자들이 되게 하옵소서.

예수님의 이름으로 기도합니다. 아멘.

# Guard their mouths and tongues

**July 13**

He who guards his mouth and his tongue keeps himself from calamity.     Proverbs 21:23

God of words, thank you for giving us a mouth and a tongue so we can speak and sing praises. Thank you that we are able to express our thoughts and feelings. But Lord, there have been times when we haven't controlled our mouths and tongues, and vile and dirty words have come out of them. Please forgive us for those times. Although we want to guard the words of our mouths, we are weak and unable. Lord, we confess our weakness before you. We spoke according to our emotions; we enjoyed talking about others; we shared vain news; and we joked in ways that did not help others. Lord, forgive our sins.

Lord, guard our children's mouths and tongues so that only what is pleasing to you may come out of their mouths. Teach them restraint so they may not fall into temptation. Lord, may your words be the bread of our souls, so we can be strengthened to use our words only to give praise, thanks, comfort, and spread the gospel. May we use the words of our mouths to please God.

We pray in Jesus' name, Amen.

---

### 입과 혀를 지키게 하소서

말씀의 하나님, 우리에게 입술을 주시고 혀를 주셔서 말하게 하시며 찬양하게 하심을 감사드립니다. 우리 자녀들도 마음의 생각을 잘 표현할 수 있게 해주심을 감사드립니다. 하지만 우리들이 입과 혀를 제대로 조절하지 못하고 악하고 더러운 말을 할 때가 많은 것을 용서해 주옵소서. 우리들은 연약하여 입술을 지키고 싶어도 지키지 못하는 때가 너무나 많습니다. 입과 혀를 지키는 것이 가장 어려운 것임을 고백합니다. 감정에 따라 함부로 하는 말들이 있는가 하면, 남의 이야기를 하며 즐거워하고, 필요 없는 정보를 나누며, 덕을 세우지 못하는 농담을 하는 저희들을 용서해 주옵소서.

우리 자녀들이 입과 혀를 지키게 하시며 하나님이 기뻐하시는 입과 혀가 되도록 기름 부어 주옵소서. 사탄이 좋아하는 말들과 올무가 되는 말들을 금할 수 있도록 도와주옵소서. 무엇보다도 우리의 영혼을 말씀의 양식으로 든든하게 하시며 그것으로 인해 저급하고 더러운 말들을 우리 입에서 금할 수 있는 힘을 얻게 도와주옵소서. 찬양과 경배, 감사와 즐거움, 위로와 전도의 말이, 주님이 기뻐하시는 말들이 우리 입에서 나오게 도와주옵소서.

감사드리며 예수님의 이름으로 기도합니다. 아멘.

# Train them in the way they should go

Train a child in the way he should go, and when he is old he will not turn from it.

Proverbs 22:6

Thank you Lord for blessing our family life with your grace, and thank you for providing for all of our needs. Jehovah Jireh, God our Provider, we thank you. Thank you for giving us the care of these precious children and guiding us to bring them up in the way they should go. Thank you for showing us how to laugh again through our children.

Lord, forgive us for the times we did not train our children in the way they should go. Sometimes we don't even know how to direct them. Help us to search the Scriptures so we may guide them according to your will. Lord, if there have been times when our children disobeyed your word because of their stubbornness, please forgive them. Help them to open their hearts so they may know where God is directing them. Lord, help them to stay their course, even when they get older. Help them to persevere in their walk with God and live according to Gods word. We pray in the name of Jesus, who is the way and the truth. Amen.

## 마땅히 행할 길을 배우게 하소서

고맙고 감사하신 주님, 우리 온 가족이 주님의 은혜로 살게 하시고 필요한 모든 것을 공급해 주심을 감사드립니다. 에벤에셀의 하나님, 여호와 이레의 하나님으로 인해 감사를 드립니다. 우리 가정에 귀한 자녀를 위탁하여 말씀으로 양육하도록 맡겨 주시고, 자녀들로 인해 웃을 수 있게 하시고 즐거움을 나누게 하심을 감사드립니다.

그러나 주님, 우리 자녀들에게 마땅히 행할 길을 가르치지 못한 저희들을 용서해 주옵소서. 어떤 것을 마땅히 가르쳐야 하는지 몰랐던 부모들을 용서해 주옵소서. 말씀을 열어 주셔서 마땅히 행할 길이 무엇인지 알게 하시고 이제 가르칠 수 있는 부모가 되게 도와주옵소서. 만일 우리 자녀들이 자아가 강하여서 순종하지 않고 말씀을 무시한 일이 있었다면 용서해 주시고, 이제 마음을 열어 마땅히 행할 길을 배우는 자녀들이 되게 인도해 주옵소서. 그래서 늙어도 그것을 떠나지 아니하고 그 말씀대로 살아가는 자녀들이 되도록 축복해 주시기를 바랍니다. 언제나 주님의 말씀 안에서 행동하고 생활하는 자녀들이 되도록 인도해 주시길 바랍니다.

길이요 진리 되신 예수님의 이름으로 기도합니다. 아멘.

# May their eyes show kindness

**July 15**

A generous man will himself be blessed, for he shares his food with the poor.    Proverbs 22:9

Lord, we thank you, because you look upon us with kindness. Thank you for showing us your tender mercy. Because of your kindness, our family has received salvation from sin and received your blessings. Lord, we pray that our children will also see others with kind eyes and kind hearts.

Lord, give them compassion and kindness when they see the poor. Help them to have God's eyes and God's heart so they may show God's love to others. Mankind first sinned because the forbidden fruit looked pleasing to the eye and good for food; but give us different eyes so we may not be enticed by what just looks good. Rather, help us to give to those who need our help, especially the orphan and the widow. Help us to see them with kindness. Lord, may our children be used to help those in need. Help them also to see the eternal things of God.

We pray in Jesus' name, Amen.

### 선한 눈을 가지게 하소서

우리를 선한 눈으로 바라보시는 주님, 감사와 영광을 돌려 드립니다. 주님의 선한 눈으로 인해 우리가 긍휼히 여김을 받게 하시니 감사합니다. 주님의 선한 눈으로 인해 우리 온 가족이 죄로부터 구원을 받고 축복을 받게 하심을 감사드립니다. 우선 우리 자녀들에게 이러한 선한 눈을 가질 수 있는 은혜를 베풀어 주시고 선한 마음도 허락해 주옵소서.

가난한 자들을 선한 눈으로 바라보며 도움이 필요한 자에게 선한 마음으로 나누어 주는 자들이 되게 도와주옵소서. 주님의 마음과 눈을 닮게 하시고 그 눈을 통해 주님의 사랑을 나타낼 수 있도록 인도해 주옵소서. 우리의 눈이 "보암직도 하고 먹음직도 한" 욕망들을 바라보지 않게 하시고, 우리의 도움이 필요한 가난한 자, 고아, 과부를 선한 눈으로 바라보게 하옵소서. 우리의 자녀들이 특별히 이러한 선한 눈을 가지게 하시며 그 눈을 통해 주님의 도움이 필요한 자들에게 나아갈 수 있도록 인도해 주옵소서. 이러한 눈으로 영원한 것도 바라보게 하옵소서.

예수님의 이름으로 기도합니다. 아멘.

# Cast but a glance at riches

Cast but a glance at riches, and they are gone, for they will surely sprout wings and fly off to the sky like an eagle.

Proverbs 23:5

Lord of eternal life, thank you that, although we live in this world, we are able to look to you. There are many temptations here, but we are still able to focus on our God. Lord, Eve forfeited the Garden of Eden by first gazing at what was forbidden. Help us to not make the same mistake by gazing at the vainglory of this world, thus forfeiting our lives.

Lord, keep us especially from the greed for riches. Help us to remember that all the worldly riches will one day perish. Lord, there are many things that vie for the attention of our children's eyes; like the computer, TV, video games, sports, and movies; which dim their spiritual eyes. Give them discernment in their eyes so they may not be enticed by these things. Help them to see the eternal things of God, things that will never perish. Please give them eyes of faith so they may look to the Lord who gives eternal life.

## 허무한 것을 바라보지 않게 하소서

영원한 생명이 되신 주님, 우리에게 이 땅에서 살면서도 주님을 바라보게 하심을 감사드립니다. 이 땅에서 우리를 유혹하는 것들이 많이 있지만 오직 온전케 하시는 주님만을 바라보게 하심을 감사드립니다. 하와가 잘못된 것을 바라보다가 에덴동산을 잃어버린 것처럼 우리도 허무한 것을 바라보다가 영원한 생명을 잃어버리지 않게 인도해 주옵소서.

특별히 재물에 대하여 탐하는 마음을 갖고 언제나 마음을 그곳에 고정하지 않게 하시고 그 허무한 것들이 언젠가는 이 땅에서 썩어질 것임을 알게 하옵소서. 요즘 우리 자녀들에게 볼 것이 많아졌습니다. 컴퓨터, 텔레비전, 비디오게임, 운동경기, 쇼프로그램, 선정적인 영화 등 우리의 눈을 흐리게 만드는 것들을 너무나 많이 보고 있습니다. 경건의 마음을 허락해 주셔서 그러한 것들이 허망하게 느껴지게 하시고 보고 싶은 마음을 절제하도록 도와주옵소서. 그리고 신령하고 영원한 것, 영원히 없어지지 아니할 것을 바라보게 해주옵소서. 특히 믿음의 눈을 주셔서 영원한 생명 되신 주님만을 바라보게 인도해 주옵소서.

예수님의 이름으로 기도합니다. 아멘.

**249**

# May their parents be glad

May your father and mother be glad; may she who gave you birth rejoice!          Proverbs 23:25

God of wisdom, thank you for giving our children these words of wisdom from the Proverbs of Solomon. Thank you for upholding our children with Scripture and directing them toward God. Lord, help them to heed the words of wisdom in Proverbs so your living words may dwell in them forever.

Lord, help our children bless their parents with gladness. Help them to have an open heart when we teach them God's word, and help them to obey us in the Lord. Lord, help them to search out what pleases their parents. You have promised blessings for those who make their parents glad. We learn to honor our heavenly Father, who is unseen, only when we learn how to honor our parents here on earth. Lord, may our children give us gladness.

We pray in Jesus' name, Amen.

### 부모를 즐겁게 하는 자가 되게 하소서

지혜의 하나님, 솔로몬에게 지혜를 주신 하나님, 우리 자녀들을 위해 귀한 지혜의 말씀, 잠언을 주신 것을 감사드립니다. 이 말씀들을 통해 자녀들이 바로 서게 하시며 어려서부터 주님을 바라보게 하심을 감사드립니다. 잠언의 말씀을 잘 경청해서 듣는 우리 자녀들이 되게 도와주시며 말씀이 살아 움직여서 말씀에 따라 행실을 삼가는 자녀들이 되도록 인도해 주옵소서.

또한 우리의 자녀들이 부모를 즐겁게 하는 자가 되게 도와주옵소서. 부모가 가르치는 주님의 말씀을 잘 듣고 말씀대로 살아가는 자녀가 되게 하시고 부모가 원하는 하나님의 자녀로서의 생활을 하도록 인도해 주옵소서. 부모가 가장 즐거워하고 기뻐하는 것이 무엇인지 알게 하시고, 부모의 마음을 알고 사랑하는 자녀들이 되도록 인도해 주옵소서. 주님은 언제나 부모를 공경하고 즐겁게 하는 자들에게 복을 주신다고 약속하셨습니다. 먼저 보이는 부모를 공경할 때에 보이지 않는 하나님도 섬길 수 있는 것을 압니다. 우리 자녀들에게 부모를 즐겁게 하며 기쁘게 할 수 있는 마음을 허락해 주옵소서.

예수님의 이름으로 기도합니다. 아멘.

# Do not envy wicked men

Do not envy wicked men, do not desire their company;                    Proverbs 24:1

God of abounding grace, there are times when we envy wicked people and are enticed by their wicked ways. Although we believe in you and worship you, there are times when things get hard. When we see the wicked prosper, sometimes we wonder if God is really just and fair.

But Lord, thank you for your words of instruction, that teach us and our children to not envy wicked men or let them be a stumbling block to us. You have taught us that the wicked will indeed be brought to judgment, for you are just and fair. Lord, help us to realize that there will be a day of judgment for both the wicked and the righteous. Help our children to realize that all the prosperity of the wicked will come to nothing in this world, but we believe that one day we will live in our Father's House. There, you will commend us for being good and faithful servants. Keep us from envying the vainglory of this world. Help us to know the meaning of true prosperity.

We pray in Jesus' name, Amen.

---

 ### 악인의 형통을 부러워 말게 하소서

은혜가 풍성하신 하나님, 우리들이 살아가면서 악인의 형통을 보고 부러워하기도 하며 악인의 형통을 보고 시험에 들기도 합니다. 우리들은 열심히 성실하게 주님을 믿고 예배드리며 봉사생활을 하지만 그럼에도 불구하고 어려운 일들을 많이 겪게 됩니다. 하지만 악인을 보면 너무나 형통해 우리들은 과연 주님께서 정당하시고 의로우신 분이신가를 의심할 때도 있습니다.

그러나 주님, 우리 자녀들이 악인의 형통을 보고 부러워하거나 유혹을 받지 않도록 말씀을 주심을 감사드립니다. 의로우시고 정당하신 주님께서 악인은 언젠가 멸망의 심판을 받게 될 것임을 가르쳐 주셨습니다. 우리는 신실하신 주님께서 의인과 악인의 심판을 분명히 하신다는 것을 믿게 하시며 이 땅에서의 악인의 형통이 아무 의미가 없음을 우리 자녀들이 깨닫게 도와주옵소서. 우리가 결국에는 "주님의 집"에 영원히 거할 것이며, 주님으로부터 "착하고 신실한 종"이라는 칭찬도 듣게 될 것을 믿습니다. 헛된 것을 부러워하지 말고 주 안에서의 진정한 형통을 누리게 하옵소서.

예수님의 이름으로 기도합니다. 아멘.

# When we fall, help us to rise again

for though a righteous man falls seven times, he rises again, but the wicked are brought down by calamity.
Proverbs 24:16

Lord, thank you for lifting us up when we fall, and for turning every crisis into an opportunity. Our children face frustrations in their studies and also in their finances. But Lord, you have promised that even though a righteous man falls seven times, he rises again. May you give them strength to rise again and again.

Lord, there are times when we fall and do not have the strength to come back to you; but you give strength to those who believe in you and restore them. You raised up Elijah once again when he wanted to die under a tree. You restored Peter even after he denied you three times. Help our family to be clothed in your strength when we fall so we may rise once again. There is hope and restoration when the Lord is with us. Lord, consider our children's weakness and strengthen them when they fall so they too may rise again.

We pray in Jesus' name, Amen.

### 다시 일어나게 하소서

언제나 우리를 일으켜 세워 주시고 또 다른 기회를 허락해 주시는 주님, 우리가 살아가면서 부딪치는 많은 어려움과 고통 가운데에서도 주님이 다시 일으켜 세워 주심을 감사드립니다. 우리 자녀들은 학교에서 좌절의 순간을 맛보기도 하고 저희들은 경제적인 어려움 가운데 좌절하기도 합니다. 하지만 주님께서는, 의인은 일곱 번 넘어지더라도 다시 일어난다고 말씀하셨으니 우리들에게도 이렇게 다시 일어나는 힘을 허락해 주옵소서.

주님을 떠나 살면 넘어지고 다시 일어나지 못하겠지만 주님을 믿는 자들에게는 새 힘을 주시고 먹이시고 다시 기회를 주시는 것을 믿습니다. 엘리야가 로뎀 나무 아래서 죽기만을 구하다가 잠이 들었을 때 그를 일으켜 세워 주시고, 예수님을 세 번이나 모른다고 부인하던 베드로에게 다시 일어날 수 있는 기회를 주신 주님, 우리 가정과 자녀들이 주님이 주시는 능력에 힘입어 다시 일어날 수 있도록 인도해 주옵소서. 주께서 함께하여 주시면 우리들이 언제라도 다시 일어날 수 있음을 믿습니다. 우리 자녀들은 특별히 연약하오니 쓰러질 때마다 다시 일어날 수 있도록 피곤한 무릎을 지켜 주옵소서.

예수님의 이름으로 기도합니다. 아멘.

# Do not betray another's confidence

If you argue your case with a neighbor, do not betray another man's confidence,

Proverbs 25:9

Thank you for giving us our daily bread today, and for giving us victory over temptations. Thank you for protecting us from danger, and for giving us the breath of life.

Lord, of all the temptations we must overcome, the most difficult is the desire to talk about others. We talk about gossip as if it was true, and we secretly enjoy talking about other peoples business. But Lord, these things are displeasing to you, and you command us to guard our mouths against such things. Keep us from betraying another's confidence, and help us to cover over others weaknesses with love.

Lord, you have taught us not to judge others lest we be judged. When we are tempted to betray another's confidence, help us to call to mind your words, "Do unto others as you would have them do unto you." You taught us that our lives are sustained when we put a guard over our mouths. Lord, grant our children reverent mouths so they may never divulge another's hurts and secrets.

We pray in Jesus' name, Amen.

### 남의 일을 누설하지 않게 하소서

시험을 이기게 하시는 주님, 오늘 하루를 주님 품안에서 지내게 하시고 일용할 양식으로 먹여 주심을 감사드리며, 위험한 순간마다 보호해 주신 것도 감사드리며, 우리가 호흡이 있는 동안에 주님을 찬양하게 하옵소서.

주님, 우리가 받는 가장 큰 유혹 가운데 하나는 남의 말 하기를 좋아하는 것임을 고백합니다. 사실이 아닌 것도 사실인 것처럼 이야기하고 남의 비밀을 누설하는 것을 은근히 좋아하고 있습니다. 그러나 주님은 그러한 일을 가장 싫어하시며 우리의 입술과 혀를 지킬 것을 명령하셨습니다. 무엇보다도 우리가 남의 일을 누설하지 않는 힘을 주시고 사랑으로 남의 허물을 덮을 수 있는 마음을 허락해 주옵소서.

또한 주님은 남에게 비판을 받지 않으려거든 남을 비판하지 말라고 말씀하셨습니다. 주님, 우리가 남의 비밀을 누설할 때에 우리도 같은 어려움을 겪게 된다는 것도 알게 하시고 "대접을 받고자 하는 대로 대접하라."는 말씀을 기억할 수 있도록 인도해 주옵소서. 우리가 입술과 혀를 지킬 때에 주님께서는 우리의 영혼이 보전되고 구원을 얻는다고 하셨습니다. 사랑하는 우리 자녀들의 입이 경건한 입이 되게 하시며 남의 아픔과 은밀한 비밀을 누설하지 않도록 인도해 주옵소서. 예수님의 이름으로 기도합니다. 아멘.

# When your enemy is hungry give him food

July
21

If your enemy is hungry, give him food to eat; if he is thirsty, give him water to drink.

Lord, thank you for giving us our daily bread today. Thank you for providing such abundance that we have no awareness of want. There are many brothers and sisters in the world who are starving because they have no food. Many children around the world are suffering because they have no food. Lord, help us to share our food with others so there may no longer be starvation in the world.

Lord, give us your love that makes it possible for us to share our food, even with our enemies. Let us not fight evil with evil but overcome evil with good. Free us from smugness of full bellies, and give us compassion for those who do not have enough to eat. Help us to see the hungry with the eyes of God. Help us to have faith that we are one in the Lord. Thank you for giving us this time of rest. Help our children to pray, even for their enemies.

We pray in Jesus' name, Amen.

### 원수도 먹이게 하소서

일용할 양식을 주시는 주님, 우리에게 오늘 하루도 먹을 양식을 주시고 마실 음료수를 주신 것을 감사드립니다. 풍성한 식탁을 준비해 주셔서 우리를 배고픔으로부터 지켜 주시고 건강하게 하시니 감사를 드립니다. 이 세상에는 먹을 양식이 없어서 굶주린 많은 형제 자매들이 있습니다. 또한 북한 어린이에게도 양식이 부족하다고 합니다. 주님, 이 세상에서 굶주리는 영혼이 없도록 우리가 나누어 먹을 줄 아는 자가 되도록 인도해 주옵소서.

그리고 원수와도 함께 먹을 수 있는 사랑을 주시며, 악을 악으로 갚지 않게 하시고, 악을 선으로 갚는 주의 백성들이 되도록 인도해 주옵소서. 나만 잘 먹으면 된다는 이기주의로부터 자유하게 하시며 이웃과 함께 나누어 먹는 자녀들이 되도록 인도해 주옵소서. 굶주리는 우리의 이웃들을 주님의 마음으로 볼 수 있도록 허락하시고, 주 안에서 우리 모두가 하나가 될 수 있음을 믿게 해주옵소서. 주님, 오늘도 우리들에게 쉴 수 있는 시간을 주셔서 감사합니다. 원수들을 위해서도 기도할 수 있는 자녀들 되도록 복을 주옵소서.

예수님의 이름으로 기도합니다. 아멘.

# Discard folly

**July 22**

As a dog returns to its vomit, so a fool repeats his folly.

Proverbs 26:11

Almighty, Holy Lord, thank you for calling us to be your children. We were previously children of sin, but you have called us to become the children of God. Lord, help us to live as the children of God. Although we were previously foolish, claiming that there was no God, now we praise and worship the living God. Forgive us our past sins, and help us to discard our folly.

Lord, grant our children wisdom to discard their follies without a second thought. Free them from repeating past follies. Replace their follies with your wisdom so they may not go after the desires of the flesh. We believe that all things are possible in you.

We pray in Jesus' name, Amen.

### 미련한 것을 버리게 하소서

전지전능하시고 거룩하신 주님, 주님의 자녀로 삼아 주시고 귀한 신분으로 불러 주신 것을 감사드립니다. 우리가 과거에는 사탄의 자녀였지만 이제는 주의 자녀가 된 것을 감사드립니다. 주님, 주님의 자녀답게 살도록 인도해 주옵소서. 과거에는 어리석고 미련하여 하나님이 없다고 하였지만, 이제는 하나님을 섬기고 찬양하게 되었사오니 과거의 미련함과 어리석음을 용서해 주시고 우리가 이제는 과감하게 이 미련한 것들을 버릴 수 있도록 힘을 허락해 주옵소서.

우리 자녀들에게도 지혜를 허락하셔서 미련한 것들을 버릴 수 있도록 도와주시며, 자꾸 반복하는 어리석음에서도 자유하도록 인도해 주옵소서. 미련한 것은 버리고, 지혜로운 것을 취하여 행할 수 있도록 도와주시며 육신에 속한 우리들이 육신을 따라 더럽고 추하고 부패하고 미련한 것을 다시는 반복하지 않도록 도와주옵소서. 주님이 함께하시면 모든 것이 가능한 것을 믿습니다.

감사드리며 예수님의 이름으로 기도합니다. 아멘.

**255**

# Help us to heed our friends earnest counsel

Perfume and incense bring joy to the heart, and the pleasantness of one's friend springs from his earnest counsel.                                                                    Proverbs 27:9

Lord, you have called us your friends and no longer your servants. Thank you for being our friend, although you are God. Thank you for giving us the privilege of being called your friends. Lord, help us to heed the earnest counsel of Jesus, our friend, so we may not become foolish.

Lord, thank you for giving our children close friends. May their friendships become like that of David and Jonathan, who were friends for life. Lord, may they share with each other their love, hurts, loneliness, and fellowship. Please help them to meet friends of faith, who have earnest counsel to give. More than anything else, give them friends who know God's word, so they may be admonished by his words and accountable to each other.

We pray in Jesus' name, Amen.

## 친구의 권고를 듣게 하소서

우리를 친구라 불러 주시는 주님, 이제 다시는 종이라 부르지 않으시며 우리를 높여 친구라 불러 주시기를 즐거워하시는 주님, 우리가 주님을 친구로 만날 수 있게 하심을 감사드립니다. 우리가 어떻게 감히 주님을 친구라고 부를 수 있겠습니까? 하지만 우리에게 친구라는 귀한 신분을 허락해 주심을 감사드립니다. 우리가 친구 되신 주님의 말씀과 권고를 잘 듣고 어리석은 자가 되지 않도록 인도해 주옵소서.

특별히 우리 자녀들에게 귀한 친구들을 보내 주시니 감사를 드립니다. 다윗에게 있어서 생명과도 같았던 요나단처럼 우리 자녀에게도 생명의 친구가 있게 하시고 그러한 친구와 사랑, 아픔, 외로움, 절망 등을 함께 나눌 수 있도록 도와주옵소서. 또한 믿음의 친구를 만나게 하여 주셔서 그 친구들이 권고할 때에 잘 듣게 하시며 그러한 권고로 인해 바른 길로 갈 수 있도록 인도해 주옵소서. 무엇보다도 말씀의 친구들을 주위에 보내 주셔서 말씀으로 권고하는 친구들이 있게 하시며 그러한 친구들로 인해 언제나 말씀 가운데 살게 하옵소서.

예수님의 이름으로 기도합니다. 아멘.

# Take refuge from danger

**July 24**

The prudent see danger and take refuge, but the simple keep going and suffer for it.

Proverbs 27:12

Heavenly Father, you are the Lord of history and time. We become uneasy and anxious about the changes that are taking place in this century. We don't know how weapons of mass destruction will affect the future of our world. And now that we have the technology to genetically clone human beings, we feel wary of the disaster that may come upon our children's generation as a result. Many places in the world are experiencing famine, war, and earth quakes. We don't know when Jesus will return. Lord, in such a time as this, give our children wisdom to see danger and take refuge.

Lord, you are our refuge and our shield. Grant us wisdom, discernment, and the word of God so we may see danger in advance and be prepared to take refuge. Lord, please give us relief from wars, famines, and earthquakes. Grant us your peace that can never be taken away. Give us your true peace, which the world does not understand. Give us this peace tonight.

We pray in Jesus' name, Amen.

---

### 재앙을 보고 피하게 하소서

시간의 주관자 되시고 역사를 인도하시는 주님, 우리들은 21세기에 살면서 시시 때때로 변하는 정세에 의해 불안하기도 하고 근심을 하기도 합니다. 핵무기라든지 최첨단 무기들과 최첨단 공학으로 인해 앞으로 이 세상이 어떻게 변할지 모르고 있습니다. 또한 유전인자 복제가 가능하고 유전인자의 암호를 읽게 된 최첨단 과학시대에 살고 있는 우리들, 우리 자녀들에게 어떤 어려움과 재앙이 닥칠지 알 수가 없습니다. 또한 곳곳에 기근이 있고 지진이 나서 언제 주님이 오실지 모르는 이때에 우리 자녀들이 슬기로운 자가 되어 이 재앙의 징조를 미리 볼 수 있게 하시고 숨어 피할 수 있도록 인도해 주옵소서.

우리의 피난처와 방패가 되시는 주님, 자녀들에게 슬기와 분별력과 말씀을 허락해 주셔서 이 재앙으로 인해 고통 당하지 않게 하시고 지혜롭게 피할 수 있는 길을 허락해 주옵소서. 이제는 더 이상 전쟁이나 지진, 기근으로 이 지구촌이 더 이상 고통 당하지 않게 주님 동행해 주옵소서. 언제나 주님 안에 있으면 세상 사람들이 이해할 수도 없고 빼앗아 갈 수도 없는 평강을 주시는 줄 믿사오니 우리 자녀들에게 이러한 절대적인 평강, 주 안에서 누리는 평강을 오늘밤에도 허락해 주옵소서.

예수님의 이름으로 기도합니다. 아멘.

# Confess and renounce your sins

July
25

He who conceals his sins does not prosper, but whoever confesses and renounces them finds mercy.

Proverbs 28:13

Lord, you are our righteousness. Although we were dead in sin, you imparted to us your righteousness when you died to save us for eternity. We give you adoration and glory, for you are the Lord our Righteousness. Thank you for saving us through your name and for separating us from our sins.

Lord, you forgive us for our sins. We sin knowingly and sometimes unknowingly. But Lord, you have taught us that we must never conceal our sins. Help us to freely confess and renounce these sins so we may receive your forgiveness.

Lord, help our children to readily confess and renounce their sins so they may not live with hidden sins. Guide us so we may repent and be restored. Our children don't have a clear idea of what sin is. Holy Spirit, please help them to understand what sin is so they may know repentance.

We pray in Jesus' name, Amen.

---

 죄를 자복하고 버리게 하소서

우리의 의가 되시는 주님, 주님의 의(義)로 말미암아 죽을 수밖에 없는 우리가 구원을 얻고 영생을 얻게 하심을 감사드립니다. 그러므로 존귀하신 주님의 이름, 여호와 우리의 의(치드케누)로 인해 감사와 영광을 돌립니다. 우리 가족과 자녀들이 그 이름으로 인해 구원을 받게 하시고 죄로부터 멀리하게 하심을 감사드립니다.

우리의 죄악을 용서해 주시는 주님, 우리들이 알고도 지은 죄, 알지 못하고 지은 죄가 많이 있습니다. 그러나 자신의 죄를 알고 있으면서도 숨기면 우리의 삶이 형통하지 않다고 주님은 말씀하셨습니다. 먼저 우리의 숨긴 죄들을 자복하고 버리게 하시며 주님의 용서를 구할 수 있게 도와주옵소서.

무엇보다도 우리 자녀들이 이러한 죄를 멀리하며 살 수 있도록 도와주셔서 숨기운 죄악들이 없도록 인도해 주옵소서. 그러나 만일 우리가 죄악 가운데 들어갔을 때에는 속히 자복하고 그 죄를 버리게 도와주옵소서. 하나님, 우리 어린 자녀들은 아직도 죄의 개념을 잘 모르고 있습니다. 무엇이 죄인지 알게 하시고 성령님께서 도와주셔서 깨닫고 알도록 인도해 주옵소서.

예수님의 이름으로 기도합니다. 아멘.

# Grant us faithfulness

A faithful man will be richly blessed, but one eager to get rich will not go unpunished.

Proverbs 28:20

Lord, thank you for giving us your word in Proverbs today. Thank you for giving our family all the wisdom we need through your words. Please don't let our prayers fall unheard to the ground. Guide our children to bear fruit up to thirty, sixty, or even one hundred times. Lord, although they may not understand the Bible, we believe that the word is alive, and that one day the word of God will bear fruit in their lives. We believe that teaching them your word will help them to live according to it.

You have commanded us to be faithful to the end. You said that a faithful person will be richly blessed. May the blessings of the faithful bear fruit in our children's lives. Lord, help us to take our gaze away from the things of this world that will one day perish. Help us to fix our eyes on you, the Lord of eternity, so we may serve you with faithfulness. Protect us from loving the vainglory of this world. Help us to faithfully serve the Lord to the end. We know that you are a jealous God. Lord, may our children learn to have whole-hearted devotion to you.

We pray in Jesus' name, Amen.

## 충성되게 하소서

오늘도 잠언의 말씀을 통해 은혜를 주시는 주님, 감사를 드립니다. 우리 가족과 자녀들이 살아가는 데 필요한 모든 지혜의 말씀을 주심을 감사드립니다. 우리가 드리는 말씀과 기도가 하나도 땅에 떨어지지 않게 도와주시며, 우리 자녀들의 인생에서 30배, 60배, 100배의 결실을 맺을 수 있도록 인도해 주옵소서. 지금 자녀들이 깨달아 알지 못한다고 하여도 말씀은 살아 언젠가는 그 마음에 역사하게 될 것을 믿습니다. 그리고 그 말씀대로 살아가는 자녀들이 될 것도 믿습니다.

주께서는 끝까지 충성하라고 말씀하셨습니다. 그리고 충성된 자는 복을 받는다고 말씀하셨습니다. 이러한 복이 우리 자녀들에게 임하게 도와주옵소서. 세상에서 보이는 것들, 그리고 썩어질 것에 우리의 마음을 두지 않게 하시며 영원하신 주님에게 마음과 뜻과 정성을 다하여 충성하게 인도해 주옵소서. 한마음으로 끝까지 한결같이 주님을 사랑하고 섬기게 하시며 헛되고 악한 것에 충성하지 않도록 보호해 주옵소서. 주님께서는 질투하시는 주님이신 줄을 압니다. 우리 자녀들이 한마음으로 주님만을 섬기고 경배할 수 있도록 도와주옵소서.

예수님의 이름으로 기도합니다. 아멘.

# Grant them dreams

Where there is no revelation, the people cast off restraint; but blessed is he who keeps the law.
Proverbs 29:18

Thank you for giving us hopes and dreams. Thank you for giving us strength to live with hope today. You taught us that where there is no revelation, people cast off restraint. May your revelation be evident in our family so we may raise our children according to your will.

Lord, you have given us spiritual goals and a mission. Grant our children your revelation so they may know God's will and mission for them. When Joseph was in a hopeless situation, he held onto the dreams and revelations that God had given him. May our children also hold onto their dreams and revelations and persevere like Joseph. Help us to find your vision for our family and for each of our children individually.

We pray in Jesus' name, Amen.

## 꿈을 꾸게 하소서

우리에게 귀한 꿈을 주셔서 소망 가운데 살아가게 하시는 주님, 감사를 드립니다. 오늘도 우리들이 주님이 주신 꿈 안에서 건강하게 살며 희망을 갖고 살게 하심을 감사드립니다. 꿈이 없는 백성은 망한다고 하셨습니다. 꿈이 없는 교육도 망하는 것을 우리가 압니다. 우리들이 자녀들을 양육할 때에도 자녀들을 통해 이루기를 원하시는 주님의 꿈을 알게 하시며 그 꿈이 우리 가정을 통해 이루어질 수 있도록 도와주시옵소서.

우리에게 영적인 목표를 주시는 주님, 우리 자녀들이 인생을 살아가면서 주님이 주시는 영적인 목표를 발견하게 하시고 그 비전과 꿈으로 인해 어디에서나 소망을 갖고 살아가도록 인도해 주시기를 바랍니다. 요셉이 어려운 환경 속에서도 꿈을 붙잡고 일어난 것처럼 우리 자녀들이 주님이 주시는 꿈을 꾸게 하시며 그 꿈을 붙잡고 일어날 수 있도록 인도해 주옵소서. 먼저 우리 가정을 향한 꿈을 발견하게 하시고 그 꿈을 붙잡고 온 가족이 함께 기도하며 주님을 향해 나아갈 수 있도록 도와주옵소서. 모든 이에게 각자 다른 창조적 꿈을 주시는 주님, 우리 자녀들이 그 꿈으로 인해 복된 인생을 누리게 하옵소서.

예수님의 이름으로 기도합니다. 아멘.

# A lowly spirit brings honor

A man's pride brings him low, but a man of lowly spirit gains honor.          Proverbs 29:23

Lord, you love the humble and lowly in spirit. Were there times today when we offended and hurt others with our pride? Lord, please guide us. Lord, did we have pride before God? If we have, then help us to realize our sins and repent. Help us to humbly kneel before you, knowing that there is nothing good in us.

Lord, you taught us that those who lift themselves up will be brought down low, and those who lower themselves will be lifted up. Lord, keep our children from pride so they won't experience the shame of rebuke. Rather, teach them to be lowly and humble so they may experience God's favor. Jesus, although you are God, you emptied yourself and came as a servant to this world. As children of God, help us also to learn your humility. Heal us from our pride and false humility. Lord, may our children learn to be like Jesus. Help them to be humble before God and all people.

We pray in Jesus' name, Amen.

---

 ### 겸손하게 하소서

겸손한 자를 사랑하시는 주님, 오늘도 우리가 교만한 마음으로, 행실로 살면서 이웃들에게 상처를 주지 않았는지 돌아봅니다. 주여, 인도해 주옵소서. 그러나 무엇보다도 우리가 주님께 대해 교만하지 않았는지 알게 하시고 그 교만의 죄를 자복할 수 있게 도와주옵소서. 우리 안에는 어떤 선한 것도 없음을 알게 하시고 주님 앞에 가난하고 겸손한 마음으로 무릎 꿇게 도와주옵소서.

주님께서는 높아지려고 하면 낮아지겠고, 낮아지려고 하면 높아진다는 말씀을 주셨습니다. 우리 자녀들이 교만하여 비천한 곳으로 낮아지지 않게 하시며 겸손하여 주님이 높여 주시는 존귀를 누리게 도와주옵소서. 하나님이시면서 자신을 비워 종의 형체로 오신 주님, 하나님의 자녀로서 주님의 겸손을 배우게 하소서. 겸손을 가장한 교만도 치유해 주시고 겸손한 척하려는 위선도 치료해 주옵소서. 온전히 주님의 마음과 인격이 우리 자녀들 인격 안에서도 나타나게 하시며 사람과 주님 앞에서 겸손한 자로서 영예를 얻게 하옵소서.

예수님의 이름으로 기도합니다. 아멘.

# Do not add to or take away from God's word

Do not add to his words, or he will rebuke you and prove you a liar.　　　Proverbs 30:6

Lord, you are the God of the Word, and we thank you. Our children's joy and laughter give us joy and laughter also. We experience your love is through loving our children. We thank you for giving us these precious children. Help us to raise them in the ways of the Lord, and keep us from adding to or subtracting anything from the word of God.

Lord, help our children to know God's word, realizing that adding or taking away anything from it would be the same as lying. Guard them from picking and choosing God's words for their own benefit. Keep them from interpreting God's word according to their feelings. Help them to receive the word of God as it is.

Lord, grant our children the desire for the Word of God and a desire to live by its standards. Keep them from misusing or misunderstanding God's word. Help them to accept the word of God with meekness so they may grow up according to your will.

We pray in Jesus' name, Amen.

### 말씀을 더하거나 빼지 않게 하소서

　　말씀의 하나님, 우리 자녀로 인해 하나님께 감사를 드립니다. 그들의 웃음과 즐거움이 우리에게도 즐거움이 되고 있습니다. 자녀와 함께 나누는 사랑이 하나님의 사랑을 체험하게 합니다. 이 귀한 선물을 우리 가정에 보내 주신 것을 진심으로 감사드립니다. 하나님의 자녀를 하나님의 말씀대로 양육하게 하시고, 말씀을 더하지도 말고 빼지도 말고 자녀들에게 전할 수 있게 도와주옵소서.

　　또한 우리 자녀들이 말씀에 무엇인가를 더하거나 뺌으로 말미암아 거짓말하는 자가 되지 않도록 도와주시고 자신이 편리한 대로 말씀을 해석하거나 풀이하지 않도록 도와주옵소서. 말씀에 어떤 것도 더하거나 빼지 않게 하시고 그 말씀 그대로 받아들이는 자가 되게 하옵소서.

　　우리 자녀들이 어려서부터 말씀을 사모하게 하시고 말씀대로 사는 것을 사랑하게 해주옵소서. 필요할 때마다 말씀을 이용하지 않게 하시고 자신의 편리에 따라 말씀을 오해하지 않게 하시어 말씀을 그대로 순전하게 받아들이는 자가 되게 해주옵소서. 그리하여 하나님이 기뻐하시는 자녀로 성장하도록 도와주옵소서.

　　감사드리며 예수님의 이름으로 기도합니다. 아멘.

## July 30

# Help them to know what to ask of the Lord

Two things I ask of you, O Lord? do not refuse me before I die:    Proverbs 30:7

Lord, thank you for meeting us through prayer and your words. Thank you for listening to our hopes and dreams. Help our children to grow as people of prayer. Give them wisdom to know what to ask of the Lord. Keep them from superficial and materialistic prayer requests. Rather, help them to pray for God's will through the guidance of the Holy Spirit.

You have taught us how to pray through the Lord's Prayer. Lord, give our children discernment in their prayers so these prayers may move even the throne room of God. Help them to become people of prayer so even their prayers may be used by God. Help them to become prayer warriors, so Satan will flee at the sound of their prayers. Help them to realize that they cannot sustain their lives without prayer. Give them prayers that please God.

We pray in Jesus' name, Amen.

 **무엇을 구할지 알게 하소서**

우리와 언제나 대화로 만나 주시는 주님, 기도를 통해 주님을 만나게 하시고 우리의 소원을 말할 수 있게 하심을 감사드립니다. 우리 자녀들도 어려서부터 기도하는 자녀가 되게 하시고 무엇을 구해야 할지 분명히 아는 자녀들이 되도록 복을 주옵소서. 육신적인, 실리적인 기도에 매달리지 않는 자녀가 되게 하시며, 하나님의 뜻을 따라 기도하며 언제나 성령 안에서 기도하는 자가 되게 인도해 주옵소서.

주님이 우리 자녀들에게 주기도문을 가르쳐 주셔서 마땅히 구해야 할 것이 무엇인지 가르쳐 주셨습니다. 우리 자녀들도 무엇을 어떻게 구해야 할지 알게 하시며 하늘 보좌를 움직이는 기도가 되도록 복을 주옵소서. 일생을 살아가는 동안 온전한 기도를 드리는 자가 되게 하시며 주님이 사용하시는 기도가 되도록 복을 주옵소서. 또한 사탄의 세력들이 무서워 떠는 담대한 기도가 되게 하시며, 주님의 뜻에 합당하게 구하는 기도가 되도록 인도해 주옵소서. 인생을 살아가는 동안, 기도 없이 살 수 없음을 깨닫게 하시고 능력의 기도, 분명히 목적을 아는 기도가 우리 자녀들을 통해 일어나게 도와주옵소서.

예수님의 이름으로 기도합니다. 아멘.

# Being commendable to God

Give her the reward she has earned, and let her works bring her praise at the city gate.

Proverbs 31:31

Lord, you lift us up when we need you. We pray for our children today. We pray that their lives may bring glory to you. Lord, we want to bring glory to you by becoming commendable. Keep us from bringing shame to you because of our faults. We desire to become pleasing to you. Lord, we give you all the glory; we want to be pleasing in your sight.

We want to become commendable believers. We want to be commendable to neighbors and family who do not yet believe in Jesus. We want to be commendable as children and as parents. We want to receive your reward as we learn to love and serve each other. We don't want to follow the world's standards for commendation. We want to follow God's standard. Lord, may our children become commendable to God in their character and in their lives. Help them to be useful, hard working, and humble wherever they go so they may be pleasing to God.

We pray in Jesus' name, Amen.

## 칭찬 받는 자가 되게 하소서

우리를 세워 주시는 주님, 우리 자녀들을 위해 오늘도 기도합니다. 우리 자녀들의 인생을 통해 주님이 영광 받으시기를 원합니다. 칭찬 받는 성도가 되어서 주님의 이름을 높여 드리기를 원합니다. 우리의 허물로 인해 주님의 영광이 가리워지지 않게 하시며 칭찬 받는 성도가 되어서 주님이 기뻐하시는 자녀가 되기를 원합니다. 영광 받아 주옵소서. 우리들을 칭찬 받는 주님의 자녀가 되도록 준비시켜 주옵소서.

먼저 칭찬 받는 성도가 되기를 원합니다. 안 믿는 가족들이나 친구들에게도 칭찬을 받을 수 있도록 도와주시며 집에서도 칭찬 받는 자녀, 칭찬 받는 부모가 되기를 원하오니 도와주옵소서. 섬기고 사랑하며 헌신할 때에 그 행한 일로 인해 칭찬 받기를 원합니다. 세속적인 가치 기준에 따라서가 아니라 주님이 원하시는 기준에 따라서 칭찬 받기를 원합니다. 주님, 그러한 자녀들이 되도록 인격과 생활을 새롭게 해주옵소서. 어디에서든지 유익한 존재, 부지런한 존재, 겸손한 존재가 되어서 예수님을 믿는 자녀로서 칭찬 받게 인도해 주옵소서.

예수님의 이름으로 기도합니다. 아멘.

# *August* Prayers of Blessings for the Children

-The Blessings of the Sermon on the Mount, Part I-

Prayers for June and July were blessings from the Proverbs.
In August, we will pray for the blessings
from the sermon on the Mount and the Beatitudes.
Let us pray for our children to have faith that is fitting for the people of God
and to bless the work
to which they have been called.

## 자녀를 위한 8월의 축복 기도

- 산상수훈을 중심으로 -

6월과 7월에 잠언을 중심으로 자녀들을 축복하였습니다.
8월에는 자녀들을 위한 축복을 산상수훈을 중심으로 찾아보았습니다.
팔복(八福)과 산상수훈에서 하나님의 백성으로서 갖추어야 할
믿음을 축복하고, 그것으로 인해 얻는 기업에 대해 함께 기도하겠습니다.
이 달에 나오는 명구는 필자가 쓴 영성 훈련 교재 『증인의 영성』에서 발췌했습니다.

# August 1

# Blessed are the poor in spirit

Blessed are the poor in spirit, for theirs is the kingdom of heaven.

Matthew 5:3

Lord, we praise your name. You are the God of the poor in spirit. Thank you for filling our empty hands and hearts with your abundance today. Although naked we came out of the womb and naked we die, thank you for filling us with your blessings moment by moment. Lord, only you satisfy all of our needs.

Lord, you came as a king to those who are poor in spirit so you can fill them with your abundance. Let us become poor in spirit so you may fill us also. Help our children to realize that they too are poor in spirit so they may know that only God can satisfy their spirits. Help our children to wait upon the Lord with humility and poverty of spirit so they may find God's abundance in their lives.

We pray in Jesus' name, Amen.

### 심령이 가난한 자가 되게 하소서

주님의 이름을 찬양드립니다. 마음이 가난한 자의 하나님, 오늘도 우리의 빈 마음과 빈손을 주님의 풍성함으로 채워 주심을 감사드립니다. 빈손으로 왔다가 빈손으로 돌아가는 인생이지만 매 순간마다 주님께서 풍성하게 채워 주시고 인도해 주시니 감사를 드립니다. 언제나 주님 한 분으로 인해 부족함이 없음을 감사드립니다.

이 시간에도 가난한 자의 왕으로 오셔서 우리의 빈 마음을 채워 주시는 주님, 더욱 우리가 가난해지기를 원합니다. 우리 자녀로 하여금 심령이 가난한 자의 유업을 누리도록 인도해 주옵소서. 또한 우리 자녀들이 영적으로 가난함을 깨닫게 도와주시고 주님께서 채워 주시지 않으면 결코 만족함이 없다는 깨달음도 주옵소서. 우리 자녀들이 심령이 가난해져서 주님이 주시는 모든 축복을 겸손함 마음으로 기다리며 사모하도록 도와주옵소서. 그리하여 가장 풍요한 사람이 되도록 인도해 주시기를 간절히 바랍니다.

예수 그리스도의 거룩한 이름으로 기도합니다. 아멘.

# August 2

# May theirs be the kingdom of heaven

Blessed are the poor in spirit, for theirs is the kingdom of heaven.          Matthew 5:3

Lord, you are glad to be the God of those who are poor in spirit. We come to you tonight with poor spirits and poor hands. Lord, keep our prayers from being vain. Fill us with your abundance so we may share with our neighbors.

Lord, you are the God of heaven, a place that is abounding in praise and glory. May the kingdom of heaven be ours when we are poor in spirit. Help our children to possess the eternal work of the kingdom of heaven. May the abundance of heaven bless our children and their children for generations to come. Help them to seek the eternal things.

Lord, may the kingdom of heaven be ours because it lacks nothing, and it will never perish. The kingdom of heaven cannot be bought with money; it cannot be given by the world; and it cannot be gained through fame. May our children know the secret to gain the kingdom of God. Although the kingdom of heaven is worthless to people, help us to value it like our lives.

We pray in Jesus' name, Amen.

### 천국이 저희 것이 되게 하소서

가난한 자의 하나님이 되시기를 기뻐하시는 주님, 오늘도 우리 가족 모두가 가난한 마음과 가난한 손을 들고 주님 앞에 무릎을 꿇었습니다. 이 기도가 헛되지 않게 하시고 하늘의 신령한 것으로 채워 주셔서 가난한 이웃들에게 나누어 줄 수 있는 자들이 되도록 도와주옵소서.

찬양과 경배로 가득 찬 천국의 주인이신 주님, 가난한 우리 심령 위에 당신의 천국을 선물로 주옵소서. 또한 우리 자녀들이 이 영원한 기업인 천국을 소유하게 도와주시고 천국이 줄 수 있는 모든 풍성함을 대대로 누리게 하옵소서. 영적인 보화를 사모하는 자녀들이 되도록 인도해 주옵소서.

모자람도 없고 부족함도 없고 없어지지도 않을 천국을 주시는 주님, 천국이 저희 것이 되도록 인도해 주시며 영원한 부자가 되도록 도와주옵소서. 돈으로 살 수 없고, 명예로 가질 수 없고, 세상이 줄 수 없는 이 귀한 천국을 우리 자녀들이 소유할 수 있도록 축복해 주옵소서. 세상 사람들은 전혀 가치를 두지 않는 선물이지만 우리에게는 영원하고 생명과도 같은 것이오니 허락해 주옵소서.

거룩하신 예수님의 이름으로 기도합니다. 아멘.

**267**

# Blessed are those who mourn

**August 3**

Blessed are those who mourn, for they will be comforted.          Matthew 5:4

God of blessings, thank you for sustaining our health despite the heat of the summer. We long for your blessings today, blessings that are eternal. You have said, "Blessed are those who mourn, for they will be comforted." Lord, grant our children the blessings of those who mourn because of their sins. Help our children to cleanse their hearts, and help them to see the Lord.

Lord, you give us blessings that the world does not understand. The world deems those who mourn to be pathetic. But you said, "blessed are those who mourn." Help us to mourn for our sins. Help us to realize that we cannot see our sins clearly unless we stand before the Lord. Help us to mourn and pray over the world's sins just as Jesus did. May your presence abide in our small prayer, and may your presence help us to realize our sins.

We pray in Jesus' name, Amen.

### 애통하는 자가 되게 하소서

우리에게 복 주시기를 즐거워하시는 주님, 날씨가 무더운 가운데에도 우리 자녀들이 식욕을 잃지 않게 하시고 늘 건강하게 생활하도록 복을 주심에 감사를 드립니다. 오늘도 우리들이 복 받는 자가 되기를 원하며 하나님이 주시는 영원한 복을 받기를 원합니다. 애통하는 자가 복이 있다고 하셨사오니 우리 자녀들로 하여금 죄에 대해 슬퍼하며 애통하는 복을 허락해 주옵소서. 우리 자녀들의 마음이 깨끗해질 수 있도록 도와주시고 주님을 뵈올 수 있는 복도 허락해 주옵소서.

세상에서 이해하지 못하는 복을 주시는 주님, 세상에서는 애통하는 자들이 불행하다고 말할 것입니다. 그러나 주님께서는 애통하는 자들에게 복이 있다고 하셨습니다. 정말 자신의 죄에 대해 슬퍼하는 자들이 되게 하옵소서. 하지만 우리가 주님 앞에 서지 않는 한 진정으로 우리의 죄를 볼 수 없음도 깨닫게 도와주세요. 그리고 주님께서 이 세상을 보시고 애통하시고 불쌍히 여기신 것처럼 우리 자녀들도 주님과 같은 마음으로 세상에 대해 애통하며 기도하도록 도와주옵소서. 이 작은 기도에도 충만한 당신의 임재가 있게 도와주시어 그러한 임재를 통해 우리의 죄를 깨닫게 해주옵소서. 예수 그리스도의 이름으로 기도합니다. 아멘.

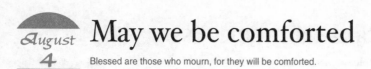

# May we be comforted

**August 4**

Blessed are those who mourn, for they will be comforted.　　　　Matthew 5:4

O living God who comforts us and gives us hope, help us to receive the blessings that come from mourning. Let us not mourn over worldly problems, but let us mourn over sin. Help us to be like Jeremiah, who mourned and cried because of the sins of his people. Lord, renew and open our hardened hearts. May your presence be with us as we pray at this time.

Eternal God, you have promised our children that when they mourn, you will comfort them. May the blessings of this promise abide with them always. The greatest comfort is that when we mourn for our sins, we receive your forgiveness, and we are no longer called sinners. You no longer treat us as sinners, but as the children of God. Thank you for this great comfort. Help our children to share God's comfort with others. We thank you Lord, for you comfort us when our hearts are grieved. May the eternal comfort of God abide with our children forever.

We pray in Jesus' name, Amen.

---

 ## 위로를 받게 하소서

　살아 계셔서 우리를 위로해 주시고 소망을 주시는 하나님, 우리가 애통함으로 얻는 신령한 복을 얻을 수 있게 도와주옵소서. 세상 문제로 애통하는 것이 아니라 죄에 대해 슬퍼할 수 있게 도와주시고 예레미야처럼 백성의 죄를 보고 안타깝게 부르짖으며 애통할 수 있도록 도와주옵소서. 우리의 무딘 마음과 무감각한 마음을 새롭게 열어 주시고 이 기도의 시간에 우리 가족과 함께 임재해 주옵소서.

　영원하신 하나님, 우리 자녀들이 살아가면서 이렇게 죄로 인해 슬퍼할 때에 주님은 하늘의 위로를 주신다고 약속해 주셨습니다. 그 약속의 복이 우리 자녀들에게 임하도록 축복해 주옵소서. 무엇보다도 가장 큰 위로는 우리가 죄에 대해 애통하고 있을 때에 더 이상 죄인이 아니라고 선포해 주시는 말씀인 것으로 압니다. 우리를 더 이상 죄인으로 여기지 않으시고 자녀로 삼아 주신 것을 감사드립니다. 그 위로를 감사드립니다. 이 위로의 복을 다른 사람들과 나눌 수 있는 자녀들이 되도록 인도해 주옵소서. 마음이 아플 때마다 사랑으로 위로해 주시는 주님께 감사를 드립니다. 우리 자녀들에게 이러한 위로가 영원하도록 동행해 주옵소서.

　사랑의 예수님 이름으로 기도합니다. 아멘.

**269**

# Grant us meekness

**August 5**

Blessed are the meek, for they will inherit the earth.                    Matthew 5:5

God of abounding love and grace, thank you for calling our family together to pray. Thank you for watching over us and for keeping us safe. Please guard our family from illness during the warm weather, and we pray that you will protect our nation from natural disasters.

Lord of meekness, you have taught us, "Blessed are the meek". Lord, grant our children meekness. The people of the world place the highest value on power and authority; but you have taught us not only that the meek are blessed, but also that they will inherit the earth. May the blessings of meekness overflow in our children's lives. May the Holy Spirit help them to be truly meek, for they cannot do it on their own. The Apostle Paul taught us to have the mind of Christ, which we know to be that of meekness. Lord, grant our family the blessings of meekness.

We pray in the name of Jesus, who came as a servant. Amen.

## 온유하게 하소서

사랑과 은혜가 풍성하신 하나님, 오늘도 우리 가족을 한자리로 불러 주시고 함께 기도하게 하심을 감사드립니다. 그 동안도 항상 지켜 주셔서 안전과 건강을 허락하셨음을 감사드립니다. 더운 여름 동안에도 특별히 건강과 안전을 지켜 주시고 우리 나라가 홍수나 태풍으로 피해를 입지 않도록 지켜 주시기를 바랍니다.

온유하신 주님, 온유한 자가 복이 있다고 하셨사오니 우리 자녀들이 온유의 복을 누리게 도와주옵소서. 세상 사람들은 힘이나 권세를 최고의 가치로 생각하고 있지만, 주님은 온유한 자들이 복이 있을 뿐만 아니라 결국에는 땅을 차지하게 된다고 말씀해 주셨습니다. 이러한 복이 우리 자녀들에게 넘치도록 인도해 주옵소서. 그러나 이러한 온유한 자가 되기 위해 성령님께서 도와주시고 다루어 주셔야 함을 알고 있습니다. 성령님께서 내주하여 주셔서 우리 자녀들이 온유한 성품을 누릴 수 있도록 도와주옵소서. 사도 바울도 그리스도의 마음을 품으라고 하였는데 그것은 바로 이 온유한 마음인 것을 저희가 압니다. 주님, 이 복이 우리 가정과 자녀들에게 임하게 축복해 주옵소서.

종의 형체로 오신 온유한 예수님의 이름으로 기도합니다. 아멘.

270

# May they inherit the earth

Blessed are the meek, for they will inherit the earth.                    Matthew 5:5

Lord, you are the source of all life. Thank you for watching over us today and for being with us. Thank you for giving us the inheritance of the earth where all plants have life. Grant our children the blessings of this inheritance for generations to come. Lord, give them the authority to inherit the land that provides us with everything we need.

Lord, you are the true owner of all the earth. The earth provides us with food, drink, and a place to find rest. Thank you for granting us all these so that we are not needy. Grant our children the inheritance of the earth that comes from meekness, just as you gave the Israelites the land of Canaan as their inheritance. Lord, grant us this marvelous blessing.

We pray in Jesus' name, Amen.

### 땅을 기업으로 받게 하소서

모든 만물의 근원이신 주님, 오늘 하루도 우리의 생활을 지켜 주시고 동행해 주셔서 감사를 드립니다. 모든 식물이 땅에서 자라나고 있는 이때에 땅을 기업으로 받는 복 주심을 감사드립니다. 이 세상의 어떤 복보다도 땅을 기업으로 받는 복을 우리 자녀들에게 허락해 주옵소서. 그리고 천 대에 이르기까지 자자손손 이 복을 누릴 수 있도록 하시고, 능력 중의 가장 큰 능력, 땅을 차지하는 능력을 허락해 주옵소서.

모든 땅의 주인 되시는 주님, 땅은 모든 먹을 것, 마실 것, 잘 수 있는 안식처, 이 모든 것을 제공해 주는 곳입니다. 이러한 땅을 주셔서 부족함이 없도록 살게 하심을 감사드립니다. 이스라엘 민족에게 가나안 땅을 허락하셨던 것처럼 우리 자녀들이 온유한 성품을 갖고 땅을 기업으로 받는 자들이 되도록 축복해 주옵소서. 이 신령한 기업, 세상 권세가 차지할 수 없는 놀라운 복을 우리 가족이 누리게 하시며 특별히 우리 자녀들이 누리도록 축복해 주옵소서. 그러기 위해 자녀들에게 성령님께서 주시는 신의 성품, 온유한 성품을 먼저 복으로 받게 도와주옵소서.

우리의 땅이 되신 예수님의 이름으로 기도합니다. 아멘.

# August 7

# May we hunger and thirst for righteousness

Blessed are those who hunger and thirst for righteousness, for they will be filled.    Matthew 5:6

Eternal God, we pray, hungering and thirsting for your word and your love. Have mercy on our thirst, and quench it with your living water. We believe that you will always fill us, according to your promise. You said, "blessed are those who hunger and thirst for righteousness," so grant our children the hunger and thirst for the righteousness of God. Help them to understand that Jesus Christ is the true righteousness, so they may hunger and thirst for Jesus.

Lord, our righteousness, we cant help but be hungry and thirsty when we look away from Jesus our Lord. The only one who can resolve our hunger and thirst is Jesus Christ, our eternal living water. Help our children to understand that no one else can satisfy their hunger and thirst but Jesus. Help them to seek this spiritual truth. The people of the world think that those who are full of food are blessed. But the Bible teaches us that the truly blessed are those who hunger and thirst for righteousness. Grant our children the spiritual thirst for God's righteousness and not for the perishing things of this world.

We pray in Jesus' name, Amen.

### 의에 주리고 목마르게 하소서

영원하신 하나님, 주님의 말씀과 사랑에 주리고 목마른 심정으로 다시 기도를 드립니다. 갈급한 심정을 긍휼히 여겨 주시고 우리들 마음을 당신의 생수로 채워 주옵소서. 주님은 언제나 약속하신 대로 우리를 채워 주실 줄 믿습니다. 주님은 의에 주리고 목마른 자가 복이 있다고 하셨사오니 그러한 복을 저와 자녀들에게 허락해 주옵소서. 먼저 의(義)가 그리스도인 것을 깨닫게 하시며 그리스도에 대해 주리고 목마른 자가 되게 하소서.

우리의 의가 되시는 주님, 우리가 그리스도를 바라보지 않으면 언제나 갈급하고 목마를 수밖에 없음을 깨닫게 하시며, 우리의 목마름과 갈증을 해결해 주시는 분은 영원한 생수이신 그리스도 한 분이심을 깨닫게 도와주옵소서. 이러한 갈증과 배고픔을 대치할 수 있는 어떤 것도 없는 것을 깨닫게 하시고 이 신령한 복을 간구하는 자녀들이 되도록 인도해 주옵소서. 세상 사람들은 "배부른 자"가 복이 있다고 말하겠지만, 주님은 오늘 분명히 "의에 주리고 목마른 자"가 복이 있다고 했습니다. 이 신령한 복에 대해 배고픔을 느낄 수 있는 건강한 자녀들이 되게 하시며 이 세상에서 없어질 것에 대해 목말라하지 않게 도와주옵소서.

예수님의 이름으로 기도합니다. 아멘.

# May they be filled

Blessed are those who hunger and thirst for righteousness, for they will be filled.    Matthew 5:6

God of love, thank you for giving us hunger and thirst for righteousness. The world is full of souls who hunger and thirst for the worldly things. Help us to become your instruments to help them realize that it is better to have a hunger and thirst for righteousness. There are those who don't know how to fill their hunger. Help us to give them the true bread of life, who is Jesus Christ.

Lord, you are the bread of life. We ask you for the true living bread. May our children be filled with this living bread. Man cannot live on bread alone, but on every word that comes from the mouth of God. Feed us from the tree of life in heaven. Lord, feed our children with the word of God just as you fed the Israelites in the desert with manna and quail. Thank you for your blessings for the month of August. Help us to be a family that worships God in truth and spirit.

We pray in Jesus' name, Amen.

### 배부르게 하소서

사랑의 하나님, 우리가 의에 대해 주리고 목마르게 하심을 감사드립니다. 세상에는 다른 일에 목마르고 배고 파하는 영혼들이 많이 있습니다. 그들도 주님에 대하여 목마르고 배고플 수 있도록 우리를 도구로 사용해 주옵소 서. 무엇을 먹어야 할지 모르는 사람에게 우리가 영원한 생명의 떡이 되신 그리스도를 전할 수 있도록 인도해 주 옵소서.

생명의 떡이 되신 하나님, 우리 가족이 새 양식으로 공급받기를 원합니다. 우리 자녀들도 생명의 떡으로 배부 르게 하옵소서. 우리들은 떡으로만 살 수 있는 존재가 아니며 하나님의 말씀으로 배불러야 하는 존재임을 고백합 니다. 천국의 생명나무의 열매로 우리 가족을 먹여 주옵소서. 광야에서도 이스라엘 백성을 만나와 메추라기로 먹 이신 주님, 우리 자녀가 주님의 말씀으로 배부르는 복을 누리게 하시고 그 힘으로 광야 같은 인생 길을 노래하며 걸어가게 도와주옵소서. 8월에도 신령한 복으로 채워 주심을 감사드립니다. 우리가 신령과 진정으로 주님을 경배 하고 찬양하는 가족이 되도록 인도해 주옵소서.

예수님의 이름으로 기도합니다. 아멘.

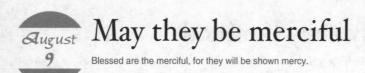

# August 9

# May they be merciful

Blessed are the merciful, for they will be shown mercy.                    Matthew 5:7

God of love, our family is so joyful in the Lord. Thank you for always being with us and providing for all of our needs. We have eternal joy because you are our true Shepherd. We are joyful because you have granted us these beautiful children. But more than anything else, we thank you for showing us your mercy in granting us eternal salvation and for having fellowship with us. Lord, help our family to show mercy to our neighbors just as God has shown mercy to us. We thank you that we may experience the blessings of the merciful.

God of mercy, grant our children true gratitude for your forgiveness and loving-kindness. We know that we are unable to show mercy on our own unless we have been shown mercy. Therefore, Lord, may our children truly experience the mercy of God so they may be merciful to others.

We pray in Jesus' name, Amen.

## 긍휼히 여기는 자가 되게 하소서

사랑의 하나님, 우리 온 가족이 주님으로 인해 행복합니다. 주님께서 언제나 함께하시며 주님의 풍성함으로 채워 주시고 공급해 주심을 감사드립니다. 우리는 목자 되신 당신으로 인해 영원히 행복합니다. 또한 귀한 자녀를 우리 가정에 허락하시고 함께 즐거움과 기쁨을 나누게 하시니 더욱 행복합니다. 무엇보다도 주님께서 우리를 긍휼히 여겨 주셔서 구원을 받게 하시고, 주님 품안에서 살게 하시는 은혜에 더욱 감사를 드립니다. 주님이 우리에게 베푸신 긍휼을 우리 자녀들이 이웃에게도 베풀게 하시며 긍휼히 여기는 자들이 받는 축복을 누리게 해주옵소서.

자비의 하나님, 주님이 우리에게 베푸신 긍휼, 용서함을 체험하는 우리 자녀들이 되게 하시며 그 용서의 감격으로 다른 이들에게 자비를 베푸는 자녀들이 되도록 축복해 주옵소서. 먼저 주님을 만나고 용서 받은 감격이 있을 때에 다른 사람에게도 이 긍휼을 베풀 수 있는 줄을 아오니 우리 자녀에게 먼저 주님을 만나는 감격이 있도록 인도해 주옵소서. 여름 내내 건강을 지켜 주시고 안전으로 인도해 주옵소서.

감사드리며 예수님의 이름으로 기도합니다. 아멘.

# May they receive mercy

Blessed are the merciful, for they will be shown mercy.                    Matthew 5:7

Lord, thank you for lavishing upon us your mercy and loving-kindness. Thank you for giving us our daily bread and for keeping us from temptation in this world of darkness. Forgive us today if we have disobeyed your word. Be merciful to us because sometimes we are weak in obeying to your word.

Grant our children merciful hearts so they may also receive mercy. We know that your work of salvation takes place where mercy is found. May your mercy and loving-kindness abide in our children, and may they know eternal salvation.

Thank you for giving us rest this evening. Lord, watch over our children tonight, and give them peaceful rest for the coming new day.

We pray in Jesus' name, Amen.

 **긍휼히 여김을 받게 하소서**

우리를 불쌍히 여기시며 무한한 은총을 베풀어 주시는 하나님, 오늘도 주님의 긍휼과 자비로 살게 하심을 감사드립니다. 일용할 양식을 주시고 시험에 들지 않도록 지켜 주심을, 어둠의 세력으로부터 보호해 주심을 감사드립니다. 오늘도 주님의 말씀에 순종하지 않은 것이 있었다면 용서해 주옵소서. 하나님의 말씀에 순종하고 싶어도 하지 못하는 연약한 우리에게 자비를 베풀어 주옵소서.

우리 자녀들이 긍휼을 베푸는 자가 되어서 긍휼히 여김을 받는 복을 누리도록 인도해 주옵소서. 주님의 긍휼과 자비가 머무는 곳에 영원한 구원의 역사가 일어나는 것을 믿습니다. 무엇보다도 주님의 긍휼과 자비가 우리 자녀들에게 영원히 임하게 도와주시며 그러한 긍휼로 인해 영원한 구원이 임하게 도와주옵소서.

우리 자녀들이 쉴 수 있는 밤을 주시고 건강하게 하루를 마치게 하심을 감사드립니다. 오늘 이 밤도 우리 자녀들을 지켜 주셔서 평안히 쉬게 하시고 새로운 날에, 새로운 건강으로 생활하도록 인도해 주옵소서.

예수님의 이름으로 기도합니다. 아멘.

# August 11

# Grant them a pure heart

Lord, you forgive us for all of our sins. We desire to see you with a pure heart. We see so many sins near us. It is difficult to find people who are truly pure in heart. But Lord, if you cleanse us and purify us, we know that we can live a pure life that is pleasing to God. Lord, take away our sins and remember them not, so we can see God with a pure heart.

Lord, you look at our hearts. Cleanse us, O Lord. Cleanse us from our decayed consciences and sinful thoughts. We cannot hide our sins from you because you know our hearts. Lord, cleanse us of our sinful thoughts and desires so we may be purified. We want to receive the blessings of the pure in heart. Grant our children pure hearts, even from a young age, so that they too may see God.

We pray in the holy name of Jesus, Amen.

 ## 마음이 청결하게 하소서

우리의 모든 악한 죄를 용서해 주시는 주님, 깨끗한 마음을 가지고 주님을 보기를 원합니다. 우리는 우리 주위에서 너무나 악한 죄를 범하는 모습들을 많이 보게 됩니다. 그래서 청결한 마음을 가진 자를 찾기가 어렵습니다. 그러나 주님이 도와주시고 청결하다고 여겨 주시면 우리의 마음과 생각이 청결하여져서 주님이 기뻐하시는 삶을 살게 될 줄을 믿습니다. 부디 우리의 죄악을 도말(塗抹)해 주시고 기억치 말아 주셔서 마음이 청결한 자가 되도록 도와주옵소서. 그래서 주님을 청결한 마음으로 볼 수 있도록 인도해 주옵소서.

우리의 중심을 보시는 주님, 우리의 마음을 깨끗하게 청소해 주옵소서. 부패된 양심도 깨끗하게 청소해 주시고 더러운 생각도 깨끗하게 청소해 주옵소서. 주님은 우리의 중심을 보시기 때문에 주님 앞에서 드러나지 않을 죄악이 없는 줄을 믿습니다. 더러운 생각과 마음까지도 주님께서 청결하게 씻어 주셔서 청결한 자들이 받는 복을 영원히 누릴 수 있도록 인도해 주옵소서. 특별히 우리 자녀들이 어려서부터 청결한 마음을 가지고 주님을 볼 수 있는 자녀들이 되도록 인도해 주시고 청결한 마음의 복을 허락해 주옵소서.

거룩하신 예수님의 이름으로 기도합니다. 아멘.

# May we see God

Blessed are the pure in heart, for they will see God.

Matthew 5:8

Holy God, thank you for calling us to pray and to praise you. Forgive us for our sinful thoughts and hearts with the cleansing blood of Jesus. Lord, forgive us for not having spoken up when we saw injustice in the world. Help us to be useful to our family, church, and society. We also pray for our nation. May all the people come to the word of God and be cleansed of their sins. May our nation be used by God as an instrument of mission and evangelism.

God of love, we don't always see things the same way, depending upon the condition of our hearts. Those who are pure, see things that are pure. Grant our children pure hearts so they may see the eternal God. Cleanse them from sin that blinds them from seeing the holiness of God. Grant them the eternal blessing of seeing God.

We pray in Jesus' name, Amen.

## 하나님을 보게 하소서

거룩하신 하나님, 우리를 다시 주님 앞으로 나와 기도하게 하시고 찬양하게 하심을 감사드립니다. 마음과 생각이 더러운 우리 가족들을 용서해 주시고 주님의 거룩한 보혈로 깨끗하게 씻어 주옵소서. 세상의 불의한 것을 보고도 아무 말도 못하는 우리들을 용서해 주시고 성결한 가정과 교회, 사회를 위해 일하게 도와주옵소서. 또한 우리나라를 위해 기도합니다. 온 백성이 주님의 말씀 앞으로 나아오게 하시며 더럽고 음란한 생활로부터 주님 앞으로 나아올 수 있도록 도와주옵소서. 그래서 세계를 선교하는 귀한 도구로 쓰임 받는 나라가 되도록 인도해 주옵소서.

우리를 사랑해 주시는 주님, 우리의 마음 상태에 따라 보는 것이 달라지는 것을 믿습니다. 마음이 순진한 사람들은 순진한 것을 보게 되고 마음이 청결한 자는 청결한 것을 보게 될 줄 믿습니다. 사랑하는 우리 자녀들에게 청결한 마음을 주시고 "영원하신 하나님"을 볼 수 있는 자들이 되게 하옵소서. 주님을 보지 못하도록 하는 죄악을 깨끗하게 씻어 주시고 거룩하신 주님을 볼 수 있도록 인도해 주옵소서. 하나님을 보는 축복이 우리 자녀에게 영원히 임하도록 축복해 주옵소서.

예수님의 이름으로 기도합니다. 아멘.

**277**

# Make them peacemakers

August
13

Blessed are the peacemakers, for they will be called sons of God.                    Matthew 5:9

We give you glory, living Lord, for you are the Lord of history and the Lord of abounding love. We long to follow you. We want to become like you, because you are the true peacemaker. Use us to turn the conflicts of this world into God's peace. We want to receive peace from God, peace that the world cannot give.

Thank you for giving us the mission to spread the gospel of peace. May peace also abound in our daily lives.

Lord, may our children be used as peacemakers who are pure in heart. May they experience a true shalom relationship with God. May they be peacemakers in their schools and also in their society. May they be delegates of peace wherever they go. May the eternal blessing of peacemaking be with our children.

We pray in Jesus' name, Amen.

---

 **화평케 하는 자가 되게 하소서**

살아 계셔서 역사를 주관하시고 우리의 삶을 풍요한 곳으로 인도하시는 주님께 영광을 돌려 드립니다. 우리들은 주님을 닮기 원합니다. 화평케 하시는 주님을 닮기 원합니다. 이 땅에 만연한 모든 죄악을 평화로 바꿀 수 있게 도와주옵소서. "세상이 주지 못하는 평화"를 주님으로부터 받기 원합니다.

화평케 하시고 화목의 복음을 허락하신 주님, 우리에게 화목케 하는 사역을 맡겨 주시고 어디에서든지 주님의 화평을 전하게 하심을 감사합니다. 우리의 생활을 통해 화목하게 하는 역사가 일어나도록 인도해 주옵소서.

우리 자녀들에게 어디에서든지 온유한 마음으로 화평케 하는 귀한 일들을 감당할 수 있는 능력을 주시고, 그러기 위해 먼저 주님과 살롬의 관계를 가질 수 있도록 인도해 주옵소서. 학교에서도 화평케 하는 자가 되게 하시고, 이 다음에 사회에 나가서도 우리 자녀들이 가는 곳마다 평화의 사절단이 되도록 도와주옵소서. 화평케 하는 자의 축복이 우리 자녀들에게 영원히 임하도록 도와주옵소서.

예수님의 이름으로 기도합니다. 아멘.

# August 14

# May they be called the sons of God

Blessed are the peacemakers, for they will be called sons of God.

Matthew 5:9

God of mercy and grace, forgive the world for forsaking your peace despite the fact that you gave us this precious gift. Help us to become peacemakers. Give us wisdom to spread God's peace, starting from the smallest places. May we experience the peace of God that flows like a river. We pray for our nation and also for the world. We pray for people who are suffering because of war and starvation.

God of peace, help our children to be peacemakers so they may be called the sons of God. The world rewards peacemakers with the "Nobel Peace Prize"; but Lord, we value being called the sons of God even more. May our children also be called the sons of God. Lord, help us to make peace with our brothers and sisters when if we are fighting. If we have discord with some of the people at our church, help us to become one in the Lord.

We pray in Jesus' name, Amen.

## 하나님의 아들이라 불리게 하소서

자비하시고 은혜로우신 하나님, 주님께서 우리에게 귀한 평화를 주셨음에도 불구하고 온 세계가 평화를 잃어 버린 것을 용서해 주옵소서. 우리들이 이 화목케 하는 일을 할 수 있도록 도와주시고, 가장 작은 곳부터 이러한 일을 시작할 수 있는 지혜를 허락해 주옵소서. 그래서 주님의 크신 평화가 강같이 흐르는 역사가 이루어지도록 인도해 주옵소서. 우리의 조국을 위해 기도합니다. 남한과 북한이 한마음으로 하나가 될 수 있도록 도와주시며 흩어진 가족들이 만나는 기쁨도 허락해 주옵소서. 또한 세계 곳곳에서 전쟁과 기아로 고생하는 난민들도 도와주옵소서.

평화의 하나님, 화평케 하는 자에게 하나님의 아들이라 불리우는 축복과 기업을 주신다고 하셨사오니 그 복이 우리 자녀들에게 임하도록 도와주옵소서. 세상에서는 노벨 평화상을 받지만 보다 더 귀한 "하나님의 아들"이라 일컬음을 받는 복이 우리 자녀들에게 임하도록 축복해 주옵소서. 형제와 불화한 것이 있으면 먼저 화해하고 예물을 주님 앞에 들고 나오게 하시며, 가정에서나 교회에서도 불화한 일이 있으면 주님의 마음으로 하나 되도록 인도해 주옵소서. 또한 우리 자녀들이 자신에 대해 있는 그대로 받아들이는 역사가 일어나게 하시며 자신의 자존감도 회복할 수 있도록 도와주옵소서. 예수님의 이름으로 기도합니다. 아멘.

# August 15

# May we be persecuted for righteousness

Blessed are those who are persecuted because of righteousness, for theirs is the kingdom of heaven.
Matthew 5:10

God of justice, we live in a time of much depravity and sin. Help us to proclaim your word, even in the midst of injustice. May this world become beautiful in your sight as justice flows like a river. Forgive us for the times when we are so wicked that even young children easily fall into sin. Forgive us for being poor examples to our children.

Persecution is only inevitable for the Christian who lives righteously before God. Many of us Christians have never experienced persecution, because we live like the world. Lord, forgive us for compromising. Help our children to live Christian lives so they know the persecution that comes from living righteously. Help them to be glad that they are being persecuted in the name of Jesus. May the blessings of the persecuted abide with our children. Help them to confirm their love for God when they experience persecution.

We pray in Jesus' name, Amen.

### 의를 위해 핍박 받게 하소서

정의와 사랑의 하나님, 우리가 사는 세대가 너무 부패하고 죄악이 넘치는 것을 용서해 주옵소서. 불의에 대해 주님의 말씀을 바르게 외칠 수 있는 용기를 우리에게 주옵소서. 그럼으로써 이 세계가 주님이 보시기에 아름다운 세계가 되도록 인도하시고, 공의(公義)가 강같이 흐르는 세계가 되도록 인도해 주옵소서. 무엇보다도 어린아이들까지 죄악에 쉽게 빠지는 시대가 된 것을 용서해 주옵소서. 어린아이들에게 이러한 모습을 보이고 있는 어른들의 죄악도 용서해 주옵소서.

무릇 다르게 살고자 하면, 경건하게 살고자 하면 핍박을 받는다고 하였는데 그리스도인들이 핍박을 받지 않는 시대가 온 것을 용서해 주옵소서. 세상 사람들과 똑같이 살고 있는 우리들을 용서해 주옵소서. 우리 자녀들이 그리스도인답게 살 수 있도록 도와주시고, "다르게 살고자 함으로" 핍박을 받을 수 있도록 도와주옵소서. 특히 주님을 위해 핍박을 받는 영광을 누리게 하시어 그리스도를 위해 핍박을 받는 자들에게 주시는 축복이 우리 자녀들에게 임할 수 있도록 인도해 주옵소서. 우리의 구원을 위해 우리보다 먼저 핍박과 고난을 받으신 주님으로 인해 감사를 드립니다. 이러한 고난과 핍박을 통해 주님에 대한 사랑을 확증하는 자녀들이 되도록 인도해 주옵소서. 예수님의 이름으로 기도합니다. 아멘.

# May theirs be the kingdom of heaven

Blessed are those who are persecuted because of righteousness, for theirs is the kingdom of heaven.

Matthew 5:10

Lord, you have suffered and died for us so we may receive eternal salvation. May our children experience the persecution that comes from living for Jesus. Grant them the courage to face the persecution that comes from righteousness and following Jesus. Guard them from the momentary pleasures of this world, so they may receive the blessings of inheriting the kingdom of heaven.

You said, "Blessed are those who are persecuted because of righteousness, for theirs is the kingdom of heaven." We believe that there is great comfort and consolation in heaven. We know that Jesus will acknowledge us as his own in front of the Father and the angels. We also know that we will receive the crown of life in heaven. Grant our children the blessings of heaven, and guide them to yearn for the eternal blessings of God. Help them to become like the Apostle Paul and Daniel, who rejoiced in their suffering for the Lord. Guide them to walk righteously before you and grant them their daily bread.

We pray in Jesus' name, Amen.

 천국의 기업을 받게 하소서

우리를 위해 고난을 받으시고 구원의 길을 열어 주신 주 하나님, 우리 자녀들도 당신을 위해 고난 받을 수 있도록 하옵소서. 의를 위해 핍박을 받게 하시고, 그리스도를 따라가는 경건한 그리스도인들이 되도록 도와주옵소서. 세상에서 주는 현세적이고 찰나적인 쾌락에 매이지 않게 하시고 영원한 천국을 기업으로 얻는 우리의 자녀들이 되도록 축복해 주옵소서.

의를 위해 핍박을 받은 자는 천국이 저희 것이라고 하셨습니다. 그 천국은 놀라운 위로가 있는 천국일 것을 믿습니다. 주님께서 아버지와 천사들 앞에서 우리를 인정해 주시는 천국이 될 것을 믿습니다. 또한 생명의 면류관이 기다리는 천국인 것도 믿습니다. 이러한 천국의 기업이 우리 자녀들의 것이 되도록 인도하시고 그 신령한 복을 사모하는 자녀들이 되도록 인도해 주옵소서. 핍박을 받으면서도 즐거워했던 사도 바울과 같이, 또한 다니엘과 세 친구들같이 우리 자녀들이 어디에서나 주님을 인정하고 주님을 위해 바른 길을 걷는 자녀들이 되도록 축복해 주옵소서. 그러한 삶을 살 수 있도록 먼저 주님의 양식으로 배부르게 먹는 자녀들이 되도록 인도해 주옵소서. 예수님의 이름으로 기도합니다. 아멘.

# Salt of the earth

You are the salt of the earth. But if the salt loses its saltiness, how can it be made salty again? It is no longer good for anything, except to be thrown out and trampled by men.          Matthew 5:13

Lord, thank you for teaching us the meaning of sacrifice and for sacrificing your own life to give us salvation. Thank you that we are able to bring up our children in the knowledge of the Lord.

Lord, you have called us to be the salt of the earth. Help our children to become the salt of the earth that prevents the moral decay of the world. May they become sacrificial salt for the kingdom of God.

Lord, our children live in a century where there is so much decay and corruption in politics, economy, education, and religion. Help them to become your salt in this corrupt world, and may purity and integrity set them apart wherever they go. Give them courage and faith to carry out their mission as the salt of the earth.

We pray in Jesus' name, Amen.

### 세상의 소금이 되게 하소서

우리에게 희생을 가르쳐 주신 주님, 주님의 희생으로 인해 우리 온 가족이 구원을 받고 하나님을 경배하고 찬양하게 하심을 감사드립니다. 저희 자녀들도 어려서부터 주님의 말씀으로 양육 받게 하시고 주님의 품안에서 자라나게 하심을 감사드립니다.

세상의 소금이 되라 하신 주님, 우리 자녀들이 이 세상의 부패를 막을 수 있는 소금의 사명을 감당하게 하시고 주님의 나라를 위해 희생의 소금이 될 수 있도록 인도해 주옵소서. 이기적인 생활을 하면서 욕심을 갖고 살지 않게 하시고 주님을 위해 자신을 희생하여 맛을 내는 소금의 역할을 감당할 수 있도록 도와주옵소서.

21세기를 살아가는 우리 자녀들은 점점 부패해 가는 정치와 경제, 교육, 종교에 직면하고 있습니다. 더욱 큰 소금의 역할을 감당하게 하시고 어디든지 우리 자녀들이 가는 곳에 정직하고 깨끗한 삶이 나타나도록 축복해 주옵소서. 소금의 사명이 필요한 어느 곳이든지 우리 자녀들이 이 사명을 피하지 아니하게 하시고 감당할 수 있는 용기와 믿음을 허락해 주옵소서.

예수님의 이름으로 기도합니다. 아멘.

# Light of the world

You are the light of the world. A city on a hill cannot be hidden.

Matthew 5:14

O God of love, despite the summer heat, thank you for watching over us and for sending us the wind of the Holy Spirit to guide us in all our ways. Lord, help our children to use the summer break to grow in their relationship with you.

Lord, you came as the light. Thank you for granting us the privilege of living in your light: in body, mind, and spirit. Thank you for saving our family from the darkness of sin and for bringing us out into the light. Help us to live as the children of light who never will return to becoming slaves of darkness.

Lord, you called us to be the light of the world. Forgive us for the times we did not fulfill this at mission. Help our children to fulfill their mission in being the light of the world wherever they go, and let no darkness prevail over their light. Lord, may their light chase away the darkness and give hope and strength to those who are suffering in this darkness.

We pray in the name of Jesus, who is the Light. Amen.

## 세상의 빛이 되게 하소서

사랑의 하나님, 오늘도 더운 날씨였지만 주님께서 우리 모두를 지켜 주시고 성령의 바람으로 인도해 주심을 감사드립니다. 우리 자녀들의 건강을 지켜 주시고 여름방학 동안 더욱 주님과 가까워지는 경건의 생활을 할 수 있도록 힘을 허락해 주옵소서.

빛으로 오신 주님, 우리가 육신적으로, 영적으로 빛 가운데 살게 하시고 건강 주심을 감사드립니다. 또한 어둠 속에서 죄와 더불어 살던 우리 가족을 구원해 주시고 빛 가운데로 인도해 주시니 감사를 드립니다. 우리가 빛의 자녀로서 합당한 삶을 살게 하시고 다시는 어두움의 종이 되지 않도록 인도해 주옵소서.

우리를 세상의 빛이라고 말씀하신 주님, 지금까지 이 빛의 사명을 감당하지 못하고 우리도 어두움 속을 걸어 다닌 것을 용서해 주옵소서. 우리 자녀들이 어디에서나 빛의 사명을 감당하게 하시고 어디에 가든지 어둠이 숨기지 못하는 역사가 일어나게 도와주옵소서. 우리 자녀들이 가는 곳마다 어두움이 물러가는 역사가 일어나게 하시며 우리 자녀들이 가는 곳마다 어두움 속에서 고통받는 이웃들에게 소망이 되고 힘이 될 수 있도록 도와주옵소서.

우리의 빛이신 예수님의 이름으로 기도합니다. 아멘.

# Reflecting God's glory

**August 19**

In the same way, let your light shine before men, that they may see your good deeds and praise your Father in heaven.

Matthew 5:16

Lord, we love you and worship you, for you came as the light and chased away the darkness. Thank you for providing us with all of our needs and for having given us a place to live in the universe. Help our children to learn more about nature this summer, and to learn that it is all the handiwork of God. Thank you for watching over us today.

Lord, you have led us into the light, and now we have become the light of the world that will shine before others. Let our children's light shine before people, so their good deeds may move others to praise our God in heaven. Help them to always abide in the light of Jesus and never to stray from that light. Lord, guard them from the company of those who live in darkness, so they may live a life of loving the Lord and giving God all the glory.

We pray in Jesus' name, Amen.

## 하나님께 영광 돌리게 하소서

빛으로 오셔서 어두움을 물러가게 하신 주님, 먼저 하나님을 사랑하며 경배를 드립니다. 또한 주님으로 인해 감사를 드립니다. 우리의 필요한 모든 것이 주님으로부터 왔으며 우리가 살고 있는 이 우주 만물이 주님으로부터 온 것을 감사드립니다. 우리 자녀들이 여름방학동안 자연과 가까워지게 하시며 이 자연이 하나님의 작품인 것을 알게 하옵소서. 오늘 하루도 주님이 지켜 주시고 공급해 주신 것을 감사드립니다.

우리 자녀들을 빛 가운데로 인도해 주시는 주님, 이제는 우리가 빛이 되어 사람 앞에 비칠 때가 되었습니다. 우리 자녀들의 착한 행실을 보고 사람들이 "주님을 기억하게 하시며", 우리 자녀들의 착한 행실을 보고 사람들이 "하나님께 영광을 돌리는" 역사가 일어나도록 축복해 주옵소서. 그러기 위해 우리 자녀들이 언제나 빛 가운데 걸어가는 생활을 하게 하시며 주님께서 인도하시는 그 길을 떠나지 않도록 축복해 주옵소서. 주님을 믿는다고 하면서 어두움의 일을 좋아하지 않게 하시며 어두움에 속한 자들과 함께 기뻐하지 않도록 자녀들의 생활을 지켜 주옵소서. 언제나 주님을 사랑하고 주님이 기뻐하시는 삶을 살게 하시며 그러한 행실로 인해 하나님께 영광이 돌려지도록 축복해 주옵소서. 예수님의 이름으로 기도합니다. 아멘.

# Keep them from rage

**August 20**

But I tell you that anyone who is angry with his brother will be subject to judgment. Again, anyone who says to his brother, 'Raca,' is answerable to the Sanhedrin. But anyone who says, 'You fool!' will be in danger of the fire of hell.
Matthew 5:22

Lord, thank you for giving us precious brothers and sisters. Although we claim to love our brothers and sisters, forgive us for the times we were rude to them and hurt their feelings. Lord, teach us today about the judgment of those who rage against their brother. Keep our children from rage against their siblings.

Help them to love their brothers and sisters as themselves. Lord, teach them to help one another, and to bear one another's burdens. Thank you for giving us this family and for our brothers and sisters with whom we live and share our meals. Thank you for giving us each other to share our sorrows and our joys. Sometimes we tend to be generous and kind to our neighbors more than our brothers and sisters. Help us to love both our neighbors and our brothers and sisters.

We pray in Jesus' name, Amen.

---

### 형제에게 노하지 않게 하소서

우리들에게 귀한 형제를 주신 주님, 우리가 잘 믿는다고 하면서도 형제들에게 무례하게 대하고 형제들의 아픔을 무시하며 산 것을 용서해 주옵소서. 오늘 주님은 형제에게 노하는 자들에게 임할 심판에 대하여 말씀해 주셨습니다. 먼저 우리 자녀들이 형제들에게 노하지 않게 도와주옵소서.

형제들을 노하게 하지 않는 것은 물론, 형제를 내 몸과 같이 사랑할 수 있게 하시며 그 누구보다도 서로의 아픔과 어려움을 도울 수 있는 형제들이 되도록 도와주옵소서. 이 세상에서 형제로, 한 가족으로 만날 수 있게 하신 축복을 감사드립니다. 한 집에서 함께 먹으며 함께 자며 생활할 수 있는 형제들을 허락하심을 감사드립니다. 그래서 기쁜 순간에도, 슬픈 순간에도 서로가 위로가 되게 하심을 감사드립니다. 하나님께서 허락하신 이 형제들을 사랑할 수 있도록 도와주옵소서.

흔히 우리들은 가족 이외의 사람들에게는 친절하고 도움을 많이 주면서도, 정작 형제들에게는 아주 냉정한 경우가 많이 있습니다. 우선 형제들에게 친절하고 다정할 수 있도록 도와주시며 형제를 노하게 하는 일이 없도록 우리의 겉 사람을 다스려 주옵소서. 예수님의 이름으로 기도합니다. 아멘.

**285**

# Keep us from careless oaths

But I tell you, Do not swear at all: either by heaven, for it is God's throne; or by the earth, for it is his footstool; or by Jerusalem, for it is the city of the Great King.　　　Matthew 5:34-35

God of Truth, bless our family that they may abide in your truth, and may the spirit of truth abide in us. Help our children to be armored with God's truth, even from their young age, so that even if the power of darkness attacks them, they may prevail with the belt of truth. Lord, grant them to be able to discern spiritual things so they may know what is from God and what is from Satan.

Lord, you hate lies, so keep our children from swearing or making oaths. We as humans are unable to guarantee anything, so guard us from making oaths. We do not even know what will happen in just one day, so help us to be humble and never swear to anything. Lord, keep our children from diminishing God's glory by making careless oaths. Let their yes's be yes and their no's be no. Help them to live with integrity. Anoint them so the power of darkness may not come near them.

We pray in the name of Jesus who saved us from Satan's power. Amen.

### 헛된 맹세를 하지 않게 하소서

진리의 하나님, 우리 온 가족이 주님의 진리 안에 거하게 하시며 진리의 영이 임재하도록 축복해 주옵소서. 그래서 우리 자녀들이 어려서부터 진리로 무장하게 하시며 어둠의 세력이 공격해 오더라도 진리의 허리띠를 매고 승리하도록 도와주옵소서. 영 분별함의 은사를 허락해 주셔서 하나님과 거짓 영들을 분별하도록 인도해 주옵소서.

거짓말을 싫어하시는 주님, 우리 자녀들이 어느 것으로도 맹세하지 않게 도와주옵소서. 우리 인간이 장담할 수 있는 일은 아무것도 없음을 깨닫게 하시고 도무지 맹세하지 않게 도와주옵소서. 하루 뒤의 일도 알 수 없는 연약한 우리들이 함부로 맹세하지 않게 하시고 겸손하게 하옵소서. 우리 자녀들이 잘못 맹세함으로 하나님의 영광을 가리우지 않게 하시며 경솔하게 맹세함으로 거짓말하는 자가 되지 않도록 축복해 주옵소서. 오늘 하루의 근심으로 족하다고 하신 주님, 우리 자녀들이 오늘 "예" 할 것은 "예" 하고, "아니오" 할 것은 "아니오" 할 수 있도록 도와주셔서 말과 행동이 성실하게 일치하도록 하옵소서. 그럼으로써 어둠의 세력이 틈타고 들어오지 못하도록 기름 부어 주실 줄을 믿습니다.

우리를 사탄으로부터 구출해 주신 예수님의 이름으로 기도합니다. 아멘.

# Help them to go the extra mile

**August 22**

If someone forces you to go one mile, go with him two miles. Give to the one who asks you, and do not turn away from the one who wants to borrow from you.

Matthew 5:41-42

Lord, you dwell among us with faithfulness and mercy. Thank you that we can dwell in the house of the Lord eternally. We praise you, for you have kept all of your promises and you do not lie. Lord, bless our children to praise and glorify you. Help them to understand that they were created to worship God. Guide them to run to the throne of grace where the living water always flows. There they can meet with God.

You have commanded us to go the extra mile for others. Although we speak about doing many good things, forgive us for the times we did not fulfill them through our actions. Lord, help us to go the extra mile for others and to generously help them. Lead us to lend with generosity to our neighbors who come to borrow. Help us to realize that we came to the earth with empty hands, and we are only pilgrims here on earth. Lord, may your commands come to life in the lives of our children.

We pray in Jesus' name, Amen.

### 십 리를 동행하게 하소서

성실과 인자로 우리와 함께하시는 주님, 주님의 성실하심과 인자하심으로 인해 우리가 영원히 주님의 집에서 거하게 하심을 감사드립니다. 약속하신 것은 언제나 이루어주시고 한 번도 거짓을 말하지 않으신 주님을 우리가 찬양합니다. 우리 자녀들도 영원히 주님을 찬양하고 경배하는 자녀들이 되도록 인도하시며 예배드리기 위해 태어난 존재임을 깨닫도록 축복해 주옵소서. 그래서 언제나 생수가 흘러 넘치는 보좌 앞으로 뛰어나가 주님을 만날 수 있는 자녀들이 되기를 원합니다. 인도해 주옵소서.

오 리(五里)를 가지고 할 때 십 리(十里)를 동행하라고 명령하신 주님, 우리들은 입으로는 모든 것을 할 수 있다고 고백하면서도 실제로는 행동으로 옮기지 못하는 것을 용서해 주옵소서. 누가 오 리를 가지고 할 때 십 리를 동행하게 하시며, 더욱더 풍성하게 이웃에게 베푸는 자가 되게 하옵소서. 또한 꾸고자 온 이웃들을 거절하고 박대하지 않게 도와주옵소서. 우리들은 한때는 다 나그네요, 빈손으로 온 자들임을 깨닫게 하옵소서. 우리 자녀들에게 이 말씀이 실재가 되게 하시며 생명으로 나타나게 도와주옵소서.

감사드리며 예수님의 이름으로 기도합니다. 아멘.

# Pray for those who persecute you

But I tell you: Love your enemies and pray for those who persecute you,          Matthew 5:44

**August 23**

Thank you Lord, for we know that you love your enemies, and you have taught our family to do likewise. Grant our children the heart of Jesus so they may also love their enemies. Lord, first of all, take away all hatred from our hearts. Keep emotional hurts from festering inside us so we may not provide a foothold for Satan.

Give us strength to pray for those who persecute us, and keep us from repaying evil with evil. Help us to repay evil with good. Lord, teach our children to pray for those who persecute them. Help us to remember that Jesus also died for our enemies and our persecutors. Help us to pray for them and remember that the Lord loves them. We are no different from unbelievers if we only love those who in turn love us.  So help us to love our enemies. We believe that this is possible with the help of the Holy Spirit.

We pray in Jesus' name, Amen.

---

 ### 핍박하는 자를 위해 기도하게 하소서

원수까지도 사랑하시는 주님, 감사를 드립니다. 주님께서 원수까지도 사랑하심으로 우리 가족도 주님의 은총 가운데 들어갈 수 있음을 감사드립니다. 우리 자녀들에게도 원수를 사랑할 수 있는 주님의 마음을 허락해 주옵소서. 우리들의 마음에서 먼저 "미움"을 제거해 주시고 이러한 감정적 상처라는 틈을 타고 마귀가 공격하지 않도록 축복해 주옵소서. 이제 어떤 악한 세력도 우리 자녀들을 만지지 못하게 하시고 건드리지도 못하도록 도와주옵소서. 이미 주님께서 전쟁에서 이기시고 승리하셨으므로 우리 자녀들이 더 이상 사탄에게 미혹 당하지 않도록 하옵소서.

우리를 핍박하는 자를 위해 기도할 수 있는 힘을 주시어 악을 악으로 갚지 말게 하시고 악을 선으로 갚을 수 있도록 도와주옵소서. 무엇보다도 우리 자녀들이 그들을 위해 기도할 수 있도록 인도해 주옵소서. 우리를 핍박하는 자, 우리의 원수들까지도 주님께서 그들을 위해 죽으신 것을 믿게 하시고, 주님이 사랑한 그들을 우리도 사랑하며 위해 기도할 수 있도록 인도해 주옵소서. 우리를 사랑해 주는 사람만을 사랑한다면 우리가 믿지 않는 사람과 무엇이 다르겠습니까? 원수까지도 사랑할 수 있게 하옵소서. 주님이 힘주시고 성령님께서 우리와 동행해 주시면 모든 일이 가능한 것을 믿습니다. 예수님의 이름으로 기도합니다. 아멘.

# Be perfect like our heavenly father

Be perfect, therefore, as your heavenly Father is perfect.

Matthew 5:48

Merciful Lord, help our children to grow and mature more each day. Help them to grow out of their childish ways. The Bible records that Jesus grew in wisdom and stature and in favor with God and men. May our children be blessed with this same growth.

Lord, only you can make us perfect. Please help our children to be wholesome in their words and actions. Help them to neither turn to the right nor the left in their walk of faith. Help them to become perfect, just as the Heavenly Father is perfect.

Lord, may our children receive discipline and training from the word of God. May they receive God's word in their hearts with humility. May their Bible studies and their prayers be in one accord. May their service and evangelism be in one accord. Lord, may their good example compel their neighbors to look to the Lord.

We pray in Jesus' name, Amen.

## 온전하게 하소서

자비와 긍휼의 하나님, 우리 자녀들이 매일 매일 성장하고 성숙해질 수 있도록 인도해 주세요. 항상 어린아이의 일을 주장하지 않게 하시고 성숙을 향해 자라날 수 있도록 도와주세요. 예수님께서 키와 지혜가 자라나며 하나님과 사람의 사랑을 받으셨듯이 우리 자녀들도 키와 지혜가 함께 자라나며 하나님의 사랑을, 이웃의 사랑을 받을 수 있도록 축복해 주세요.

온전케 하시는 주님, 무엇보다도 우리 자녀들이 말과 행실에서, 온전한 믿음생활을 하도록 인도해 주세요. 좌로나 우로나 치우치는 믿음생활이 되지 않도록 하시며 하나님께서 온전하심과 같이 우리 자녀들도 온전한 자가 될 수 있도록 인도해 주세요.

주님의 말씀 앞에서 언제나 교훈과 책망을 받을 수 있게 하시고 주님이 깨닫게 하실 때에 겸손한 마음으로 받아들이게 해주세요. 말씀과 기도생활이 조화를 이루게 하시며, 봉사와 전도가 조화를 이루게 하시고, 가정생활과 교회생활, 학교생활도 온전하게 감당하도록 인도해 주세요. 그러므로 우리 자녀들의 온전한 인격과 행실을 통해 이웃들이 주님을 바라보게 하시며, 주님을 생각하게 해주세요. 예수님의 이름으로 기도합니다. 아멘.

# May our giving be in secret

so that your giving may be in secret. Then your Father, who sees what is done in secret, will reward you.

Matthew 6:4

Only you are worthy of glory, Lord. We thank you for this time when our family can read the Bible and pray together. May our prayers reach your throne, and may they be pleasing to your will.

O Lord of the highest throne, although we are such weak creatures, for give us for the times we selfishly tried to make our selves great at the cost of belittling others. We like to be acknowledged for our own accomplishments from others. Lord, help us to change so we can become humble like you.

God of love, you have called us to help and serve our neighbors. You have called us to take care of the orphan and the widow. Give our children opportunities to secretly help those in need, for it is like lending to the Lord when we help our poor neighbors. You repay us when we give to those who cannot repay. Lord, give our children hands that help others in secret so that only our Father in Heaven may see what they are doing.

We pray in Jesus' name, Amen.

---

## 구제함이 은밀하게 하소서

홀로 영광 받으시기에 합당하신 주님, 이 저녁에 자녀들과 함께 말씀을 읽으며 기도하게 하시는 은혜에 감사 드립니다. 오늘 자녀들과 함께 드리는 기도가 주님에게 상달(上達)되게 하시며 주님이 원하시는 합당한 기도가 되도록 축복해 주옵소서.

높고 높은 보좌에 계신 주님, 우리들이 연약하고 부족한 존재임에도 불구하고 자신의 의를 주장하고 다른 사람보다 높아지려고 하는 것을 용서해 주옵소서. 우리의 공로가 나타나기를 원하고 다른 사람의 인정을 받는 것을 모두가 원하고 있습니다. 주님, 우리의 겉 사람을 처리해 주시고 주님을 닮아 겸손하게 하옵소서.

사랑의 하나님, 우리가 이웃을 섬기고 구제하고 돕기를 원하시며, 고아와 과부와 나그네를 돌보기를 원하시는 주님, 우리 자녀들이 도움이 필요한 이웃들을 은밀하게 구제하고 도울 수 있도록 축복해 주옵소서. 바로 가난한 이웃들을 돕는 것이 주님에게 꾸어 드리는 것이며, 갚을 길 없는 이웃에게 베풀 때에 주님께서 갚아 주시는 것을 믿습니다. 주님, 우리 자녀들이 이러한 경건한 덕을 세우는 자들이 되게 하시며 주님만이 보시는 구제를 하는 겸손한 손길들이 되게 하옵소서. 예수님의 이름으로 기도합니다. 아멘.

# May our prayers be in secret

But when you pray, go into your room, close the door and pray to your Father, who is unseen. Then your Father, who sees what is done in secret, will reward you.

Matthew 6:6

L ord, thank you for teaching us how to pray. Help our children to be trained in prayer so they may not simply babble, but pray according to God's will. Satan always tries to steal prayer away from our family so we become powerless. Lord, help us to hold onto the powerful weapon of prayer.

Lord, you are pleased when we go into our prayer closets to pray in secret. May our children know the blessings of praying. Keep them from praying only when others may see them. Help them to grow and mature in their prayer life so they may pray according to God's will.

Lord, you are pleased with our prayers. When our children pray, help them to truly know that they are going to their Father, who hears them pray in secret. Help them to experience a true personal relationship with God through personal prayer.

We pray in Jesus' name, Amen.

### 은밀히 기도하게 하소서

우리에게 기도를 가르쳐 주신 주님, 우리 자녀들로 하여금 마땅히 기도하는 훈련이 어려서부터 될 수 있도록 인도해 주시고, 그 기도가 중언부언(重言復言)하는 기도가 아니라 주님의 뜻대로 구하는 기도가 되도록 축복해 주옵소서. 사탄은 우리 가족으로부터 기도를 빼앗아가고 그렇게 함으로 무력한 가정으로 만들려고 합니다. 무엇보다도 이 기도의 무기를 빼앗기지 않도록 보호해 주옵소서.

골방에 들어가 은밀하게 기도하는 것을 기뻐하시는 주님, 우리 자녀들에게도 이러한 경건한 축복이 임하게 도와주시고, 누구에게 드러나기 위해 기도하는 자가 되지 않도록 인도해 주옵소서. 자녀들의 기도가 언제나 주님 앞에서 온전한 기도가 되게 하시고, 하나님이 보시기에 합당하도록 날마다 성숙한 기도로 자라나게 하옵소서.

우리의 기도를 듣기를 즐거워하시는 하나님 아버지, 우리 자녀들이 주님 앞에 기도로 나아갈 때에 "아버지"께로 나아가는 마음으로 나아가게 하시고, 기도하는 것마다 "아버지" 되시는 주님께서 은밀하게 듣고 계심을 믿게 하옵소서. 그래서 온전히 주님과 친밀한 교통을 나누는 자녀들로 성장시켜 주옵소서. 예수님의 이름으로 기도합니다. 아멘.

# August 27

# May their fasting be in secret

But when you fast, put oil on your head and wash your face, so that it will not be obvious to men that you are fasting, but only to your Father, who is unseen; and your Father, who sees what is done in secret, will reward you.

Matthew 6:17-18

Lord, you are pleased with our secret prayers. Our children are not yet mature in their prayer life. They don't know how to pray according to your will. But Lord, we pray for your guidance and training to help them to experience a deep and life- giving prayer life.

Lord, our children do not yet know the meaning of fasting and prayer. Help them to know when it is time for them to fast and pray. Keep them from boasting about their fast, and keep them from doing this just to somehow get their own way. Help them to fast and pray with humility. May their prayers of fasting be known only to God. May they go before you with fasting and prayer with sincerity. Help them to have a life of prayer and a family of prayer.

We pray in Jesus' name, Amen.

## 은밀히 금식하게 하소서

골방 기도를 기뻐 받으시는 주님, 우리 자녀들은 아직 기도의 훈련이 잘 되어 있지 않습니다. 그래서 하나님께서 기뻐하시는 기도를 드리고 있지 못합니다. 그러나 주님께서 날마다 훈련을 통해 깊은 기도, 생명이 있는 기도를 드릴 수 있도록 인도해 주실 것을 믿습니다.

또한 금식 기도도 우리 자녀들은 어떻게 하는 것인지 잘 알지 못합니다. 우리 자녀들이 하나님이 원하실 때에 금식할 수 있도록 도와주시고 자신의 영혼을 괴롭히는 자들이 되도록 축복해 주옵소서. 그렇게 금식기도 할 때에 자랑하려는 마음으로 하지 않게 하시며, 자기의 뜻을 이루기 위해 하지 않게 하시며, 온전히 주님 앞에서 겸손한 존재로 서기 위해 하는 금식이 되게 도와주옵소서. 또한 그 금식기도를 주님만이 받으시고, 주님만이 아시는 기도가 되게 하시며, 은밀한 중에 금식기도를 할 수 있도록 축복해 주옵소서. 금식할 때에 더욱 단정하고 깨끗하게 주님 앞에서 하게 하시며, 온전한 몸과 마음으로 주님 앞으로 나아가 교통할 수 있도록 인도해 주옵소서. 그래서 기도하는 자녀, 기도하는 가정, 기도하는 성도가 될 수 있도록 축복해 주옵소서.

예수님의 이름으로 기도합니다. 아멘.

# May they store up treasures in heaven

But store up for yourselves treasures in heaven, where moth and rust do not destroy, and where thieves do not break in and steal.

Matthew 6:20

Lord, you always know what we need, and you provide for us. Thank you for giving us life this day. Thank you for leading us to understand things which we don't yet know. Lord, you have provided material goods and health for our family. Help us to know that these things do not really belong to us. Help us to understand that we are not the owners but the stewards of God's blessings. Help us to be stewards of integrity and honesty.

Lord, you watch over our treasures. May these treasures be eternally safe in heaven, for in that place no thief can go and steal. Help us to sow our resources in heaven for the advancement of the Kingdom of God. Lord, keep us from arrogance when we are entrusted with abundant riches. Keep us from stealing from God. Guide us to set aside what God requires of us. Guard us from loving riches more than we love God. Lord, help us to give to you without hesitation when it is needed for your work. Keep us from the temptations that come from riches.

We pray in Jesus' name, with thanksgiving. Amen.

### 보물을 하늘에 쌓게 하소서

우리의 필요를 아시고 언제나 공급해 주시는 주님, 오늘 하루도 주님께서 주신 생명으로 온 가족이 건강하게 지내게 하심을 감사드립니다. 우리가 미처 깨닫지 못하는 부분까지 주님께서 인도하시고 지켜 주신 것을 감사 드립니다. 우리 가정에 필요한 물질과 건강을 주시는 주님, 그 물질이 우리의 것이 아님을 알게 하옵소서. 우리는 단지 주님의 재산을 관리하는 청지기임을 깨닫게 하시고 성실한 청지기의 사명을 감당하게 하옵소서.

우리의 물질을 지켜 주시는 주님, 이 물질이 영원히 보관되는 하늘에 쌓을 수 있도록 인도해 주옵소서. 그곳에서 도적질 당하지 않고 안전하게 저축될 수 있도록 하시며 하늘에 심는 물질이 하나님 나라의 확장을 위해 사용될 수 있도록 축복해 주옵소서. 또한 풍성한 물질로 인해 교만해지지 않게 하시며 하나님의 것을 도적질하지 않도록 도와주옵소서. 언제나 하나님의 것을 하나님께 구별해 드릴 수 있도록 하시어 썩어질 보물들을 주님보다 더 사랑하지 않도록 도와주옵소서.

주님이 쓰시겠다 하시면 언제나 순종하고 주님을 위해 사용되는 물질이 되도록 축복해 주옵소서. 물질로 인해 시험에 들지 않도록 인도해 주옵소서. 감사드리며 예수님의 이름으로 기도합니다. 아멘.

**293**

# Keep them from serving two masters

No one can serve two masters. Either he will hate the one and love the other, or he will be devoted to the one and despise the other. You cannot serve both God and Money.

Matthew 6:24

Lord, thank you for giving us summer as the time when many things in nature grow and give us abundance at harvest. We pray for the harvest on earth that all families may have enough food to eat. Lord, lead us to share our abundance with those who are poor and hungry.

Lord, Eternal God, we pray for our children today. May the hearts of these children be dedicated to and serve the one and only Lord God. Keep us from serving material things. Holy Spirit, please help our children to serve only one master, who is God. Grant our children the ability to rule over their worldly goods and be responsible stewards.

We pray in Jesus' name, Amen.

## 두 주인을 섬기지 말게 하소서

우리들에게 여름을 주시는 주님, 이 여름을 통해 모든 곡식과 식물들이 자라나게 하시고 가을의 풍성한 열매를 준비케 하시는 주님, 감사를 드립니다. 이 땅에서 자라나는 모든 곡식의 열매를 지켜 주시고 이 곡식으로 모든 가족들이 배부르게 먹을 수 있도록 인도해 주옵소서. 그러나 이 풍성한 열매를 나누어 먹게 하시고 배고픔으로 죽어 가는 이웃의 어린이들에게도 이 축복을 함께 나눌 수 있도록 인도해 주옵소서.

우리의 주인이 되시는 영원하신 하나님, 오늘도 우리 자녀들을 위해 기도합니다. 우리 자녀들이 마음을 하나로 정하고 주님을 섬길 수 있도록 하옵소서. 우리에게 오직 주님만이 주인이 되시고 하나님이 되시도록 축복해 주옵소서. 또한 재물을 주인으로 섬기는 자들이 되지 않도록 우리를 물질로부터 성별해 주시기를 바랍니다. 특별히 우리 어린 자녀들이 어려서부터 한 주인을 섬기게 하시며 마음이 두 곳으로 흩어지지 않도록 성령님께서 지켜 주옵소서. 우리 자녀들이 물질을 정복하고 다스릴 수 있는 권능도 허락해 주옵소서.

예수님의 이름으로 기도합니다. 아멘.

# Keep them from worry

Therefore I tell you, do not worry about your life, what you will eat or drink; or about your body, what you will wear. Is not life more important than food, and the body more important than clothes?

Matthew 6:25

Lord, we are coming to the end of the month of August and looking forward to September. Although time seems to go faster and faster, thank you for being with us in our past, present, and future. Thank you for providing for our need of food, clothing, material goods, wisdom, and good health for the month of August. Thank you for helping us to grow, even though in the small things. You lead us beside quiet waters to give us rest; we lack nothing because of you.

Lord, help them to remember that God takes care of even the sparrows and the grass of the fields. Lead them to trust in you completely. You have taught us that a day holds enough trouble of its own. Lord, free our children from worry through their faith in God. He already knows what they need, and will provide everything for them. Lord, preserve our lives, and give us our daily bread and clothing. We relinquish all of our worries before you, as we seek first your kingdom and your righteousness.

We pray in Jesus' name, with thanksgiving. Amen.

## 염려하지 않게 하소서

8월이 다 가고 9월을 맞이하며 이렇게 바쁜 세월 속에서도 어제도 오늘도 내일도 언제나 함께해 주심으로 우리에게 아무 걱정할 것 없게 하심을 감사드립니다. 올해도 8개월 동안이나 우리가 필요한 양식과 의복과 물질을 허락해 주시고 건강과 지혜를 더하여 주신 것을 감사드립니다. 또한 우리가 작은 일에도 감사하는 마음을 가지고 성장하게 하심도 감사드립니다. 우리를 쉴 만한 물가로 인도해 주시는 주님, 주님으로 인해 우리에게는 부족함이 없습니다. 우리를 먹여 주시고 마시게 하시고 입혀 주시고 안전하게 지켜 주시는 것을 감사드립니다. 우리 자녀들이 아무것도 염려하지 않게 하시며, 들풀까지도, 참새 한 마리까지도 다 지켜 주시는 주님을 의뢰하게 해주옵소서. 그날의 근심으로 족하다고 하신 주님, 우리 자녀들이 주님으로 인해 염려하지 않게 하시며 우리의 형편을 모두 아시는 주님께서 공급하시고 미리 준비해 주시고 보살펴 주시는 것을 믿게 하옵소서.

우리의 생명을 보호해 주시고, 생명에 필요한 모든 일용할 양식과 의복을 주님께서 공급해 주옵소서. 모든 염려를 주님 앞에 내어놓고 우리는 오직 하나님의 나라와 의를 구하도록 도와주옵소서.

감사드리며 예수님의 이름으로 기도합니다. 아멘.

# August 31

# Seek first the kingdom of God and his righteousness

But seek first his kingdom and his righteousness, and all these things will be given to you as well.
Matthew 6:33

Lord, our shepherd, we thank you on this last day of August. Thank you for having watched over us during this hot summer month. Give us a new spirit to start the month of September and to help our children to excel at school. Lord, you hear all of our prayers. Forgive us for the times we prayed for things according to our greed. Although we still need to grow in faith, thank you for hearing our prayers and for answering them.

Lord, please grant our children the wisdom to know what to seek first in their prayers. Keep them from praying for their selfish desires, and teach them to seek first the kingdom of God and his righteousness; for you have said that all of our other needs will be added unto us as well. We know that we better understand your will through our prayers. Lord, help us to become your coworkers through our prayer life, so your will may be done on earth just as it is in heaven.

We pray in Jesus' name, Amen.

## 먼저 구할 것을 구하게 하소서

우리의 목자 되신 주님, 8월의 마지막날을 맞이하여 주님께 감사를 드립니다. 이번 한 달 동안 무더위와 장마 가운데서도 우리 모두를 건강하게 지켜 주심을 감사드립니다. 9월이 되어 새로운 마음으로 열심히 공부하게 하시고 독서도 왕성하게 할 수 있도록 축복해 주옵소서.

우리가 구하는 것을 듣고 계시는 주님, 지금까지는 우리의 욕심을 채우기 위해 기도하고 부르짖었던 것을 용서하시고 긍휼히 여겨 주옵소서. 성숙하지 못한 우리의 기도지만 언제나 듣고 계시고 응답해 주시는 줄을 믿습니다. 그러나 우리 자녀들이 마땅히 구해야 할 것과, 먼저 구해야 할 것을 알도록 지혜를 허락해 주옵소서. 자신의 필요와 이익만을 위해 기도하지 않게 하시고, 먼저 하나님의 나라와 의를 구하며 간절히 기도하는 자가 되도록 축복해 주옵소서. 그러면 의식주와 같은 육신의 문제들은 주님께서 덤으로 채워 주시리라 믿습니다.

우리의 기도를 통해 일하시는 주님, 주님과 기도의 동역자가 되게 해주셔서 하늘에서 이루어진 것처럼 땅에서도 이루어지는 역사에 동참하게 하옵소서.

예수님의 이름으로 기도합니다. 아멘.

# *September* Prayers of Blessings for the Children

-The Blessings of the Sermon on the Mount, Part II-

September prayers will be a continuation of August's theme,
based on the Sermon on the Mount and the Beatitudes.
Jesus teaches us
how the people of God's Kingdom should live.
May our children also learn these valuable lessons as they mature.
September is the time of the new semester and a time to bear many fruits.
The weather becomes suitable for studying and for praying.

## 자녀를 위한 9월의 축복 기도

- 산상수훈을 중심으로 -

8월에 이미 산상수훈을 통해 함께 기도했습니다.
9월에도 계속해서 산상수훈을 통해 자녀들을 위한 축복의 기도를 하겠습니다.
하나님 나라의 백성이 어떻게 살아야 하는지 가르쳐 주는 산상수훈을 통해 우리들의 자녀들이 성장하며 준비되기를 원합니다.

9월은 새로운 학기가 시작이 되며 풍성한 열매를 향해 나아가는 시기입니다.
독서의 계절이 왔다고도 말하며 공부하고 기도하기에 너무나 좋은 날씨가 시작됩니다.
경건의 훈련도 더욱 활발해지기를 바라며 함께 자녀들을 위한 축복 기도를 시작하도록 하겠습니다.

9월의 명구는 데이빗 시맨즈의 『치유하시는 은혜』에서 발췌했습니다.

# Let us live before God and not before people

Be careful not to do your 'acts of righteousness' before men, to be seen by them. If you do, you will have no reward from your Father in heaven.                    Matthew 6:1

Lord, thank you for watching over us with your love, moment by moment. You are the God of overflowing mercy and kindness. Thank you for making us righteous through the blood of Jesus, although we were sinners. Lord, we do not have any righteousness of our own, but we have received your righteousness.

Lord, guide our children to know this truth so they may live before God and not other people. Keep them from trying to look righteous before other people, but rather, help them to live righteous lives before God. Only you can love us completely, but there are times when we foolishly try to get approval from other people. Lord, guard our children from this kind of vanity.

The people of this world judge us according to our looks, wealth, position, and actions; but you, Lord, look at our hearts and accept us as we are. Help our children to realize this truth deep in their hearts.

We pray in the name of Jesus, who covers us with his blood. Amen.

## 사람보다 하나님의 시선을 의식하게 하소서

언제나 우리를 눈동자처럼 지켜 주시고 보호해 주시는 주님, 순간순간 느껴지는 주님의 사랑에 감격하며 감사 드립니다. 은혜와 자비가 넘치시는 주님, 죄인인 우리를 십자가 보혈로 깨끗게 하사 의롭다 하시니 감사합니다. 주님, 우리의 의는 우리에게 있지 아니하고 주님께로부터 나옵니다. 우리 자신은 털끝만큼도 의로울 것이 없는 존 재입니다. 우리 자녀가 이런 하나님의 사랑과 은혜를 바로 깨달아 날마다 우리 아버지 되신 하나님의 시선을 의식 하며 살아가게 하소서. 사람들의 시선을 의식하며 사람들 눈에 의롭게 보이려고 외식적으로 살아가지 않도록 인 도해 주시고 언제나 하나님의 시선을 의식하며 살아가는 자녀들이 되게 하소서. 주님만이 우리를 온전히 사랑해 주실 수 있는 분임을 믿습니다. 그러나 주님, 우리는 때때로 너무나 어리석어서 주님보다 사람의 시선을 의식하곤 합니다. 이런 어리석음을 우리 자녀들이 행하지 않도록 지켜 주소서.

사람들은 우리의 외모와 학벌, 재산, 지위, 행동에 따라 우리를 평가하고 정죄하며 칭찬하지만, 하나님께서는 우리 마음의 중심을 보시고 우리의 허물까지도 품어 주십니다. 이 진리를 우리 자녀가 뼛속깊이 깨닫게 하소서. 십자가 보혈로 우리를 덮으시는 예수님의 이름으로 기도합니다. 아멘.

# Keep us from publicly displaying our kind deeds

So when you give to the needy, do not announce it with trumpets, as the hypocrites do in the synagogues and on the streets, to be honored by men. I tell you the truth, they have received their reward in full.

Matthew 6:2

Lord, you are truly worthy of praise. Thank you for this time of prayer for our family. O Lord, highly enthroned, forgive us for the times we publicly displayed our acts of righteousness to somehow look better than others, despite the fact that we are so weak and helpless. There have been times when we have wanted our good works to be acknowledged by other people. Lord, please help us to become humble like Jesus.

God of love, you call us to serve our neighbors, and to help the orphan and the widow. Lord, help our children to help and serve our weaker neighbors. You bless us when we bless others. Lord, help our children to become humble in serving others.

We pray in Jesus' name, Amen.

### 자기 의를 드러내지 않게 하소서

찬양을 받으시기에 합당하신 주님, 이렇게 자녀들과 함께 주님 앞에 무릎 꿇고 기도하게 하시니 감사합니다.

높고 높은 보좌에 계신 주님, 우리들이 연약하고 부족한 존재임에도 불구하고 자신의 의를 주장하고 다른 사람보다 높아지려고 하는 것을 용서해 주옵소서. 우리의 공로가 나타나기를 원하고 다른 사람의 인정을 받는 것을 원하고 있습니다. 주님, 우리의 겉 사람을 처리하여 주시고 주님을 닮아 겸손하게 하옵소서.

사랑의 하나님, 우리가 이웃을 섬기고 구제하고 돕기를 원하시며, 고아와 과부와 나그네를 돌보기를 원하시는 주님, 우리 자녀들이 도움이 필요한 이웃들을 은밀하게 구제하고 도울 수 있도록 축복해 주옵소서. 가난한 이웃들을 돕는 것이 주님에게 받은 은혜를 갚는 길이며 그들에게 베풀 때에 주님께서 더한 복을 내려 주심을 믿습니다. 주님, 우리 자녀들이 이러한 경건한 덕을 세우는 자들이 되게 하시며 주님만이 보시는 구제를 하는 겸손한 손길들이 되게 하옵소서.

예수님의 이름으로 기도합니다. 아멘.

# Help us to invest in God's plan

September
3

But when you give to the needy, do not let your left hand know what your right hand is doing, so that your giving may be in secret. Then your Father, who sees what is done in secret, will reward you.

Matthew 6:3-4

God of peace, thank you for being with us. Thank you for watching over us today, and for giving us good health. Thank you for guarding us in the city and out in the country. Help us to be pleasing to you and to live God-centered lives. May our family render all glory to God.

When our children give to the needy, guard them from doing so for attention or from a sense of obligation. May all of their giving be the fruit of their love for others. Help them to spread God's love through giving, regardless of others' response.

May our children's lives of giving to the needy first come from giving to the Lord. Help them to invest in the work of God. Help them to receive the reward of faithful servants.

We pray in Jesus' name, Amen.

### 하나님의 계획에 투자하게 하소서

평강의 하나님, 주님의 동행하심을 감사드립니다. 우리에게 오늘도 건강한 하루를 주시고 안전함으로 지켜 주심을 감사드립니다. 우리 가정의 파수꾼이 되어 주셔서 성읍에서도 들에서도 지켜 주심에 감사를 드립니다. 우리의 날마다의 삶이 주님이 기뻐하시는 삶이 되게 도와주시고 주님 중심으로 생활할 수 있도록 축복해 주옵소서. 주님께 영광 돌리는 가정이 되도록 축복해 주옵소서.

우리 자녀들이 구제의 생활을 할 때에 외식적인 구제가 되지 않게 하시고 의무감에서 하는 것이 되지 않도록 하옵소서. 이러한 구제의 생활이 사랑으로부터 나온 열매가 되도록 인도하시며 구제를 받는 사람이 감사를 하든 하지 않든 우리의 사랑을 전할 수 있도록 축복해 주옵소서.

우리 자녀들의 구제 생활이 모두 주님 중심으로 이루어지게 하시며, 하나님께 먼저 드리는 자가 되게 하옵소서. 주님의 계획에 투자하고 드리는 자가 되게 하옵소서. 그러므로 주님께서 갚아 주시는 구제가 되게 하시며 신실하고 충성된 종에게 주시는 큰 축복과 상급을 누리게 하옵소서.

예수님의 이름으로 기도합니다. 아멘.

# Help us meet with you alone

But when you pray, go into your room, close the door and pray to your Father, who is unseen. Then your Father, who sees what is done in secret, will reward you.                    Matthew 6:6

Lord, you are pleased to hear and answer our prayers. Thank you for watching over us, even when we sleep. Although we sleep, you do not sleep and slumber because you are always watching over us. Forgive us for the times we have made excuses not to pray.

Lord of grace, please help our children to give first priority to personal prayer time with you. Help our children to realize that, although corporate prayer is important, it is most essential to have private prayer time with God. Help them to experience personal time with God when they can feel free to cry and to praise. Help them to experience the peace and grace that comes only through prayer. Watch over their prayers, the times and the places where they pray so their prayers may never be hindered or distracted by other things. Watch over their prayers, the times and the places where they pray so their prayers may never be hindered or distracted by other things. Help them to keep their prayer times regularly, always giving them the first priority.

We pray in Jesus' name, Amen.

## 주님 앞에 단독자(單獨者)로 서게 하소서

우리의 기도를 들으시고 응답하시기를 기뻐하시는 주님, 우리가 잠잘 때에도 주님은 졸지도, 주무시지도 않으시며 우리를 지켜 보호해 주심을 믿고 감사를 드립니다. 그런 주님께 때로는 바쁘다는 핑계를 대며, 또 때로는 환경 탓을 하며 기도에 소홀하곤 했던 우리의 어리석음을 용서해 주시고 긍휼히 여겨 주옵소서.

은혜로우신 주님, 우리 자녀들이 주님과 일 대 일로 만나는 이 소중한 기도의 시간을 그 무엇보다도 우선시할 수 있도록 지혜를 주옵소서. 기도회에서 기도하는 것도 중요하지만 따로 정해 놓은 기도처에서 주님 앞에 단독자로서 무릎 꿇는 그 시간은 더욱 중요하다는 것을 우리 자녀들이 깨닫게 하소서. 주님과 단 둘이 마주 앉아 때로는 눈물로, 때로는 기쁨의 찬송으로 주님과 개인적인 교제를 나누는 시간을 우리 자녀들에게 허락해 주세요. 이 세상 그 무엇도 줄 수 없는 큰 평강과 은혜를 그 기도의 시간에 체험할 수 있도록 도와주세요. 적어도 그 시간, 그 장소에서만큼은 그 어떤 것도 우리 자녀들과 주님과의 대화를 방해하지 못하도록 지켜 주세요.

세상 끝 날까지 우리와 함께하시는 예수님 이름으로 기도합니다. 아멘.

# May they call God, Father

This, then, is how you should pray: Our Father in heaven, hallowed be your name,

Matthew 6:9

Creator God, thank you for taking away the heat and for giving us cooling breezes in the mornings and in the evenings. Lord, you created the universe with your word. Thank you for not only forgiving us our sins and imparting to us your righteousness, but for calling us to be your children. Help our children to know this wonderful grace by knowing God as their "Abba" Father. Help them to know you as their loving Father, who is always near them.

Lord, sometimes we ascribe our earthly father's personality to our Heavenly Father, and see you in a distorted way. Have mercy on our weakness. Help our children to always remember that our Father God is the same yesterday, today and forever and that your love is everlasting. Our Father God gives us hope for the future and answers our cries for help. We want to live as God's children, who obey his word.

We pray in Jesus' name, Amen.

### 하나님을 아버지로 부르게 하소서

창조주 하나님, 기승을 부리던 더위도 어느덧 차츰 수그러들고 아침저녁으로 시원한 바람이 불게 하시니 감사합니다. 태초에 말씀으로 이 세상을 창조하신 하나님, 죄 가운데 빠져 있던 우리를 의롭다 하실 뿐 아니라 자녀로 삼아 주시기까지 하셨음을 진심으로 감사드립니다.

우리 자녀들도 이러한 하나님의 사랑에 붙잡힌 바 되어 하나님을 아바 아버지라 부를 수 있는 영광을 누리게 하소서. 주님을 멀리 있는 분, 나와는 상관없는 분으로 오해하지 않게 하시고, 언제나 가까이에서 지켜 주시고 보호해 주시는 사랑의 아버지로 알도록 우리 자녀들을 인도해 주소서.

주님, 우리는 때로 육신의 아버지를 통해 하나님 아버지를 왜곡된 모습으로 받아들일 때가 있습니다. 우리의 연약함을 긍휼히 여겨 주소서. 우리 자녀들이 아버지 하나님은 회전하는 그림자도 없으신, 어제나 오늘이나 동일하게 우리를 사랑하시는 분이심을 잊지 않게 하소서. 아버지 하나님은 우리 장래에 소망을 주시며 우리의 부르짖음에 응답하시는 분이심을 기억하게 하소서. 그리하여 하나님의 자녀로서 이 땅에서 복락을 누리며 하나님께 순종하는 삶을 살아가기를 간절히 소원합니다.

하나님께서 우리를 사랑하사 이 땅에 보내신 독생자 예수 그리스도의 이름으로 기도합니다. 아멘.

# Keep us from babbling when praying

## September 6

And when you pray, do not keep on babbling like pagans, for they think they will be heard because of their many words.

Matthew 6:7

Our Shepherd Lord, we thank you and praise you because you hear our prayers. Thank you for today and for the abundance of harvest. Give us knowledge that all of this comes from you. We pray for an abundant harvest for the farmers.

God of love, help our children to learn how to pray. Teach them the prayer you taught your disciples, and help them to know what to seek in prayer. Keep them from the assumption that they will be heard because of their long prayers with many words, like the pagans. Guard them from babbling like pagans when they pray. May their time of prayer be a time of deep fellowship with God. May their prayers be a time of discerning the will of God. Help our family to pray according to God's will.

We pray in Jesus' name, Amen.

### 중언부언하지 않게 하소서

우리의 목자가 되시며 우리의 기도를 들어주시는 주님, 감사와 찬양을 드립니다. 좋은 일기를 주시고 농작물들이 풍성하게 열매를 맺도록 축복하심을 감사드립니다. 이 모든 좋은 것들이 주님으로부터 나오는 것임을 알게 하옵소서. 올해에도 농사를 짓는 모든 이들에게 풍년의 기쁜 소식을 전해 주옵소서.

사랑의 주님, 우리 자녀들이 기도를 배울 수 있도록 인도해 주옵소서. 제자들에게 기도를 가르쳐 주시고, 우리 자녀들이 기도를 할 때 무엇을 구하여야 할지 알게 하시며 중언부언하지 않도록 인도해 주옵소서. 오래 기도하고, 많이 기도하면 주님이 들어주신다고 생각하는 이방인들과 같이 중언부언하면서 외식하는 기도를 하지 않도록 가르쳐 주시고 깨닫게 해주옵소서. 기도할 때에 주님과 깊은 교제에 들어가게 하시며 주님의 뜻을 분별할 수 있는 자녀들이 되도록 축복해 주옵소서. 우리 부모들도 마땅히 구해야 할 것을 알게 하시고 중언부언하지 않도록 축복해 주옵소서. 우리 온 가족이 주님이 원하시는 기도를 할 수 있도록 성장시켜 주옵소서.

감사드리며 예수님의 이름으로 기도합니다. 아멘.

# Help us to learn how to pray

This, then, is how you should pray:  Our Father in heaven, hallowed be your name,

Matthew 6:9

God of power, we want to live a life of power and victory through prayer. Although our children learn earthly wisdom from school, bless them also with the wisdom and strength of heaven. Help us as parents to set a good example in our prayer life. Help us to teach them the beauty of a life of prayer. We pray for our children to be people of prayer, strength, and the word of God.

Lord, you are our good teacher. Teach us how to pray just as you taught the disciples. Teach our children the basics of prayer, just as they learn the basics of reading at school. Teach them the correct way to pray so they may live a life of prayer. You taught us that Satan hates peoples prayers, because there is no weapon as strong as prayer. May our family prayers shake up Satan's world of darkness as we pray to our all powerful God.

We pray in Jesus' name, Amen.

### 기도를 배우게 하소서

능력의 하나님, 우리가 기도를 통해 주님이 주시는 능력의 삶, 승리의 삶을 살기를 원합니다. 학교에서는 세상 지식을 배우지만 기도를 통해서는 하늘의 지혜와 능력을 공급 받을 수 있도록 축복해 주옵소서. 우리 부모들이 먼 저 기도하는 모습을 보여 주는 부모가 되게 하시며 기도하는 삶이 가장 아름다운 삶인 것을 보여 줄 수 있도록 축 복해 주옵소서. 우리 자녀들이 이러한 능력의 사람, 기도의 사람이 되기를 원합니다. 말씀과 기도의 자녀들이 되 기를 원합니다.

우리의 좋은 교사가 되어 주시는 주님, 제자들에게 기도를 가르쳐 주신 것처럼 우리에게도 기도를 가르쳐 주 옵소서. 학교에서 일학년부터 기초를 배워 나가는 것처럼 우리 자녀들에게도 기도를 기초부터 가르쳐 주옵소서. 또한 기도를 바르게 배울 수 있도록 인도해 주옵소서. 우리는 어려서부터 기도를 제대로 배울 기회가 없었습니다. 그러나 우리 자녀들은 어려서부터 바른 기도생활을 할 수 있도록 특별한 은총을 내려 주옵소서. 사탄은 기도하는 자들을 무서워하며 기도와 같은 능력을 내는 무기가 없다고 하였습니다. 사탄이 무서워 떠는 기도의 가정이 되게 하시고 어둠의 세력을 뒤흔들어 놓을 수 있는 능력의 기도를 하는 우리 가정이 되도록 축복해 주옵소서.

기도를 가르쳐 주신 예수님의 이름으로 기도합니다. 아멘.

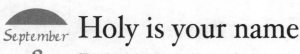

# Holy is your name

"This, then, is how you should pray:    Our Father in heaven, hallowed be your name,

Matthew 6:9

**H**oly God, we thank you and praise you because you have chosen us from the very beginning. Thank you for your loving care in the both the small and the great things in our lives. We thank you because only you meet all of our needs. Help our family to show non-believers the holiness of our God. Let us witness to others the grace with which the Lord cares for us.

Help our family to revere the holy name of God, and may his name be lifted high throughout our family. Guard our children from taking the Lord's name in vain in a godless society. May they sustain the holiness of God's name in their hearts. May our children becomes tools with which the name of God is revered in the presence of unbelievers. Grant them to experience the holiness of God through the Holy Spirit.

We pray in the holy name of Jesus, Amen.

---

### 하나님의 이름을 거룩하게 하소서

거룩하신 하나님, 우리를 태초부터 택해 주시고 주님을 경배하고 감사하게 하시니 그 은혜로 인해 더욱 주님을 찬양합니다. 작은 것으로부터 큰 것에 이르기까지 주님의 손길이 미치지 않는 것이 없음을 감사드립니다. 주님 한 분으로 더 이상 부족함이 없게 하심을 감사드립니다. 주님을 모르는 가정에게 믿는 가정으로서의 거룩함을 보여 줄 수 있도록 우리 가정을 성화시켜 주시고, 주님께서 얼마나 큰 은총으로 우리 가족을 돌보시는가를 증거할 수 있도록 도와주옵소서.

우리 가정이 하나님의 이름을 거룩히 여기는 가정이 되게 하시며 우리 가정을 통해 주님의 이름이 높여지게 하옵소서. 하나님 없는 문화 속에 사는 우리 자녀들이 하나님의 이름을 망령되이 부르지 않게 하시고, 하나님 이름의 거룩함을 땅에 떨어뜨리지 않도록 보호해 주옵소서. 안 믿는 이방인들 앞에서 주님의 이름을 더럽히지 않도록 하시며 거룩함을 드러내는 역사가 일어나도록 우리 자녀들을 도구로 사용해 주옵소서. 주님의 이름을 거룩히 여기는 것이 어떤 것인가를 성령님을 통해 깨닫게 하시고 체험하게 도와주옵소서.

거룩하신 예수님의 이름으로 기도합니다. 아멘.

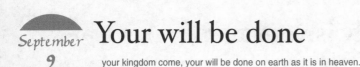

*September*
**9**

# Your will be done

your kingdom come, your will be done on earth as it is in heaven.          Matthew 6:10

Hallelujah! My soul praises the Lord! I will praise the Lord all my life; I will sing praise to my God as long as I live(Psalm 146:2). Lord, you are good and we praise your almighty greatness. Let us offer up to you a continual celebration of praise and glory as long as there is breath in our lives. Lord, help our children to praise God for his almighty greatness. Help them not only to praise God but also to deliver the message of God's almighty greatness to their friends and neighbors. Teach them that there are blessings for those who hope in the almighty God.

Lord, we pray for our children today that they may not live according to their stubborn and selfish ways. Help them to discern, choose, and obtain the will of God for their lives. Help them to grow out of "give me" prayers, but to seek and discern the will of God through their prayers. Help them to truly discern what God desires for them. Their prayers are still weak, but we believe that you love these simple prayers of our children. Bless them to grow and mature in their life of prayer.

We pray in Jesus' name, Amen.

## 하나님의 뜻을 구하게 하소서

할렐루야! 내 영혼이 주를 찬양합니다. "나의 생전에 여호와를 찬양하며 나의 평생에 내 하나님을 찬양하리로 다"(시 146:2). 좋으신 하나님, 주님의 광대하심과 위대하심을 찬양합니다. 우리가 호흡하며 생명이 있는 동안에 주님을 찬양하고 영광 돌리게 하옵소서. 우리 자녀들이 주님의 광대하심과 위대하심에 대하여 찬양하게 도와주옵 소서. 그 위대하심을 찬양할 뿐만 아니라 이웃에게 전할 수 있도록 축복해 주옵소서. 그리고 그 위대하신 분에게 소망을 두는 자가 복이 있는 것을 알게 하옵소서.

오늘도 우리 자녀들을 위해 기도합니다. 자신의 이기적인 목적과 이익만을 위해 구하는 자가 되지 않도록 하 시며 온전히 주님의 뜻이 무엇인가를 분별하고 구할 수 있는 자가 되도록 인도해 주옵소서. 항상 무엇을 달라고만 하는 기도가 아니라 주님의 뜻이 어디 있는지 분별하여 구하는 기도가 되도록 축복해 주옵소서. 마땅히 무엇을 구 해야 할지를 아는 자녀들이 되도록 인도해 주시고 하나님께서 기뻐하시는 기도를 할 수 있도록 축복해 주옵소서. 하지만 아직도 우리 자녀들의 기도가 부족합니다. 주님께서는 어린아이들의 순진한 기도를 기뻐하시는 줄 믿습니 다. 지속적으로 기도가 자라고 성숙해질 수 있도록 축복해 주옵소서.

감사드리며 예수님의 이름으로 기도합니다. 아멘.

# Give us our daily bread

Give us today our daily bread.

Matthew 6:11

Lord, you are the bread of life. Thank you for providing for our needs today. There are too many places on earth where children are starving. May starvation may disappear throughout the whole earth. Help us to be good stewards of the earth which you have given to us.

Lord, you provide even for the plants of the field and the birds of the air. We believe that you will provide abundantly for the needs of our children throughout their lives. Lord, help them to seek the daily bread that comes from God, and bless them always with abundance. You have promised to provide us with everything we need. Guide us to seek our daily bread from you with faith, believing in your promises. Keep us from worrying about tomorrow but to trust God for today. Give us faith in Jehovah Jireh, God our Provider.

We pray in Jesus' name, Amen.

## 일용할 양식을 주옵소서

생명의 떡이 되시는 주님, 오늘도 우리들을 배부르게 먹여 주시고 은총을 베풀어 주심을 감사드립니다. 이 세상에는 많은 아이들이 굶고 있으며 일용할 양식이 없는 곳이 너무나 많습니다. 북한에 있는 우리 동족들도 배고픔 가운데 있습니다. 주님, 이 세상에서 이러한 배고픔과 기근이 사라지도록 축복해 주옵소서. 그러기 위해 이 세상을 잘 돌보게 하시며 하나님이 주신 자원을 잘 지킬 수 있도록 축복해 주옵소서.

산에 나는 들풀 하나도, 공중에 나는 새 한 마리도 다 먹이시고 입히시는 주님, 우리 자녀들에게도 먹을 것, 입을 것, 잘 곳을 일생 동안 풍성하게 공급해 주실 것을 믿습니다. 우리 자녀들이 언제나 주님이 주실 일용할 양식을 구하는 자들이 되게 하시며, 어디에서나 먹을 것으로 풍족한 자녀들이 되도록 축복해 주옵소서. 우리가 살아가는 기본적인 것을 공급해 주시기로 약속하신 주님, 그 약속을 믿고 매일매일 일용할 양식을 구하며, 주님이 언제나 공급해 주실 것을 믿고 신뢰하는 자들이 되도록 인도해 주옵소서. 이러한 양식으로 인해 내일을 걱정하지 않게 하시며 여호와 이레의 하나님을 믿게 하옵소서.

감사드리며 예수님의 이름으로 기도합니다. 아멘.

# Lead us not into temptation

And lead us not into temptation, but deliver us from the evil one.                    Matthew 6:13

Lord, thank you for today and thank you for our children. Thank you for entrusting us with these precious ones, despite our shortcomings. Thank you for giving us the wisdom to bring them up according to the word of God. Thank you for giving us laughter and joy through our children and for teaching us to revere life. Lord, bless our children that they may grow strong and healthy in the Lord.

Lord, our children live in a world filled with temptations and trials. Keep them from falling into temptation and deliver them from evil. Keep them from all the evil temptations that come from this world. Anoint them with your oil so they may live in liberty and freedom from these evil things. Lord, this world offers drugs, alcohol, and cigarettes that lure our children through their curiosity. Please protect them from these things that cause bondage through addiction. Lord, we believe that you will protect our children from all of these evil things.

We pray in the name of Jesus Christ of Nazareth, Amen.

 시험에 들게 하지 마소서

좋은 일기를 주시고 건강을 축복해 주시는 주님, 우리 자녀들로 인해 깊은 감사를 드립니다. 부족한 우리들에게 생명을 위탁해 주시고 주님의 말씀대로 양육할 수 있는 지혜를 주심을 감사드립니다. 이 자녀들로 인해 우리 가정이 기쁨과 웃음이 있게 하시고 생명의 경외를 체험하게 하심을 감사드립니다. 우리 자녀들이 주님 안에서 건강하게 자라나도록 축복해 주옵소서.

우리 자녀들이 살아가는 세상에는 너무나 많은 유혹과 시험이 있습니다. 우리 자녀들이 이러한 시험에 들지 않게 하시며 악에서 구하여 주옵소서. 영적인 시험으로부터 우리 자녀들을 보호해 주시고 세상으로부터 오는 유혹, 타락으로 인도하는 유혹에 넘어가지 않도록 인도해 주옵소서. 또한 모든 악으로부터 보호해 주시고 악으로부터 자유와 해방을 누릴 수 있도록 주님께서 기름 부어 보호해 주옵소서. 세상에는 마약과 술, 담배 등 자녀들에게 호기심을 불러일으키는 유혹들이 많이 있습니다. 이처럼 중독을 일으키는 것들로부터도 우리 자녀들을 지켜 주옵소서. 주님이 언제나 우리 자녀들을 책임져 주시고 지켜 주실 줄을 믿고 나사렛 예수 그리스도의 이름으로 기도합니다. 아멘.

# Deliver us from evil

September 12

And lead us not into temptation, but deliver us from the evil one.

Matthew 6:13

Holy Lord, thank you for giving us victory in the Lord. Although we live in this world, keep us from being the world's accomplice and bless us to overcome the world. We know that there is victory only in Jesus and through the Holy Spirit. According to your word, we must put on the armor of God for protection. When Satan came to tempt Jesus in the desert after he had fasted for forty days, Jesus overcame Satan with the word of God. Lord, help our family to also be armed with the Sword of the Spirit, which is the word of God, so we too may overcome Satan's temptations.

Lead us and our children to live in fellowship with God and protect us from the schemes of the devil. Lord, teach our children to know how God detests evil so they may also resist the devil. Lord, grant our children spiritual discernment. May they know what is good and what is evil, because sometimes it is confusing to distinguish between the two. Lord, teach our children spiritual discernment, even at their young age, so they may know and resist evil things when they sneak up on them.

We pray in the name of Jesus, who is our leader. Amen.

---

 악에서 구하옵소서

거룩하신 주님, 오늘도 주님 안에서 승리하게 하심을 감사드립니다. 우리가 비록 세상에 살지만 세상과 짝하지 않게 하시고, 세상을 이길 수 있도록 축복해 주옵소서. 오직 주님께서 함께하시며 성령님께서 도와주실 때만이 승리가 가능한 것을 믿습니다. 말씀으로 무장할 때만이 가능할 줄 믿습니다. 40일 금식 후에 사탄으로부터 유혹을 받으신 주님이 말씀으로 승리하신 것처럼 우리 자녀들에게도 유혹을 이길 수 있는 성령의 검, 말씀의 검으로 무장시켜 주옵소서.

우리 가정을 보호해 주시며 우리 자녀들이 악으로부터 보호 받게 하시고, 언제나 주님과 동행하는 삶을 살게 인도해 주옵소서. 우리 자녀들이 하나님께서 얼마나 악을 미워하시며 싫어하시는가를 알게 하시어서 하나님이 싫어하시는 악에 빠지지 않게 하옵소서.

사랑하는 우리 자녀들에게 영들 분별함의 은사를 허락해 주셔서 악을 분별할 수 있게 해주소서. 무엇이 악인지 모르는 경우가 얼마나 많은지 모릅니다. 우리 자녀들이 어려서부터 악이 무엇인가를 알게 하시며 악한 세력이 교묘하게 접근해 올 때에 그것을 분별하고 대적할 수 있게 해주소서.

우리의 대장이 되시는 예수님의 이름으로 기도합니다. 아멘.

**309**

# September 13

# Let us forgive first

For if you forgive men when they sin against you, your heavenly Father will also forgive you. But if you do not forgive men their sins, your Father will not forgive your sins.

Matthew 6:14-15

Lord, thank you for forgiving our sins and for your grace, which is priceless. Words cannot express our gratitude, for you have saved us from death and given us a life of blessing. You granted us unconditional forgiveness and gave it to us freely. Lord, help us to forgive those who hate us, just as you have forgiven us.

First, help us to know the grace of your forgiveness. Help us to know that you have forgiven us completely, and give us faith to believe that you have forgotten our sins. Remind us of your forgiveness when we must forgive others' sins against us. Help us to realize that we gain freedom through forgiveness. Lord, forgive our children if they have not forgiven others. Grant them the spirit of forgiveness in their hearts. Help us to forgive others just as God has forgiven us.

We pray in Jesus' name, Amen.

 먼저 용서하게 하옵소서

우리의 모든 죄과를 용서해 주시고 값없는 은혜를 주시는 주님, 주님의 은혜로 죽을 수밖에 없는 생명을 오늘도 주님 안에서 풍성하게 누리게 하시니 무어라 감사를 드려야 할지 모르겠습니다. 조건 없이 용서해 주시고 우리에게 어떤 보답도 기대하시지 않는 주님, 그 은혜로 오늘도 온 식구가 생명을 누리고 행복을 누린 것에 감사를 드립니다. 우리가 이렇게 주님으로부터 용서 받은 것처럼 우리를 미워하는 자들을 용서할 수 있게 하시고 그들의 과실을 용서할 수 있도록 축복해 주옵소서.

먼저 우리가 용서 받은 감격을 가지게 하시고 갚을 길 없는 빚을 주님께서 기억치 아니하시고 탕감해 주신 것을 믿게 하옵소서. 이제 우리가 더 이상 주님에게 갚을 빚이 없다는 것을 알게 하시고 그 감격으로 다른 이웃들의 죄과와 과실도 용서할 수 있도록 축복해 주옵소서. 그러한 용서가 결국에는 나 자신을 진정으로 자유하게 하는 일임을 깨닫게 도와주옵소서. 우리 자녀들이 아직도 남을 미워하고 친구들의 작은 실수와 과실을 기억하고 있다면 용서해 주옵소서. 그리고 용서할 수 있는 마음을 허락해 주옵소서. 그래서 주님이 우리를 용서하신 것처럼 이웃들도 용서하는 감격을 누리게 해주옵소서. 우리를 용서하신 예수님의 이름으로 기도합니다. 아멘.

# Ask of God and believe

If you, then, though you are evil, know how to give good gifts to your children, how much more will your Father in heaven give good gifts to those who ask him!

Matthew 7:11

Lord, you are the alpha and omega; the beginning and the end. Thank you for your faithfulness and everlasting love for us. Thank you that we can pray out loud or quietly in our hearts. There have been times when we prayed, and still we worried about the outcome. Lord, you know our weakness. Please forgive our lack of faith and have mercy on us. Grant us greater faith.

When our children pray, there may be times when they are troubled, because they assume that God will tell them to do what they don't want to do. Lord, please take hold of our children in these times and reassure them of your love. Guide them to pray with faith and confidence. Satan whispers lies to us that God will force us to do something we don't want to do. Lord of truth, liberate our children from these lies. Help them to see that you are loving and just.

We pray in the name of Jesus, who loves us the same today and tomorrow. Amen.

---

### 구하면서 불안해하지 않게 하소서

알파와 오메가가 되시는 주님, 언제나 신실하신 주님, 한결같은 사랑으로 우리를 돌보아 주시니 감사합니다. 우리가 입술을 열어, 또 때로는 마음으로 기도하게 하심을 감사합니다. 그러나 믿음이 연약하여 주님께 이것저것 구하면서도 과연 좋은 것으로 채워 주실지 의심하며 두려워할 때가 가끔 있습니다. 우리의 연약함을 아시는 주님, 우리의 믿음 없음을 용서하시고 긍휼히 여기사 더 큰 믿음으로 채워 주시길 간구합니다.

우리 자녀들이 아버지 하나님께 기도할 때, 혹 원치 않는 일이나 싫어하는 것을 주실까 봐 두려워하고 불안해할 때가 있을지도 모릅니다. 그때 주님께서 그들을 품에 꼭 안아 주시고 연약한 믿음을 붙들어 주셔서 흔들림 없이 담대함으로 주 앞에 나아갈 수 있도록 힘을 주시기 원합니다. 사탄은 우리에게 하나님을 두려운 분으로, 우리가 원치 않는 일을 시키시는 강압적인 분으로 인식시키기 위해 속이는 말로 우리를 유혹합니다. 진리 되신 주님, 이러한 속임수로부터 우리 자녀들이 자유하기를 원합니다. 특별히 주님께 간절히 구할 때에 바로 그대로 이루어 주시는 신실하신 주님을 기억하며 무릎 꿇는 자녀들이 되게 도와주세요.

오늘도 내일도 변함없이 우리를 사랑하시는 예수님 이름으로 기도합니다. 아멘.

# Do not worry about tomorrow

**September 15**

Therefore do not worry about tomorrow, for tomorrow will worry about itself. Each day has enough trouble of its own.

Matthew 6:34

Lord, thank you for granting us another twenty-four hours. Thank you for your faithful unchanging love despite our unfaithfulness. Lord, hear our prayers for our children. Guard them from worrying about tomorrow. Keep them from wasting the precious time today while worrying about tomorrow. Although dreams and visions are important, give them the wisdom to realize that they should make the most of the present time,: this minute, and this second.

We believe that you have been with us today, and that you will be with us tomorrow. Grant our children the faith to believe this. Keep them from the folly of worrying about tomorrow's problems today. May the disappointments of one day end with that day, and may the next morning hold new hope for that day.

We pray in the name of Jesus, who made the most of every day. Amen.

### 내일 일을 염려하지 않게 하소서

오늘도 우리에게 24시간을 허락해 주시는 하나님, 너무나 감사합니다. 하루하루 살아가면서 주어진 시간에 최선을 다하지 못할 때도 있지만 주님은 어제나 오늘이나 동일한 시간으로 우리를 축복하시니 진정 감사합니다.

우리 자녀를 위해 드리는 이 기도를 주여, 들어주소서. 우리 자녀들이 내일 일을 염려하지 않게 도와주소서. 내일 일을 염려하다가 오늘의 소중한 시간을 낭비하는 일이 없기를 바랍니다. 비전도, 꿈도, 계획도 모두 소중하지만 오늘 내게 주어진 일 분 일 초가 더 소중하다는 것을 우리 자녀가 깨달을 수 있도록 지혜를 허락해 주소서.

어제 우리와 함께하여 주신 주님이 오늘도 동일하게 우리와 함께하시고 또한 내일도 한결같이 함께하실 줄로 믿습니다. 그 믿음을 우리 자녀에게도 허락해 주시길 간절히 소원합니다. 우리 자녀들이 내일 일을 오늘로 끌어와서 미리 염려하는 어리석음을 범하지 않도록 도와주세요. 한 날 괴로움은 그날로 끝나게 하심으로 날마다 새로운 아침, 소망 있는 아침을 맞을 수 있도록 우리 자녀와 늘 동행해 주세요.

하루하루 최선을 다해 사셨던 예수님 이름으로 기도합니다. 아멘.

312

# September 16 — Seek the kingdom of God

your kingdom come, your will be done on earth as it is in heaven.　　　Matthew 6:10

Lord, you are the healer of all creation; thank you for revealing the mystery of God's kingdom, even to us. You have created the heavens and the earth, and you sustain them today and forever. Lord, we desire the coming of God's kingdom. We pray for the day when the power of Satan will be destroyed and sin will disappear.

Lord, help our children to experience the kingdom of God even while they are living in this world. We desire that our children will earnestly seek the kingdom of God. Keep them from losing sight of the glory of God's kingdom, and remind them that his kingdom will be established on the earth. Help us to teach our children through our example.

We pray in the name of Jesus, who will come again. Amen.

## 하나님 나라를 구하게 하소서

온 우주의 통치자 되시는 주님, 우리로 하여금 하나님 나라의 비밀을 알게 하심을 감사합니다. 태초에 우주를 만드셨고 지금도 우주를 다스리고 계시며 앞으로도 영영히 다스리실 주님, 주님 나라가 임하기를 간절히 소원합니다. 공중 권세 잡은 사탄의 세력이 완전히 무너지고 이 땅에서 죄악의 영향이 사라지는 그날이 속히 오기를 기도합니다.

우리 자녀들이 현재의 삶 가운데 하나님의 나라를 경험하기를 구합니다. 그러나 종말의 마지막 때에 이루어질 하나님 나라 또한 간절히 구하며 기대하는 자녀들이기를 바랍니다. 자칫 현재의 삶 속에 안주하며 미래에 도래할 영광스런 하나님 나라에 대한 소망을 잊어버리지 않도록 도와주세요. 현실에 발을 디디고 서 있되, 미래에 하나님께서 이루실 완성된 하나님 나라를 늘 잊지 않고 깨어 기도함으로 준비하는 자녀들이 되게 도와주세요. 우리 자녀들이 현재의 삶에서 복음에 합당한 삶을 살면서 악의 세력과 싸워 승리할 수 있도록 지켜 주세요. 부모 된 우리들도 하나님 나라가 임하기를 간절히 소원하며 기도함으로 자녀들의 본이 될 수 있기를 원합니다.

다시 오실 예수 그리스도의 이름으로 기도합니다. 아멘.

313

# Love God more than riches

But store up for yourselves treasures in heaven, where moth and rust do not destroy, and where thieves do not break in and steal. For where your treasure is, there your heart will be also.
Matthew 6:20-21

Lord, you search our hearts. Although we may not know our own motives, you examine our deep motives and lead us in the way of your righteousness. Although you warn us against materialism, we overestimate ourselves and do not heed your cautions. But truthfully, we harbor a secret ambition for riches, and it takes the place of our Lord. Forgive us for this sin, and have mercy on us for we are weak.

The people of this world worship riches; we live among them. Lord, guard our children from such material idolatry. Help our children understand that, although we live in the world, we are not of the world. Teach our children to understand that our inheritance from God is not on earth but in heaven, so their hope may be set on God's kingdom. Help us as parents to teach them through our example, and guard us from temptations.

We pray in the name of Jesus, who is the way, the life, and the truth. Amen.

---

 ### 하나님보다 재물을 더 사랑하는 일이 없게 하소서

우리의 중심을 살피시는 아버지 하나님, 우리 자신도 모르고 있는 우리의 내면을 감찰해 주시고 우리를 바른 길로 인도해 주시니 감사합니다. 때로 우리는 주님께서 경고하시는 재물의 문제에 대해서 "자신 있다."고 말하면서 그 문제에 대해 방심할 때가 있습니다. 그러나 사실 우리의 세속적인 욕망 때문에 재물이 주님의 자리를 대신 차지하는 일이 얼마나 빈번한지 모릅니다. 우리의 연약함을 아시는 주님, 우리를 용서하시고 긍휼히 여겨 주소서.

세상의 많은 사람들이 재물을 우상으로 삼고 살아가고 있습니다. 그러나 그들과 함께 이 세상 속에서 살아가는 우리 자녀들은 그런 영적인 간음을 행하지 않도록 주님께서 지켜 보호해 주소서. 주님, 우리가 이 세상에 살고 있지만 결코 이 세상에 속하지 않았음을 우리 자녀들이 깨닫기 원합니다. 하나님의 소유 된 우리 자녀들이 이 땅이 아니라 하늘 창고에 보물을 쌓음으로써 그 마음 또한 하늘에 가 있기를 간절히 소원합니다. 부모 된 우리가 먼저 그러한 본을 보이길 원하오니 강한 팔로 우리를 붙드사 재물의 유혹에서 구하소서. 우리의 주인은 재물이 아니라 주님이심을 평생 동안 잊지 않게 도와주소서.

우리의 길과 생명과 진리이신 예수님의 이름으로 기도합니다. 아멘.

# Help us to rely on our heavenly father

September
18

So do not worry, saying, 'What shall we eat?' or 'What shall we drink?' or 'What shall we wear?' For the pagans run after all these things, and your heavenly Father knows that you need them.

Matthew 6:31-32

Lord, you are our Shepherd, for Psalm 121:2 says, "My help comes from the Lord, the Maker of heaven and earth." Lord, thank you for helping us with all things and for letting us lay down our worries before you. Help our children to confess this Psalm from their hearts so they may not worry about what to eat or what to wear.

Lord, help our children to know God as their heavenly father. Give them the faith to know that the Father is aware of all of their needs and has promised to provide. Only unbelievers worry about food and clothes. Lord, help our children to experience God's providence personally throughout their lives.

We pray in the name of Jesus, who provides for us abundantly. Amen.

## 아버지 하나님을 신뢰하게 하소서

우리의 목자 되시는 주님, '나의 도움이 천지를 지으신 주님에게서로다.'(시 121:2)라는 고백을 드립니다. 무엇이든지 도와주실 수 있는 분이 주님이시며 그래서 우리가 모든 근심을 내려놓을 수 있음을 감사드립니다. 이러한 고백이 우리 자녀들의 고백이 되게 하시고 무엇을 먹을까 무엇을 입을까 걱정하지 않도록 축복해 주옵소서.

우리 자녀들이 주님이 우리의 아버지 되심을 고백할 수 있도록 축복해 주옵소서. 아버지께서 우리에게 무엇이 필요한지를 다 아신다는 것과 아버지께서 우리의 필요를 다 공급하시겠다고 약속하셨음을 믿을 수 있도록 하옵소서. 하나님 아버지를 모르는 이방인들이 매일 걱정하는 것을 우리 자녀들이 따라 하지 않게 하시고, 천부께서 이 모든 것이 우리에게 있어야 함을 알고 계심을 깨닫게 도와주옵소서.

주님은 우리의 필요를 아시고 더욱 풍성하게 도와주시며 우리가 미처 구하지 않았을 때에도 적절한 시간에 공급해 주시는 분임을 우리 자녀들이 고백할 수 있도록 축복해 주옵소서. 우리 자녀들이 살아가는 모든 순간에 주님이 공급하시는 기적을 체험하도록 하옵소서.

언제나 우리에게 풍성하게 공급해 주시기를 즐거워하시는 예수님의 이름으로 기도합니다. 아멘.

**315**

September
19

# Give us faith in God's providence

Look at the birds of the air; they do not sow or reap or store away in barns, and yet your heavenly Father feeds them. Are you not much more valuable than they?     Matthew 6:26

O God of the wilderness, God of Canaan, we thank you in this season of harvest. We thank you and praise you for watching over us these past nine months without rest or a break. Lord, you watch over the birds and even the grass, but most of all we thank you for watching over our family.

Lord, help our children to learn that you watch over our lives, even down to the smallest details; God's eyes are constantly watching over us. Give them the knowledge that God's provisions are copious. May they trust only in God for everything they need. Lord, help us as parents and stewards to show your love and caring.

We pray in the name of Jesus, who watches over us. Amen.

 ### 하나님의 돌보심을 믿게 하소서

광야의 하나님, 가나안의 하나님, 곡식이 무르익는 9월에 주님으로 인해 감사를 드립니다. 올해도 9개월 동안 하루도 쉬지 않고 돌보아 주신 주님, 우리들을 위해 졸지도 주무시지도 않으시는 주님께 감사와 찬양을 드립니다. 자연을 돌보시고 모든 새와 들풀까지도 돌보시는 주님, 우리 가정을 세밀하게 돌보아 주심을 감사드립니다.

우리 자녀들을 위해 다시 기도를 드립니다. 우리 자녀들이 주님의 돌보심이 얼마나 세밀하고 자상한지를 체험하게 하옵소서. 또한 주님의 돌보심이 얼마나 지속적인가도 깨닫게 도와주옵소서. 또한 주님의 돌보심이 얼마나 풍성한가를 깨닫게 하옵소서. 그러므로 일생을 살아가는 동안 오직 주님만을 의지하고 주님의 공급함을 신뢰하며 주님의 돌보심에 자신을 내어맡길 수 있도록 축복해 주옵소서. 주님, 이러한 돌보심을 부모를 통해 아이들이 체험하는 줄 믿습니다. 부모 된 우리가 주님의 대리인으로서 부족함이 없도록 인도해 주시고 주님의 돌보심을 보여 주는 진정한 대리인의 사명을 잘 감당할 수 있도록 축복해 주옵소서.

언제나 우리를 돌보시는 예수님의 이름으로 기도합니다. 아멘.

# September 20 Do not judge others

Do not judge, or you too will be judged. For in the same way you judge others, you will be judged, and with the measure you use, it will be measured to you.　　　　Matthew 7:1-2

O Lord of abounding love and mercy, thank you for giving us the night when we can rest. Thank you for teaching us today the purpose of our lives and for the opportunity to truly worship you. Lord, bless our children tonight as they sleep. May they experience God's true Sabbath rest.

Lord, we are prone to pointing fingers and judging others' shortcomings. Guard our children from judging and shaming others. Place a guard over their mouths and over their hearts so they may not judge others with critical attitudes. Help them to arm themselves with God's word so their words may be positive, encouraging, and life giving. Lord, we live by the fruit of our words. Help us to sow good seeds with these words. Keep us from the reproach of others' judgment and also from judging others.

We pray in Jesus' name, Amen.

## 비판하지 않게 하소서

　　사랑과 자비가 풍성하신 주님, 날마다 우리에게 밤을 주시고 우리에게 쉴 수 있게 해주시니 감사를 드립니다. 오늘도 우리가 왜 살아야 하는지 깨닫는 하루가 되게 하시며 주님을 향해 진정으로 예배하고 찬양하게 하심을 감사드립니다. 오늘밤에도 은혜 가운데 온전한 안식을 누리며 잘 수 있도록 우리 어린 자녀들을 지켜 주세요.

　　우리들은 흔히 남의 잘못만 보고 비판하기가 쉽습니다. 우리 자녀들은 친구나 다른 사람들을 비판하지 않게 하시며 흉보거나 무시하는 말을 하지 않도록 지켜 주세요. 주님께서 우리 자녀들의 입술의 파수꾼이 되어 주세요. 무엇보다도 마음의 파수꾼이 되어 주셔서 부정적인 시각과 편견으로 다른 이들의 인격을 손상하지 않도록 축복해 주세요. 그러기 위해 말씀으로 무장하게 하시어 언제나 말씀이 우리 자녀들을 지켜 주셔서 긍정적이고 생산적이고 창조적인 말들을 할 수 있도록 축복해 주세요. "입술의 열매"를 먹고사는 우리들이 좋은 씨앗들을 뿌리며 살게 도와주세요. 그래서 다른 사람들로부터도 비판 받지 않게 하시며 남을 비판함으로 마음의 안식을 잃어버리지 않게 인도해 주세요.

　　예수님의 이름으로 기도합니다. 아멘.

**317**

# Give us spiritual discernment

Do not give dogs what is sacred; do not throw your pearls to pigs. If you do, they may trample them under their feet, and then turn and tear you to pieces.                    Matthew 7:6

Merciful God, thank you for the wonderful evening and for this time of prayer.

Bless our children with a deep spiritual prayer life; and teach them how to pray. Strengthen them through prayer so the power of darkness may shrink away from them. Lord, you taught us to not cast our pearls at swine.

Grant our children spiritual discernment so they don't give holy things to those who aren't ready to receive them and don't know the true value of holiness. Keep them from casting pearls at swine. Bless them when they glorify God's truth, God's word, and God's name. Lord, send them to places that are ready to receive God's name and God's holy word.

We pray in the holy name of Jesus, Amen.

## 영적으로 분별하게 하소서

자비로우신 하나님, 아름다운 저녁을 맞이하게 하시고 함께 기도하게 하심을 감사드립니다. 우리 자녀들이 어려서부터 기도하는 자녀가 되게 하시며 마땅히 구해야 할 것이 무엇인지 알 수 있도록 축복해 주옵소서. 그래서 어두움의 세력이 두려워하며 떠나가는 능력의 기도를 할 수 있도록 축복해 주옵소서. 주님은 우리에게 "거룩한 것을 개에게 주지 말며 너희 진주를 돼지 앞에 던지지 말라."고 하셨습니다. 우리 자녀들이 영적인 분별력을 가지고 거룩한 것을 거룩의 가치를 모르는 곳에 주지 않도록 인도하옵소서. 또한 귀한 진주를 진주의 가치를 모르는 돼지에게 던지지 않는 분별력을 내려 주옵소서.

거룩한 것을 받을 준비가 되어 있지 않은 곳에 함부로 거룩한 것을 전하거나 주지 않게 하시고, 귀한 진주의 가치를 모르는 곳에 진주를 던져 주지 않도록 인도해 주옵소서. 그러므로 주님의 귀한 진리와 말씀이 더럽혀지지 않게 하옵소서. 주님의 귀한 진리, 말씀, 이름을 높여 드리게 하시며 그 이름에 영광 돌리는 자녀들이 되도록 축복해 주옵소서. 거룩한 말씀과 이름을 받을 준비가 되어 있는 곳에 전할 수 있도록 인도해 주옵소서.

거룩하신 예수님의 이름으로 기도합니다. 아멘.

# May we ask, seek, and knock

Ask and it will be given to you; seek and you will find; knock and the door will be opened to you. For everyone who asks receives; he who seeks finds; and to him who knocks, the door will be opened.

Matthew 7:7-8

Lord, you answer those who ask you boldly and seek you with confidence. Thank you that God is our Father. You answer all of our cries as we walk the road of life. You answer us when we seek you. You open the door when we knock. Thank you for answering us when we ask, seek, and knock. We pray that our children also may grow in their prayer life to ask, seek, and knock. Lord, grant them courage to boldly ask, to diligently seek, and to positively knock so they may experience the fulfillment of God's promises in their lives.

Lord, guard our children from forfeiting blessings because they did not ask, seek, or knock. Although you have prepared all blessings for us, we have the responsibility to ask and seek you in these matters. Lord, may your will be done on earth as it is in heaven. Help us to remember this promise as we ask, seek, and knock for the blessings you have prepared for us.

We pray in Jesus' name, Amen.

---

### 구하고 찾고 두드리는 자가 되게 하소서

담대하게 구하는 자에게 응답하시며 용감하게 찾고 두드리는 자에게 응답해 주시는 주님, 그러한 하나님을 우리 가정이 아버지로 섬기게 하심을 감사드립니다. 우리가 걸어가는 모든 인생 길에서 부르짖을 때마다 응답해 주시고, 구할 때마다 주시며, 찾을 때마다 찾게 하시고, 문을 두드릴 때마다 열리게 하심을 감사드립니다. 오늘도 우리 자녀들이 이러한 기도의 자녀가 되기를 원하며 기도합니다. 우리 자녀들에게 담대하게 구하고 열심히 찾고 적극적으로 두드리는 용기를 허락해 주옵소서. 그리하여 하나님의 약속이 성취되는 체험을 할 수 있도록 인도해 주옵소서.

또한 우리 자녀들이 구하지 아니하여 얻지 못하는 자가 되지 않게 하시고, 찾지 않아서 찾지 못하며, 두드리지 않아서 열지 않는 일이 없도록 하옵소서. 주님께서는 모든 것을 아시고 준비하시지만 우리가 "부르짖을 때" 이루어 주심을 믿습니다. 그래서 하늘에서 이미 이루어진 것이 땅에서도 이루어지는 것을 믿습니다. 이러한 귀한 약속을 잃어버리지 않게 하시며, 구하고 찾고 두드리어 주님의 풍요를 공급 받을 수 있도록 축복해 주옵소서.

우리의 기도를 들어주시는 예수님의 이름으로 기도합니다. 아멘.

# Serve others first

So in everything, do to others what you would have them do to you, for this sums up the Law and the Prophets.

Matthew 7:12

Lord, thank you for giving us life today. It is now evening, and we hold our children's hands to pray together. Lord, hear our prayer. May our children to lead lives of abundant blessings in their school life, family life, and church life.

Lord, you are well aware of our immaturity. When we are children, we want to be loved, we want to win all the time, and we want to be served. But now that our children are growing up, help them to love others, forgive others, accept others, and serve others. Just as you taught us in your word, help us to do to others what we would have them do to us. Help us to experience the blessings of God that come from serving others. Lord, grant our children the gift of serving others, even at their young age. Guard them from leading self-centered lives. Instead help them to lead lives centered on serving and helping others. Help them to have mature faith and teachable hearts. Lord, give them discernment to wisely know how to serve their neighbors.

We pray in Jesus' name, Amen.

## 먼저 대접하는 자가 되게 하소서

오늘도 호흡을 주시고 생명을 누리게 하시는 주님, 감사를 드립니다. 어두운 밤이 되어 자녀들의 손을 잡고 함께 기도할 때에, 이 기도를 들어주시고 응답해 주옵소서. 우리 자녀들이 학교에서나, 가정에서나, 교회에서 건강하고 즐겁게 생활하게 하시고 주님으로 인해 언제나 풍성하고 부요한 삶의 주인공이 될 수 있도록 축복해 주옵소서.

우리의 미성숙을 아시고도 여전히 사랑해 주시는 주님, 우리가 어린아이였을 때에는 사랑받기를 원하고, 이기기를 원하고, 대접 받기를 원했습니다. 그러나 이제 우리들이 성장하여 남을 사랑하고, 용서하고, 받아들이고, 섬기고, 대접하기를 원합니다. 오늘의 말씀처럼 우리들이 대접을 받고자 기대하기 전에 먼저 남을 섬기고 대접하고 구제할 수 있도록 축복해 주옵소서. 우리 어린 자녀들도 이러한 생활을 실천하여 하나님의 축복을 받는 어린아이들이 되도록 인도해 주옵소서. 항상 자기 중심적으로 받기만을 기대하는 자녀가 아니라, 먼저 남을 배려하고 섬겨주며 도와줄 수 있는 자녀들이 되도록 인도해 주옵소서. 그러기 위해 성숙한 믿음, 성장하는 믿음을 주옵소서. 우리 자녀들이 어떤 이웃을 어떻게 대접해야 하는지 분별할 수 있도록 축복해 주옵소서.

예수님의 이름으로 기도합니다. 아멘.

# Enter through the narrow gate

Enter through the narrow gate. For wide is the gate and broad is the road that leads to destruction, and many enter through it.
Matthew 7:13-14

Lord, you are the way of life. Thank you for helping us to live today for you. If you had not been with us, today would have been more difficult and troubling. But thank you for being near us and giving us hope and words of comfort.

Lord, we pray for our children today. But this is indeed a difficult prayer topic. It is hard for us to pray for our children to enter through the narrow gate. Help us as parents to renew our hearts before you. Help us to teach our children repentance for wanting to enter through the gate that is wide and popular. Lord, it is the narrow gate that leads to true life. Guide our children through this narrow gate, and help them to understand that it is the way of true life and blessings. The wide gate is popular with the people of this world, but grant our children the spiritual discernment to enter through the narrow gate.

We pray in the name of Jesus, who opens the narrow gate for us. Amen.

## 좁은 문으로 들어가게 하소서

생명의 길을 열어 주신 주님, 하루를 주님을 위해 살게 하시고 주님만을 바라보며 만족하게 하심을 감사드립니다. 주님께서 우리와 동행해 주시지 않았다면 오늘도 어렵고 힘든 하루였을 것입니다. 그러나 주님이 우리와 가까이하시어 소망과 위로의 말씀을 주시고 새 힘 주심을 감사드립니다. 우리 자녀들이 어려서부터 주님과 동행하는 길을 알게 하시고, 주님의 위로와 소망의 말씀을 들을 수 있는 귀를 허락해 주옵소서.

오늘도 우리 자녀들을 위해 기도합니다. 그러나 이 기도 제목은 참으로 어렵습니다. 자녀들이 좁은 문으로 들어가도록 기도한다는 것이 우리 부모들에게는 어렵습니다. 우리 부모들의 마음을 먼저 새롭게 해주시고, 넓고 인기 있는 길로 나아가기를 원하였던 자녀들의 마음을 회개하게 도와주옵소서. 그러나 이 좁은 문은 생명으로 인도하는 문인 것을 압니다. 우리 자녀들이 이 좁은 문으로 들어가서 생명을 누리게 하시며 그것이 최고의 축복인 것을 깨닫게 해주소서. 세상 사람들은 모두가 넓고 인기 있는 길을 걸어가기를 원하지만, 우리 자녀들에게는 좁은 문으로 들어갈 수 있는 영성을 허락해 주옵소서.

우리에게 좁은 문을 열어 주신 예수님의 이름으로 기도합니다. 아멘.

**321**

# Protect them from false prophets

Watch out for false prophets. They come to you in sheep's clothing, but inwardly they are ferocious wolves.

Matthew 7:15

Lord, thank you for the month of September and for watching over us during this time. Thank you for this season of harvest when all the grains and fruits are ripe. Lord, help our children to be armored with the word of God during this wonderful fall season. Help us to raise our children in the word of God through reading the Bible. May they become men and women of God's word so they may discern the false prophets of this age.

Lord, there are many false prophets in the world today who claim to be true spiritual leaders. They assume that they are the most holy prophets and leaders. But Lord, give our children the spiritual discernment to recognize these false prophets through the wisdom that comes from the word of God and the Holy Spirit. Guide them to meet the true prophets and true servants of God, those who live before God and lead others to true salvation. Lord, anoint our children with the gift of spiritual discernment to be able to tell the difference between false prophets and true servants of God. Help them to stay awake in these last days so they may not be deceived.

We pray in Jesus' name, Amen.

---

### 거짓 선지자를 삼가게 하소서

9월을 주신 주님, 9월 한 달 동안도 주님이 지켜 주시고 성장하게 하심을 감사드립니다. 모든 곡식들이 알맞게 익게 하시고 풍성한 과일과 열매를 주신 은혜에 감사드립니다. 이 좋은 계절에 우리 자녀들이 말씀에 더 가까이 가게 하시고 더 많은 말씀으로 무장하게 도와주옵소서. 어려서부터 많은 말씀을 읽고 암송하는 자가 되게 하시며 말씀의 사람이 되도록 축복해 주옵소서. 그래서 거짓 선지자들이 범람하는 이 시대에 현혹되지 않도록 보호해 주옵소서.

이 세상에는 스스로 영적 지도자라고 나서는 사람들이 너무나 많이 있습니다. 자기만이 최고의 지도자이며 선지자라고 착각하고 있는 사람들이 많습니다. 그러나 우리 자녀들은 이러한 거짓 선지자들을 분별할 수 있도록 축복하시고, 분별할 수 있는 말씀과 은사를 허락해 주옵소서. 진실하고 성실한 지도자, 하나님 앞에 바로 선 지도자들을 만나게 하시며 그러한 지도자들을 통해 참된 구원의 도를 깨달을 수 있도록 복을 내려 주옵소서. 영들 분별함의 은사를 허락해 주셔서 하나님의 사람과 거짓 선지자를 분별하게 하시어 현혹되지 않도록 기름 부어 주옵소서. 이 마지막 시대에 깨어 있어서 속지 않도록 축복해 주옵소서. 예수님의 이름으로 기도합니다. 아멘.

# Do the will of the Father

Not everyone who says to me, 'Lord, Lord,' will enter the kingdom of heaven, but only he who does the will of my Father who is in heaven.
Matthew 7:21

Lord, you are God of the Word. You created the whole universe through your words. Thank you for giving us the gift of words to speak and to have fellowship. We can use words to confess our faith and our love for God. Thank you that we can praise you and thank you through our words. But Lord, guard us from just saying things with our words, but not following through with our actions.

Keep us from just saying, "Lord, Lord." Help our children to show their faith through all they do each day. Guard them from just giving God lip service while their hearts drift farther away from him. Teach them to live in obedience to God's will so they may receive the blessings of Deuteronomy 28. Help them to live out their faith through obeying God's will so they may enter the kingdom of heaven.

We pray in Jesus' name, Amen.

## 하나님의 뜻대로 행하게 하소서

말씀의 하나님, 말씀으로 온 우주를 창조하신 주님, 우리에게도 말을 할 수 있게 하시고 말을 통해 서로 교제하게 하심을 감사드립니다. 우리가 말을 통해 신앙 고백도 하고 주님을 사랑한다는 고백도 하게 하심을 감사드립니다. 또한 입을 통해 찬양도 하고 감사도 하게 하심을 감사드립니다. 하지만 단순히 입으로만 고백하고 실천하지 않는 자가 되지 않도록 특별히 보호해 주옵소서.

입으로만 "주여, 주여" 하지 않도록 축복해 주옵소서. 우리 자녀들이 실제의 생활에서 주님의 뜻대로 행하는 자가 되어 주님을 진정으로 섬기고 믿는 자녀가 되도록 인도해 주옵소서. 명목상의 교인이 되어 입으로만 주님을 섬기고 마음으로는 멀어져 가는 자녀가 되지 않도록 축복해 주옵소서. 하나님의 뜻이 무엇인가를 분별하게 하시고 이 뜻대로 순종하며 살아가는, 순종하는 자들에게 주시는 신명기 28장의 복을 우리 자녀들이 받을 수 있도록 축복해 주옵소서. 말보다도 실제의 생활에서 본을 보이고 순종할 수 있도록 힘을 주시어 천국에 들어가는 자녀이 되도록 인도해 주옵소서.

나사렛 예수 그리스도의 이름으로 기도합니다. 아멘.

# Keep them from becoming evildoers

Then I will tell them plainly, 'I never knew you. Away from me, you evildoers!'    Matthew 7:23

Lord, you delight in our obedience. We pray that our children will live in faithful obedience to your words. We pray that they will be obedient to their parents and teachers. Thank you that our children can learn obedience to their parents in the Lord. Help them to obey even in small matters. May their motivation for obedience come from love. Help them to experience the blessings that come from obedience.

Lord, we are afraid that we may labor all of our lives, and yet have the Lord say that he never knew us in the last day. Help our children to obey the Lord with absolute resolve. Guard them from becoming evildoers. Keep them from apathy when the Lord calls them to do something. Keep them from becoming like the servant who buried his masters one talent in the ground. Help them to become wise and faithful servants so the Lord may acknowledge them before the angels and God in heaven.

We pray in Jesus' name, Amen.

### 불법을 행하지 않게 하소서

순종을 기뻐하시는 주님, 우리 자녀들이 주님의 말씀에 순종하는 자가 되기를 원합니다. 그래서 부모에게도 스승에게도 순종할 수 있는 자녀들이 되기를 원합니다. 또한 우리 자녀들이 주 안에서 부모를 순종하는 것을 배우게 하시고 실천하게 하심을 감사드립니다. 작은 일에서부터 순종하게 하시고 주님을 사랑하기 때문에 마음과 뜻과 정성을 다하여 순종하는 자녀들이 되도록 인도해 주옵소서. 순종으로 얻을 놀라운 축복들을 사모하게 도와주옵소서.

열심히 일하고도 마지막에 주님이 모른신다고 할까 봐 두렵습니다. 그러므로 우리 자녀들이 주님이 명령하신 것에 기꺼이 순종하는 자가 되게 도와주옵소서. 또한 주님이 시키시지 않은 일을 하는 불법을 행하지 않게 도와주옵소서. 반대로 주님이 시키신 일을 하지 않는 불법도 행하지 않게 도와주옵소서. 맡기신 것을 땅에 묻어두는 종이 되지 않게 하시고, 오직 신실하고 진실한 주의 종이 되도록 축복해 주옵소서. 그리하여 주님께서 "천사와 하나님 앞에서 아신다고 인정" 하는 자녀들이 되도록 축복해 주옵소서.

예수님의 이름으로 기도합니다. 아멘.

# Build your house on the rock

*September*
## 28

Therefore everyone who hears these words of mine and puts them into practice is like a wise man who built his house on the rock.

Matthew 7:24

Lord, we praise you because you gave us precious children, and we have the privilege to pray for them every night. Thank you for entrusting these children to us and for the chance to enfold them with daily prayer. May they be rich in prayer, and may their prayer accounts in heaven be abundant. Although we pray for them now, lead them to have their own personal prayer lives.

Lord, we want them to build a house of faith with the foundation of prayer and the word of God. May they build their house on solid rock so the wind will not blow it away. You taught us that hearing your words and putting them into practice is like building a house on the rock. May our children hear your words and put them into practice throughout their lives. Protect them from the folly of building on sandy ground. Please bless us that we may obey you fully and always build on a foundation of rock.

We pray in Jesus' name, Amen.

---

### 반석 위에 집을 세우게 하소서

귀한 자녀를 주시고 날마다 자녀를 위해 기도할 수 있는 특권을 주신 주님께 찬양을 드립니다. 하나님의 귀한 생명을 온전히 지키게 하시고, 매일 축복 기도로 함께 시간을 갖게 하시며, 주님 나라에 기도를 저축하게 하심을 감사드립니다. 우리 자녀들이 기도에 부요한 자가 되게 하시고, 하늘 나라에 기도가 많이 저축된 부요한 자의 자녀가 되도록 인도해 주옵소서. 이렇게 부모가 기도를 하지만 자녀들이 개인적으로 하나님께 직접 기도하는 자녀들이 되도록 축복해 주옵소서.

이러한 기도의 부요함 위에, 말씀의 부요함 가운데 믿음의 집을 세우기를 원합니다. 우리 자녀들이 반석 위에 집을 세우는 자가 되게 하셔서 바람이 불어도 무너지지 않도록 인도해 주옵소서. 특별히 말씀을 듣고 행하는 자가 그 집을 반석 위에 세우는 사람이라고 하셨사오니 우리 자녀들이 말씀을 듣고 행하는 자녀가 되도록 힘을 허락해 주옵소서. 그래서 모래 위에 집을 짓는 어리석은 자가 되지 않게 하시고 영원히 튼튼한 집을 짓는 지혜로운 자녀가 되도록 인도하옵소서. 우리 가정이 이 반석 위에 집을 짓는 지혜로운 가정이 되기를 원하오니, 우리 부모들에게도 순종의 축복을 허락해 주옵소서. 감사드리며 예수님의 이름으로 기도합니다. 아멘.

**325**

# Bear beautiful fruit

Every tree that does not bear good fruit is cut down and thrown into the fire. Thus, by their fruit you will recognize them.

Matthew 7:19-20

Lord, we give you all the glory for this wonderful season of harvest when the grains, fruits and vegetables are ripe. You grant joy to the farmers during this season. Help us to realize all of your blessings that come from nature. We pray for our nation to be always abundant in grains and fruits.

Lord, thank you for giving us abundant fruits in nature. These fruits came about because of the farmers efforts. May our children bear abundant spiritual fruits in their lives. Help them to be spiritually awake, so they won't be counted as fruitless trees that are cut down and burned in the fire. Lord, you taught us that we know a person by their fruit. Please guard our children from being fruitless. Lord, you are the vine and we are the branches. May our children remain in the vine so they may receive life and bear much fruit.

We pray in Jesus' name, Amen.

### 아름다운 열매를 맺게 하소서

모든 곡식이 익고 과일과 채소가 풍성한 가을을 맞이하게 하시는 주님, 이 계절에 영광을 받아 주옵소서. 농부들에게도 기쁨을 주시고 새로운 곡식과 양식을 대하는 우리들에게도 자연으로부터 얻는 열매로 인해 기쁨을 누리게 하옵소서. 우리 나라가 풍성한 양식과 과일, 열매들로 인해 사람들이 행복하고 자연이 행복한 나라가 되기를 원합니다. 인도해 주옵소서.

자연으로부터도 풍성한 열매를 주시는 주님, 그러나 이러한 열매가 저절로 맺혀지는 것이 아니라 농부의 수고를 통해 맺혀지는 것임을 믿습니다. 주님, 우리 자녀들도 영적인 열매가 풍성하게 맺히도록 인도해 주옵소서. 열매 없는 나무가 되어 찍혀 불에 던지우게 되지 않도록 우리 자녀들이 깨어 주님을 바라보게 하옵소서. 특별히 열매를 통해 그 사람을 안다고 하였사오니 열매 없는 자가 되지 않게 하시며 쭉정이 같은 열매를 맺지 않도록 축복해 주옵소서. 이렇게 열매를 맺기 위해 포도나무이신 주님께 접붙임을 당하게 도와주시고 언제나 주님으로부터 생명을 공급 받을 수 있도록 축복해 주옵소서. 그래서 그 열매로 우리 자녀들이 하나님의 자녀임을 세상이 알게 도와주옵소서. 감사드리며 예수님의 이름으로 기도합니다. 아멘.

# Help me to see the plank in my own eye

You hypocrite, first take the plank out of your own eye, and then you will see clearly to remove the speck from your brother's eye.

Matthew 7:5

Lord, we praise you on this last day of September. We give you thanks for providing everything we have needed for this month. Thank you for our health, for the fruits of harvest, and also for protecting us with the word of God. As we finish out the month, help us to see more clearly if there were areas of our lives that were not pleasing to you so we may repent.

Lord, we frequently notice others' sins and mistakes, but we are so slow to see our own. We notice the speck in others' eyes, but we do not notice the plank in our own eye. Our children don't see their own shortcomings because they are still young. Lord, help them to see their own condition and guard them from judging or mocking others. Give them love to overlook others' sins. Give them and objective eyes to recognize their own. Help them to hold themselves up to the standard of God's word so they may be trained in the righteousness of God.

We pray in Jesus' name, Amen.

## 내 눈의 들보를 보게 하소서

9월의 마지막 날에 주님을 찬양합니다. 큰 감사를 드립니다. 9월 한 달도 먹여 주시고 입혀 주시고 잘 곳을 주시고 성장하게 하심을 감사드립니다. 온 식구가 건강하게 하시고 풍성한 열매를 맛보게 하시고 주님의 말씀으로 무장하게 하시니 감사를 드립니다. 9월을 끝내면서 우리가 주님이 보시기에 잘못된 생활이 있었으면 다시 한 번 회개할 수 있도록 인도해 주옵소서. 우리의 잘못을 볼 수 있도록 축복해 주옵소서.

우리들은 남의 잘못과 실수에는 민감하지만 자신의 잘못에 대하여는 무감각합니다. 남의 눈의 티는 보면서 우리 눈에 있는 들보는 보지를 못합니다. 우리 자녀들도 아직 미성숙하여 자신의 부족함을 잘 보지 못합니다. 이제부터 자신의 들보를 볼 수 있도록 인도하시며 남의 티를 보고 정죄하거나 판단하거나 비판하지 않게 인도해 주옵소서. 허물을 덮어 주는 사랑을 주시고, 남의 허물보다 자신의 허물을 냉정하게 바라볼 수 있도록 인도해 주옵소서. 말씀 앞에서 자신의 진정한 모습을 보게 하시며 말씀 앞에서 책망도 받고 교훈도 받고 의로 교육을 받을 수 있도록 축복해 주옵소서. 그래서 하나님 앞에서 온전한 사람이 되도록 인도해 주옵소서.

예수님의 이름으로 기도합니다. 아멘.

**327**

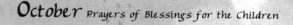

# *October* Prayers of Blessings for the Children

-Spiritual Armor-

Prayers for October will be for the spiritual protection of our children.
It is also the month for celebrating the Reformation movement.
There will be words used in the prayers such as, "Satan," "evil spirits,"
and "power of darkness."
If it is not appropriate to use these words in front of your children
because of their age,
it would be wise to pray separately.
If you do pray with your children, modify the phrase so that they will not be fearful.

자녀를 위한 10월의 축복 기도

- 영적 무장을 중심으로 -

종교개혁주간을 맞이하면서 자녀들을 위한 영적 무장 기도를 준비하였습니다.

기도문 가운데 나오는 "사탄, 귀신, 어둠의 세력들"이라는 말들을 어린 자녀들 앞에서 직접 하기 어려운 부모님들은
자녀들을 위한 기도 시간에 다른 곳에서 따로 기도하셔도 됩니다.
만일 어린 자녀들과 함께 기도할 때에는 기도문을 다소 수정하여 기도함으로써
자녀들에게 두려움을 주지 않도록 하시기를 바랍니다.

10월에 나오는 명구는 모두 제리 로버슨과 캐롤 로버슨 부부의 책,
『먼저 강한 자를 결박하고』 1, 2권(도서출판 진흥)에서 발췌했습니다.

# Have life in its fullness

The thief comes only to steal and kill and destroy; I have come that they may have life, and have it to the full.
John 10:10

**O**God of eternal life, thank you for this new month of October and for the chance to pray for our children's spiritual welfare. Lord, bless our children with the gift of spiritual discernment, so they may always be able to distinguish between the light of truth and the darkness of falsehood.

Lord, help our children to know who their enemy is so they may be armed with the Holy Spirit and the word of God. May they never be overcome by the enemy, especially since they live in the 21st century that is marked by secularism, moral decay, and chaos. Help them to be alert in times like these and to be prepared spiritually.

Lord, you are the giver of life. You are the true shepherd who came to give life to your flock. Help our children to recognize the voice of their shepherd, the Lord, who comes in through the gate. Protect them from the thief that comes to steal the sheep. May they look to Jesus who gives them life.

We pray in the name of our Shepherd, Jesus, Amen.

---

### 풍성한 생명을 얻게 하소서

영원하신 생명의 하나님, 10월을 맞이하게 하시고 우리 자녀들의 영적 무장을 위해 기도하게 하시니 감사를 드립니다. 우리 자녀들이 영 분별함의 은사를 받게 하시고 진리의 영과 거짓되고 미혹하는 어둠의 영들을 분별할 수 있도록 축복해 주세요.

우리 자녀들이 적군에 대해 잘 알게 하시고 무시로 성령 안에서 기도함으로써 성령과 말씀으로 무장하여 적군의 전략에 쓰러지지 아니하도록 인도해 주세요. 21세기를 사는 우리 자녀들은 하나님 없는 문화, 세속화되고 부패하고 혼돈된 문화 가운데 살고 있습니다. 이럴 때일수록 우리 자녀들이 더욱 깨어서 무장할 수 있도록 축복해 주세요.

생명을 주시기를 원하시는 주님, 주님이 오신 것은 양에게 생명을 얻게 하시기 위함임을 우리 자녀들이 알게 하시고 양으로서 자신의 목자의 음성을 알 수 있는 축복을 허락해 주세요. 양의 문을 통해 들어오시는 목자를 분별하게 하시고 어둠의 세력들이 도적질하기 위해 분주하게 일할 때에 생명으로 오시는 주님을 섬기고 맞이할 수 있도록 인도해 주세요. 우리의 목자 되신 예수님의 이름으로 기도합니다. 아멘.

## October 2

# God's protection

I give them eternal life, and they shall never perish; no one can snatch them out of my hand. My Father, who has given them to me, is greater than all4); no one can snatch them out of my Father's hand.

John 10:28-29

Jehovah Nissi, you are God, the banner of our victory. Thank you for these beautiful autumn days. Thank you for providing an abundant harvest so we may have enough to eat. Help us during this beautiful season to come closer to the word of God.

God of salvation, help our children to experience the salvation that brings freedom and power into their daily lives. Be their protection from the powers of darkness. We pray in your name that no one may snatch them out of your hands.

Lord, guide them to put on the helmet of salvation to protect their heads with a living hope as they look to God. Grant our children your eternal blessings as you hold them in the palm of your hands.

We pray in Jesus' name, Amen.

---

### 보호 받게 하소서

여호와 닛시, 승리의 깃발 되시는 주님, 아름다운 가을을 맞이하여 하나님께서 창조하신 자연에 대해 더욱 감사를 드립니다. 이제 곡식과 과일들을 풍성하게 주시고 우리로 하여금 배불리 먹게 하시니 감사를 드립니다. 이 아름다운 계절에 더욱 말씀과 가까워지는 우리 가족이 되도록 인도해 주세요.

우리에게 구원을 허락하신 주님, 사랑하는 자녀들도 내세의 구원과 함께 이 땅에서도 자유와 권세를 누리는 현재적인 구원을 받을 수 있도록 도와주세요. 어둠의 세력들이 우리 자녀들을 공격하지 못하도록 주님의 이름으로 결박해 주시고 어느 누구도 귀한 구원의 선물을 빼앗아가지 못하도록 인도해 주세요.

우리가 먼저 구원의 투구로 무장하게 하시고 이로 인해 머리에 상처받지 않고 산 소망을 가지고 하나님을 바라보고 나아가는 자들이 되도록 축복해 주세요. 사랑하는 우리 자녀들을 주님의 손안에 보호해 주셔서 하나님께서 주시는 모든 신령한 복들을 영원히 누리도록 인도해 주세요.

예수님 이름으로 기도합니다. 아멘.

# Put aside the deeds of darkness

October 3

The night is nearly over; the day is almost here. So let us put aside the deeds of darkness and put on the armor of light.

Romans 13:12

Lord, may your light fill our home and church even as we live in this dark secular world. Satan works in the darkness through which he has the power to tempt us. Lord, protect us from the temptations of this darkness. Lead us to put aside the deeds of darkness and to be clothed in the armor of light and the Holy Spirit.

Lord, thank you for your grace that sends these precious children to our family. We believe that your desire is for them to live a life that is blessed through the word of God. Guard our children from associating with the deeds of darkness. Help them to overcome this darkness with your light. It is so easy for them to be tempted. Lord, anoint our children so they will hate the deeds of darkness and be clothed in the armor of light.

We pray in Jesus' name, Amen.

## 어두움의 일을 벗게 하소서

빛으로 오신 주님, 우리의 가정과 교회를 빛으로 채워 주시고 어둠에 속해 있는 사회와 국가에도 해같이 빛나는 얼굴로 임재해 주시옵소서. 공중 권세를 잡고 있는 사탄의 세력들은 어두움을 좋아하고 어두움으로 우리를 유혹하기를 좋아하고 있습니다. 우리들이 어두움으로 유혹 당하지 않도록 지켜 주세요. 특히 우리들이 먼저 어두움의 일을 벗고 빛의 갑옷을 입게 하시고 성령의 갑옷으로 온전하게 무장할 수 있도록 도와주세요.

사랑하는 자녀들을 우리 가정에 보내 주시고 이렇게 귀한 사랑을 나누게 하시니 이 은혜에 참으로 감사를 드립니다. 주님은 이렇게 귀한 생명들이 오늘도 주님의 말씀 안에서 하늘의 신령한 축복들을 누리기를 원하시는 줄 믿습니다. 그러므로 우리 자녀들이 어두움에 속하지 않게 하시고 단호하게 어두움의 세력들을 대적할 수 있도록 능력 주시옵소서. 우리들은 너무나 쉽게 어두움의 일과 손을 잡는 것 같습니다. 우리 자녀들의 마음에 기름 부어 주셔서 어두움의 일이 싫어지게 하시고 빛의 갑옷을 입는 의지적 결단을 허락해 주옵소서.

우리의 대장 되시는 예수님의 이름으로 기도합니다. 아멘.

# Freedom from fear

For God did not give us a spirit of timidity, but a spirit of power, of love and of self-discipline.
2 Timothy 1:7

L ord, thank you for giving us bold faith to live in victory in this dark world. Thank you for being our protection when we are weak. Great Lord, you have been already prevailed over the power of darkness and taken away its weapons. May our children know this truth and live free from the bondage of fear. Although Satan has been stripped of his power, he still deceives us. Guard them from falling into Satan's temptations.

Lord, we pray that our children may live in freedom from the bondage of fear. You are not the God of fear. You are the God of truth who gives us the word of God to prevail over fear. Lord, help our children to not even fear death. Help them to follow Jesus, who overcame death. We believe that we already have the victory because you have prevailed for us. Bless us, Lord.

We pray in Jesus' name, Amen.

### 두려워하지 않게 하소서

만군의 하나님, 우리에게 담대한 믿음을 허락하셔서 이 어두운 세상에서 승리하게 하시니 감사를 드립니다. 우리가 힘이 없을 때마다 언제나 우리를 버려 두지 아니하시고 곁에 계셔서 우리의 방패가 되어 주심을 또한 감사 드립니다.

위대하신 하나님, 모든 어두움의 권세들의 무기를 빼앗으시고 이미 승리하신 주님, 우리 자녀들이 그 진리를 알고 그 진리로 인해 자유할 수 있도록 축복해 주세요. 마귀는 아무 힘이 없으나 아직도 우리를 속이고 미혹하고 있습니다. 이 달콤한 유혹에 우리 자녀들이 넘어가지 않도록 지켜 주세요.

또한 사랑하는 귀한 자녀들이 두려움으로부터 자유할 수 있도록 도와주시고, 두려움에 매여서 고통을 당하지 않도록 인도해 주세요. 주님은 우리에게 두려움을 주시는 분이 아니라는 진리를 알게 하시고 두려움이 올 때마다 성경말씀으로 이기게 해주세요. 우리 자녀들이 죽음까지도 두려워하지 않게 하시고 죽음을 이기신, 대장 되시는 주님을 담대하게 좇아갈 수 있도록 인도해 주세요. 주님이 이기셨으므로 우리도 이미 이긴 것을 믿습니다. 축복해 주세요. 예수님 이름으로 기도합니다. 아멘.

## October 5

# Signs of true believers

And these signs will accompany those who believe: In my name they will drive out demons; they will speak in new tongues; they will pick up snakes with their hands; and when they drink deadly poison, it will not hurt them at all; they will place their hands on sick people, and they will get well.                                                     Mark 16:17-18

God of might, thank you for giving us wisdom and power today to overcome in this world of darkness. Thank you for providing us with victory over death. Help us to become a victorious family. Lord, you are the king of kings. Thank you for helping us to live by faith that bears fruit in our works. Lord, keep us from having faith without works, which is dead. Grant us faith with works, so we may experience the mighty signs of God.

We pray that our children will be blessed as they witness the work of God that comes from their living faith. Lord, you taught us that " these signs will accompany those who believe." May our children witness these signs as they put their faith in you. Lord, give them signs to overcome the power of darkness wherever they go. Give them faith to bring healing and blessings, just as Jesus did. Lord, faith without works means that there is no true faith. Help us to have a living faith that bears fruit in our works so we may experience your signs.

We pray in Jesus' name, Amen.

---

 ### 믿는 자들의 표적을 보게 하소서

능력의 하나님, 오늘도 이 어두운 세상에서 승리할 수 있는 지혜와 능력을 주시니 감사드립니다. 이미 주님께서 죽음까지도 정복하시고 이기신 것을 감사드립니다. 우리 가정도 승리하는 가정이 되도록 인도해 주세요. 왕의 왕이 되신 주님, 우리에게 믿음을 주셔서 믿음대로 살아가게 하시니 감사드립니다. 무엇보다도 우리들의 믿음이 살아 움직이는 믿음이 되게 하시며 행함이 있는 믿음이 되도록 인도해 주세요. 입으로만 믿는 믿음이 아니라 행동하는 믿음 가운데 기적을 체험하는 자들이 되게 인도해 주세요.

특별히 우리 자녀들을 위해 기도합니다. 믿고 보는 축복이 일어나게 하옵소서. 믿는 자들에게는 표적이 따른다고 하셨사오니 우리 자녀들에게도 이러한 표적이 나타나도록 인도해 주세요. 어디에 가든지 어둠의 세력을 이기는 표적을 허락하시며 주님이 하셨던 치유와 축사의 사역도 할 수 있는 능력을 허락해 주세요. 믿는다고 하면서 행동이 따르지 않고 믿는다고 하면서 열매나 표적이 없다면 우리들은 필경 입으로만 믿는 것임을 고백합니다. 우리의 믿음이 산 믿음이 되어 행동으로 열매 맺게 도와주시고 믿는 자들에게 따라오는 표적을 보는 축복을 허락해 주세요. 예수님 이름으로 기도합니다. 아멘.

# We are more than conquerors

No, in all these things we are more than conquerors through him who loved us.     Romans 8:37

Lord, you are our shield. Although we are weak by ourselves, thank you for being with us and blessing us so we will become strong and bold in this world. Lord, keep us from being cowardly. Give our family faith so we may be more than conquerors.

Although we have victory in you, we often find ourselves overcome by little things. We confess our weakness in being hurt over misunderstandings and for having broken relationships with others. Lord, our children are young, and it is difficult for them to be protected with spiritual armor. Be with our children and clothe them with the armor of the Holy Spirit so they may prevail over Satan's temptations with wisdom and power. Lord, help them to become more than conquerors through Jesus so they don't shrink back in the face of the trials and hardships.

We pray in Jesus' name, Amen.

## 넉넉히 이기게 하소서

우리의 방패가 되시는 주님, 우리는 약하지만 주님께서 축복해 주시고 동행해 주셔서 강하고 담대하게 세상을 이기게 하시니 감사를 드립니다. 우리 가정의 믿음이 비겁한 믿음이 되지 않도록 지켜 주시며 승리할 때마다 넉넉히 승리하게 도와주세요.

그러나 언제나 승리할 것 같은 우리이지만 아주 작은 일에도 자주 쓰러지고, 작은 감정적 상처로 인해 사람들과 관계를 단절하면서 사는 부족한 존재들입니다. 특히 우리 자녀들은 아직 어립니다. 이러한 영적 무장을 하기에 너무나 약합니다. 주님께서 함께해 주셔서 성령의 전신갑주를 입는 자녀들이 되게 하시고 언제 어디서나 사탄의 유혹을 이길 수 있는 지혜와 능력을 허락해 주세요.

사도 바울을 통해 주신 말씀대로 우리 자녀들이 주 안에서 넉넉히 이기는 지혜를 갖도록 허락해 주시고 고난과 환난을 비겁하게 피하는 자들이 되지 않도록 인도해 주세요. 오히려 주님과 함께 고난과 환난을 넉넉히 이기도록 축복해 주세요.

감사하오며 예수님 이름으로 기도합니다. 아멘.

# October 7

# Submit yourselves to God

Submit yourselves, then, to God. Resist the devil, and he will flee from you. — James 4:7

Lord, thank you for the month of October. Please help us to return to your word during this season, and let there be a revival in our life of faith. Is our family in need of renewal? If so, please help us to be renewed by the word of God.

Lord, you taught us that to obey is better than to sacrifice. We learned that we must first submit ourselves to the Lord, and then resist the devil and he will flee. Bless our children with the spirit of submission and obedience to God. Lord, we know that we give the devil a foothold when we disobey you, and disobedience leads to temptations we cannot overcome. Guide our children to follow their spiritual path by obeying God, who is the Creator, and also by obeying their parents.

We pray in Jesus' name, Amen.

---

## 먼저 순복하게 하소서

10월을 주신 하나님, 그리고 10월을 통해 종교개혁을 하게 하시고 영적 암흑에 빠져 있던 중세 시대에 말씀으로 다시 돌아오도록 하신 주님, 감사를 드립니다. 이 계절에 우리도 말씀으로 다시 돌아올 수 있게 하시고 부패한 신앙생활에 개혁이 일어나는 주간이 되도록 인도해 주세요. 우리 가정에도 종교개혁이 필요합니까? 그렇다면 우리들이 모두 다시 말씀 안에서 새로워지도록 인도해 주세요.

순종이 제사보다 낫다고 말씀하시는 주님, 오늘 우리에게 순복하도록 명령하여 주시니 감사를 드립니다. 그리고 마귀를 대적하라 하셨습니다. 먼저 주님께 순복할 때 마귀를 대적할 수 있으며, 그 대적함으로 인해 마귀가 피하여 도망가게 될 것을 믿습니다. 무엇보다도 마귀를 이길 수 있는 무기가 순종인 것을 압니다. 우리 자녀들에게 이 순종의 축복을 허락해 주시옵소서. 우리가 주님께 순복하지 않을 때 마귀에게 틈을 주게 되고 불순종하도록 유혹하는 마귀에게 끌려가 아담과 같이 하나님의 동산에서 쫓겨나게 되는 것을 압니다. 우리 자녀들이 영적인 질서에 순종하게 하시고 천지를 지으신 주님께, 또한 부모에게 순종하는 자녀들이 되도록 인도해 주세요.

감사드리며 예수님 이름으로 기도합니다. 아멘.

# Put on the full armor of God

Finally, be strong in the Lord and in his mighty power. Put on the full armor of God so that you can take your stand against the devil's schemes. For our struggle is not against flesh and blood, but against the rulers, against the authorities, against the powers of this dark world and against the spiritual forces of evil in the heavenly realms.
Ephesians 6:10-12

Lord, you are the God of victory. We pray once again for our children. Grant them the gift of spiritual discernment so they may prevail over the power of darkness. Lord, always help them to be ready by wearing the full armor of God, with the belt of truth buckled around their waist.

Lord, add unto them the shield of faith, the breastplate of righteousness, the helmet of salvation, feet fitted with the gospel of peace, and the sword of the Spirit. Give them the spirit of truth so they may recognize the schemes of the devil and prevail over them.

Lord, our children live in the 21st century where the New Age movement has infiltrated almost everywhere. Its agenda appears in movies, music, and even the video games they play. Lord, give them the awareness to know this, and may they confess only Jesus as their Lord.

We pray in the name of Jesus, who is our protector. Amen.

## 전신갑주를 입게 하소서

승리의 하나님, 오늘도 우리 자녀들을 위해 기도합니다. 우리 자녀들에게 영들 분별함의 은사를 허락해 주셔서 능히 이 어두움의 권세와 싸워서 이길 수 있도록 축복해 주세요. 먼저 하나님의 전신갑주를 입고 준비하는 자가 되게 하시며 진리의 허리띠로 믿음의 균형을 갖는 자녀들이 되도록 인도해 주세요.

또한 믿음의 방패를 허락하시고 의의 흉배와 구원의 투구, 평화의 복음에 예비한 신발, 성령의 검 등을 허락해 주셔서 온전한 무장을 할 수 있도록 인도해 주세요. 또한 진리의 영을 허락해 주셔서 마귀의 실체와 궤계를 알게 하시며 미혹하는 사탄의 역사를 능히 이기게 하옵소서.

우리 자녀들이 사는 21세기에 뉴에이지 운동이 곳곳에 스며들어가고 있습니다. 우리 자녀들이 즐겨 듣는 음악과 즐겨 보는 영화, 또한 즐겨 하는 게임들 가운데도 뉴에이지 사상이 스며들어가고 있습니다. 이것을 분별하게 하시고 만유의 구주이신 주님만을 구주로 고백할 수 있도록 인도해 주세요.

우리를 보호하시는 예수님의 이름으로 기도합니다. 아멘.

## October 9
## Let us be one in prayer

I tell you the truth, whatever you bind on earth will be bound in heaven, and whatever you loose on earth will be loosed in heaven.
Matthew 18:18

Lord, help us to pray with one heart as a family. Teach us today about the power of praying together. Lord, help our family to become God's temple where worship, praise, thanksgiving, and prayers never cease. You have promised that you will be with two or three who gather in your name. Lord, we know that the power of prayer lies not in the number of people, but in their oneness of hearts. Help our family to be in one accord in prayer.

Lord, we pray that there may be oneness of prayer wherever our children go. Guide them to pray together in one accord before they set out to do anything. Train them to become prayer warriors, who acknowledge God in all things. Lord, may their prayers bring fear to demons. Guard them from going ahead of God, but rather, help them to follow the Lord in obedience.

We pray in Jesus' name, Amen.

### 마음을 합하여 기도하게 하소서

우리의 기도를 들어주시는 하나님, 우리 가족이 마음을 합하여 기도할 수 있는 가정이 되도록 인도해 주세요. 합심기도의 능력을 오늘 말씀을 통해 가르쳐 주시니 감사드립니다. 우리 가정이 성전이 되게 하시고 언제나 예배와 찬양, 감사와 기도가 그치지 않도록 인도해 주세요. 두세 사람이 모여서 기도하는 곳에는 언제나 주님이 함께 하시며 응답해 주신다고 하셨습니다. 기도의 능력이 사람의 숫자에 있지 않고 마음을 합하는 데 있는 것을 아오니 우리가 가정에서부터 마음을 합해 기도할 수 있도록 도와주시며 부족한 기도 훈련을 더 받을 수 있도록 축복해 주세요. 우리 자녀들이 가는 곳마다 마음을 합하여 기도하는 모임이 생기게 하시고 우리 자녀들이 무엇을 계획하고 실행하기 전에 먼저 마음을 합하여 하나님께 기도하고 시작하도록 인도해 주세요. 그래서 범사에 주님을 인정하게 하시고 어두움의 권세들이 무서워 떠는 기도를 하는 자녀들이 되도록 도와주셔서 기도에 있어서 꼬리가 되지 아니하고 머리가 되는 기도의 용사들이 되도록 축복해 주세요. 주님보다 먼저 나아가는 자가 되지 않게 하시고 주님을 따라가며 순종하는 자가 되도록 축복해 주세요.

우리의 기도를 들어주시는 예수님의 이름으로 기도합니다. 아멘.

# May God be our guidance

Your word is a lamp to my feet and a light for my path.

Psalm 119:105

**H**oly Lord, you know the best way for us. Be the lamp unto our feet and the light for our path. Help our children to follow Jesus, who is the way, and to be shielded by the word of God.

May the word of God be their guide in their journey through life so that all things may go well. Lord, protect them from leaving the path of your word, and help them to be a faithful follower of in your way, even if it may be a slow journey.

Lord, guide them through your word so they don't trip or fall into a ditch. Bless them so they may always follow the light of your word and journey in safety. Lord, may the blessings of Immanuel, God with us, be with our children. May they be obedient as you lead them and learn to know what is pleasing to God.

We pray in Jesus' name, Amen.

## 주의 인도를 받게 하소서

거룩하신 하나님, 우리에게 어떤 길이 가장 최선의 길인지 아시는 주님, 우리 가정을 위해 주님이 등불이 되어 주시고 빛이 되어 주시기를 기도합니다. 언제나 사랑하는 우리의 어린 자녀들이 인생을 걸어가는 동안, 길 되신 주님을 좇을 수 있게 도와주시며 말씀으로 무장할 수 있기를 원합니다.

말씀이 지도가 되고 나침반이 되어 우리 자녀들이 어떤 길을 걷게 될 때에도 주 안에서 형통할 수 있도록 인도해 주세요. 말씀을 떠나서 제멋대로 걸어가면서 시행착오를 일으키지 않게 하시고 천천히 가더라도 바르게 주님의 말씀을 좇아가는 지혜로운 자녀들이 되도록 축복해 주세요.

주의 말씀으로 인도함을 받아서 실족하지 않게 하시고 어두워서 쓰러지거나 부딪히거나 웅덩이에 빠지는 일이 없게 인도해 주세요. 주님의 말씀의 등불로 어디에서나 안전하게 인도함을 받을 수 있도록 축복해 주세요. 어떤 축복보다도 임마누엘의 하나님, 에벤에셀의 하나님이 주시는 '인도하심'의 축복이 자녀들에게 임하게 하시고 가장 선하고 좋은 길로 자녀들이 걸어갈 수 있는 축복을 허락해 주세요. 이렇게 인도할 때에 순종하는 자녀가 되게 하시고 주님이 원하시는 것이 무엇인지 분별하게 도와주세요.

예수님 이름으로 기도합니다. 아멘.

# Help us to love

October 11

Hatred stirs up dissension, but love covers over all wrongs.

Proverbs 10:12

O God of life and love, thank you for establishing the family, which is the community of love. It is a place where parents and children love and comfort one another in the bounds of your love. Lord, we give you all the glory. Thank you for today and for helping our children in their school life. Bless them with abundant wisdom so their lives may be pleasing to God.

Lord, help our children to love others wherever they go, and may their love cover over all wrongs. Help them to fill their hearts with love that will protect them from hatred and dissension. Lord, you taught us that hating a brother is the same as murder. Guard us from hatred and dissension among our brothers and sisters, for you have taught us to love one another. If we love one another, the unbelievers will know that we are your disciples. Lord, help our children to love one another.

We pray in Jesus' name, Amen.

### 사랑하게 하소서

생명과 사랑의 하나님, 사랑의 공동체, 가정을 주신 것을 감사드리며 부모와 자녀가 함께 위로하고 사랑을 나누면서 살 수 있는 사랑의 울타리를 허락하심도 감사드립니다. 홀로 영광 받으소서. 좋은 날씨를 허락하시고 건강하게 학교생활을 하게 하심도 감사합니다. 더욱 지혜와 명철을 허락하셔서 하나님이 기뻐하시는 귀한 제자가 될 수 있도록 축복해 주세요.

사랑의 하나님, 주님의 마음으로 서로 사랑할 수 있게 도와주세요. 자녀들이 어디에 가든지 주님의 마음으로 서로 사랑하게 하시고 타인의 허물을 가리워 주는 자녀들이 되도록 인도해 주세요. 그러기 위해 무엇보다도 마음을 사랑으로 무장하게 하시고 미움이 틈타고 들어올 때에 분별하여 단호하게 내어쫓을 수 있도록 인도해 주세요. 주님께서는 형제를 미워하는 것은 이미 살인한 것이나 다름없다고 말씀하셨습니다. 우리가 형제들을 미워함으로 다툼을 일으키고 살인의 죄를 범하지 않도록 보호해 주세요. 주님께서는 우리에게 미움을 주시지 않고 사랑을 주시는 것을 압니다. 우리가 서로 사랑하면 사람들이 우리가 주의 제자인 줄 알 것입니다. 우리 자녀들이 서로 사랑하게 해주세요.

우리를 위해 죽으신 예수님의 이름으로 기도합니다. 아멘.

340

# Guard us from witchcraft

I will destroy your witchcraft and you will no longer cast spells.

Micah 5:12

O God of truth, as we walk the road of life, help us to trust only in your divine wisdom. Keep us from inquiring of astrology and fortunetellers. Lord, help our children to know that it is despicable to God for his children to inquire of astrologers and fortunetellers.

O God of wisdom, it may be possible that our children are swayed by what they see on TV, on the Internet, or in video games, thinking that witchcraft is just for fun. There are also many movies that suggest that there is reincarnation. Lord, Satan's work hides in many places, like music, the economy, society, culture, and even in religion. Even if we have great faith, we cannot follow our children around and protect them every moment. Please protect them from getting involved with things like witchcraft, astrology, and fortune telling. Lord, help them to be guided daily by the word of God so they may discern the spiritual things.

We pray in Jesus' name, Amen.

### 주술과 손잡지 않게 하소서

진리이신 하나님, 우리가 인생을 걸어가는 동안 온전하게 주님의 지혜만을 의뢰하도록 인도해 주세요. 복술이나 점쟁이에게 인생에 대하여 묻는 자가 되지 않게 하시며 그러한 패역한 지혜를 멀리하게 하옵소서. 하나님께서 가장 싫어하시는 것이 복술이나 점쟁이에게 인생에 대하여 지혜를 구하는 것임을 우리 자녀들이 깨닫게 도와주셔서 어떤 모습의 주술이라도 우리 자녀들을 틈타지 않게 인도해 주세요.

지혜의 하나님, 우리 자녀들이 TV나 컴퓨터 게임 등을 통해 주술적인 재미를 접할 수 있습니다. 또한 전생이나 환생을 주제로 한 많은 영화가 인기를 얻고 있습니다. 음악, 경제, 사회, 문학, 종교 어디에든지 주술과 사탄의 궤계가 숨어 있지 않은 곳이 없습니다. 아무리 신앙이 좋은 부모라도 일일이 자녀들을 주술적인 환경으로부터 보호할 수가 없습니다. 우리 자녀들 마음에 주술과 손잡지 않는 단호한 믿음을 허락하시고 주술과 손잡는 것은 하나님을 대적하는 것임을 깨닫게 도와주세요. 그래서 늘 말씀으로 인도 받는 자녀들이 되도록 축복해 주세요. 어떤 모양의 주술에라도 미혹되지 않게 하시고 분별하게 하옵소서.

예수님 이름으로 기도합니다. 아멘.

**341**

# Let us seek the Lord's wisdom

October
13

When men tell you to consult mediums and spiritists, who whisper and mutter, should not a people inquire of their God? Why consult the dead on behalf of the living?　　Isaiah 8:19

O God of wisdom, thank you for protecting us from the influence of mediums and spiritualists and other means of communicating with the dead. Lord, we are being engulfed by the Internet culture, and our children live among the most depraved and perverted generation. Please guide them to see and hear only what is good for them. Protect them from sinning when they see and hear inappropriate things. Give them victory through the word of God so they don't sin against you in their speech and through food or drink.

Lord, you taught us that mediums and spiritualists consult the dead on behalf of the living. Keep our children from consulting the dead. Protect them from the clutches of mediums and fortunetellers. Lord, grant them God's wisdom so they aren't tempted by the secrets of the darkness. Teach them that only God's wisdom leads to true life and salvation, and that final victory is in the Lord.

We pray in Jesus' name, Amen.

## 주님의 지혜를 구하게 하소서

지혜의 하나님, 우리를 주술로부터 보호해 주시고 죽은 지혜와 죽은 주술로부터 승리하게 하시니 감사를 드립니다. 컴퓨터 문화가 확대되고 깊어지면서 우리의 자녀들은 너무나 더럽고 추하고 음란한 문화에 노출되어 있습니다. 하지만 우리 자녀들이 정말 보아야 할 것을 보고 들어야 할 것을 듣게 하시며 보고 듣는 것을 통해 죄악에 빠지지 않도록 무장시켜 주옵소서. 또한 입술로도 범죄하지 않도록 보호해 주시고, 먹고 마시는 것으로도 유혹 받지 않게 하시며, 주님의 입에서 나오는 말씀으로 승리하게 하옵소서.

주님, 마술사나 신접한 자는 죽은 자이며 사망에 속한 귀신을 섬기는 자들이라고 말씀하셨습니다. 그 죽은 자에게 가서 죽은 지혜를 얻지 않게 하옵소서. 죽은 자들이 우리 자녀들을 죽음으로 이끌어가려고 미혹하고 있습니다. 그 달콤하고 음란한 유혹에 빠지지 않게 하시고 주님의 지혜를 먼저 구하고 주님의 말씀의 검을 가지는 자들이 되도록 인도해 주세요. 주님의 지혜만이 생명에 이르게 하며 영원한 구원에 이르도록 인도하는 것임을 깨닫게 하시며 거짓된 지혜, 죽은 지혜에 의존하지 않도록 자녀들을 보호해 주세요. 모든 승리는 주님으로부터 오는 것임을 믿습니다.

예수님 이름으로 기도합니다. 아멘.

342

October
14

# Protect them from being controlled by their sinful nature

Those controlled by the sinful nature cannot please God.                    Romans 8:8

Lord God, you are the true light. Thank you for taking care of our family and giving us physical health and safety. Thank you for giving us bodies that help us to do so many things. Thank you for creating us to touch, eat, sleep, and work with our bodies. But Lord, keep us from being controlled by our flesh. Help us to distinguish between the values of our flesh and the values of our spirits. The flesh is controlled by the standards of the world, and the things of vanity. Lord, protect our children from following the instincts of their flesh as they live in this world.

Lord, you taught us that those who are controlled by their sinful nature cannot please God. Help us to examine ourselves honestly to see what is controlling us. Lord, lead us to discard our sinful ways one by one, and help us to live according to the Spirit of God within us. You called us to become living sacrifices; help us to worship you as living sacrifices. Lord, help us to live lives that are pleasing to God.

We pray in Jesus' name, Amen.

## 육신에 속하지 않게 하소서

빛 되신 하나님, 오늘도 우리 온 가족의 육신을 돌보아 주시고 이 육신으로 건강하게 살게 하심을 감사드립니다. 육신이 있기 때문에 우리가 불편함이 없이 사는 것을 감사드립니다. 육신을 통해 느끼고, 음식을 먹고, 자고, 일하며 생활하게 하시니 감사를 드립니다. 하지만 주님, 우리가 육신에 매이지 않게, 육신의 가치를 우리의 가치로 받아들이지 않게 하옵소서. 육신은 세상을 향하고 있고 세상의 가치와 도덕, 쾌락을 따라가기를 좋아합니다. 우리 자녀들이 주님이 주신 육신으로 세상을 따라 살아가지 않도록, 신령한 하나님의 나라를 바라볼 수 있도록 인도해 주세요. 육신에 속한 자들은 주님을 기쁘게 할 수 없다고 말씀하셨습니다. 우선 우리들이 육신에 속한 자들이 아닌가 돌아보게 하시며 만일 그렇다면 주님 앞에서 자복하고 회개하게 하옵소서. 그리고 육신에 속한 일들을 하나씩 버리게 하시고 하나님이 원하시는 신령한 옷들을 입을 수 있도록 인도해 주세요. 주님은 몸으로 산 제사를 드리라고 하셨사오니 비록 육신은 썩어질 것이지만 육신까지도 거룩하게 성별하여 주님 앞에 제사 드릴 수 있도록 인도해 주세요. 우리의 삶으로 주님을 기쁘시게 하는 믿음의 삶이 되도록 축복해 주세요.
예수님의 이름으로 기도합니다. 아멘.

**343**

# Discard idolatrous things

Do not bring a detestable thing into your house or you, like it, will be set apart for destruction. Utterly abhor and detest it, for it is set apart for destruction.          Deuteronomy 7:26

O God of the word, it is right to give you sole praise and worship. May you receive glory and worship through our family. Thank you for providing for our children's needs today, and for giving them a happy day. Lord, thank you for providing for all of our needs, just as you clothe the lilies of the field. Help us to remember your blessings, so we may thank and praise you truly from our hearts.

Lord, you are a jealous God. Guard us from bringing into our house graven images of false gods. May the Holy Spirit set apart our family as holy and may the sanctuary of our home never contain any idolatrous images. Sometimes our children become enchanted with their music, computer games, posters, or rock groups. Give them discernment to know what kinds of images are despicable to the Lord so they may not even touch such things.

We pray in Jesus' name, Amen.

### 가증한 것을 버리게 하소서

말씀의 하나님, 예배를 받으시기에 합당하신 주님, 홀로 영광 받으소서. 우리 가정을 통해 영광 받으시고 온전한 예배를 받으소서. 오늘도 우리 자녀에게 필요한 양식을 허락하시고 행복한 삶을 영위하게 하시니 감사드립니다. 들의 백합화를 입히시는 것처럼 우리에게 입을 것, 먹을 것, 잘 곳 모두를 목자 되신 주님께서 공급하심을 감사드립니다. 언제나 우리가 감사를 잃지 않고 마음으로부터 진실하게 주님께 감사와 찬양을 돌리게 하옵소서.

질투하시는 하나님, 우리와 자녀들이 다른 신들을 집안에 들이지 않게 하시고 형상을 만들어 섬기지 않도록 지켜 주십시오. 성령님께서 우리 가정을 거룩하게 성별해 주셔서 가정 성전에 가증한 것들을 들이지 않도록 인도해 주세요. 우리 가정에 자녀들이 가증한 것을 가지고 들어오지 않도록 축복해 주세요. 자녀들은 자신도 모르게 가증한 음악 테이프, 가증한 컴퓨터 게임들, 가증한 그림들, 가증한 록 가수들의 사진들을 집안에 가지고 들어옵니다. 주님, 우리 자녀들이 주님이 원하시지 않는 가증한 것들을 분별하게 하시고 단호하게 이 가증한 것들을 만지지도 말고 집안에 들이지도 않게 하여 주세요.

예수님 이름으로 기도합니다. 아멘.

# Help us to judge correctly

Woe to those who call evil good and good evil, who put darkness for light and light for darkness, who put bitter for sweet and sweet for bitter.

Isaiah 5:20

O God of life and truth, you teach us that the world calls evil good and good evil. Lord, we live in an age where all sound judgment has disappeared, and people judge with gross distortions. But Lord, please guard us from the spirit of lies so we may judge correctly. Guard our children from the falsehoods of the world.

Homosexuals have increased, and they claim that they are normal. They lobby for special rights, but we realize that this is also from the spirit of perversion. Lord, we pray that you will bind and cast out these spirits of perversion so our children may abide only in the spirit of truth.

O God of love, please have mercy on our children. May they see matters truthfully, without distortions. Lord, give them faith to declare good to be good and evil to be evil. When the spirit of perversion tries to distort your order of creation, please guard our children from being deceived by give them spiritual discernment.

We pray in Jesus' name, Amen.

### 바르게 보게 하소서

진리와 생명의 하나님, 이 세상은 뒤틀려서 악을 선하다 하며 선을 악하다 하고 단 것을 쓰다고 말하고 있습니다. 사물과 세상을 제대로 보지 못하고 뒤틀린 시각으로 보는 시대입니다. 하지만 주님께서 뒤틀린 영의 역사를 막아 주시고 우리를 보호해 주신다면 우리는 언제나 진리를 바르게 볼 수 있음을 믿습니다. 우리의 연약한 자녀들도 이러한 미혹으로부터 보호해 주세요.

또한 동성연애를 하는 자들이 늘어나서 그것을 합당하게 생각하고 자신의 권익을 주장하고 있습니다. 이것도 뒤틀린 영의 역사인 것을 믿습니다. 예수님 이름으로 이 뒤틀린 영의 역사를 결박해 주시고 우리 자녀들에게 진리의 영이 임하도록 도와주세요.

사랑의 하나님, 우리 자녀들을 불쌍히 여겨 주셔서 사물을 바르게 볼 수 있도록 도와주시며 온전한 믿음을 가질 수 있도록 축복해 주세요. 악을 악하다 하며 선을 선하다 할 수 있는 믿음을 허락하시며 뒤틀린 영의 역사가 주님의 창조 질서를 혼란하게 할 때에 우리 자녀들이 영 분별의 은사를 사용함으로 미혹 받지 않게 하옵소서.

예수님 이름으로 기도합니다. 아멘.

**345**

# Keep us from being haughty

**October 17**

There are six things the Lord hates, seven that are detestable to him: haughty eyes, a lying tongue, hands that shed innocent blood,

Proverbs 6:16-17

Lord, you entered our world through humble means. Thank you for watching over us today. Thank you for watching over the children and providing everything for us. Thank you for their good friends and teachers. Lord, help us to be a family that is filled with thanksgiving. May we help one another in humility, even in the small matters.

Lord, you are the God of the strangers and the helpless. Help us to examine our children to see if they are arrogant about their talents. Keep our children from looking down on their friends just because they have something that their friends don't have. Lord, guard our children from the spirit of pride and arrogance. We know that Satan likes to use proud people. If the spirit of pride is influencing us, may the spirit of humility that comes from the Lord prevail over the spirit of pride. Lord, bless our children that they may always be humble and meek before the Lord.

We pray in Jesus' name, Amen.

### 교만하지 않게 하소서

낮은 곳에 섬기는 자로 오신 주님, 좋은 날씨를 주시고 건강을 지켜 주셔서 감사합니다. 우리 자녀들도 건강하게 지켜 주시고 필요한 모든 것들을 공급해 주시니 감사합니다. 좋은 친구들을 만나게 하시고 또한 잘 가르쳐 주는 스승을 만나게 하시니 감사합니다. 우리 온 가족이 범사에 감사하게 하시고 작은 일에도 서로 힘이 되고 겸손함으로 서로 위로하는 가족이 되도록 인도해 주세요.

연약한자들과 소외된 자들의 하나님, 우리 자녀들이 공부를 잘하고 뭔가 잘하는 게 있다고 하여 스스로 교만하지는 않은지 살피게 해주세요. 또한 무엇을 가졌다고 우쭐하고 교만하여 다른 친구들을 무시하는 일이 없도록 인도해 주세요. 교만으로 인해 실족하고 패망하지 않도록 주님, 지켜 주세요. 사탄은 이러한 교만한 자를 좋아합니다. 우리에게 교만의 영이 역사하고 있다면 겸손의 영이신 주님께서 그 어두움의 영들을 결박해 주옵소서. 그래서 사랑하는 자녀들이 언제나 주 안에서 겸손하고 온유한 자들이 되도록 축복해 주세요.

예수님 이름으로 기도합니다. 아멘.

**346**

# Give us the garment of praise

and provide for those who grieve in Zion- to bestow on them a crown of beauty instead of ashes, the oil of gladness instead of mourning, and a garment of praise instead of a spirit of despair. They will be called oaks of righteousness, a planting of the Lord for the display of his splendor.

Isaiah 61:3

Lord, you dwell in the midst of our praise! Our family gives you all the glory. Let our children give you praise, even when they are going through sadness, sickness, or hurtful situations and may their lives be marked by worship and praise.

Lord, there will be times in our children's lives when they will experience suffering, trauma, heartbreak, and sadness. But Lord, please help them not to experience these hardships for long. Help them to seek the comfort of Jesus and receive God's peace. Lord, give them garments of praise instead of despair, oil of gladness instead of mourning, and free them from sadness.

Lord, use them to share your love and praise with those who are in despair. May your gladness, joy, and comfort overflow upon all those who meet our children.

We pray in the name of Jesus, who is worthy of all praise. Amen.

## 찬송의 옷으로 입혀 주소서

찬양 중에 거하시는 주님, 우리 가정의 찬송 가운데 임재하셔서 영원히 영광 받아 주소서. 사랑하는 우리 자녀들이 슬플 때나 괴로울 때나 몸과 마음이 아플 때에도 주님을 찬송하게 하시며 언제나 삶으로 예배와 경배를 주님께 드릴 수 있도록 인도해 주세요.

우리 자녀들이 인생 길을 걸어가면서 고통스러운 일들, 충격적인 일들, 가슴 아픈 이별, 사별과 같은 일을 만나서 마음이 슬플 때에 그 슬픔에 중독되지 않게 하시며 하늘의 위로를 받고 평강과 희락을 찾을 수 있도록 인도해 주세요. 마음을 갉아먹는 근심과 염려를 대신하여 찬송의 옷으로, 고통과 절망을 대신하여 희락의 옷으로 입혀 주시고 슬픔으로부터 자유할 수 있도록 인도해 주옵소서.

또한 이러한 슬픔을 당하는 자들에게 기쁨을 나누어주는 자녀들이 되게 하시고 위로와 격려를 줄 수 있는 자녀들이 되도록 축복해 주세요. 그래서 우리 자녀들이 가는 곳마다 희락, 기쁨, 즐거움, 위로가 넘치게 하시고 우리 자녀들을 만나는 자마다 복되게 하옵소서.

찬송 받으시기에 합당하신 예수님의 이름으로 기도합니다. 아멘.

## Make us holy

**October 19**

Flee from sexual immorality. All other sins a man commits are outside his body, but he who sins sexually sins against his own body. Do you not know that your body is a temple of the Holy Spirit, who is in you, whom you have received from God? You are not your own; you were bought at a price.

I Corinthians 6:18-19

Good Lord, thank you for allowing us to be your temple through our worship and praise each day. You call us to be pure and holy. Lord, come to us and fill us with your holiness. Holy Lord, our children do not have a clear understanding of holiness. The people of this world have no concept of the value of holiness. They think that holiness is irrelevant in this age. But Lord, guide our children to personally experience the holiness of God and confess,

"Holy, holy, holy," just as Isaiah did when he saw the holiness of God.

More than anything else, Lord, help us to keep our bodies holy as God's temple so we may not be ashamed. Help us also to have pure thoughts. May we gaze upon the holiness of God and go forth to our Lord. Help us to become holy in you and may your holy temple be established in us.

We pray in the name of Jesus with thanksgiving. Amen.

### 거룩하게 하소서

정결하신 주님, 오늘도 우리 가정이 성전이 되게 하시고 주님을 경배하며 찬양하게 하시니 감사합니다. 우리들이 언제나 성결하기를 원하시고 거룩하기를 원하시는 주님, 우리들에게 거룩하신 주님이 찾아와 주셔서 당신의 거룩함으로 채워 주옵소서.

거룩하신 주님, 우리 자녀들은 거룩함을 잘 이해하지 못합니다. 또한 이 세상 사람들은 거룩함의 가치를 알지 못하고, 거룩함이 시대에 뒤떨어진 것이라고 생각합니다. 그러나 거룩하신 주님, 우리 자녀들이 주님의 거룩함을 체험할 수 있도록 도와주셔서 이사야가 "거룩, 거룩, 거룩" 하고 고백했던 그 체험이 우리 자녀들에게도 임하게 도와주세요.

무엇보다도 우리의 몸이 정결하게 도와주셔서 하나님의 성전으로서 부끄러움이 없도록 하시며 우리의 생각이 정결하도록 축복해 주세요. 또한 우리의 영혼이 거룩하신 주님을 바라보고 나아감으로써 날마다 거룩해지게 하시며 우리 자녀 안에서 신령한 주님의 집이 세워지도록 인도해 주세요.

감사하오며 예수님의 이름으로 기도합니다. 아멘.

# We have already been healed

October
20

But he was pierced for our transgressions, he was crushed for our iniquities; the punishment that brought us peace was upon him, and by his wounds we are healed.                    Isaiah 53:5

Lord, we give you all honor and praise. You have been pierced for our sins, and by them you have given us healing. We entrust the spiritual and physical health of our family to Jesus, who is our true physician. Thank you for giving us your healing when we become ill.

Lord, guide our children to have faith that the Lord has already healed us. We have so many effective drugs these days that people have come to put their trust in medicine alone. But Lord, help us to know that the true healer is you, because you have been pierced for our transgressions and we have already been healed. When the Israelites were wandering in the desert, you were their physician and healer. Lead our children to entrust their health to the Lord who is the true physician. Add unto them faith and health for their bodies and minds.

We pray in the name of Jesus, who heals the sick. Amen.

## 이미 나았음을 믿게 하소서

우리를 위해 채찍을 맞으신 주님, 그래서 우리에게 건강을 주신 주님, 찬양과 경배를 드립니다. 우리 온 가족의 영육이 의원이신 주님의 도움으로 건강하게 하시며 필요할 때마다 신령한 약으로 먹이시고 고쳐 주신 것을 감사 드립니다.

주님께서 이미 우리에게 나음을 주셨고 의원 되어 주심을 우리 자녀들이 믿게 하옵소서. 현대에는 좋은 약이 많아서 언제든지 약에 의존하는 경우가 많습니다. 그러나 근본적으로 치유하시는 분은 주님이신 것을 알게 하시며, 주님이 우리를 위해 채찍에 맞으심으로 우리가 나음을 얻었음을 알게 하옵소서. 광야에서도 주님은 이스라엘 백성에게 약이 되어 주셨고 의원이 되어 주신 것을 알게 하옵소서. 가장 좋은 약으로 가장 온전하게 치유해 주시는 주님의 손길에 자신의 건강을 맡기고 나아가는 자녀가 되도록 도와주세요. 그래서 몸과 마음이 언제나 건강하게 하시고 건강을 가져다 주는 믿음을 더해 주옵소서.

병든 자를 위해 오신 예수님의 이름으로 기도합니다. 아멘.

**349**

# We have received the spirit of sonship

October 21

For you did not receive a spirit that makes you a slave again to fear, but you received the Spirit of sonship. And by him we cry, "Abba, Father." Romans 8:15

Father God, you are the source of life. Thank you for drawing near to us and for taking care of us. Although we have an earthly father, thank you helping us to know our Heavenly Father. Lord, thank you that our children have received the spirit of sonship so they may call out to their Heavenly Father with confidence. Please help them to seek you first when they are lonely, hurting, or distressed, and answer them with your loving kindness.

Lord, help us to know that Satan lies to us, saying that we are isolated from God. Satan tries to plant doubts, giving us a concept of a god who is condemning and unforgiving. But we know in our hearts that God is our Heavenly Father, and we can always run into his arms. Lord, help us to discard the wrong concept of God that says that he is far away. Help us to know the true you, for you are loving, and caring, and we can always run into your outstretched arms.

We pray in Jesus' name, Amen.

### 하나님을 아버지로 고백하게 하소서

생명의 근원이신 하나님 아버지, 언제나 우리에게 다정하게 다가오시고 보살펴 주셔서 감사합니다. 우리에게 육신의 아버지가 있지만 또한 하나님 아버지가 있음을 깨닫게 하시니 감사합니다. 우리 자녀들이 이제는 더 이상 무서워하는 종의 영을 받지 아니하고 양자의 영을 받아서 하나님을 아버지라고 부르짖게 하시니 감사합니다. 외로울 때나 아플 때나 괴로울 때에 언제든지 먼저 아버지를 부르고 찾을 수 있도록 인도해 주시며 자녀들이 주님을 찾을 때마다 다정하게 만나 주시고 품어 주시옵소서.

사탄은 하나님에 대한 왜곡된 이미지를 우리에게 심어 주어서 하나님께 가까이 가는 것을 방해하고 있습니다. 사탄은 우리에게 정죄하시고 심판하시고 용서치 않으시는 하나님의 개념을 심어 주었습니다. 그러나 우리들은 하나님이 우리의 아버지가 되셔서 언제든지 뛰어가 품에 안길 수 있는 분인 것을 압니다. 하나님에 대한 왜곡된 이미지를 버리게 하시며 따듯하고 친밀한 아버지로 고백하게 하시며 언제 어디서나 아버지에게로 담대하게 나아갈 수 있도록 축복해 주세요.

예수님 이름으로 기도합니다. 아멘.

# Don't be burdened by the yoke of slavery

It is for freedom that Christ has set us free. Stand firm, then, and do not let yourselves be burdened again by a yoke of slavery.

Galatians 5:1

Heavenly Father, thank you for adopting us, so we can call you "Father" and run into your open arms. Thank you that we are no longer slaves but heirs in Jesus Christ. Slaves are creatures of fear, but heirs are creatures who live in peace, love, and fellowship with the father. Lord, thank you for granting our children the privilege of being your sons and daughters, who enjoy these blessings. Thank you for freeing them from the bondage of death and slavery.

Lord, we have to admit that there are times when we still burden ourselves with the yoke of slavery. Help us and our children to stand firmly on your words so  we may no longer be bound by anything. This is only possible through your help. Lord, help us to live in the freedom of your truth and to never again be burdened by the yoke of slavery. Whenever the slavery of addiction to alcohol, smoking, drugs, work, or immorality try to bind our children, may the Spirit of truth abide with them so they are never deceived.

We pray in Jesus' name, Amen.

### 종의 멍에를 메지 말게 하소서

우리를 양자 삼으신 주님, 그래서 우리들이 마음껏 주님을 아버지라고 부르고 아버지께 뛰어나가게 하심을 감사드립니다. 이제는 두려운 종의 영을 벗고 양자의 영을 받았음을 진심으로 감사드립니다. 종은 두려운 마음으로 일하는 존재이지만 양자는 평안한 마음으로 아버지와 함께 쉬고 사랑하고 기업을 얻는 존재인 것을 믿습니다. 우리 자녀들에게 이러한 특권과 축복을 주셔서 그로 인해 참으로 자유로운 존재가 된 것을 감사합니다. 이제 사망에서도 종의 신분에서도 자유함을 얻게 된 것을 감사합니다.

하지만 우리들이 다시 종의 멍에를 멜까 우려가 됩니다. 주님, 우리들을 굳세게 서게 하시며 어린 자녀들도 말씀에 굳게 서서 다시는 종의 멍에를 메지 않도록 인도해 주세요. 주님께서 도와주시고 힘을 주셔야만 이것이 가능한 것을 믿습니다. 주님의 진리 안에서 언제나 자유를 누리게 하시며 종의 멍에를 메고 결박 당하지 않게 도와주세요. 그러므로 종의 영이 공격할 때에 과감하게 말씀으로 대처하게 하시며, 종의 영이 술, 담배, 마약, 일, 쾌락 등으로 우리 자녀들을 결박하려고 할 때에 진리의 영이 임재해 주셔서 미혹 당하지 않도록 해주세요.

예수님 이름으로 기도합니다. 아멘.

# Free us from the sense of condemnation

because through Christ Jesus the law of the Spirit of life set me free from the law of sin and death. Therefore, there is now no condemnation for those who are in christ Jesus,

Romans 8:1-2

Creator God, thank you for this beautiful season of autumn when we see the changing of colors in nature, and we enjoy an abundant harvest. Lord, help us this season to overcome Satan, who tries to bind us. Give us victory over the powers of darkness. Lord, be the champion of our family.

Lord, thank you that our family is in Christ Jesus, just as the passage says. We have true peace, because your word says that there is no more condemnation for those who are in Christ Jesus. Lord, we are able to experience true Sabbath rest in this truth. Help us to no longer be slaves of condemnation, for the law of the Spirit of life set us free from the law of sin and death.

Lord, please have mercy on us, because we probably don't even realize how much we are in need of your mercy. Satan tries to keep us from freely running to the Lord by giving us a sense of condemnation. Guard us from this satanic deception so we may live in true peace.

We pray in the name of Jesus, with thanksgiving. Amen.

## 죄책감으로부터 자유하게 하소서

창조주 하나님, 좋은 가을을 우리에게 허락하셔서 만물이 무르익게 하시고 과일이 풍성하게 하시며 산천이 아름답게 하시니 감사를 드립니다. 이렇게 아름다운 산천을 주신 하나님, 감사를 드립니다. 이 자연도 사랑하고 청지기 하게 하옵소서. 10월 종교개혁의 달에 우리의 가정과 자녀를 묶고 있는 사탄의 결박이 풀어지는 역사가 있게 하시며 어떤 어둠의 세력에도 무릎 꿇지 않도록 인도해 주옵소서. 주님이 우리 가정의 승리자가 되어 주옵소서.

사랑의 하나님, 오늘 말씀해 주신 것처럼 우리 온 가족이 그리스도 예수 안에 들어가게 하심을 감사드립니다. 그 안에서 다시는 정죄함이 없다고 하셨사오니 우리는 참으로 큰 평안을 누리게 됩니다. 참으로 큰 안식을 누립니다. 이제는 더 이상 죄책감의 노예가 되지 않게 하시고 생명의 성령의 법으로 인해 해방 받게 하옵소서.

용서의 감격이 없는 우리들을 긍휼히 여기소서. 사탄은 우리가 용서의 감격이 없이 항상 죄책감에 사로잡혀 마음껏 주님 앞으로 뛰어나가지 못하도록 막고 있습니다. 이러한 궤계에 속지 않게 도와주시며 참 자유를 누리는 축복을 주소서.

감사하며 예수님 이름으로 기도합니다. 아멘.

# True love drives out fear

There is no fear in love. But perfect love drives out fear, because fear has to do with punishment. The one who fears is not made perfect in love.                    1 John 4:18

Lord, you have called us with abounding love. Thank you for upholding us with your love. Sometimes we assume that we have come this far through our own strength, but without having received your love, we would have fallen into the darkness of utter despair. Lord, thank you so much for loving us with a love that is deep, wide, long, high, forgiving, patient, and long suffering. We thank you for this amazing grace.

Lord, we are no longer under condemnation in Christ Jesus. Help us to abide in your grace and love so all of our fears and guilt may be driven away. The spirit of fear continues to attack us, trying to break our peace with God and with others. Lord, whenever this happens, help us to fight back and resist in the name of Jesus. Help us to clearly discern that fear is coming from Satan and not from God. Lord, help our children throughout their lives to overcome fear with the love of God.

We pray in the name of Jesus, Amen.

---

 **사랑으로 두려움을 쫓게 하소서**

넉넉한 사랑으로 우리를 불러 주시는 주님, 지금까지 주님의 사랑으로 우리들이 지내온 것을 감사드립니다. 우리가 지금까지 빵의 힘으로 살아온 줄 알지만 주님의 사랑이 없었다면 우리들은 절망하고 쓰러져서 일어나지도 못했을 줄 믿습니다. 그러나 한결같이 우리에게 깊고 넓고 길고 높은 사랑을 보여 주시고 오래 참으시고 기다려 주셔서 오늘의 우리가 존재하게 된 것을 감사드립니다. 주님의 은혜를 감사합니다.

이제 예수 그리스도 안에 들어감으로 다시는 정죄함이 없다고 하셨사오니 온전히 주님의 은혜와 사랑 가운데 거하게 하시고 모든 죄책감과 두려움이 사라지게 하옵소서. 온전한 사랑이 풍성하게 거하게 하시고 모든 두려움이 내어쫓김을 받게 하옵소서. 두려움의 영이 우리들을 공격하여 주님과의 관계를 단절하고 모든 평화의 관계를 파괴하는 것을 아오니 이 두려움의 영이 공격해올 때마다 과감하게 주님의 이름으로 결박할 수 있게 하옵소서. 두려움이 올 때마다 그것이 하나님으로부터 오는 것이 아니요 사탄에게서 오는 것임을 분별하게 하옵소서. 그래서 우리 자녀들이 걸어가는 모든 인생 길에서 온전한 사랑으로 모든 두려움을 이기게 하시고 승리하게 하옵소서.

예수님 이름으로 기도합니다. 아멘.

# Trust in God

When I am afraid, I will trust in you.

Lord, you are the shield of salvation; thank you for giving us freedom from hunger, thirst, condemnation, sorrow, fear, and distress. You said that whoever calls on the name of the Lord will be saved. Thank you for giving us your name and for giving us privileges as the children of the King. Lord, help us to have victory in the name of Jesus, who is the shield of our salvation. Help us to overcome the spirit of fear, in your name.

Lord, you have told us, "Do not fear" 365 times in the Bible. Thank you that we no longer have to fear or worry every day. We know that all fear comes from the lies of Satan. Help us to no longer fear the powers of darkness but to trust in the Lord. Guide our children to call on your name when they are afraid so they may gain strength and blessings. Lord, help our children to drive out the spirit of fear and lies in the name of Jesus.

We pray in Jesus' name, Amen.

---

### 주를 의지하게 하소서

구원의 방패가 되시는 주님, 우리를 배고픔과 갈증과 죄책감, 질병과 슬픔, 두려움과 근심으로부터 자유하게 하시니 감사를 드립니다. "누구든지 주의 이름을 부르는 자는 구원을 얻으리로다."라고 말씀하셨습니다. 주님의 이름을 우리에게 주셔서 왕의 자녀로서의 권세를 가지게 하시니 감사합니다. 구원의 방패가 되시는 거룩한 주님의 이름으로 우리가 승리하게 하시고 주님의 이름으로 두려워하는 모든 어두움의 영들을 이기게 하옵소서.

주님은 성경에 두려워 말라는 말씀을 365번 주셨습니다. 매일 매일 365일 우리는 걱정할 필요가 없고 두려워할 필요가 없음을 감사드립니다. 모든 두려움이 사탄의 거짓과 미혹으로부터 오는 것을 압니다. 이제는 헛된 어두움의 세력을 두려워하지 않게 하시고 주님만을 의뢰하게 하소서. 우리 자녀들이 두려운 날에는 언제든지 주의 이름을 부르짖게 하시며 주님을 의뢰하도록 인도해 주세요. 그래서 힘을 얻고 승리하도록 축복해 주세요. 두려움의 영과 거짓의 영들을 분별하여 쫓아내는 자녀들이 되도록 인도해 주세요.

예수님 이름으로 기도합니다. 아멘.

# Keep them from temptation

but each one is tempted when, by his own evil desire, he is dragged away and enticed. Then, after desire has conceived, it gives birth to sin; and sin, when it is full-grown, gives birth to death.

James 1:14-15

Lord, eternal God, help us to be strong during this memorial month of Christian reformation. The people lose hope when religion becomes corrupt. Lord, keep us from having our faith become a mere religious ritual or ceremony. Keep us from forgetting our calling. Lord, call us to pray for the church and also our church leaders. Please keep our leaders from falling into temptation.

Lord, you are the true source of all things. This world is made up of genuine things and their counterfeits. Satan tries to imitate all the things of God's kingdom as well as trying to tempt us with those things that are false. Lord, help us to distinguish between what is genuine and what is not, so we are never tempted by what is false.

Lord, our children live in a world where the false things are treated as if they are genuine. Even in the spiritual realm, false teachers act like true servants of God and become very popular. Please give them the ability to distinguish between the two, and keep them from the temptation of what is false.

We pray in Jesus' name, Amen.

 **미혹 받지 않게 하소서**

우리와 영원히 함께하시는 주님, 10월 종교개혁 주간을 맞이하여 우리가 더욱 무장하게 도와주옵소서. 종교가 부패하고 타락할 때에 세상은 소망이 없습니다. 우리가 믿는 이 신앙이 형식화하고 의식화되어 경직되고 생명의 사명을 잃어버리지 않도록 도와주세요. 우리들이 교회와 영적 지도자들을 위해 기도할 수 있도록 도와주세요. 특히 영적 지도자들이 미혹 받지 않도록 인도해 주세요.

모든 것의 참 근원이 되시는 주님, 이 세상에는 진품과 모조품이 존재하며 사탄은 주님의 나라의 모든 것을 모방하여 모조품을 만들어서 우리들을 미혹합니다. 우리에게 진품과 모조품을 구별해낼 수 있는 분별의 은사를 허락해 주시며 모조품에 현혹되어 잘못된 길을 걷지 않게 도와주세요.

우리 자녀들이 사는 이 세상은 모조품이 마치 진품처럼 인기를 얻고 있습니다. 영적인 세계에서도 모조품이 더욱 선지자처럼 일하고 인기를 얻고 있습니다. 이것을 분별하게 하시며 달콤하게 미혹하는 영의 역사를 이기도록 인도해 주셔서 자녀들이 최후의 승리를 하도록 축복해 주세요.

예수님 이름으로 기도합니다. 아멘.

# Choose life

**October 27**

This day I call heaven and earth as witnesses against you that I have set before you life and death, blessings and curses. Now choose life, so that you and your children may live

Deuteronomy 30:19

Lord, thank you for giving us a physical life and a spiritual life. For this, we give you all the glory and honor. We long for your eternal rule.

The people of this world ask how anyone cannot have life, but Lord, we don't ask for that kind of life; rather we ask that your divine life be breathed into our children. We want them to have the life that is born in heaven. Lord, help our children to understand the divine words of heaven, and may they gain entrance into this spiritual world. Lord, you have set before us life and death, but you have called us to choose life so we may truly live. May our children and their descendants choose life, even for a thousand generations, so they may live with your blessings of grace and life.

Lord, help our children to sustain a life that is not merely physical, but a spiritual life that opens the door to eternal life. Help them to experience the Word that became flesh. Lord, guide them to choose life moment by moment.

We pray in the name of Jesus, Amen.

### 생명을 택하게 하소서

우리에게 생명을 주시기를 원하시는 주님, 오늘까지 육신적인 생명을 허락하시고 또한 영적인 생명을 풍성히 누리게 하시니 감사를 드립니다. 모든 영광을 받으시며 경배를 받으소서. 그래서 주님의 나라와 다스림이 영원하기를 원합니다.

세상 사람들은 이 세상에 생명이 없는 사람이 어디 있느냐고 조롱합니다. 주님, 그러한 생명이 아니라 신령한 생명, 하늘로부터 태어난 생명을 우리 자녀들이 소유하기를 원합니다. 하늘의 신령한 말씀을 이해하고 신령한 세계에 대한 시야가 열리는 자녀들이 되게 하옵소서. 그래서 저주와 생명 중에서 생명을 택하는 자들이 되게 하시고 자자손손이 천 대에 이르기까지 축복과 은혜, 생명을 누리게 복 주옵소서.

세상 사람들이 다 가지고 있는 그러한 육신적 생명이 아니고 영원한 세계로 들어가는 생명, 말씀이 육신이 되어 나타나는 생명을 우리 자녀들이 소유하기를 원합니다. 그 축복을 원합니다. 선택의 순간순간마다 인도해 주소서.

예수님 이름으로 기도합니다.

# Correctly handle the word of God

Do your best to present yourself to God as one approved, a workman who does not need to be ashamed and who correctly handles the word of truth.　　　　2 Timothy 2:15

Lord, you created the universe with the power of your word. Thank you for giving us your word. Thank you for the gift of speech so we can communicate with each other and express our thoughts and feelings. Lord, help us to reveal our sonship to God through the words that we speak. Just as you created the world with your word, may our words also have the power to bring life and creativity. Lord, help us to heal others' hurts with our words. Help us to bring encouragement to the discouraged.

Lord we live in a time when everyone claims to speak the truth. There are also those who interpret the word of God with their own license and take away its truth, but we believe that there is only one Truth in the Lord. Help our children to correctly handle the word of God so they are not ashamed later. Lord, just as Paul exhorted Timothy to correctly handle God's word, may we also exhort our children to do the same. Help us as parents to also have discernment in handling your word.

We pray in the name of Jesus, Amen.

### 말씀을 옳게 분변하게 하소서

　　말씀으로 세상을 창조하신 주님, 그리고 우리에게도 말을 주신 하나님, 감사합니다. 주신 말로 서로 교통하게 하시고 우리의 의사를 표현할 수 있도록 하시니 감사를 드립니다. 우리가 하나님의 자녀인 것을 언어생활을 통해 나타내게 하시며 말로써 덕을 세우는 자가 되게 하옵소서. 주님이 말씀으로 세상을 창조하신 것처럼 저희도 말을 할 때에 생명의 역사, 새 창조의 역사가 일어나게 인도해 주세요. 저희가 말을 할 때에 상처 받은 자들이 치유 받게 하시며 절망하는 자들이 힘을 얻게 하옵소서.

　　주님, 이 시대는 말의 홍수의 시대입니다. 너도나도 참 진리라고 외치며 말씀을 들고 나옵니다. 그리고 여러 가지 해석으로 말씀의 진의를 해치는 경우도 얼마나 많은지 모릅니다. 그러나 주님의 진리는 하나인 것을 믿습니다. 진리의 말씀을 옳게 분변하여 부끄러움이 없는 일꾼으로 주님 앞에 헌신하는 자녀들이 되도록 축복해 주세요. 바울이 디모데에게 원했던 것처럼 우리들도 자녀들에게 이 부탁을 할 수 있도록 도와주시며, 우리들도 이렇게 말씀을 옳게 분별하는 부모들이 되도록 인도해 주세요.

　　말씀이 육신이 되신 예수 그리스도의 이름으로 기도합니다. 아멘.

**357**

# Believe in the resurrected Lord

Jesus said to her, "I am the resurrection and the life. He who believes in me will live, even though he dies; and whoever lives and believes in me will never die. Do you believe this?"
John 11:25-26

Lord, you prevailed over the grave and came back to life. O resurrected Lord, may our children's hearts also experience resurrection. Satan tries to cast doubt about resurrection so we will live without hope. But Lord, help us to overcome these doubts and keep us from temptation. Guide our children to believe in the Lord who prevailed over the grave and conquered the power of death so they too may have a living faith.

Lord, Satan casts doubt on the concept of resurrection so he can keep us from having faith. O resurrected Lord, we want nothing more than for our children to know and confess that you are the Lord of the resurrection. Keep them from being deceived by Satans lies. May the resurrection of Jesus be for our children a part of their living faith. Holy Spirit, please touch our children that they may truly know the resurrection of Jesus in their hearts. Help them to follow the Truth that will lead them to eternal life.

We pray in the name of Jesus, Amen.

### 부활의 주님을 믿게 하소서

사망의 무덤을 여시고 생명으로 부활하신 주님, 부활의 주님이 우리 자녀들의 마음도 부활하게 하옵소서. 사탄은 우리에게 부활의 주님을 믿지 못하도록 함으로 말미암아 우리가 소망을 잃어버리게 합니다. 그러한 어두움의 궤계를 이기게 하시고 미혹 받지 않게 도와주세요. 우리 주님이 죽음을 이기시고 죽음의 모든 권세를 정복하시고 영원한 승리자가 되셨음을 믿고 살아 있는 신앙생활을 하는 자들이 되도록 인도해 주세요.

사탄은 '부활의 교리'가 가장 의심스럽고 믿을 수 없는 것이라면서 부정하도록 유혹하고 있습니다. 그래서 '생명'의 하나님을 믿지 못하도록 방해하고 있습니다. 부활의 주님, 무엇보다도 우리 자녀들이 주님을 부활의 주님으로 고백할 수 있게 하시며 이러한 사탄의 거짓말과 속임수, 미혹에 넘어가지 않도록 지켜 주세요. '예수님의 부활'이 우리 자녀들에게 있어서 과학적으로 증명되는 사건이 아니라 믿음으로 확증되는 사건이 되도록 축복해 주세요. 성령님께서 우리 자녀들의 마음에 내주 내재하셔서 부활의 주님을 확증시켜 주시고 믿음을 허락해 주세요. 그래서 영원히 죽지 않고 사는 진리를 따라 살게 하옵소서.

예수님 이름으로 기도합니다. 아멘.

# Do not love the world

I write to you, fathers, because you have known him who is from the beginning. I write to you, young men, because you are strong, and the word of God lives in you, and you have overcome the evil one. The world and its desires pass away, but the man who does the will of God lives forever.

1 John 2:14,17

Holy Lord, thank you for helping us to be spiritually strong this month. This year is almost over. Help our family to redeem the time of the rest of this year. Help us to see if we are wasting time in any area. You are the Lord of this world. Help us to overcome this world and keep us from loving it too much. The evil forces of the world tell us that there is no God. The world is truly a place of corruption and depravity. People take ownership of things, and they worship and serve wealth and power. Keep us from loving this kind of world that Baal controls.

Lord, protect our children from being of the world or loving the world so much that they lose sight of God. Keep them from consorting with the world so they may reflect the life of Jesus in their daily lives.

We pray in the name of Jesus, who conquered death. Amen.

## 이 세상을 사랑하지 않게 하소서

거룩하신 하나님, 10월 한 달 동안 영적으로 무장하게 하시고 분별하게 하시니 감사를 드립니다. 올해도 거의 다 지나가고 있습니다. 우리 가족이 시간을 구원할 수(아낄 수) 있는 가족이 되도록 인도해 주세요. 낭비하는 시간이 없는지 살펴보게 하시고 사탄이 우리로 하여금 시간을 잃어버리도록 유혹하고 있는 것을 이기게 하옵소서. 이 세상의 주인이신 하나님, 우리가 이 세상에 살면서도 이 세상을 이기게 하시며, 이 세상에 살면서도 이 세상을 섬기거나 사랑하지 말도록 인도해 주세요. 세상은 우리로 하여금 하나님을 대적하게 하며 "하나님이 없다."고 하면서 유혹하고 있습니다. 세상은 참으로 부패하고 패역하며 음란합니다. 그리고 인간이 주인이 되어 물질을 섬기고 권력을 섬기고 있습니다. 이러한 바알이 다스리는 나라, 세상을 사랑하지 않게 도와주세요.

우리 자녀들이 세상에 속하지 않게 하시며 세상과 짝하지 않게 하시며 세상을 너무 사랑하여 주님을 멀리하지 않게 도와주세요. 세상에 살면서도 세상과 짝하지 아니하고 세상에 주님의 삶을 재현하는, 세상을 이기는 자녀들이 되도록 인도해 주세요.

사망의 권세를 이기신 예수님의 이름으로 기도합니다. 아멘.

# You have already overcome

I write to you, fathers, because you have known him who is from the beginning. I write to you, young men, because you have overcome the evil one. I write to you, dear children, because you have known the Father.

1 John 2:13

Lord, you conquered death and gained the victory. You have cut off the power of Satan. We give you thanks and praise. Help us to shield ourselves and to help our children win spiritual victories.

But Lord, we know that you have already overcome. You have won the battle and given us the message of victory. Lord, help our children to believe in this truth of God. Keep them from fearing their battles, for you have already given them victory. Thank you for giving all of us victory in Jesus Christ.

Lord, help our children to know the schemes of the enemy so they are not be deceived. We praise the victory of Jesus. Help us to bring this message of victory to others praising him with joyous songs.

We pray in the name of Jesus with thanksgiving. Amen.

 이미 승리한 것을 믿게 하소서

사망의 권세를 이기시고 승리하신 주님, 모든 사탄의 권세를 부수어 버리시고 이기신 주님, 또한 사망의 권세까지도 굴복시키시어 귀신들의 무기를 해체시키시고 무력하게 만드신 주님, 종교개혁의 달인 10월을 마치면서 감사와 찬양을 올려 드립니다. 우리가 온전히 무장하게 하시고 우리 자녀들도 영적 전쟁에서 명쾌한 승리를 얻게 하옵소서.

그러나 주님은 이미 이기셨습니다. 앞으로 이길 전쟁이 아니라 주님은 이미 이기셔서 우리에게 승리의 소식을 전해 주셨습니다. 우리 자녀들이 이 진리를 믿게 하시며 이미 이긴 전쟁을 두려워하게끔 만들려는 사탄의 궤계에 속아 넘어가지 않도록 도와주세요. 주님은 모든 악한 마귀들을 발 밑에 정복하셔서 무장해제시키시고 승리하셨습니다. 누구든지 그리스도 안에 들어가는 자마다 함께 승리하게 됨을 감사드립니다.

우리 자녀들이 적군에 대해서도 잘 알게 하시고 그들의 궤계를 파악하고 속지 않도록 인도해 주세요. 이미 승리하신 주님의 구원 사역을 찬양합니다. 우리 온 가족이 성전으로서 이 승리를 전하는 요새가 되게 하시며 승리의 찬가를 부르도록 인도해 주세요. 감사하며 예수님의 이름으로 기도합니다. 아멘.

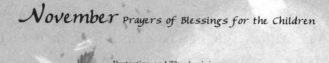

*November* Prayers of Blessings for the Children

-Protection and Thanksgiving-

We pray for protection in October; November is the month of Thanksgiving.
It is filled with thanksgiving and praise.
November prayers will be focus on protection for our children
and also that they will learn the meaning of thanksgiving.

자녀를 위한 11월의 축복 기도

- 보호와 감사를 중심으로 -

10월에는 영적 무장에 대해 기도했습니다.
11월에는 추수감사절이 있는 달입니다.
감사와 찬양이 넘치는 달입니다.
11월에는 주로 자녀들을 위한 보호의 기도와 감사하는 자녀들이 되기 위한 기도를 중심으로 준비했습니다.
11월의 명구는 로빈 맥켈러의 『자녀에게 신앙을 물려주는 10가지 영적 비결』(도서출판 진흥)에서 발췌했습니다.

# Guard us along the way

See, I am sending an angel ahead of you to guard you along the way and to bring you to the place I have prepared.

Exodus 23:20

L ord, thank you for this new month of November. November is a month of thanksgiving, because we have a chance to look back on your love, protection, and providence throughout the year. Thank you again for providing for us so abundantly. Please teach our children the true meaning of thanksgiving that comes from their hearts. Guard them from being apathetic toward your grace.

Lord, you tell us through the passage today that you will send an angel ahead of us to guard us along the way. Our children will walk many paths in their lifetimes. Please send your angel to guard them in all these paths. Also, please help them to know which paths to take and protect them from unseen dangers along the way. If they should encounter hardship or an accident, please send someone at that moment to help them and guide them to safety. Help them to overcome the temptations of Satan that lead them to the wide and open road. Guide them to follow the narrow road that leads to the Lord.

We pray in the name of Jesus, who is the Way. Amen.

---

### 길에서도 보호해 주소서

사랑의 주님, 새로운 달, 11월을 허락해 주시니 감사를 드립니다. 11월은 감사의 달입니다. 일 년 동안 주님이 베풀어 주신 사랑과 보호하심, 돌보심, 공급하심에 대해 모두가 감사하는 계절입니다. 올해에도 우리가 풍성하게 감사할 조건들을 주시니 감사를 드립니다. 우리 자녀들이 무엇에 대해 감사해야 하는지 알게 하시고 주님 한 분으로 인해 늘 감사하게 도와주세요. 감사가 무감각해지지 않도록 인도해 주세요.

주님께서는 사자를 우리 앞에 보내어서 길에서도 우리를 보호하신다고 말씀해 주셨습니다. 우리 자녀들이 수많은 길을 걸어다니는 동안 언제나 안전하도록 주의 천사를 보내 주셔서 지켜 주소서. 바른 길을 가게 하시고 어디로 가야 하는지 알게 하시며 자동차 사고나 기타 다른 사고로 인해 고통을 당하지 않도록 축복해 주세요. 사고나 어려움이 있을 때에 도움자를 즉각적으로 만나게 해주시며 위험한 순간을 안전하게 지나갈 수 있도록 주님이 눈동자와 같이 지켜 주세요. 넓은 길로 인도하는 사탄의 유혹을 이기게 하시고 언제나 주님이 인도하시는 길을 따라감으로 형통하고 안전하도록 축복해 주세요.

우리의 길이 되시는 예수님의 이름으로 기도합니다. 아멘.

# Guard us as the apple of your eye

In a desert land he found him, in a barren and howling waste. He shielded him and cared for him; he guarded him as the apple of his eye,
Deuteronomy 32:10

Lord, thank you for keeping watch over us constantly. We believe in your presence wherever we go. Please watch over our children as the apple of your eye. May they may know your presence even in the deserts and dark valleys of their lives.

Thank you for watching over us without slumbering. We find true rest for our souls, because you send your angels to guard us in all of our ways. We believe that we are safe under your watchful eyes, and we don't fear the sound of the wild animals. Lord, our children will come upon moments of danger, fear, surprise, and distress during the course of their lives. But Lord, be with them, especially during those times, and send your angels to protect them. May our children walk with praise and thanksgiving as they travel throughout their lives.

We pray in the name of Jesus, Amen

---

### 눈동자와 같이 지켜 주소서

우리를 홀로 남겨두시지 않는 주님, 감사를 드립니다. 우리가 어디에 있든지 주님이 함께하심을 믿습니다. 짐승이 부르짖는 광야에서도 우리를 지켜 주시는 주님, 어두운 골짜기에서도 우리를 지켜 주시는 주님, 우리 자녀들도 주님이 언제나 가까이에서 눈동자와 같이 지켜 주심을 믿도록 도와주세요.

오늘도 주님께서는 졸지도 않으시고 우리들을 눈동자와 같이 지켜 주셨음을 감사드립니다. 천사들을 보내사 호위하시고 보호하시는 주님, 우리가 주님으로 인해 언제나 든든하고 마음의 쉼을 얻습니다. 주님께서 함께하실 때에 주님은 안전한 길로 인도하시고 짐승의 부르짖음이 무효하도록 하시는 것을 믿습니다.

우리 자녀들이 긴 인생의 길을 가는 동안, 위험하고 무서운 순간들, 놀라운 순간들, 두려운 순간들을 만날 수도 있습니다. 그 순간들마다 주님께서 강한 팔로 붙들어 주시고 천사들을 통해 호위해 주시고 보호해 주시옵소서. 그러므로 언제나 노래하며 감사하며 걸어가는 자녀들이 되도록 축복해 주세요.

예수님의 이름으로 감사하며 기도합니다. 아멘.

# Take refuge under God's wings

May the Lord repay you for what you have done. May you be richly rewarded by the Lord, the God of Israel, under whose wings you have come to take refuge.                    Ruth 2:12

Lord, you delight to protect us. Thank you for adopting us as your children and giving us refuge under your wings. Although we do our best to protect our children, we confess that we cannot protect them completely through our human efforts; so we thank you for giving them refuge under your wings. Lord, even when they grow up and leave the home, help them to remember to seek refuge under your wings and know that there they will always find your grace.

Lord, the month of November has come upon us so suddenly. Help us to live for you moment by moment. Bless us with your protection and true rest. Help us to share the message of God's protection with our neighbors. Lord, let our hearts overflow with thanksgiving for your protection. Our children learn about many things through the Internet and the pagans of the New Age movement that try to influence them. Please protect them with the word of God so they won't be swept away by such unsound ideas. Lord, protect them under your wings.

We pray in Jesus' name, Amen.

---

### 주의 날개 아래 보호를 받게 하소서

우리를 보호하시기를 즐거워하시는 주님, 우리를 주님의 자녀로 삼아 주시고 그 날개 아래 보호하시니 감사를 드립니다. 우리가 자녀들을 보호하기 위해 아무리 인간적인 방법을 다 동원한다고 해도 완벽하게 보호할 수 없음을 고백합니다. 그러나 주님의 날개 아래 우리 자녀들을 두시고 보호 받게 하시니 감사를 드립니다. 자녀들이 앞으로 부모를 떠나서 독립해 살 때에도 언제나 주님이 주의 날개 아래 보호하시는 은혜가 있음을 기억하게 도와 주시옵소서.

이제 어느덧 11월이 되었습니다. 소중한 하루하루를 주님을 위해 살게 하시고 주님의 품안에서 보호 받고 쉬는 훈련을 할 수 있도록 축복해 주세요. 이러한 보호를 이웃에게도 전하여 함께 나눌 수 있도록 하시며, 이러한 보호에 대한 감사가 날마다 넘치게 도와주세요. 요사이 컴퓨터를 통해 자녀들에게 좋지 못한 정보들이 전해지고 있으며 뉴에이지와 같은 무서운 사상들이 자녀들을 파고들고 있습니다. 말씀으로 우리 자녀들을 보호해 주시고 그러한 조류에 휩쓸리지 않도록 주의 품안에, 날개 아래 보호해 주소서.

예수님 이름으로 기도합니다. 아멘.

# May God be our refuge

But let all who take refuge in you be glad; let them ever sing for joy. Spread your protection over them, that those who love your name may rejoice in you.                    Psalm 5:11

Lord, you abide where there is hardship. We have true joy in you, because you watch over us, even in small ways, with minute detail. Thank you also for giving us a place of refuge in your vast arms. Lord, train our children to find comfort in your loving arms when they are frightened and tired.

Lord, our children have fire drills to practice where to go for safety when they are at school. Likewise, help them to know where to go for refuge and to seek your protection in the other areas of their lives.

Lord, help them to take refuge in you when they are hurting or being tempted. Help them to find refuge in you even when they are boiling over with anger and rage, so they may find healing for their emotions. Lord, help them to find refuge in you whenever they need you.

We pray in the name of Jesus, Amen.

---

 ### 주에게 피하여 보호 받게 하소서

어려움이 있을 때마다 항상 그곳에 계시는 주님, 세밀하고 자상하게 보살펴 주시는 주님으로 인해 우리가 항상 행복하고 즐겁습니다. 또한 우리에게 피할 곳을 허락하시며 광대한 품안에 품어 주시는 은혜에 감사를 드립니다. 우리 자녀들이 무서울 때나 힘들 때, 부모 품안에서 위로를 받는 것처럼 크고 광대하신 주님의 품안으로 피하는 훈련을 할 수 있도록 축복해 주세요.

우리 자녀들은 위급한 상황에 어디로 피해야 하는지 학교에서 훈련을 받습니다. 피할 곳을 알고 재빨리 피하는 자들이 안전하고 생명을 구하는 것임을 아는 것처럼 우리 자녀들이 영적으로도 어디로 피하여야 하며 어디에서 쉬어야 하는지 알게 하시고 주님의 보호를 즉각적으로 받을 수 있도록 축복해 주세요.

마음이 아플 때에도 주님께 피할 수 있게 해주세요. 사탄이 유혹할 때에도 주님께 피할 수 있게 해주세요. 미움과 분노가 넘칠 때에도 주님께 피하여 감정의 치유를 받게 도와주세요. 언제나 피할 곳이 어디인지 알게 하시고 주님으로부터 보호와 위로를 받게 인도해 주세요.

감사하오며 예수님의 이름으로 기도합니다. 아멘.

# Deliver us from our troubles

*November*
**5**

A righteous man may have many troubles, but the Lord delivers him from them all; he protects all his bones, not one of them will be broken.

Psalm 34:19-20

Holy Lord, we remember that you have called us to be holy. But Lord, when we try to live according to your commands, we are persecuted and troubled. We have learned from the passage today that the Lord delivers the righteous from many troubles. We see that although Jesus also suffered many troubles, the Father delivered him and kept every single one of his bones from breaking, just as it was prophesied.

Lord, we must also bear our crosses as we follow Jesus, receiving persecutions and troubles. But Lord, help us to know that it is a special privilege to be persecuted for Christ's sake. Help us to rejoice that our troubles come because we are true Christians. Help us also to experience God, who delivers us from many troubles. Help us to believe that none of our bones will be broken. Lord, when our children face troubles and hardship in following Jesus, guard them from denying him. Help them to overcome their troubles by experiencing God's deliverance.

We pray in Jesus' name, Amen.

---

### 고난에서 보호하소서

거룩하신 주님, 주님이 거룩하신 것처럼 우리도 거룩하라고 하신 말씀을 기억합니다. 하지만 우리가 거룩하게 다른 사람들과 다르게 살고자 할 때에 우리들이 핍박을 받으며 고난을 받는 것도 압니다. 오늘 주님께서는 고난을 받는 의인으로 시편 기자에 의해 고백되고 있습니다. 하나님께서 그 고난을 당하시는 주님을 지켜 주시고 그 모든 뼈를 보호하셔서 그 중에 하나도 꺾이지 않는다는 예언의 말씀이 실제로 이루어졌음을 우리가 봅니다.

우리도 주님의 길을 따라가다 보면 주님처럼 고난 당하며 핍박 당하며 십자가를 져야 할 때가 얼마나 많은지 모릅니다. 하지만 주님을 위해 고난 받는 것을 특권으로 알게 하시며 진정한 그리스도인들이 받는 고난으로 알고 즐거워하게 하옵소서. 그리고 그 고난으로부터 건져 주시고 보호해 주시는 하나님이 계심도 믿게 도와주세요. 모든 뼈가 보호를 받으며 하나도 꺾이지 않는다는 것도 믿게 도와주세요. 우리 자녀들이 주님을 따라가다가 이러한 고난과 핍박이 무서워 주님을 부인하지 않게 하시며 주님이 함께하시는 이 고난을 넉넉히 이기게 하시며 그 고난 중에도 보호하시는 주님을 만나게 하옵소서.

예수님 이름으로 기도합니다. 아멘.

# Protect us from scorn

*November*
**6**

We are objects of reproach to our neighbors, of scorn and derision to those around us.

Psalm 79:4

Lord, thank you for loving us and accepting us just as we are; we give you all the glory. Although you love us just as we are, the world scorns and mocks us for various reasons. We are mocked because of our physical appearance or because we believe in God. They scorn us saying, Where is your God? when we are waiting for answers to our prayers.

Lord, please help our children to remember that you love them just the way you created them, especially when others tease them because of some outward appearance. Teach them to be joyful when others mock them for believing in God. Help them to be thankful when they are persecuted for the Lord's sake. Lord, help them to overcome persecution, scorn, and suffering by remembering the eternal things. Bless them to stand firmly before God even if the world should slander and mock them. Help us to know that it is blessed to be persecuted for righteousness' sake.

We pray in the name of Jesus, who was scorned because of our sins. Amen.

---

 **조롱으로부터 보호하소서**

우리를 있는 그대로 용납해 주시고 사랑해 주시는 주님, 감사를 드립니다. 영광 받으시며 거룩히 여김을 받으소서. 주님께서는 우리를 만드시고 있는 그대로를 사랑하시지만 세상은 여러 가지 이유로 우리들을 조롱하기도 하고 조소를 보내기도 합니다. 우리는 신체적인 약점으로 인해 조롱을 받기도 하고 주님을 믿는다는 것으로 조롱을 받기도 합니다. 주님께서 응답해 주시지 않는 것 같은 때에는 "너희 하나님이 어디 있느냐?"라고 하면서 조롱을 받기도 합니다.

우리 자녀들이 신체적인 약점 때문에 조롱을 받을 때에도 담대하게 주님만을 바라보게 하시며 있는 모습 그대로를 사랑하시는 주님을 기억하게 하옵소서. 또한 주님을 믿는다는 이유로 조롱을 받을 때에 그로 인해 도리어 기뻐할 수 있게 도와주세요. 주님으로 인해 핍박을 받는 것을 감사할 수 있게 도와주세요. 영원한 것을 바라보다가 받는 핍박과 고난, 조롱과 조소에 대해 기쁜 마음으로 이길 수 있도록 축복해 주세요. 세상이 어떻게 비방하고 조소하고 조롱한다고 해도 주님 앞에서 즐거운 마음으로 설 수 있는 자녀가 되도록 축복해 주세요. 주님이 영광 받으시고 우리들이 조롱거리가 된다면 그것 또한 우리에게 큰 축복이며 특권인 것을 알게 도와주세요.

우리의 죄로 인해 조롱을 받으신 예수님의 이름으로 기도합니다. 아멘.

# Keep us from generational sins

Do not hold against us the sins of the fathers; may your mercy come quickly to meet us, for we are in desperate need.

Psalm 79:8

Lord, you have already redeemed us from sin, but we confess that there is an even greater need to pray for our children. We are troubled that they witness generational sins, because of the repeated patterns in our family. Lord, free our family from such enslavement with your mighty power. Help us to model holy lives before our children so they may also live holy lives.

Lord, we believe that you have forgotten all of our forgiven sins. Please don't remember the sins of our forefathers, and prevent the results of their sins from being visited upon us. Protect our children from the sins of their forefathers. Lord, please tear down the barriers of generational sins, and protect our children with the blood of Jesus. Guide our children to victory in Jesus. Have mercy on our family, and especially our children. Help us to not repeat the sins of our forefathers.

We pray in the name of Jesus, Amen.

### 조상의 죄로부터 보호하소서

우리를 이미 죄에서 구원해 주신 주님, 하지만 우리가 자녀들을 위해 더 기도할 것이 있음을 고백합니다. 우리 조상들의 죄악으로 인해 우리가 그 죄악을 답습하고 그 죄악을 버리지 못함으로 우리 자녀들이 그 죄악 가운데 살고 있음을 안타깝게 생각합니다. 우리 가족이 모두 성화하여 이러한 죄악의 권세로부터 속히 자유할 수 있는 능력을 주시옵소서. 부모의 성결한 생활을 보고 자녀들도 성결한 생활을 따라 할 수 있도록 축복해 주세요.

사랑의 하나님, 모든 죄악을 기억치 아니하시는 줄 믿습니다. 우리 조상들의 죄악과 허물을 기억하지 말아 주시고 그 죄악의 열매를 우리에게 돌리지 말아 주세요. 조상의 죄들로부터 우리 자녀들을 보호해 주세요. 이제 그 죄악의 권세와 능력을 부수어 주시고 자녀들에게는 오직 주님의 보혈의 능력으로 보호하시며 안전하게 지켜 주세요. 그래서 이 땅에서 능히 승리하는 자녀들이 되도록 인도해 주세요. 주님, 우리 가정과 자녀들을 긍휼히 여겨 주세요. 아담으로부터 내려오는 무서운 죄악의 사슬로부터 자유할 수 있도록 도와주시며 우리가 그 죄악을 답습하지 않도록 보호해 주세요.

예수님 이름으로 기도합니다. 아멘.

# Save us from the ways of the wicked

For wisdom will enter your heart, and knowledge will be pleasant to your soul. Discretion will protect you, and understanding will guard you. Wisdom will save you from the ways of wicked men, from men whose words are perverse,

Proverbs 2:10-12

L ord, we praise you for your desire to have fellowship with us. Please receive our willing praises and thanksgiving. Thank you for protecting us under your wings as we go about our daily lives. But Lord, our children go to school and live in a world that is not pure and holy. It is filled with the wicked, and there is much sin. Lord, protect our children in this world.

Lord, help our children to be like Daniel, who lived an upright life and prayed to God, despite the fact that he was a captive in Babylon. Keep them innocent even though they live submerged in an evil culture. Help them to shield themselves with the word of God, for we know that victory in this world can only come from the power of God's word. Lord, anoint our children with the word of God and deliver them from the ways of the wicked. Even if the wicked should charge against our children, protect them with the power of God's word so they may be saved from the wicked. Lord, although our children live in the world, help them to overcome the world.

We pray in Jesus' name, Amen.

---

 **악한 자의 길에서 보호하소서**

우리와 교제하기를 즐거워하시는 주님, 찬양을 드립니다. 우리의 찬양과 감사를 받아 주세요. 오늘도 주님의 날개 아래서 보호 받으며 행복하고 즐거운 생활을 하게 하시니 감사를 드립니다. 하지만 우리 자녀들이 살고 있는 학교, 사회는 그렇게 순결하고 정결한 곳이 아닙니다. 악한 자들이 범람하고 죄악이 풍성한 곳입니다. 우리 자녀들이 그러한 곳에서 생활할 때에 주님이 보호해 주세요.

다니엘이 바벨론에서도 여전히 주님을 바라보며 기도하고 성결한 생활을 했던 것처럼, 우리 자녀들이 매일 보고 듣고 생활하는 죄악의 강물 속에서도 성결하도록 지켜 주세요. 그렇게 되기 위해 말씀과 명철로 무장할 수 있도록 도와주세요. 오직 말씀만이 이렇게 패역한 세상에서 승리하는 길인 줄 믿습니다. 말씀으로 기름 부어 주시고 패역한 자들로부터 구별해 주옵소서. 아무리 악한 자들이 달려들어도, 그들이 패역한 말을 할 때에도 우리 자녀들이 성결한 말씀의 능력으로 보호 받게 하시며, 악한 자의 길과 구별되도록 인도해 주세요. 그래서 세상에 살지만 세상을 이기는 자녀들이 되도록 축복해 주세요.

감사하오며 예수님 이름으로 기도합니다. 아멘.

*November* **9**

# Protect us from sin

I, the Lord, have called you in righteousness; I will take hold of your hand. I will keep you and will make you to be a covenant for the people and a light for the Gentiles,　　　Isaiah 42:6

Hallelujah, my soul praises the Lord! "In God we make our boast all day long, and we will praise your name forever." (Psalm 44:8). Father God, we praise your almighty greatness. Help our family to praise you as long as we have breath in our bodies. Help us to realize that we were sent in the world to praise God.

We pray for our children. We confess that our children have already been saved from sin. Although we were dead in sin, thank you for imparting to us your own righteousness so that now we too are called the righteous. Lord, help us to no longer consort with sin and protect us from sinful ways. Help our children to take hold of your hand so they may become a light to the Gentiles and your salt and light to this world. Keep them from letting go of your hand, and always protect them from evil ways. Help them to experience true joy when they live a life that is set apart for God.

We pray in the name of Jesus, Amen.

### 죄로부터 보호해 주소서

할렐루야! 내 영혼이 주를 찬양합니다. "우리가 종일 하나님으로 자랑하였나이다 우리가 하나님의 이름을 영영히 감사하리이다"(시 44:8). 좋으신 하나님, 주님의 광대하심과 위대하심을 찬양합니다. 우리 온 가족이 호흡하며 생명이 있는 동안에 주님을 찬양하고 찬양하게 하옵소서. 주님을 찬양하기 위해 이 세상에 보내심을 받은 것을 깨닫게 도와주세요.

오늘도 우리 자녀들을 위해 기도합니다. 이미 우리 자녀들이 죄악으로부터 구원을 받았음을 고백합니다. 죽을 수밖에 없는 우리들이지만 주님의 의로 인해 우리가 깨끗함을 받고 의인이라 칭함을 받게 하심을 감사드립니다. 그러므로 우리가 이제부터 죄악의 권세와 손잡지 않게 하시며 죄악으로부터 보호 받을 수 있도록 축복해 주세요. 우리 자녀들이 주님의 손을 붙잡고 승리하게 하시며 승리하는 자녀들이 이방의 빛이 되게 하시며 세상에서 소금과 빛의 사명을 잘 감당할 수 있도록 축복해 주세요. 주님의 손을 놓치지 않게 하시며 언제나 죄악으로부터 보호받을 수 있도록 도와주세요. 죄악으로부터 구별된 생활을 할 때에 기쁨과 즐거움도 누리게 도와주세요.

능력의 예수님 이름으로 기도합니다. 아멘.

# Protect us from incurable illnesses

*November*
**10**

The Lord will afflict you with the boils of Egypt and with tumors, festering sores and the itch, from which you cannot be cured.                                      Deuteronomy 28:27

Jehovah Raphe, Lord our Healer, we pray for the health of our children today. Although people think that modern medicine can heal anything, there are many people who have died  because there was no healing. Lord, we pray for good health, and even if we should become ill, please give us your healing. Protect us from incurable diseases.

Lord, we pray for the health of our family. When we become ill, please help us to meet competent doctors who can restore us back to health. We know that this kind of healing comes from obedience to the Lord. Only you have the power of healing in your hands. Guide our family to obey you so we may receive the blessings of those who are obedient.

We pray in Jesus' name, Amen.

 **불치병으로부터 보호하소서**

'여호와 라파' 이신 하나님, 우리의 병을 치유해 주시는 주님, 오늘은 우리 자녀들의 건강을 위해 기도합니다. 현대인들은 발달된 의학으로 모든 병을 고칠 수 있다고 생각하지만, 그럼에도 불구하고 치유의 길을 얻지 못하고 죽어 가는 사람들이 얼마나 많은지 모릅니다. 우리를 자비와 긍휼로 돌보아 주셔서 건강하게 하시고 병이 있다 해도 치유의 길을 찾게 하시며불치병에 걸리지 않도록 축복해 주세요.

우리 자녀들과 가정을 위해 기도합니다. 우선 병에 걸리지 않도록 몸을 잘 청지기하는 우리들이 되게 하시며 또한 심각한 병에 걸렸을 때에도 좋은 의사를 만나고 치유의 길을 발견할 수 있도록 도와주세요. 무엇보다도 이러한 축복이 주님께 순종하였을 때에 얻을 수 있음을 먼저 깨닫게 하시며 모든 치유가 주님의 손안에 있음을 믿게 도와주세요. 우리 가정이 먼저 주님께 순종함으로 주님이 순종하는 자에게 주시고자 하는 모든 축복을 받아 누리게 도와주세요.

예수님의 이름으로 기도합니다. 아멘.

**371**

# Protect us from mistreatment

*November*
**11**

He saw one of them being mistreated by an Egyptian, so he went to his defense and avenged him by killing the Egyptian.　　　　　　　　　　　　　　　　　　　　　　　Acts 7:24

Lord, thank you for watching over us so we may to live today in safety. Thank you for bringing joy and laughter into our home through our children. As we watch them work and play they bring us a greater reverence for life. Bless these children that they may grow healthily in the Lord.

Lord, our children have their feelings hurt and experience emotional pain in the course of their lives. Sometimes they are so troubled that they cannot concentrate on their work. Please protect them from mistreatment and also keep them from mistreating others. Lord, guard our children from reacting with vengeance when they are mistreated. Also, keep them from hiding the hurt in their hearts so they don't become sick. When they face hardships, help them to find restoration in the Lord and peace in their lives once again.

We pray in Jesus' name, with thanksgiving. Amen.

 원통함으로부터 보호해 주소서

오늘도 안전하게 지켜 주시고 건강을 허락해 주시는 주님, 우리 자녀들로 인해 깊은 감사를 드립니다. 부족한 우리들에게 생명을 위탁해 주시고 주님의 말씀대로 양육할 수 있는 지혜를 주시니 감사를 드립니다. 이 자녀들로 인해 가정에 기쁨과 웃음이 있게 하시고 생명의 경외를 체험하게 하시니 감사를 드립니다. 우리 자녀들이 주님 안에서 건강하게 자라나도록 축복해 주세요.

우리 자녀들이 살아가면서 많은 감정적 상처를 당하고 이유 없이 가슴 아픈 체험을 하는 경우가 많이 있습니다. 너무나 원통해서 다른 일을 못할 때도 있습니다. 우리 자녀들이 원통한 일을 당하지 않게 하시고 다른 사람들에게도 원통함의 원인이 되지 않도록 축복해 주세요. 원통함으로 인해 이성을 잃고 잘못을 저지르지 않게 하시고 원통함으로 인해 다른 사람들을 미워하고 마음에 상처가 되어 건강을 상하는 일이 없도록 인도해 주세요. 어려운 일이 있을 때 주님 안에서 즐거움을 회복하는 길을 알게 하시고 평온한 마음으로 인생을 걸어갈 수 있도록 보호해 주세요.

감사하오며 예수님 이름으로 기도합니다. 아멘.

# Protect them from impulsive acts

*November*
*12*

He saw one of them being mistreated by an Egyptian, so he went to his defense and avenged him by killing the Egyptian.

Acts 7:24

Lord, thank you for your constant protection. Thank you for watching over our family and for giving us victory. Although we live in the world, help us to not be of the world. Instead give us grace to overcome the world. We know that victory is possible only when we walk with God, empowered by the Holy Spirit. Help us to be victorious like Jesus, who was tempted by the devil after fasting in the desert for forty days, but who prevailed over the devil through the word of God. Lord, help us to have this same sword of the Spirit.

Protect our children from evil things, and help all of us to live in fellowship with God. Keep our children from making the same mistake as Moses, who impulsively took another man's life out of vengeance. Keep our children away from those who sin impulsively. Lord, it is so easy for young children to act impulsively unless you help them. Shield them with your word so they may not commit impulsive acts.

We pray in Jesus' name, Amen.

---

### 충동적인 범죄로부터 보호하소서

우리를 언제나 보호해 주시는 주님, 감사를 드립니다. 부족한 우리 가정을 사랑하여 주셔서 안전하게 지켜 주시고 승리하게 하시니 감사를 드립니다. 세상에 살지만 세상과 짝하지 않게 하시며 세상에 살면서도 세상을 이길 수 있도록 축복해 주세요. 오직 주님께서 함께하시며 성령님께서 도와주실 때만이 승리가 가능한 것을 믿습니다. 말씀으로 무장할 때만이 가능한 줄을 믿습니다. 40일 금식 후에 사탄으로부터 유혹을 받으신 주님이 말씀으로 승리하신 것처럼 우리 자녀들도 유혹을 이길 수 있는 성령의 검, 말씀의 검으로 무장시켜 주소서.

우리 가정을 보호해 주시며 우리 자녀들이 악으로부터 보호 받게 하시며 언제나 주님과 동행하는 삶을 살게 인도해 주세요. 우리 자녀들이 모세와 같이 충동적인 죄악을 범하지 않도록 지켜 주세요. 또한 충동적인 범죄를 하는 무리들과 결코 어울리지 않게 하시며 그들의 자리로부터 우리 자녀들을 보호해 주세요. 주님께서 보호해 주시지 않으면 얼마든지 젊은 아이들은 충동적으로 행동을 할 때가 많이 있습니다. 말씀으로 무장하게 해주셔서 충동적인 범죄에 연루되지 않도록 언제나 지켜 주세요.

예수님 이름으로 기도합니다. 아멘.

**373**

# Deliver us from hopeless circumstances

When you pass through the waters, I will be with you; and when you pass through the rivers, they will not sweep over you. When you walk through the fire, you will not be burned; the flames will not set you ablaze.                              Isaiah 43:2

Lord, you are always with us; we have the joy of the Lord because you are our shepherd, and we are not in want. Your rod and your staff comfort us when we are in desperate and hopeless situations that seem like we have entered the valley of the shadow of death. Lord, although we try our best to protect our children, we have human limitations. We can't predict when our children will experience moments of desperation or hopelessness. Please watch over them through these times.

Lord, protect them from feelings of desperation if their cars happen to break down in the middle of a dark road. Please keep them from situations where a violent person might harm them. Protect them from strangers who plan to kidnap them. Protect them from life threatening fires. Protect them from thieves who come in the night and terrify families. Protect them from wild animals. Protect them from receiving tainted AIDS blood if they should ever need a blood transfusion.

We pray in Jesus' name, Amen.

---

 절망적인 상황에서 보호하소서

언제나 우리 곁에서 인도해 주시는 주님, 우리가 주님으로 인해 행복한 것은 주님이 우리의 목자가 되어 주셔서 부족함이 없기 때문입니다. 절망적인 순간에도, 적의 공격을 받는 순간에도, 사망의 음침한 골짜기에서도 주님이 지팡이와 막대기로 우리를 보호해 주시니 감사를 드립니다. 부모 된 우리가 아무리 자녀들을 보호하고 지킨다고 해도 거기에는 한계가 있음을 고백합니다. 자녀들이 언제, 어디서 절망적인 순간들을 체험할지 모릅니다. 그럴 때마다 주님께서 지켜 주시옵소서.

갑자기 자동차가 고장이 나서 아무도 없는 길에서 두려워하지 않도록 지켜 주옵소서. 갑자기 나쁜 사람의 공격을 받아 충격을 받고 두려움에 떠는 일이 없도록 지켜 주옵소서. 또한 모르는 사람에 의해 유괴를 당하는 일이 없도록 주님께서 천사를 명령하여 지켜 주옵소서. 또한 화재가 나서 생명의 위협을 받지 않게 하시고, 어두운 밤에 도적이 들어 가족들이 놀라고 공포에 떠는 일이 없도록 지켜 주옵소서. 또한 짐승들의 공격을 받지 않게 하시고 병원에서 수혈을 받을 때에도 즉각적으로 필요한 피를 공급 받을 수 있도록 보호해 주세요.

예수님의 이름으로 기도를 드립니다. 아멘.

# Keep us from denying our Lord

He began to call down curses on himself, and he swore to them, "I don't know this man you're talking about."

Mark 14:71

Lord, thank you for the winter season when all things come to rest and wait for the time of new life. Please grant us abundance so our harvest will last throughout the winter. Lord, sustain our health during the cold season. Help our children to study diligently, although they are waiting for the winter break.

Lord, you have called us to deny ourselves, take up the cross, and follow you. But Lord, there are times when instead of denying ourselves, we deny you. Even Peter, who loved Jesus, denied him three times in his moment of weakness. It was such a painful and regretful mistake. We know that this doesn't just happen with Peter. We also have denied you and pretended to not know you in the various situations of our lives. Lord, please guard us from denying you, and guide us to walk in the ways you have called us to go. Lord, give us discernment so we may overcome the powers of darkness that prompt us to deny you in ways that we do not even notice.

Lord, although we are helpless sinners, we pray, trusting in the name of Jesus. Amen.

---

## 주님을 부인하지 않게 하소서

겨울을 주관하시는 주님, 이제 겨울을 맞이하게 되면서 모든 만물이 쉬게 되며 새로운 생명의 날을 위해 기다리게 하시니 감사를 드립니다. 풍성한 열매로 인해 이 겨울에도 우리에게 양식이 모자라지 않게 하시며 건강을 유지할 수 있도록 인도해 주세요. 우리 자녀들도 겨울 방학 전에 모든 공부의 책임을 다하고 어려움 없이 공부를 마칠 수 있도록 인도해 주세요.

주님께서는 자신을 부인하고 자기 십자가를 지고 주님을 따라오라고 명령하셨습니다. 그런데 연약한 우리들은 자신을 부인하지 않고 주님을 부인하는 경우가 많습니다. 주님을 그토록 사랑하고 주님의 신임을 받았던 베드로도 순간적으로 주님을 알지 못한다고 세 번이나 주님을 부인했습니다. 그 고백이 얼마나 가슴 아프고 후회스러웠겠습니까? 그러나 그것이 베드로의 일만은 아니라고 생각합니다. 우리도 일상 생활에서 수없이 주님을 부인하며 주님을 모르는 척하며 살아가고 있습니다. 우리가 주님을 모른다고 부인하지 않게 하시며 주님이 원하는 길을 가지 않고 사탄이 좋아하는 길을 가는 일이 없도록 보호해 주세요. 자기도 모르게 주님을 부인하도록 유혹하고 있는 어둠의 세력을 분별해 이길 수 있도록 축복해 주세요.

감사드리며 부족한 죄인, 예수님의 이름 의지해 기도했습니다. 아멘.

## November 15

# Guard us from the temptation for money

Now a man named Ananias, together with his wife Sapphira, also sold a piece of property. With his wife's full knowledge he kept back part of the money for himself, but brought the rest and put it at the apostles' feet.

Acts 5:1-2

Lord, you are the owner of all things. Thank you for providing for all of our needs through the abundance of nature. Lord, bless everyone on earth that they may have abundant food to eat. Sometimes we seek food not out of need, but out of greed. We also seek money out of greed; because we think that if we have lots of money, we can do anything while continuing to live an extravagant and comfortable life. Lord, we need material things for life, but help us to never be ruled by them. Give us spiritual authority to be good stewards and never become slaves to riches.

We know that the love of money is the root of all evil. We learned today that Ananias and Sapphira hid their riches and tried to deceive the Holy Spirit. Lord, protect our children from the greed for money by helping them to realize what is truly important. Guard them from selling out their faith for riches or from deceiving the Holy Spirit. Lord, grant them the spiritual authority to properly take charge of their money so it may be used in furthering the work of God.

We pray in the name of our Savior, Jesus. Amen.

### 돈의 유혹으로부터 보호하소서

모든 만물의 주인이 되신 주님, 우리가 주님이 주신 자연과 양식으로 오늘도 건강하고 행복하게 지낼 수 있었음을 감사드립니다. 이 세상에 있는 모든 인생들이 주님이 주시는 양식을 풍족하게 먹을 수 있고 마실 수 있도록 축복해 주세요. 그러나 우리들은 필요한 양식을 구하지 않고 욕심으로 양식을 구하고 있습니다. 또한 돈의 유혹에 대해 너무나 약합니다. 돈이면 모든 것을 다 할 수 있고, 화려하고 안락한 생활이 보장된다고 믿고 있기 때문입니다. 우리가 살아가는 동안 물질이 필요하지만 물질을 다스릴 수 있는 영적 권위를 주시고 물질의 노예가 되지 않도록 인도해 주세요.

돈에 대한 욕심으로 인해 모든 죄악이 생기게 됨을 고백합니다. 아나니아와 그의 아내 삽비라가 물질을 숨기고 성령님을 속였던 것을 알게 되었습니다. 우리 자녀들을 돈의 유혹으로부터 보호해 주시고 돈보다 더 중요한 것이 무엇인가를 깨닫도록 인도해 주세요. 작은 물질 때문에 귀한 믿음을 팔아 버리지 않게 하시며 작은 물질로 인해 성령님을 속이는 일이 없도록 축복해 주세요. 돈을 정복하고 다스릴 수 있는 영적 권위를 주시고 돈이 주님 안에서 생명 있는 일에 쓰여질 수 있도록 우리 자녀들의 영성을 회복시켜 주옵소서. 우리를 구원하신 예수님의 이름으로 기도했습니다. 아멘.

# Guard them from being slandered

When his master heard the story his wife told him, saying, "This is how your slave treated me,"
he burned with anger.
Genesis 39:19

Lord, you are our guide. Although we are wanting in many areas, thank you for being the Lord of our family and for leading us in abundant life. May this month of November be a month of thanksgiving. Lord, guide us to praise you and to spread the Gospel in season and out of season. Help us to participate in lifting your Holy Name on high.

Lord, please keep our children from being slandered. When Joseph ran from Potiphars wife, she slandered him to Potiphar. Please protect our children from being slandered, despite their innocence. Keep them away from the seat of the guilty. Keep them from being misunderstood as being accomplices to evildoers so they will not lose their good reputation. We believe that you will protect them.

We pray in Jesus' name, Amen.

## 오해 받지 않게 하소서

오늘도 우리를 인도해 주신 주님, 부족한 우리 가정에 주인이 되어 주셔서 우리를 풍성한 삶으로 인도해 주시니 감사를 드립니다. 특히 11월에는 감사가 넘치는 생활이 되도록 인도해 주세요. 때를 얻든지 못 얻든지 주님을 찬양하게 하시며 주님을 전하게 하옵소서. 그래서 주님의 이름이 거룩히 여김을 받는 역사가 일어나도록 인도해 주세요.

오늘도 우리 자녀들을 지켜 주신 주님, 우리 자녀들이 오해 받는 일이 없도록 보호해 주세요. 요셉이 보디발의 아내의 유혹을 물리친 것으로 인해 주인의 오해를 받았던 것처럼 우리 자녀들이 무죄한 오해를 받는 일이 없도록 축복해 주세요. 범죄자의 자리에 가 있지 않게 하시며, 범죄자들과 동조한 것으로 오해 받지 않게 하시며, 말로나 행동으로나 의심의 대상이 되지 않게 하시며, 오해의 대상이 되지 않도록 보호해 주세요. 이러한 오해로 인해 사회에서 신용을 잃어버리지 않게 하시며, 이러한 오해로 인해 마음 고통을 받는 일이 없도록 축복해 주세요. 그러므로 오해의 소지가 되는 어떤 작은 일로부터도 우리 자녀들을 보호해 주세요.

주님께서 언제나 우리 자녀들을 보호해 주실 줄 믿고 예수님의 이름으로 기도합니다. 아멘.

# Guard us from pride

*November*
**17**

Pride goes before destruction, a haughty spirit before a fall.

Proverbs 16:18

Lord, you are our Shepherd. November is already half over. Thank you for having watched over our family with good health and for giving us true rest for our bodies and our souls. The weather is getting cooler as we head into winter. Please protect us from getting sick during this seasonal change. Let this be a time for our family to read the Bible and to meditate on God's words. Help us to draw closer to you as we prepare for the New Year.

Lord, we pray that our children may not be proud and haughty because of their grades, their talents, or because they are rich. Keep them from boasting about their own riches and knowledge while belittling others. Help them to know that pride goes before destruction. Even if they should be offered a prominent position, please arm them with the humility that comes from the Lord. Give them the wisdom to know that pride is vain, and no one is worthy of being proud before the Lord. Lord, guide our children, even in their youth, to be meek and have humble hearts. Help them to be strengthened by God's words to live a humble life so God may commend them. We pray in Jesus' name, Amen.

 **교만으로부터 보호하소서**

우리의 목자 되신 주님, 11월도 벌써 반이나 지나갔습니다. 그 동안 우리 가족 모두를 건강하게 지켜 주시고 몸과 마음이 쉴 수 있도록 인도해 주셔서 감사합니다. 또한 겨울이 가까워오면서 날씨가 점점 추워지고 있습니다. 이러한 환절기에 우리 가족의 건강을 지켜 주옵소서. 더욱 말씀을 읽고 묵상하며 주님과 가까워지는 달이 되게 하시며 새로운 해를 위해 준비하는 달이 되도록 인도해 주세요.

우리 자녀들을 위해 기도합니다. 자신들이 공부를 잘한다고, 피아노를 잘 친다고, 운동을 잘한다고, 자기 집이 부자라고 교만하지 않게 하옵소서. 다른 사람들을 무시하면서 자신의 부와 지식을 자랑하지 않게 하소서. 이것으로 인해 멸망이 온다는 것을 알게 하시고 교만한 자리가 제공되어도 주님의 겸손으로 무장하게 하소서. 교만한 것이 모두가 헛된 것이며, 주님 앞에서는 누구도 자랑할 만한 사람이 없다는 것을 깨닫는 지혜를 허락해 주세요. 우리 자녀들이 어려서부터 겸손하게 하시며 마음을 낮추며 살게 도와주세요. 그러기 위해 말씀으로 무장하게 하시며 이로 인해 겸손한 인격이 준비되도록 인도해 주세요. 그래서 주님 앞에 칭찬 받는 자녀들이 되도록 인도해 주세요. 감사드리며 예수님의 이름으로 기도합니다. 아멘.

# Protect them from turmoil

**November 18**

Better a little with the fear of the Lord  than great wealth with turmoil.　　　　　Proverb 15:16

God of peace, we give you praise and honor. Thank you for this time of family prayer. We pray for the our children's health and for their rest. Lord, give them peaceful rest tonight, and protect them from turmoil. Help them to sleep soundly. We have many worries as we live in this world. We also experience resentment, misunderstanding, and hardship in our family life, so it is easy to fall into turmoil. Please, keep our children from experiencing this turmoil because they have too much or know too much.

Lord, protect them from turmoil in their friendships and their studies. Help them to come to you when they are in turmoil. Help them to find true peace through the holy fear of God. Help us to know when our children are experiencing turmoil, so we may comfort them and guide them in resolving their problems. Lord, turmoil can turn to stress, which harms their health. Turmoil also takes away the joy of life. Please guard our children from turmoil.

We pray in Jesus' name. Amen.

---

 **번뇌로부터 보호하소서**

　　평화의 하나님, 찬양과 경배를 받으시옵소서. 오늘밤도 우리 가족이 함께 기도할 수 있도록 인도하셔서 자녀들의 건강과 안식을 위해 기도하게 하시니 감사를 드립니다. 오늘밤에도 우리 자녀들이 번뇌하지 않고 잠을 청하게 하시며 단잠을 잘 수 있도록 인도해 주세요. 세상을 살아가면서 걱정도 많고 근심도 많고 두려움도 많습니다. 그리고 함께 살아가면서 갈등도 생기고 오해도 생기고 어려운 일도 생깁니다. 그래서 번뇌를 하게 됩니다. 우리 자녀들이 재물이 많음으로 번뇌하지 않게 하시며 지식이 많음으로 머리가 복잡하지 않도록 도와주세요.

　　친구들과의 관계로 인해 번뇌가 생기지 않게 하시며 학교 공부로 인해 번뇌가 생기지 않게 해주세요. 이러한 번뇌를 해결하기 위해 먼저 하나님을 경외하는 자가 되게 하시고 주님 안에서 부요와 평화를 누릴 수 있도록 인도해 주세요. 우리 자녀들이 번뇌하고 있을 때 부모가 제일 먼저 분별해 알게 하시고 위로하며 함께 그 문제를 해결해 나갈 수 있도록 도와주세요. 번뇌가 무거운 스트레스가 되어 건강을 해치지 않게 하시며 번뇌가 지속속되어 삶의 기쁨을 빼앗아가지 않도록 우리 자녀들을 보호해 주세요.

　　부족한 우리 가정을 사랑해 주시는 예수님의 이름으로 기도했습니다. 아멘.

**379**

# Guard us from quarrels

Better a meal of vegetables where there is love than a fattened calf with hatred. A hot-tempered man stirs up dissension, but a patient man calms a quarrel. Proverbs 15:17-18

O God of peace, thank you for watching over us for the last eleven months of this year without sleeping or slumbering. We truly give you thanks and praise. Lord, you take care of all things in nature, and we thank you that you also take care of our family.

Lord, we pray for our children that they may not get into quarrels with their friends. May they always have love for their friends and a gentleness of heart. Help them to pray for their friends instead of quarreling with them. Please keep our children from fighting with their siblings. Lord, give them hearts to help and comfort their brothers and sisters. Give them hearts of sharing and love for one another. Lord, when our children grow up, please guard them from getting into quarrels with their colleagues; please help them to live in mature relationship with others. We pray that in their future married life they may have a blessed relationship with their spouse. Keep them from needless quarrels, and help us to raise them to be mature in character.

We pray in Jesus' name, Amen.

### 다툼으로부터 보호하소서

화목의 하나님, 올해도 11개월 동안 하루도 쉬지 않고 돌보아 주시는 주님, 우리들을 위해 졸지도 않으시는 주님, 감사와 찬양을 돌려 드립니다. 자연을 돌보아 주시고 모든 새와 들풀까지도 돌보시는 주님, 우리 가정을 세밀하게 돌보아 주심을 감사드립니다.

우리 자녀들을 위해 다시 기도를 드립니다. 우리 자녀들이 친구들과 다투지 않게 하시며 언제나 온유한 마음으로 친구들을 사랑할 수 있도록 인도해 주세요. 다투기보다 친구를 위해 기도할 수 있도록 축복해 주세요. 또한 우리 자녀들이 집에서 형제들과 다투지 않도록 인도해 주세요. 위로나 아래로나 형제들을 돌보아 주고 그들을 위해 기도하면서 양보하고 사랑할 수 있는 자녀들이 되도록 인도해 주세요. 또한 우리 자녀들이 사회에 나가서 동료들과 다투지 않게 하시며 성숙한 인간관계를 맺도록 축복해 주세요. 또한 후일에 가정을 가지면서 배우자와 다투며 갈등을 느끼지 않도록 지금부터 자녀들이 성숙한 인격을 준비할 수 있도록 축복해 주세요. 오히려 다투는 자들 가운데서 화평케 하는 자녀가 되도록 축복해 주세요.

예수님의 이름으로 기도합니다. 아멘.

# Protect them from bribes

A greedy man brings trouble to his family, but he who hates bribes will live.　　Proverbs 15:27

Lord, thank you for keeping us pure, and for watching over our children and holding them today in your arms. Thank you for providing us with the things that we don't know enough to ask for, and for always watching over us. We give you our love and praise.

Lord, when our children grow up, there may be temptations to give or take bribes. Please guard them from becoming greedy. Help us to raise them as people of integrity and character. Many politicians, educators, and even some ministers, forsake their integrity because of bribes. You teach us in this passage that he who hates bribes will live. Lord, help our children to hate bribes, and guard their hearts from such temptations. Protect them from becoming like Esau, who sold his birthright for a mere bowl of stew, and thus lost his credibility. Lord, teach our children to hate falsehood and everything else the Lord hates. Please make their hearts pure and honest in all of their ways.

We pray in Jesus' name, Amen.

### 뇌물로부터 보호하소서

우리를 정결하도록 지켜 주시는 주님, 우리 자녀들이 오늘도 주님 품안에서 행복하게 생활하도록 인도해 주셔서 감사합니다. 우리가 구하지 아니한 것도 주님께서 아시고 세밀하게 공급해 주시고 보살펴 주시니 감사를 드립니다. 찬양을 받으시고, 우리의 사랑하는 마음도 받아 주옵소서.

우리 자녀들이 사회생활을 하게 될 때에 서로 뇌물을 주며 부정한 방법으로 살아갈 수도 있습니다. 주님께서 어려서부터 이를 탐하는 자가 되지 않게 하시며 항상 정직하고 깨끗하게 살아갈 수 있는 인격을 준비하게 도와주세요. 많은 정치가들이, 또한 교육자와 목회자들이 돈 문제로 자신의 생명을 잃어버리는 경우가 많이 있습니다. 주님께서는 뇌물을 싫어하는 자가 산다고 하셨사오니 우리 자녀들에게 뇌물을 싫어할 뿐만 아니라 이러한 유혹으로부터 마음을 지킬 수 있도록 축복해 주세요. 그래서 팥죽 한 그릇에 장자권을 판 에서처럼 작은 물질로 인해 자신의 모든 신용을 잃어버리지 않게 인도해 주세요. 주님께서 원하시지 않는 불의한 일들을 미워하게 하시며 언제나 주님께서 마음을 주장하여 주셔서 정결하고 정직하게 살아가는 자녀들이 되도록 영원히 축복해 주세요.

예수님의 이름으로 기도합니다. 아멘.

# November 21

# Guard them from drunkenness

Who has woe? Who has sorrow? Who has strife? Who has complaints? Who has needless bruises? Who has bloodshot eyes? Those who linger over wine, who go to sample bowls of mixed wine.                                                    Proverbs 23:29-30

Lord, you have given us the new wine of the Holy Spirit. Thank you for giving us this fullness of the Spirit and joy in our hearts. Fill us with the Holy Spirit so we may be the sweet aroma of Christ to those who are perishing. Help our family to be living sacrifices before God day by day. Lord, bless us to be God's holy temples.

Lord, fill our children with the new wine of the Holy Spirit. When they are grown and introduced to alcoholic drinks, Lord, please protect them so they don't become drunk, lose their judgment and act in shameful ways. Be with them when they are in gatherings where alcohol is involved, so their hearts may not forget God. Lord, please protect our children from becoming enslaved by addictions to drugs and nicotine so Satan may not target them. Help them to take good care of their bodies, remembering that they are temples of the Holy Spirit. Guide them to be filled with the new wine of the Holy Spirit.

We pray in the name of Jesus, with thanksgiving. Amen.

## 술 취하지 않게 하소서

성령의 새 술을 주시는 주님, 오늘도 성령 충만함을 입어 천상에서 주시는 즐거움으로 보내게 하시니 감사합니다. 성령 충만함으로 우리들의 삶이 다른 이들에게 그리스도의 향기를 나타낼 수 있도록 인도해 주세요. 그리고 몸으로 매일 산 제사를 드리는 가정이 되도록 인도해 주세요. 우리 가정이 온전한 주님의 성전, 신령한 집으로 세워질 수 있도록 축복해 주세요.

이러한 성전에서 자라나는 우리 자녀들이 성령의 새 술에 취한 자가 되게 인도해 주세요. 자녀들이 장성하여 술을 접하게 될 때에 주님께서 보호해 주시고 술 취함으로 인해 이성을 잃고 감정처리를 제대로 하지 못해 수치스러운 행동을 하는 일이 없도록 인도해 주세요. 사업상 있는 술자리에서도 보호해 주셔서 몸과 마음이 주님을 떠나지 않도록 인도해 주세요. 술뿐만 아니라 담배나 마약에 중독되지 않도록 하시며 이러한 방탕함으로 인해 사탄의 공격의 표적이 되지 않도록 축복해 주세요. 어떠한 환경에서든지 자신을 지키게 하시며 주님의 성전인 몸을 더럽히는 일이 없도록 축복해 주세요. 그리고 주님의 술에 취해 성령 충만함을 입을 수 있는 자녀들이 되도록 인도해 주세요. 감사드리며 예수님 이름으로 기도합니다. 아멘.

# Protect them from evil plots

But they saw him in the distance, and before he reached them, they plotted to kill him. "Here comes that dreamer!" they said to each other. "Come now, let's kill him and throw him into one of these cisterns and say that a ferocious animal devoured him. Then we'll see what comes of his dreams."

Genesis 37:18-20

Lord, thank you for today; thank you for our health, and thank you for our children. Thank you that we can experience the Sabbath rest of the Garden of Eden in our family life. Bless us that we may have the eternal joy of the Garden of Eden. Thank you for giving us this joy through our children today.

Lord, as our children grow up, others may misunderstand them or even conspire to harm them. But Lord, please protect them and guide them so they may be set free from the evil schemes of others. May our children always abide in you and not be led astray into an ambush. Lord, guard them from provoking others by being too arrogant or too popular or famous. Help them to be humble and lowly and not attract the attention of those who plot evil. Lord, we desire that our children be acknowledged and used by God. Please protect them moment by moment from the evil plots of others.

We pray in the name of Jesus, Amen.

### 음모로부터 보호하소서

좋은 일기를 주시고 건강을 허락하신 주님, 우리 아름다운 자녀들, 사랑스러운 자녀들로 인해 주님께 감사를 드립니다. 이 자녀들로 인해 우리 가정이 에덴 동산의 즐거움으로 넘치게 하시고 에덴 동산의 안식을 풍성하게 누리게 하시니 감사를 드립니다. 에덴의 행복과 기쁨이 영원히 우리들의 것이 되도록 축복해 주세요. 오늘도 자녀들이 웃음소리를 들으며 하루를 마치게 하시고 그들의 깊은 숨소리를 들으며 미소 짓게 하시니 감사를 드립니다.

우리 자녀들이 살아가는 동안 오해도 받고 음모도 받게 될지 모르겠습니다. 하지만 주님께서 우리 자녀들을 보호하시고 인도해 주시면 이러한 음모로부터 자유할 수 있음을 믿습니다. 애매하게, 억울하게 음모에 빠져서 고통을 당하지 않도록 우리 자녀들의 일이 주님 품안에 있도록 인도해 주세요. 너무 교만하거나, 너무 인기가 있어서, 너무 유명해져서 음모에 휘말리지 않도록 언제나 겸손하고 낮아짐으로 대중으로부터 숨겨진 존재가 되도록 인도해 주세요. 주님께서 인정하시고 주님이 언제나 사용하시기를 좋아하는 자녀들이 되기를 원합니다. 어떤 음모이든지 자녀들이 공격을 받지 않도록 모든 순간들을 지켜 주세요.

예수님의 이름으로 기도합니다. 아멘.

# My lips overflow with praise

May my lips overflow with praise, for you teach me your decrees. May my tongue sing of your word, for all your commands are righteous.               Psalm 119:171-172

Lord, thank you again for giving us life and breath today. Thank you for this time of prayer with our children. We ask you to bless them in every area of their lives, especially at school and at church. Bless them with good health and joyful hearts. Help them to be filled with abundance as they rule over your creation.

Lord, there are times when we complain about life, or even about you. Help us to mature in faith and praise you and thank you in truth and spirit. Help us to use the lips you gave us to praise you, to share the gospel message, and to pray. Guard us from using our lips to judge, shame, or scorn others. Lord, may the words of our lips praise you and thank you, and may you be overjoyed in hearing these praises. Guard the lips of our children and anoint them with oil so they may be set apart for you.

We pray in the name of Jesus, Amen.

### 우리의 혀가 주를 노래하게 하소서

오늘도 호흡을 주시고 생명과 건강을 주신 주님, 감사를 드립니다. 어두운 밤이 되어 자녀들의 손을 잡고 함께 기도할 때에 이 기도를 들어주시고 응답해 주시옵소서. 우리 자녀들이 학교나 가정이나 교회에서 건강하고 즐겁게 생활하게 하시며 주님으로 인해 언제나 풍성하고 부요한 삶의 주인이 될 수 있도록 축복해 주세요. 하나님께서 우리 자녀들에게 주시기를 원하시는 "충만하고 정복하고 다스리는" 복을 누리도록 인도해 주세요.

우리가 자주 주님에 대하여, 인생에 대하여 불평할 때에도 여전히 들어주시는 주님, 우리가 더욱 성숙해져 심령으로 드리는 찬양과 감사를 주님께 드릴 수 있도록 인도해 주세요. 주님이 주신 입술로 찬양하게 하시며, 감사하게 하시며, 전도하게 하시며, 기도하게 하옵소서. 그 입술로 남을 비판하고 흉보며 무시하지 않게 하시며 온전히 주님께서 그 입술이 천국의 복음을 전하는 입술로 부족함이 없도록 인도해 주세요. 우리의 혀가 온종일 주님을 찬양하며 감사하게 하시며 그 찬양으로 인해 주님께서 "기쁨을 이기지 못하시는"(습 3:17) 놀라운 일들이 일어나게 하옵소서. 우리 자녀들의 혀의 파수꾼이 되어 주시며 거룩한 기름으로 부어 주셔서 성별해 주세요.

예수님 이름으로 기도합니다. 아멘.

# Praise the name of the Lord

Praise the Lord. Praise the name of the Lord? praise him, you servants of the Lord,

Psalm 135:1

Lord, you are the way of life for us. You came to save your flock. Thank you for helping us to look to you today. If you had not been with us, it would have been too difficult for us to bear on our own. We thank you for being near us, for giving us words of hope and comfort and renewing our strength. Help our family to know the way to abide in you so our ears may hear your words of hope and comfort.

Lord, help our children to praise the name of the Lord. You are Jehovah Jireh, God our Provider. You are Jehovah Shalom, Lord our Peace. You are our victory banner, Jehovah Nissi. We praise the name of Jehovah Raphe, the Lord our Healer. May our children experience these names of God in their lives and see the work of his salvation in others. May our children praise the name of the Lord our Shepherd, Jehovah Raah. Help them to render glory to Jehovah Tsidkenu, the Lord our Righteousness. Bless them when they lift up the name of God in praise.

We pray in the name of Jesus, with thanksgiving. Amen.

 **주의 이름을 찬송하게 하소서**

생명의 길을 열어 주신 주님, 양의 생명을 위해 이 땅에 오신 주님, 하루를 주님을 위해 살게 하시고 주님만을 바라보며 만족하게 하시니 감사를 드립니다. 주님이 가까이 계시지 않는다면, 주님이 우리와 동행해 주시지 않았다면 오늘도 어렵고 힘든 하루였을 것입니다. 그러나 주님이 가까이 계셔서 소망과 위로의 말씀을 주시고 새 힘으로 도와주신 것을 감사드립니다. 우리의 온 가족이 주님과 동행하는 길을 알게 하시고 주님의 위로와 소망의 말씀을 들을 수 있는 귀를 허락해 주세요.

우리 자녀들이 주의 이름을 찬양하도록 도와주세요. 모든 것을 이미 아시고 준비해 주시는 여호와 이레, 우리에게 평강을 주시는 여호와 살롬, 우리에게 승리의 깃발이 되시는 여호와 닛시, 우리의 병을 고쳐 주시기를 즐거워하시는 여호와 라파의 이름을 찬송하게 도와주세요. 그 이름이 날마다 우리 자녀들의 삶에서 체험되게 하시고 그 이름을 부를 때마다 구원받고 기적을 체험하도록 인도해 주세요. 우리의 목자 되시는 여호와 라아의 이름을 찬송하게 하시며 우리의 의가 되시는 여호와 치드케누의 하나님께 영광을 돌리게 해주세요. 주님의 이름을 높이는 자녀들이 되도록 축복해 주세요. 감사드리며 예수님의 이름으로 기도합니다. 아멘.

**385**

# Let us give thanks to the Lord

Give thanks to the Lord, for he is good. His love endures forever. Give thanks to the God of gods. His love endures forever.
Psalm 136:1-2

Lord, thank you for this month of November that marks the end of harvest. Thank you for this month of Thanksgiving. Thank you for filling us with abundant harvest and for giving us health to praise you. Lord, help us to know that through the farmers hands, all these blessings of harvest have come from you. Let there be no farmer who believes and trusts in Baal. Help the farmers to know that you are the owner of everything in the universe.

Lord, bless our children that they may know the goodness and love of the Lord. Give them faith to know that you are always with them, faithful even when it seems like their prayers aren't being answered, when situations become desperate, or when they feel far away from you. Help them to know that God is good and that God's love endures forever. Help them to know that God is the King of Kings, and may they focus their hearts on you. Lord, help our children to offer up their thanksgiving to you.

We pray in the name of Jesus, who is good and whose love endures forever. Amen.

### 주께 감사하게 하소서

11월을 주신 주님, 모든 곡식이 열매를 맺고 농사의 일을 마치는 이때 추수감사절을 주시니 감사합니다. 풍성한 곡식과 고기로 우리를 배불리 먹이시며, 그 건강을 힘입어 주님을 찬양하고 노래하게 하시니 감사를 드립니다. 수고한 농부들의 손길에 함께하시며 그 풍성한 소득이 모두 주님의 축복으로부터 온 것을 알게 도와주세요. 바알을 섬기며 그를 의지하는 농부들이 없게 하시며 이 세상의 만물이 주님의 것임을 고백할 수 있도록 인도해 주세요.

우리 자녀들이 주님의 선하심과 인자하심이 영원한 것으로 인해 언제나 감사할 수 있도록 축복해 주세요. 기도의 응답이 없을 때에도, 상황이 절박하게 보일 때에도, 주님이 마치 멀리 가 계신 것처럼 느낄 때에도, 여전히 선하시고 신실하신 주님을 신뢰하고 믿음으로 나아가게 하시며 주님을 찬양하고 감사하는 것에 게으르지 않도록 축복해 주세요. 모든 왕 중의 왕이 되시며, 모든 신보다 더 뛰어나신 하나님께 언제나 감사하며 찬양하게 하시며 우리의 마음을 오직 주님께만 고정할 수 있도록 인도해 주세요. 우리 자녀들이 이러한 감사의 예물을 주님께 드리는 자로 축복 받게 도와주세요.

언제나 선하시고 인자하신 예수님의 이름으로 기도합니다. 아멘.

# November 26
# Praise the name of the Lord

I will praise you, O Lord, with all my heart; before the "gods" I will sing your praise. I will bow down toward your holy temple and will praise your name for your love and your faithfulness, for you have exalted above all things your name and your word.          Psalms 138:1-2

Lord, we give you thanks and praise. You have made known to us the great and awesome name of God so that whoever calls on his name will be saved. Help us to give you thanks, especially during this Thanksgiving season. Thank you for giving our family this day and also for our good health. Lord, forgive us if we have sinned against you today. Guide us to always hold ourselves up to the standard of the Bible so we may be corrected by the word of God.

It is right to give you thanks, for you are Jehovah Raphe, the Lord our Healer. Thank you for healing those who are sick. Thank you for being our medicine and our physician. Thank you for letting us know your name of Jehovah Shalom, the Lord our Peace. We have true peace in you despite the troubling events around the world today. Thank you for being life and hope to those who are trembling in fear. Thank you for letting us know your name of Jehovah Nissi, the Lord our Victory Banner, for you help us to overcome the world. Thank you for giving us hope and strength through your names when we are oppressed by failures, hardship, and temptations. Lord, we give you all the glory. We pray in the name of Jesus, Amen.

## 주의 이름에 감사하게 하소서

우리에게 위대한 하나님의 이름을 주셔서 그 이름을 부르는 자마다 구원을 얻게 하신 주님, 감사와 찬양을 드립니다. 추수감사절을 맞이하여 더 깊은 감사와 찬양이 우리의 삶에서 나오도록 축복해 주세요. 오늘도 우리 온 식구에게 건강을 주시고 즐거운 하루를 주시니 감사를 드립니다. 혹, 우리가 마땅히 지켜야 할 본분을 지키지 못하였다면 용서하시고 언제나 자기 모습을 말씀에 비추어 책망 받고 교정 받을 수 있도록 인도해 주세요.

감사를 받으시기에 합당하신 주님, 여호와 라파의 이름에 감사를 드립니다. 병들고 지친 영혼들이 치유를 받고 행복을 누리게 하시니 감사합니다. 우리에게 약이 되어 주시고 의사가 되어 주셔서 감사합니다. 여호와 샬롬의 이름으로 인해 감사합니다. 불안하고 근심이 넘치고 두려운 이 시대에 주님으로 인해 평강을 누리고 안식을 누리니 감사합니다. 두려워하는 모든 심령들에게 소망과 위로가 되시니 감사합니다. 여호와 닛시의 이름으로 인해 감사합니다. 우리의 깃발이 되어 주셔서 언제나 승리하게 하시고 담대하게 세상을 이기게 하시니 감사합니다. 실패와 좌절, 낙담 가운데 있으며, 유혹 가운데 있는 이들에게 소망의 이름이 되시니 감사합니다.

영광 받으소서. 예수님 이름으로 기도합니다. 아멘.

**387**

# Praise God as long as you live

Praise the Lord. Praise the Lord, O my soul. I will praise the Lord all my life; I will sing praise to
my God as long as I live.                                                    Psalm 146:1-2

Lord, it is right to give you eternal thanks and praise. Thank you
for leading our family to come to know you. Help us to thank
you, not only during this Thanksgiving season, but every day of the
year. Help us to praise you for as long as we live. Lord, you are
delighted to hear the praises of little children; help our children to give
you pure praise.

Lord, guide our children to give you praise, every day, not only on
just the special days. May thanksgiving be a way of life for them.
Sometimes it seems like sports stars or celebrities receive more praise
and adoration than God. Help our children to recognize that this is
getting very close to idolatry. Help them to praise and adore only you,
Lord. Although they cannot see you with their eyes, help them to meet
with you in their hearts, from whence comes all their praise. Help our
children to taste the eternal praises of heaven, even as they live in this
world.

We pray in the name of Jesus, Amen.

### 우리 생전에 주를 찬양하게 하소서

영원히 찬양 받기에 합당하신 주님, 감사를 드립니다. 우리 가족이 주님을 알게 하시고 찬양을 드릴 주님을 만
나게 하심을 감사드립니다. 추수감사절에만 찬양하고 감사하는 것이 아니라 1년 365일 범사에 감사하는 우리 가
족이 되게 하시며 우리의 일생을 살아가는 동안 주님을 찬송하게 하소서. 특별히 어린아이들의 입에서 나오는 찬
양을 기뻐하시는 주님, 우리 자녀들의 입에서 순전한 찬양이 나오도록 인도해 주세요.

우리 자녀들이 특별한 날에만 찬양하지 않게 하시고, 걸어가는 인생 길에서 언제나 주님을 찬양하는 자녀가
되도록 인도해 주세요. 가끔 운동선수들이나 유명 연예인들이 주님보다 더 큰 존경과 사랑을 받고 찬양을 받는 경
우가 많이 있습니다. 이러한 것들이 바로 우상숭배임을 우리 자녀들이 깨닫게 하시고 온전히 주님을 찬양하며 감
사하는 자녀들이 되도록 보호해 주세요. 주님을 육안으로 볼 수는 없지만 믿음으로 주님을 만나게 하시며 주님을
찬송하는 마음으로 인해 언제나 행복하고 즐겁게 하옵소서. 그래서 영원히 찬송만 넘치는 천국의 맛을 미리 경험
하며 사는 자녀들이 되도록 인도해 주세요. 예수님의 이름으로 기도합니다. 아멘.

# *November* 28 — Sing to the Lord a new song

Praise the Lord. Sing to the Lord a new song, his praise in the assembly of the saints. Let Israel rejoice in their Maker; let the people of Zion be glad in their King. Psalm 149:1-2

Lord, we praise you for giving us these precious children and for this time to pray for them. Thank you for our times of prayer together. Help us to deposit our prayers with you in heaven. Lord, bless our children to have a new song in their hearts with which they can sing their praise to the Lord.

Creator God, you have given us life to praise you. We lack nothing, because our Lord is the eternal King of Kings. Help our children to lift up the name of the Lord in praise for as long as they live. Lord, there are many famous people in the world; but help our children to praise only the true God. Help them to praise you with new songs. Grant them these new songs so they may have a new heart. Give them the Holy Spirit to fill this new heart with songs of praise to the Lord.

We pray in the name of Jesus, who is worthy of praise. Amen.

## 새 노래로 하나님을 찬양하게 하소서

귀한 자녀를 주셔서 매일 자녀를 위해 기도할 수 있는 특권을 주신 주님께 찬양을 드립니다. 하나님의 귀한 생명을 청지기하게 하시고 매일 축복 기도와 함께 시간을 갖게 하시며 주님 나라에 기도를 저축하게 하시니 감사를 드립니다. 우리 자녀들의 마음에 새 노래를 허락해 주셔서 주님을 언제나 새 마음으로, 새 노래로 찬양할 수 있도록 축복해 주세요.

우리 자녀들이 생명을 주신 창조주 하나님을 찬양하고 즐거워하게 하소서. 우리의 왕이 되신 주님으로 인해 하나도 부족함이 없으며 언제나 즐겁고 기쁜 생활을 누리게 하시며 그분을 날마다, 숨쉬는 순간마다 찬양하며 그 이름을 높이는 자들이 되도록 축복해 주세요. 세상에는 유명한 사람들도 많고 즐거움을 가져다 주는 사람들도 많이 있지만 우리 자녀들은 우리를 지으신 주님만을 찬양하게 하시며, 새 노래로 주님을 즐거워하게 도와주세요. 새 노래가 있기 위해 새 마음을 주시고, 새 마음이 있기 위해 성령 충만함을 입게 도와주세요. 그래서 주님으로 인해 즐거워하며 새 노래로 찬양하며 주님을 즐겁게 해드리는 자녀들이 되도록 인도해 주세요.

찬양 받으시기에 합당하신 예수님의 이름으로 기도합니다. 아멘.

**389**

## November 29

# Let us give an offering of thanksgiving

Then Hezekiah said, "You have now dedicated yourselves to the Lord. Come and bring sacrifices and thank offerings to the temple of the Lord ." So the assembly brought sacrifices and thank offerings, and all whose hearts were willing brought burnt offerings.

2 Chronicles 29:31

Father God, we give you glory for the plentiful harvest this year. Help us to rejoice in all of these blessings of nature. Continue to bless our nation with abundant crops and fruits.

Lord, keep us from thanking you only with our words. Guide us to thank you with our offerings of thanksgiving. Help us to be a family that gives these thanksgiving offerings to God; the most precious offerings are brought by the little hands of our children. We cannot give you enough praise, even if we were to have ten thousand lips. Help us to show our gratitude through our offerings. Lord, you have told us, "Where your treasure is, there your heart will be also." Guide us to bring to you our thanksgiving offerings with our hearts. Teach us to give a righteous sacrifice to God, just as Abel did.

We pray in the name of Jesus, with thanksgiving. Amen.

### 감사 예물을 드리게 하소서

아버지 하나님, 모든 곡식이 익고 과일과 채소가 풍성한 이 계절에 영광을 받아 주옵소서. 농부들에게도 기쁨을 주시고 새로운 곡식과 양식을 대하는 우리들에게도 자연으로부터 얻는 열매로 인해 기쁨을 누리게 하옵소서. 우리 나라가 풍성한 양식과 과일, 열매들로 인해 사람들이 행복하고 자연이 행복한 나라가 되기를 원합니다.

그러나 말로만 감사하는 자가 되지 않도록 인도해 주시고 감사 예물을 들고 나와 주님을 찬양하게 하옵소서. 우리 온 가족이 감사 예물을 드리는 가족이 되게 하시며 우리 자녀들도 그 작은 손으로 가장 귀한 예물을 들고 나와 감사하게 도와주세요. 만 입이 있어도 다 찬양하고 감사할 수 없습니다. 그 감사와 찬양을 예물로 들고 나오게 인도해 주세요. "너의 보물이 있는 곳에 네 마음도 있다."고 하셨사오니 우리가 감사 예물을 드리면서 주님을 사랑하는 마음과 고백도 들고 나오게 인도해 주세요. 생명을 주시고 먹을 것을 주시고 언제나 사랑으로 보호해 주시니 감사를 드립니다. 우리의 예물이 아벨의 제사가 되게 하시고 하나님이 기뻐 받으시는 예물이 되도록 성별해 주세요.

감사하오며 예수님 이름으로 기도합니다. 아멘.

# Thank God for the victory

But thanks be to God! He gives us the victory through our Lord Jesus Christ.

1 Corinthians 15:57

Lord, you are the God of Victory. Thank you for giving us victory in this wicked world. We believe that we have already obtained our victory in you, Lord. Thank you especially for helping us to be victorious during this month. Guide us to continue to be victorious during the month of December.

Lord, lead our children to thank you for giving them victory in this world. Help them to believe that all victory comes from the Lord for those who follow God. Help them to experience victory against the powers of darkness in their everyday lives. May our children praise you and thank you for this kind of victory. Lord, help them to know the difference between true victory in the Lord and the victory of this world. Help them to know that victory is not being self-centered, but abiding in the Lord.

We pray in the name of Jesus, Amen.

---

### 이김을 주시는 하나님께 감사하게 하소서

최후의 승리를 주시는 주님, 주님이 이 악한 세상에서 대장이 되어 주시고 승리를 이끌어 주시니 감사를 드립니다. 우리가 주님으로 인해 승리가 보장된 것을 믿으며 또한 이미 모든 승리가 결정되었음을 감사드립니다. 11월에도 승리하게 하시니 감사를 드립니다. 12월에도 승리하게 하시고 이 해가 승리의 한 해가 되도록 인도해 주세요.

이 땅을 우리 손에 붙이시고 승리를 주신 주님, 언제나 이김을 주시는 주님께 우리 자녀들이 감사하게 도와주세요. 모든 승리가 주님으로부터 오는 것을 믿게 인도해 주세요. 최후에 주님이 승리하시며, 주님을 따르는 주의 백성들이 승리하는 것을 믿습니다. 그리고 날마다의 생활에서도 어두움의 정사와 권세 잡은 자들을 이기며 승리를 맛보게 하심도 믿습니다. 그러한 승리로 인해 우리 자녀들이 언제나 주님께 감사하며 찬양하며 영광을 돌리도록 인도해 주세요. 세상에서의 승리가 아니라 영원한 세상을 향한 승리가 되게 하시며 이기적인 이김이 아니라 주님 안에서 누리는 이김이 우리 자녀들에게 풍성하도록 축복해 주세요.

우리의 대장 되시는 예수님의 이름으로 기도했습니다. 아멘.

**391**

# December *Prayers of Blessings for the Children*

## -The Gifts and Fruits of the Holy Spirit-

December is the last month of the year,
and our prayers will be for the filling of the Holy Spirit,
gifts of the Holy Spirit, and the fruit of the Holy Spirit.
Let us pray that our children may be of godly character.
There can be no greater blessing than the blessing of good character.
When one has achieved good character, it is not difficult to obey and serve the Lord.
We celebrate the coming of the Christ child during this month.
Let us remember Jesus and pray that we may become more like Him.

## 자녀를 위한 12월의 축복 기도

### - 성령의 은사와 열매를 중심으로 -

12월은 이 해의 마지막 달입니다.
이번 달에는 성령 충만을 주제로 하여 은사와 열매를 중심으로 축복 기도를 하려고 합니다.
성령의 은사와 열매, 그리고 신의 성품을 중심으로 기도하면서 자녀들의 인격을 위해 기도하려고 합니다.

인격이 준비되는 축복보다 더 큰 축복은 없다고 생각합니다.
인격이 준비된다면 주님을 섬기고 순종하기에 어려움이 없다고 생각합니다.

이번 달은 예수님이 오신 달입니다.
예수님을 기억하면서 예수님의 삶과 인격을 닮기 위한 기도를 함께 해보시기 바랍니다.

# Add goodness to your faith

*December*
**1**

For this very reason, make every effort to add to your faith goodness; and to goodness, knowledge; and to knowledge, self-control; and to self-control, perseverance; and to perseverance, godliness; and to godliness, brotherly kindness; and to brotherly kindness, love.

2 Peter 1:5-7

O God of abounding love and mercy, thank you for this new month of December. We're glad that it is here, but also a little sad about how fast the year has progressed. Our hearts are heavy because we don't see much of the fruit of our works this year. But help us to spend this last month of the year in a fulfilling way. Help us to prepare our hearts to accept Jesus, who came to us as a baby.

Lord, we pray for our children to grow in holiness and in godliness. We ask you to first grant them faith. Faith is a gift from God, so help our children to receive faith and to believe in the things they cannot see. Lord, help them to live by faith in their school life, career life, and family life, so they may establish goodness. Help them to show this goodness in words and actions as they encourage others when they lift up the name of Jesus. Lord, bless them by adding goodness to their faith so they may grow to have mature character.

We pray in Jesus' name, Amen.

---

 **믿음에 덕을 더하게 하소서**

사랑과 자비가 풍성하신 주님, 12월이라는 새로운 달을 맞이하게 되었습니다. 새로운 달을 맞이하는 기쁨도 있지만 이제 한 해가 저물어 가는 것을 생각할 때 세월이 너무 빨리 지나가는 것 같아서 마음이 안타깝습니다. 열매를 맺는 한 해가 되었어야 할 텐데 그렇지 못한 것 같아서 더욱 마음이 무겁습니다. 하지만 마지막 남은 한 달도 보람 있게 보낼 수 있도록 도와주시고 오실 아기 예수님을 맞이할 준비를 할 수 있도록 인도해 주세요.

12월을 맞이해 우리 자녀들의 거룩한 성품을 위해 기도합니다. 신의 성품에 참예하는 자가 되도록 자녀들을 축복해 주시며 믿음을 먼저 허락해 주세요. 믿음은 선물이라고 하셨사오니 우리 자녀들이 보이지 않는 것을 믿음으로 볼 수 있도록 선물을 허락해 주세요. 또한 가정에서나 학교에서나 사회에서나 믿음의 자녀로서의 본을 보이게 도와주시고 언제나 덕을 세우는 자녀가 되도록 축복해 주세요. 남을 세워 주고 그리스도의 몸을 세우는 자로서 덕 있는 행동과 말을 할 수 있도록 축복해 주세요. 믿음 위에 덕을 더하여 온전한 성품으로 성장할 수 있도록 축복해 주세요.

우리에게 믿음을 선물로 주시는 예수님의 이름으로 기도합니다. 아멘.

**394**

# Add knowledge to your goodness

For this very reason, make every effort to add to your faith goodness; and to goodness, knowledge; and to knowledge, self-control; and to self-control, perseverance; and to perseverance, godliness; and to godliness, brotherly kindness; and to brotherly kindness, love.
2 Peter 1:5-7

God of love, thank you for giving us good health and joy today. We pray once again for our children with earnest hearts. Help our children to be like the tree that was planted by water, so they may bear abundant fruit according to the seasons. Help them to live their lives, bearing abundant fruit, and so they may never be lacking in their character growth, and in their spiritual growth. Lord, help them to bear the best quality fruits so they may offer them up to the Lord.

Lord, grant them faith. And add to their faith, goodness, and to their goodness, knowledge: the knowledge of God and the knowledge of salvation. We do not ask for just worldly knowledge, but for that special knowledge that will reflect the image of God through their goodness and godliness. Lord, the Apostle Peter exhorted us to be godly. Please, help our children to grow in godliness.

We pray in Jesus' name, Amen.

## 덕에 지식을 더하게 하소서

사랑의 주님, 우리 자녀가 오늘도 주 안에서 건강하고 행복하게 생활하게 하심을 감사드립니다. 주님, 오늘도 자녀들을 위해 간절히 기도합니다. 우리 자녀가 시냇가에 심은 나무가 그 시절을 좇아 과실을 맺는 것처럼 열매 맺는 생활을 하게 도와주세요. 언제나 메마르지 않는 인생을 살게 하시며 풍성한 열매를 맺으며 살게 해주세요. 또한 인격의 열매, 삶의 열매, 성령의 열매를 맺게 도와주셔서 우리 자녀들을 극상품의 포도로 주님께 돌려 드릴 수 있도록 우리를 지켜 주세요.

믿음을 선물로 주시는 주님, 믿음에 덕을 더하고 덕에 지식을 더하는 자녀가 되도록 인도해 주세요. 하나님을 아는 지식, 구원에 이르는 지식을 더할 수 있도록 해주세요. 세상 지식만을 추구하는 것이 아니라 주님을 알고 구원의 도를 아는 지식, 하나님을 분명히 아는 지식을 더해 주세요. 그리하여 우리 자녀들이 어디 가서도 주님의 성품, 신의 성품을 드러낼 수 있도록 인도해 주시며 우리 자녀들을 통해 주님의 모습을 삶에서 나타낼 수 있도록 축복해 주세요. 베드로 사도가 간절히 외쳤던 신의 성품에 자녀들이 참예하기를 원하오니 인도해 주세요.

예수님 이름으로 기도합니다. 아멘.

# Add Knowledge to self-control

*December*
**3**

For this very reason, make every effort to add to your faith goodness; and to goodness, knowledge; and to knowledge, self-control; and to self-control, perseverance; and to perseverance, godliness; and to godliness, brotherly kindness; and to brotherly kindness, love.

2 Peter 1:5-7

Lord, we give you all the glory. You humbled yourself to be clothed in our humanity, because you knew our helplessness. Thank you for giving life to our children and for watching over them today. Lord, help our children to sustain their health despite the cold weather. Please help them to remain healthy, especially during the change of seasons so they may not suffer from colds or flu.

Lord, bless our children to add self-control to their knowledge of God. Without self-control, knowledge makes us look proud, and we are unable to uphold your goodness. Keep us from becoming conceited with our knowledge of God and his salvation. Help us to practice self-control so we may receive praise and respect. Lord, give us the self-control to give others the first opportunity. Protect our children from turning to the right or to the left.

We pray in the name of Jesus, who helps us to be self-controlled. Amen.

## 지식에 절제를 더하게 하소서

부족한 우리들을 찾아오시기 위해 스스로 낮아지셔서 인간의 몸으로 이 땅에 오신 주님, 영광 받으시고 경배 받으소서. 우리 자녀에게 생명을 주시고 오늘도 건강하게 지켜 주시니 감사를 드립니다. 추운 날씨 가운데서도 우리 자녀들이 건강할 수 있도록 지켜 주세요. 언제나 동행해 주셔서 환절기에도 몸이 건강할 수 있도록 인도해 주시며 감기나 독감으로부터도 보호해 주세요.

우리 자녀들이 지식에 절제를 더하는 축복을 받게 인도해 주세요. 하나님을 아는 지식뿐만 아니라 절제할 수 있는 성품을 허락해 주세요. 모든 것을 갖고 있고 모든 것을 알고 있다고 하여도 절제하지 않으면 교만하게 보일 뿐만 아니라 덕을 세우지 못하는 것이라고 믿습니다. 하나님을 아는 지식, 구원의 도를 아는 지식을 갖고 교만하지 않게 하시며 절제할 줄 아는 성품을 허락해 주셔서 많은 이들에게 존경과 칭찬을 받을 수 있도록 축복해 주세요. 먼저 남을 세워 주고 먼저 남에게 기회를 줄 수 있도록 도와주시며 좌로나 우로나 치우치지 않도록 자녀들을 보호하시고 인도해 주세요.

우리에게 절제할 수 있는 길을 열어 주신 예수님의 이름으로 기도합니다. 아멘.

## December 4 — Add perseverance to self-control

For this very reason, make every effort to add to your faith goodness; and to goodness, knowledge; and to knowledge, self-control; and to self-control, perseverance; and to perseverance, godliness; and to godliness, brotherly kindness; and to brotherly kindness, love.

2 Peter 1:5-7

O God of love, thank you for giving us courage today. Lord, be the strength of our children as they study diligently their schoolwork. Help them to render glory to you whether they are studying or playing. Lord, bless them to graciously receive help from others.

Lord, you have given us faith with goodness, goodness with knowledge, and knowledge with self-control. Now we ask you to add to self-control, perseverance. Help our children to persevere, especially when they are going through difficulties and hardship. Help them to remember the words of your promises and to have hope in their times of trouble. Lord, you teach us in the Bible that love perseveres. Grant our children perseverance so they may grow in godliness. Lord, help them to learn perseverance through our family. Give them perseverance to be able to face abundance as well as scarcity. Lord, grant them the Holy Spirit to persevere in the Lord.

We pray in Jesus' name, Amen.

 **절제에 인내를 더하게 하소서**

사랑의 하나님, 오늘도 주님이 주시는 용기를 가지고 우리 자녀가 하루를 승리하게 하시니 감사드립니다. 어려운 공부를 할 때에도 주님이 친히 힘이 되어 주시고 위로가 되어 주시니 감사를 드립니다. 공부를 할 때에나 놀 때에도 오직 주님께 영광을 돌리는 자녀가 되도록 인도해 주세요. 언제 어디서나 주님의 도움을 얻는 자가 되게 하시며, 다른 이웃들의 도움도 수시로 받을 수 있는 자녀가 되게 도와주세요.

믿음을 주시고 덕을 더하게 하시고 그 위에 지식과 절제를 더하게 하신 주님, 이제는 우리 자녀들이 인내할 수 있도록 축복해 주세요. 어려울 때에도 힘들 때에도 주님을 위해 인내할 수 있도록 축복하시며 주님의 말씀을 약속 삼아 소망을 가지게 도와주세요. 사랑은 오래 참는 것이라고 하셨으니 우리 자녀들이 이러한 성품을 부여받게 하시며 신의 성품에 동참하는 자녀가 되도록 축복해 주세요. 가정에서도 인내를 배우게 하시며 부한 데도 처할 줄을 알고, 가난한 데도 처할 줄을 아는 성품을 허락해 주세요. 항상 주 안에서 인내하며 기다리는 자녀가 되도록 성령 충만하게 도와주세요.

예수님 이름으로 기도합니다. 아멘.

## December 5 Add godliness to perseverance

For this very reason, make every effort to add to your faith goodness; and to goodness, knowledge; and to knowledge, self-control; and to self-control, perseverance; and to perseverance, godliness; and to godliness, brotherly kindness; and to brotherly kindness, love.
2 Peter 1:5-7

L ord, you are the source of all joy. Thank you for giving us today. Thank you for granting our children faith and godliness. Thank you also for granting them, goodness, knowledge, self-control, and perseverance.

Guide our children to reflect your image as they grow to love you. Help them to be more like Jesus as they grow in godliness. Lord, the world is full of people who are carnal, worldly, and offensive. Protect our children from learning from these people. Instead may they see the godliness in our children and, through them, change their lives. Lord, although it is important for our children to do well in school, our first priority is for them to learn godliness. Bless them that they may live godly lives through studying your word and through discipline.

We pray in Jesus' name, Amen.

---

### 인내에 경건을 더하게 하소서

기쁨의 근원이신 하나님, 오늘도 즐거운 하루를 보내게 하시니 감사드립니다. 또한 우리 자녀에게 건강과 믿음을 허락하셔서 웃음과 즐거움 그리고 기쁨 가운데 하루를 마치게 하시니 정말 감사를 드립니다. 또한 믿음에 덕을, 지식과 절제를, 그리고 인내를 더해 주셔서 "신의 성품에 참예하는" 자녀가 되도록 축복하신 것을 감사드립니다.

주님, 우리 자녀에게 경건을 더하여 주세요. 주님을 사랑하는 마음, 주님을 닮아 가고자 하는 성품을 허락해 주셔서 하나님의 모습을 나타내는 귀한 자녀가 되도록 인도해 주세요. 하나님처럼 닮아갈 수 있도록 축복하시며 그러기 위해 하나님으로부터 주시는 신의 성품을 받을 수 있도록 인도해 주세요. 세상에는 세상적이며 육적이며 패역한 성격을 가지고 살아가는 많은 사람들이 있습니다. 그들을 따라가지 않도록 인도해 주시며 그들이 우리 자녀들의 성품을 보고 본을 받을 수 있도록 자녀들에게 특별한 은총으로 함께하여 주세요. 공부를 잘하는 것도 중요하지만 먼저 주님의 성품을 닮아 가는 경건의 생활을 할 수 있도록 축복하시며 그러기 위해 기도와 말씀의 삶을 훈련하게 도와주세요.

감사하오며 예수님의 이름으로 기도합니다. 아멘.

# Add brotherly kindness to godliness

**December 6**

For this very reason, make every effort to add to your faith goodness; and to goodness, knowledge; and to knowledge, self-control; and to self-control, perseverance; and to perseverance, godliness; and to godliness, brotherly kindness; and to brotherly kindness, love.

2 Peter 1:5-7

Lord, thank you for giving us brothers and sisters. Help us to love and help each other, and to be concerned for one another. Help our children to live in love and peace with their brothers and sisters.

Lord, you teach us in the Bible that your brothers and sisters are those who do the will of God. Although we have biological siblings, we also have brothers and sisters in the church, the body of Christ. Please help our children to love their brothers and sisters in Christ. Help them to add to their godliness, brotherly kindness. Lord, guard our children from being kind only in their words and not in their actions. Grant them true brotherly kindness. Lord, help our children to experience the joy of brotherly love.

We pray in Jesus' name, Amen.

## 경건에 형제 우애를 더하게 하소서

우리에게 형제를 주신 주님, 형제를 사랑하게 하시니 감사를 드립니다. 언제나 형제를 내 몸같이 사랑하게 도와주시고 형제에게 무례하게 대하거나 무관심하지 않도록 인도해 주세요. 가정에서도 경건에 형제 우애를 더해 주셔서 형제를 각별히 사랑하고 아끼고 보살필 줄 알게 하시며 누구보다도 먼저 화목하고 사랑할 수 있게 인도해 주세요.

주님께서는 누구든지 주님의 뜻을 행하는 자는 우리의 형제요 자매라고 말씀해 주셨습니다. 가정에서의 형제도 있지만 우리는 교회 공동체 안에서도 많은 형제자매를 발견하게 됩니다. 주님의 뜻을 행하는 모든 형제와 자매들을 사랑할 수 있도록 우리 자녀에게 경건에 형제 우애를 더하게 축복해 주세요. 경건한 생활을 하면서 형제를 돌보지 않고 입으로만 친절을 베푸는 위선자가 되지 않도록 도와주세요. 진정한 경건은 하나님을 사랑하고 이웃을 사랑하는 것임을 믿습니다. 경건이 실제의 생활에서 실천될 수 있도록 복 주시며 형제 우애가 넘치는 축복이 우리 자녀들의 것이 되도록 인도해 주세요. 주님께서 주시는 사랑의 마음으로 형제들을 사랑하고 보살필 수 있도록 축복해 주세요. 예수님의 이름으로 기도합니다. 아멘.

**399**

# Add love to brotherly kindness

For this very reason, make every effort to add to your faith goodness; and to goodness, knowledge; and to knowledge, self-control; and to self-control, perseverance; and to perseverance, godliness; and to godliness, brotherly kindness; and to brotherly kindness, love.

2 Peter 1:5-7

Lord, thank you for leading us to live godly lives and teaching our children to love their neighbors and their brothers and sisters. Thank you for teaching them to cherish these relationships with love. Lord, how can we claim to love our neighbors if we don't even love our brothers and sisters? Lord, we know especially that we love God when we love our brothers and sisters.

Lord, we pray for our children to grow in godliness. We pray that they may share the love of God with their neighbors. Give them love to add to brotherly kindness. You teach us in the Bible that love is patient, so please bless them to show this patience. Lord, you teach us in the Bible that love is meek, so please bless them to have the meekness of Jesus when they love others. You also said that love is not rude, so please keep them from being rude to others. Lord, help them with all these things so they may truly possess godliness. Lord, grant them faith, goodness, knowledge, self-control, perseverance, brotherly kindness, and love so they may grow to be beautiful men and women who reflect the image of the living God.

We pray in Jesus' name, Amen.

## 형제 우애에 사랑을 더하게 하소서

신의 성품에 동참하게 하시는 주님, 우리 자녀들이 어디에서나 이웃을 사랑하고 형제를 사랑하게 하시니 감사를 드립니다. 또한 형제들을 귀하게 여기고 따듯한 마음으로 서로 사랑하게 하시니 감사를 드립니다. 우리가 보이는 형제를 사랑하지 않고 어떻게 이웃을 사랑할 수 있겠습니까? 또한 보이는 형제를 사랑하는 것이 주님을 사랑하는 것이요, 주님을 기쁘시게 하는 것임을 믿습니다.

오늘도 우리 자녀들이 신의 성품을 누릴 수 있도록 기도합니다. 주님의 사랑을 이웃에게 나타내기를 원합니다. 형제 우애에 사랑을 더해 주셔서 진정으로 사랑할 수 있도록 축복해 주세요. 사랑은 오래 참는다고 하셨사오니 오래 참음의 축복을 허락해 주시며, 사랑은 온유하다고 하셨사오니 언제나 주님의 온유를 품고 살 수 있도록 축복해 주세요. 또한 사랑은 무례하지 않다고 하셨습니다. 형제를 사랑할 뿐만 아니라 형제에게 무례히 행하지 않도록 축복해 주세요. 그래서 정말 하나님이 기뻐하시는 신의 성품을 누릴 수 있도록 인도해 주세요. 믿음, 덕, 지식, 절제, 인내, 형제 우애, 사랑을 모두 허락해 주셔서 아름다운 인품의 소유자가 되게 하시고 그 인품을 통해 살아 계신 하나님을 나타낼 수 있도록 인도해 주세요. 예수님의 이름으로 기도합니다. 아멘.

*December*
**8**

# Bearing the fruit of love

But the fruit of the Spirit is love, joy, peace, patience, kindness, goodness, faithfulness, gentleness and self-control. Against such things there is no law.                    Galatians 5:22-23

O God of love, thank you for the rest you will give us tonight as we have hope for tomorrow. Thank you that our children could spend today in your love and kindness. Thank you for helping them to experience your presence moment by moment.

Lord, you have called us to be godly. Our children want to bear the fruits of the Holy Spirit. They want to have the aroma of Christ so they may show the goodness of the Lord to others and be a blessing. Lord, please guide our children to be filled with the Holy Spirit and give them the desire to follow where it leads. We know that nothing is greater than the power of love. Our children desire to have the heart of God, through which they can love and be kind to others. May grant they bear the fruit of love abundantly by remaining on the vine.

We pray in Jesus' name, Amen.

---

 ### 사랑의 열매를 맺게 하소서

사랑의 하나님, 새로운 내일을 바라보면서 오늘 잠자리에 들게 하시니 감사를 드립니다. 우리 자녀가 오늘도 주님의 사랑과 도우심 가운데 안전하고 건강하게 하루를 보내게 하시니 감사드립니다. 또한 순간 순간 주님이 함께하심을 체험하게 하시니 감사드립니다.

신의 성품에 참예하기를 원하시는 주님, 우리 자녀들이 이제는 성령의 열매를 맺기를 원합니다. 그리스도인의 인격을 품기를 원합니다. 그래서 주님을 믿는 자들이 이웃에게 본이 되고 덕이 될 수 있도록 축복해 주세요. 이러한 열매를 맺기 위해 먼저 성령 충만할 수 있도록 축복해 주시며 성령을 좇아 행하는 자녀들이 되기를 원합니다. 모든 것을 할 수 있는 능력이 있다고 해도 사랑의 능력만큼 큰 것은 없다고 봅니다. 우리 자녀들이 주님의 마음을 품기를 원합니다. 주님의 마음으로 이웃을 사랑하고 긍휼히 여기기를 원합니다. 이 사랑의 열매가 풍성하게 우리 자녀에게 맺힐 수 있도록 인도해 주세요. 그러기 위해 언제나 나무에 붙어 있는 가지가 되도록 인도해 주세요.

예수님의 이름으로 기도합니다. 아멘.

**December**
**9**

# Bearing the fruit of joy

But the fruit of the Spirit is love, joy, peace, patience, kindness, goodness, faithfulness, gentleness and self-control. Against such things there is no law.          Galatians 5:22-23

Lord, thank you for granting us happiness. We come together to give you thanks and praise. We lack nothing because of you. We have joy because of you, and our lips are filled with laughter. Jesus shared his life with tax collectors and prostitutes. Through him, they experienced the joy of salvation. Lord, grant us this same joy, the joy of the Lord.

Lord, when we read the newspaper, there doesn't seem to be anything joyful in this world. But we know that you have given us the gift of joy as one of the fruits of the Holy Spirit. Grant our children the joy of the Lord that is overflowing. Lead them to bear the fruits of joy. May the joy of the Lord bubble up like a spring within their hearts. Grant them the joy which the world does not know and cannot take away. Lord, let our children become the bearers of joy wherever they go so they may bless others.

We pray in the name of Jesus, who is the source of all joy. Amen.

---

### 희락의 열매를 맺게 하소서

언제나 즐거움을 선물로 주시는 주님, 우리 온 가족이 주님을 찬양하며 감사를 드립니다. 주님 한 분으로 인해 부족함이 없습니다. 주님 한 분으로 인해 우리의 입가에는 언제나 웃음이 가득합니다. 주님께서도 세리와 창녀들을 돌보시며 그들과 함께 삶을 나누셨습니다. 그리고 그들에게 구원의 즐거움을 선물하셨습니다. 우리에게도 주님의 기쁨, 즐거움을 선물로 허락해 주옵소서.

이 세상을 바라보면 특히 신문을 읽게 되면 이 세상은 그렇게 즐거운 일들은 없는 것처럼 보입니다. 하지만 주님은 성령의 열매로 희락을 선물해 주셨습니다. 우리 자녀에게도 주님으로 인해 언제나 풍성하게 솟아오르는 희락을 선물로 허락해 주옵소서. 희락의 열매를 풍성하게 맺도록 축복해 주세요. 세상 사람들은 이해하기 어려운 희락, 세상 사람들이 빼앗아 갈 수도 없는 희락이 우리 자녀들의 심령 깊은 곳에서 솟아 나오게 하시며 그 희락이 다른 이들에게도 최상의 선물이 될 수 있도록 인도해 주세요. 우리 자녀들이 가는 곳마다 이러한 희락이 이웃에게 전달될 수 있도록 축복해 주세요.

웃음의 근원이 되시는 예수님의 이름으로 기도합니다. 아멘.

**402**

# Bearing the fruit of peace

But the fruit of the Spirit is love, joy, peace, patience, kindness, goodness, faithfulness, gentleness and self-control. Against such things there is no law.          Galatians 5:22-23

Lord, thank you for Jesus, for through him we have peace with God. Thank you for tearing down the wall that separated us from God. But Lord, this world is full of walls people build to hide from others. Help our children to bear the fruit of the Spirit, especially the fruit of peace.

You teach us in the Bible, "Blessed are the peacemakers for they will be called the children of God." Lord, may this blessing be granted to our children so they may be peacemakers wherever they go throughout their lives, just as Jesus came to bring peace. Lord, help them to take the Gospel of peace wherever there is fighting. Call them to deliver the message of peace wherever there is resentment and hatred,  so the world may see that they are your children and your disciples. Lord, help our children to bring blessings and truth wherever they go.

We pray in Jesus' name, Amen.

## 화평의 열매를 맺게 하소서

우리에게 화목의 직책을 맡기신 주님, 예수님으로 인해 하나님과 저희가 화목하게 되었음을 감사드립니다. 막힌 담을 허시고 화평케 하여 주시니 감사를 드립니다. 그러나 이 세상은 온통 담으로 막혀 있고 서로를 감추고 은폐하며 살고 있습니다. 이러한 세상에서 우리 자녀들이 성령의 열매를 맺는 축복을 허락하시며 특별히 화평의 열매가 풍성하도록 인도해 주세요.

화평케 하는 자는 복이 있나니 저희가 하나님의 자녀라고 일컬음을 받는다고 말씀해 주셨습니다. 이러한 복이 우리 자녀에게 영원히 임하도록 인도해 주옵소서. 주님이 이 땅에 화평을 가지고 오신 것처럼 우리 자녀들이 걸어가는 인생 길에서 언제나 화목케 하는 자, 화평케 하는 자가 되도록 인도해 주세요. 싸움이 있는 곳에 평화의 복음을 전할 수 있게 하시며 갈등이 있고 반목이 있는 곳에 주님의 화평을 전할 수 있도록 인도해 주세요. 그래서 세상에서 우리의 자녀들이 주님의 제자인 것과 주님의 자녀인 것을 알게 하옵소서. 그러므로 우리 자녀들이 가는 곳마다 복된 만남과 화해가 이루어지게 하시며 막혔던 담들이 무너지고 서로 상처 받은 마음들이 치유될 수 있도록 축복해 주세요. 예수님 이름으로 기도합니다. 아멘.

# December 11

# Bearing the fruit of patience

But the fruit of the Spirit is love, joy, peace, patience, kindness, goodness, faithfulness, gentleness and self-control. Against such things there is no law. Galatians 5:22-23

Lord, you are the God of our family. Thank you for today and for giving us our daily bread. Help us to know the joy of the Lord, even as we live in this world. Lord, bless us that we may share the joy of the gospel message with our neighbors. Thank you for being with our children so they too can trust in you in their distress, fatigue, or in their joy.

Lord, our children are growing up in a time that is very different from when we were growing up. They are impatient and want everything immediately. They like to take it easy, and they are well used to the conveniences of the 21st century. Have mercy on our children because they are growing up in these times. Lord, teach them to have patience. The Apostle Paul learned to be content whether he had abundance or was in need. Help our children to rely on God's strength in every situation, like the Apostle Paul. Help our children to bring glory to God through their growth of character and their love for you.

We pray in Jesus' name, Amen.

---

 **오래 참음의 열매를 맺게 하소서**

우리 가정의 하나님, 좋은 날씨를 주시고 일용할 양식을 주시니 감사드립니다. 언제나 기쁘고 즐거운 천국의 행복, 에덴 동산의 행복을 이 땅에서도 누리게 하옵소서. 이 즐거움을 이웃과 나누게 하시며 이 축복으로 그들을 인도할 수 있도록 도와주세요. 주님이 함께하심으로 말미암아 언제나 우리 자녀들이 어려울 때에도, 힘들 때에도, 즐거울 때에도 주님을 의지하고 일어나게 하시니 감사를 드립니다.

21세기를 사는 우리 자녀들은 우리가 성장했을 때하고는 전혀 다른 환경 속에서 살고 있습니다. 조그만 일에도 인내하지 못하고 시간이 조금만 늦어져도 속상해하며 마음을 급하게 먹는 경우가 많이 있습니다. 그리고 편한 것만 찾는 경우가 많아졌습니다. 모든 것이 점점 더 편리해져 가고 있는 까닭에 우리는 잘 참지를 못하고 편한 길을 걷는 데만 익숙해져 있습니다. 이러한 우리 자녀들을 불쌍히 여겨 주시고 주님이 주시는 오래 참음의 열매를 맺게 인도해 주세요. 사도 바울은 주님이 주시는 능력 안에서 부한 곳에 처할 줄도 알고 가난한 곳에 처할 줄도 알았다고 고백했습니다. 우리 자녀들에게도 주님의 도우심으로 어디에 처해도 감사하며 주님을 의뢰할 수 있는 성품을 허락해 주세요. 이러한 인격으로 인해 주님께 영광 돌릴 수 있도록 축복해 주세요.

예수님 이름으로 기도합니다. 아멘.

## December 12

# Bearing the fruit of kindness

But the fruit of the Spirit is love, joy, peace, patience, kindness, goodness, faithfulness, gentleness and self-control. Against such things there is no law.          Galatians 5:22-23

O God of love, thank you again for watching over us today. Thank you for your daily grace that provides us with everything we need. Lord, help our family to know that you are the source of all these blessings. May our hearts be filled with thanksgiving and praise.

O God of love, help us to become more like you. Lord, help us to be godly people so we may be the aroma of Christ to our neighbors. Help us to be the channel of your kindness to others. We want to love others and show them kindness with the heart of God. Lord, you pour out your kindness on all people, whether or not they believe. Likewise, help us to show mercy to others without prejudice. Help us to depend on your word as we bear the fruit of kindness. Help our children to be filled with the Holy Spirit and to follow his guidance.

We pray in the name of Jesus, with thanksgiving. Amen.

### 자비의 열매를 맺게 하소서

사랑의 하나님, 오늘 하루도 주님께서 동행해 주셔서 눈동자와 같이 지켜 주시니 감사합니다. 오늘 하루 필요한 모든 것을 풍족하게 채워 주신 주님, 그래서 하루의 생활이 주님으로 인해 부족함이 없도록 하신 은혜를 감사드립니다. 이 모든 것이 주님으로부터 오는 복인 것을 우리가 알게 하시며 항상 감사와 찬양이 넘치는 가정이 되도록 인도해 주세요.

사랑의 하나님, 우리 아이가 주님을 닮게 도와주세요. 그래서 언제나 주님의 사람으로 생활하게 하시고 이웃에게 성도의 향기가 흘러나가게 도와주세요. 주님의 성품을 닮게 하시며 주님의 자비가 흘러나올 수 있는 인격의 열매를 허락해 주세요. 주님의 마음으로 이웃을 사랑하며, 주님의 마음으로 이웃을 긍휼히 여길 수 있는 자녀가 되기를 원합니다. 주님이 믿는 이에게나 믿지 않는 모든 사람들에게 은혜를 베푸신 것처럼 우리 자녀들도 만나는 모든 이웃들과 친구들에게 자비를 베풀 수 있는 인격을 갖도록 허락해 주세요. 말씀을 의지하여 이 자비의 열매를 맺게 하시고 성령 충만함을 잃어버리지 않도록 축복해 주세요. 언제나 성령을 좇아 사는 자녀가 되도록 지켜 주세요. 감사하오며 예수님의 이름으로 기도합니다. 아멘.

# Bearing the fruit of goodness

But the fruit of the Spirit is love, joy, peace, patience, kindness, goodness, faithfulness, gentleness and self-control. Against such things there is no law.        Galatians 5:22-23

Good and merciful Lord, thank you that we live in the grace of your goodness and mercy. Thank you for caring for us, even to the smallest detail, and for providing for all of our needs. Thank you for guarding us from our sinful ways. There are times when we sin against you, sometimes knowingly and sometimes unknowingly. There are times when our children sin against you. Lord, please forgive our children's sins and give them your heart so they may despise sin.

Lord, please bless our children to bear the fruit of goodness. Help them to bear the fruit of meekness. We pray that they may have a kind disposition toward others. We pray for our children to inherit the kindness and the mercy that you have shown all of your people. We pray that we may hold onto you as we grow in the character of your image. Lord, we desire to drink the living water that comes from you so we may bear these wonderful fruits of the Holy Spirit. Help us to grow in your image.

We pray in Jesus' name, Amen.

### 양선의 열매를 맺게 하소서

선하시고 인자하신 주님, 주님의 이러한 성품으로 인해 우리가 은혜를 누리고 살게 하시니 감사를 드립니다. 주님의 세밀한 돌보심으로 우리들에게 필요한 모든 것을 채워 주시고 부족함이 없도록 인도해 주시니 감사드립니다. 또한 우리로 하여금 죄를 짓지 아니하도록 주님의 거룩함으로 지켜 주시니 감사드립니다. 우리들이 세상에서 알게 모르게 죄를 범하는 경우가 너무나 많습니다. 우리 자녀들도 그렇습니다. 우리 자녀들이 모르고 짓는 모든 죄악을 용서해 주시고 그들이 이 죄악이 싫어지고 미워지도록 도와주시옵소서.

우리 자녀들이 양선의 열매를 맺도록 축복해 주세요. 온유와 선함의 열매를 맺게 하시고 누구에게나 친절하게 대할 수 있는 인품을 허락해 주세요. 그래서 주님께서 주의 백성을 대할 때마다 베푸셨던 온화하고 친절하고 점잖고 선한 인품을 우리 자녀들도 소유하게 도와주세요. 그러기 위해는 우리가 주님께 단단히 접붙여져야 하는 것임을 믿습니다. 주님께로부터 흘러나오는 생명수를 마시고 이러한 선한 인품의 열매를 맺도록 축복해 주세요. 어떤 일을 하기 전에 먼저 주의 성품을 닮는 자가 되도록 도와주세요. 예수님의 이름으로 기도합니다. 아멘.

# Bearing the fruit of faithfulness

But the fruit of the Spirit is love, joy, peace, patience, kindness, goodness, faithfulness, gentleness and self-control. Against such things there is no law.          Galatians 5:22-23

Lord, we praise your name. Thank you for being with us today at work, at school, and at play. We thank you for the grace of your providence in giving us our daily bread. We lack nothing in you. Lord, we give glory and praise to you, and only you, for your name is holy.

Lord, thank you for the grace of granting our children the fruits of the Holy Spirit, which are love, joy, peace, patience, kindness, and goodness. We ask you today to add unto these the fruit of faithfulness. Lord, bless our children to be faithful to God, even up to the moment of their death. You have promised us the crown of life for those who will be faithful to the end. Help our children to strive to fulfill that promise. Lord, guide our children to be faithful to you with their heart, minds, and bodies. We know that you want our children to grow and mature spiritually more than to have just worldly success. We also desire for them to grow in the Spirit.

We pray in Jesus' name, Amen.

---

## 충성의 열매를 맺게 하소서

할렐루야! 주님의 이름을 찬양합니다. 오늘도 저희의 주님이 되어 주시고 일할 때에도, 공부할 때에도, 친구와 놀 때에도 지켜 주시고 함께해 주시니 감사드립니다. 하루에 필요한 양식을 공급해 주시며 이 해에도 여전히 우리에게 조금도 아쉬움이 없이 공급해 주신 은혜를 감사드립니다. 주님만이 영원히 영광 받으시고 경배 받으소서. 우리 가정을 통해 주님의 이름이 거룩히 여김 받기를 소원합니다.

우리 자녀들에게 사랑, 희락, 화평, 오래 참음, 자비 그리고 양선의 열매를 허락하심을 감사드립니다. 이러한 열매를 맺는 자들에게는 또한 충성의 열매도 함께 맺는 것을 믿습니다. 우리 자녀들이 죽음의 순간이 올 때까지 주님만을 섬기고 충성하도록 축복해 주세요. 주님께서는 끝까지 충성하는 자에게 생명의 면류관을 주신다고 약속하셨습니다. 그 약속이 우리 자녀들에게 성취될 것을 믿습니다. 우리 자녀들이 오로지 주님만을 바라보며 주님께 몸과 마음과 정성을 다해 충성할 수 있도록 인도해 주세요. 주님께서는 우리 자녀들이 세상적으로 성공하는 것이 아니라 주님께 충성되고 성실한 종이 되는 것을 원하시는 줄 믿습니다. 우리 자녀들이 그러한 사랑받는 자녀가 되기를 원합니다. 모든 것을 예수님 이름으로 기도합니다. 아멘.

## December 15

# Bearing the fruit of gentleness

But the fruit of the Spirit is love, joy, peace, patience, kindness, goodness, faithfulness, gentleness and self-control. Against such things there is no law.                Galatians 5:22-23

Lord, we give you thanks for the strength to pray and to seek you diligently. We pray that your name may be uplifted, glorified, and revered in our family. But Lord, there have been times when we have lived no differently from the people of this world. There have been times when we have remained quiet about our Christian faith. We didn't have the courage in those times to live earnestly for the Lord. Lord, we pray for our children to be bold in their Christian faith instead of shrinking back. We pray for them to be powerful witnesses of God's work.

We pray for our children to have gentleness. Lord, we know that gentleness is not the same as being passive. We pray for them to be gentle and bold when they witness to others. Lord, guide them to have gentleness, humility, and meekness, just as Jesus had, so they may be known as peacemakers wherever they go.

We pray in Jesus' name, Amen.

### 온유의 열매를 맺게 하소서

우리에게 기도할 수 있는 힘을 주시고, 끝까지 구해야 할 것을 구할 힘을 주시는 주님, 감사를 드리며 영광을 돌려 드립니다. 우리 가정을 통해 주님의 거룩한 이름이 높여지기를 원하며 영광을 받으시기를 원합니다. 하지만 우리들은 세속적인 사회에 나가서는 그들과 똑같은 생활을 하면서 그리스도인이라는 사실을 숨기는 경우가 많이 있습니다. 그만큼 주님을 따라 경건하게 살고자 하는 용기가 없는 것입니다. 우리 자녀들에게 대담한 신앙을 허락해 주시고 이 세상에서 숨어 버리는 교인이 아니라 담대한 증인의 삶을 누리도록 인도해 주세요.

우리 자녀들을 위해 기도할 때에 온유한 성품의 열매를 간절히 구합니다. 온유하다고 하여 어디에 가서나 억울하게 당하기만 하는 성품이 아니라 말할 때에는 담대하게 말할 수도 있는 온유함을 원합니다. 주님께 합당한 존재가 되도록 다스려진 성품으로서의 온유함을 원합니다. 그래서 우리 자녀들이 어디에 가서든지 겸손하고 온순하고 부드러운 성품의 소유자가 되도록 인도해 주세요. 이러한 성품으로 인해 어디에 가서든지 "화평케 하는 자"가 되게 하시며 주님의 자녀인 것을 나타낼 수 있도록 인도해 주세요.

예수님의 이름으로 기도합니다. 아멘.

# Bearing the fruit of self-control

But the fruit of the Spirit is love, joy, peace, patience, kindness, goodness, faithfulness, gentleness and self-control. Against such things there is no law.    Galatians 5:22-23

Lord, we praise you because you love spending time with our children. May our thanksgiving and praise be acceptable to you. Thank you for keeping us under the protection of your wings and watching over us today with joy. But Lord, sometimes this world is not always a joyful place for them. Sometimes it can be a place of suffering, discomfort, and decay. Despite this, Lord, guide them to live in this world and continue to grow in the image of your godliness.

Lord, we pray that our children learn self-control from an early age so they may have long- suffering patience during difficulties and not develop explosive tempers. Please grant them the self-control to keep their emotions in check. Lord, give them self-control so that even though they are blessed with riches, they may live sensibly. Give them the self-control to practice restraint when they serve you so they don't do what you havn't called them to do. Lord, help our children to bear the fruits of the Holy Spirit as they serve the body of Christ, giving you all the glory.

We pray in Jesus' name, Amen.

---

 ### 절제의 열매를 맺게 하소서

우리 자녀들과 교제하기를 즐거워하시는 주님, 찬양을 드립니다. 우리의 찬양과 감사를 받아 주세요. 오늘도 주님의 날개 아래 보호를 받으며 행복하고 즐거운 생활을 하게 하시니 감사드립니다. 하지만 우리 자녀들이 살아가고 있는 이 사회와 학교는 그렇게 즐거운 곳만은 아닙니다. 우리들에게 고통을 주고 불쾌감을 주고 부패함을 주는 곳이기도 합니다. 그러나 이러한 곳에서도 우리 자녀들이 온전한 성품을 가지고 주의 자녀로서 부족함 없는 생활을 할 수 있도록 인도해 주세요.

어려서부터 절제의 생활을 할 수 있도록 인도해 주시고 어려운 순간에도 잘 참을 뿐만 아니라 감정이 폭발하려고 할 때에 절제할 수 있는 성품도 허락해 주세요. 우리의 감정을 잘 다스릴 수 있는 절제를 주시고 우리가 아무리 풍요롭고 부유하다고 하여도 절제하고 검약할 수 있도록 인도해 주세요. 또한 주님이 명령하시지 않는 일까지 하면서 삶의 질서를 깨지 않도록 하시며 봉사를 할 때에도 절제할 줄 아는 자녀들이 되도록 인도해 주세요. 이 모든 것을 그리스도의 몸의 덕을 세우는 데 사용하게 도와주시고 주님께 영광 돌리는 데 사용할 수 있도록 인도해 주세요. 절제를 가르쳐 주신 예수님의 이름으로 기도합니다. 아멘.

# The gift of the message of wisdom

To one there is given through the Spirit the message of wisdom, to another the message of knowledge by means of the same Spirit,
1 Corinthians 12:8

Lord, you have come to find the lost. We thank you for this love toward us. Thank you for giving hope and comfort to the outcast and for being their friend. Lord, help us also to give hope and comfort to the alien and the outcast and to become their friend. May our love bear fruit in action. We know that you are well pleased when we show compassion to all of your people. Lord, grant our children the wisdom to follow your example.

Lord, you granted Solomon the wisdom to rule his nation and his people. Also grant our children the wisdom of God's word to serve the body of Christ. May their spiritual eyes be opened when they study the Bible. Lord, bless them to walk in the way of wisdom in this life, and guard them from becoming proud. Help them to be co-workers with the church leaders as they serve the body of Christ.

We pray in Jesus' name, Amen.

### 지혜의 말씀의 은사를 주소서

잃은 자를 찾으러 오신 주님, 주님의 그 사랑으로 우리를 찾아 주셔서 주님을 찬양하고 섬기게 하시니 감사합니다. 또한 소외된 자들에게 소망과 위로를 주시며 친구가 되어 주심을 감사드립니다. 우리들도 소외된 자들을 위로하며 격려하고 세워 줄 수 있도록 도와주시며 직접 사랑의 행동으로 그들을 도울 수 있도록 인도해 주세요. 특별히 12월에는 많은 소외된 자들이 사랑의 손길을 기다립니다. 주님은 이 소외된 자들을 돕는 것을 무척 기뻐하시리라 생각합니다. 우리 자녀들에게 소외된 자들을 도울 수 있는 지혜를 허락해 주세요.

솔로몬에게 지혜를 주셔서 정치를 잘하게 하시고 백성들을 잘 다스리게 하신 주님, 우리 자녀들에게도 지혜의 말씀을 허락하시어 주님의 말씀을 어떻게 지혜롭게 적용해야 할지 알게 하시며, 그러한 은사로 그리스도의 몸을 잘 세우도록 인도해 주세요. 이러한 은사로 말씀을 보는 눈이 열리게 도와주시며 주님의 말씀이 마음으로 들려지게 도와주셔서 이 땅에서 지혜로운 길을 걸어갈 수 있는 자녀들이 되도록 축복해 주세요. 이 은사로 말미암아 교만해지지 않게 하시며 교회의 지도자들과 협력하면서 그리스도의 몸을 세우게 하소서.

예수님의 이름으로 기도합니다. 아멘.

# The gift of the message of knowledge

**December 18**

To one there is given through the Spirit the message of wisdom, to another the message of knowledge by means of the same Spirit,
1 Corinthians 12:8

O God of love, we give you praise and reverence. Thank you for watching over us daily with your love and grace. We give you only all the glory. Lord, let all those who have breath praise you, and let our family overflow with praise and thanksgiving. Thank you for sending Jesus, your one and only son, to save all humanity from our sins. We thank you for granting us such precious grace, despite the fact that we are so sinful and depraved. Lord, help us to prepare our hearts to welcome Jesus once again at Christmas this year.

Lord, we ask that you grant our children the gift of the message of knowledge. We ask this so they may participate in lifting up the body of Christ and discern how God is leading them. Lord, help us to have hope, to have dreams, and to look forward to the eternal life through this gift of the message of knowledge. Help us to be like Joseph, who with this gift was strengthened by his dreams. Lord, may our children also discern God's will through this gift.

We pray in Jesus' name, Amen.

### 지식의 말씀의 은사를 주소서

사랑의 하나님, 주님을 찬양하고 경배합니다. 매일 매일의 삶을 주관해 주시고 특별한 은총과 사랑으로 지켜 주시니 감사를 드립니다. 주님 홀로 영광 받으소서. 호흡이 있는 자마다 주님을 찬양하게 하시며 우리 가정이 찬양과 감사가 넘치는 가정이 되게 하소서. 또한 인류를 구원하시기 위해 독생자 예수님을 보내 주시니 감사를 드립니다. 이 미천하고 죄악에 넘치는 우리들에게 이러한 특별한 은총을 베풀어 주시니 감사를 드립니다. 오시는 주님을 찬양으로 맞이하는 성탄절이 되도록 축복해 주세요.

우리 자녀들에게 지식의 말씀의 은사를 허락해 주세요. 그래서 이 말씀을 통해 주님께서 인도하시는 것이 무엇인지 분별하게 하시고 그리스도의 몸으로 세워지는 일에 동참할 수 있도록 축복해 주세요. 주님께서 특별히 이 은사를 통해 알게 하시는 축복이 있는 줄을 믿습니다. 이러한 지식의 말씀의 은사를 통해 우리가 소망을 갖게 하시며 꿈을 갖게 하시며 영원한 세계를 바라볼 수 있도록 축복해 주세요. 요셉도 이러한 은사를 통해 승리하는 꿈을 갖게 된 것처럼 우리 자녀들도 이 은사를 통해 주님의 뜻을 분별하여 알게 하옵소서.

예수님의 이름으로 기도합니다. 아멘.

**411**

# The gift of faith

to another faith by the same Spirit, to another gifts of healing by that one Spirit,

1 Corinthians 12:9

Hallelujah, we praise Jehovah Nissi, the Lord our Banner. Thank you for giving us faith. We long to see the work of the Almighty Lord as we wait for his coming. Help us to experience God's almightiness during this season. We know that Jesus had to come to this sinful world. Although he is the King of Kings, he came to us in a humble manger. Lord, Jesus had to come to this lowly place, but we know that the he did not come in vain.

Lord, we ask you to grant our children the gift of faith. We know that faith is a gift from God. May our children's faith be used to bring goodness to the church, to heal others, and to do mighty works. Lord, help our children to stand firm in the faith and to accept the will of God.

We pray in the name of Jesus, our Savior. Amen.

 믿음의 은사를 주소서

할렐루야! 여호와 닛시의 하나님을 찬양합니다. 그러한 하나님을 믿게 하시니 감사를 드립니다. 주님이 오실 것을 기다리는 이 주간에 능력의 주님께서 하시는 일을 보기를 원합니다. 하나님이 하나님 되심을 체험하는 이 주간이 되기를 원합니다. 그러나 이 더럽고 추한 곳에 오시는 주님으로 인해 우리의 마음이 아픕니다. 왕 중의 왕께서 마구간에 오실 것을 생각하니 마음이 아픕니다. 높고 높은 보좌에서 내려오시는 주님으로 인해 우리가 너무나 마음이 안타깝습니다. 그러나 주님이 이렇게 오심이 헛되지 않음을 압니다.

우리 자녀들에게 믿음의 은사를 허락해 주세요. 모든 믿음은 주님께서 선물로 주시는 것임을 믿습니다. 이 은사도 주님께서 주시고 우리는 단지 청지기하는 것임을 믿습니다. 교회의 덕을 세우는 데 이 믿음을 사용하게 하시며 이 믿음으로 병 고치는 역사, 능력 행함의 역사가 함께 일어날 수 있도록 축복해 주세요. 주님께서 행하시는 모든 것들을 믿음으로 받아들이게 도와주시고 우리 자녀들도 이 믿음을 담대하게 사용할 수 있도록 축복해 주세요.

우리를 구원하신 예수님의 이름으로 기도합니다. 아멘.

# The gift of healing

to another faith by the same Spirit, to another gifts of healing by that one Spirit,

1 Corinthians 12:9

O God of love, you give us health so we may experience the Kingdom of God, even here on earth. Lord, we pray that our children may receive the gift of healing. Help them to know who is the true doctor of this world. Lord, help them to remember that Jesus did not come for the healthy, but to heal the sick. Guide them to have faith in the healing power of Jesus.

Lord, before we pray for the gift of healing for our children, we pray for them to have the fruit of love. We ask that they have a compassion toward those who are ill. Grant them love in their hearts, and help them to realize that the end goal is not merely getting physically well again. Instead grant them the gift of healing, so they may have the chance to proclaim the gospel message of Jesus and bring his healing to people's hearts. Help them to know how Jesus loved and cared for those who were sick and sinful. Lord, guard them from crediting themselves with the gift of healing, but grant them the knowledge that they are carrying out the work of Jesus, who came to heal the sick.

We pray in Jesus' name, Amen.

---

 **병 고치는 은사를 주소서**

사랑의 하나님, 우리가 건강하기를 원하시며 그 건강을 힘입어 이 땅에서도 천국을 누리기를 원하시는 주님, 우리 자녀들에게 병 고치는 은사를 허락해 주세요. 그래서 이 땅에서 진정한 의사가 누구인지를 알게 해주세요. 우리 자녀들이 주님께서 건강한 자를 위해 이곳에 오신 것이 아니라 병든 자를 위해 오셨음을 깨닫게 하시며 주님께서 온전하게 치유해 주시는 것을 믿게 인도 해주세요.

그러나 우리 자녀들에게 이 은사를 주시기 전에 먼저 사랑의 열매가 있기를 원합니다. 병자들을 향한 긍휼의 마음, 사랑의 마음을 허락해 주셔서 병 고치는 것을 목적으로 삼지 말고 그리스도의 마음을 전하고 그 마음으로 치유가 일어나는 것을 보도록 인도해 주세요. 주님이 얼마나 병자들과 죄인들을 불쌍히 여기셨는지 알게 하시고, 병 고치는 은사를 자신의 공로로 돌리지 않도록 하시며, 그리스도의 마음을 들고 나가서 온전한 치유를 위한 기도를 할 수 있도록 축복해 주세요. 그렇게 함으로 병으로부터 구원을 주시기를 원하셨던 주님의 사역을 계속할 수 있도록 축복해 주세요.

예수님의 이름으로 기도합니다. 아멘.

**413**

# The gift of miraculous powers

*December*
**21**

to another miraculous powers, to another prophecy, to another distinguishing between spirits, to another speaking in different kinds of tongues, and to still another the interpretation of tongues.
1 Corinthians 12:10

Lord, you are the source of life. Thank you for granting these precious children to our family. Thank you for the joy we experience through our children. Thank you for calling us to be their missionaries and caretakers. Lord, help them find the guidance of the Holy Spirit when our own resources, as parents, are limited.

Modern day people claim that miracles no longer exist and are irrelevant in our time. There is a misunderstanding about miraculous powers. Even our children are influenced by the modern day rationale that says that miracles are things from ancient times. But Lord, you are the same yesterday, today, and forever. Grant our children the gift of miraculous powers so they may participate in building up the body of Christ. Help them to know and believe that God works miracles even in these present times. Guard them from pride when they receive the gift of miraculous powers, but may they be used as tools in building up your church.

We pray in Jesus' name, Amen.

## 능력 행함의 은사를 주소서

생명의 근원이신 하나님, 우리 가정에 이렇게 귀한 자녀를 주셔서 하나님의 생명의 신비를 체험하게 하시고 사랑과 기쁨을 나누게 하시니 감사합니다. 오늘 하루도 자녀들의 모습을 보면서 느끼는 모든 행복에 대하여 주님 께 감사합니다. 우리를 자녀들을 향한 선교사로, 주님의 대리인으로 세워 주심도 감사합니다. 그러나 부모가 부족 할 때에 더 좋은 솜씨를 가지고 계신 성령님을 좋은 교사로 초청할 수 있도록 인도해 주세요.

현대인들은 능력 행함과 기사가 과거에는 가능했지만 현대에는 일어나지 않는다고 믿고 있습니다. 그래서 능 력 행함에 대한 이해가 부족합니다. 우리 자녀들도 이성주의, 합리주의의 영향을 받아 능력 행함을 단지 골동품처 럼 생각하는 경우가 많습니다. 하지만 어제나 오늘이나 내일도 여전히 동일하신 주님, 우리 자녀들에게 능력 행함 의 은사를 허락하셔서 주님의 몸을 세우는 데 동참할 수 있도록 인도해 주세요. 우리 자녀들이 주님은 현대에도 여전히 기사와 이적을 베푸시는 분인 것을 믿도록 축복해 주세요. 이 능력 행함의 은사로 교만하지 않게 하시며 교회를 섬기는 데 신령한 도구로 사용할 수 있도록 축복해 주세요.

예수님의 이름으로 기도합니다. 아멘.

# The gift of prophecy

to another miraculous powers, to another prophecy, to another distinguishing between spirits, to another speaking in different kinds of tongues, and to still another the interpretation of tongues.
1 Corinthians 12:10

Lord, you are the God of the word. We thank you and praise you as we wait for your coming. Although we have done nothing to deserve your grace, we thank you and praise you for giving us the gift of eternal life in your love. Lord, help us to meet with Jesus once again very personally as we prepare for the Christmas season. We don't want to merely spend the holiday season partying and lounging. We want it to be a time of restoring the true meaning of Christmas.

Lord, we believe in the prophecies of the Old Testament and the guidance of the Holy Spirit in our lives today. We pray for you to grant the gift of prophecy to our children. We pray that they may have a deep understanding of the Scriptures so they may prophesy and edify the church according to God's will. Lord, help them to bring to the surface the sins that are hidden deep within so they may lack nothing in helping to build up the church of Christ. Help them to become spiritual tools in building a spiritual house, which is the church.

We pray in Jesus' name, Amen.

### 예언의 은사를 주소서

말씀의 하나님, 주님께 감사와 찬양을 드립니다. 주님 오실 날을 기다리면서 더욱 주님을 찬양합니다. 주님의 은총을 받을 자격이 없는 우리들에게 왜 이토록 큰 생명의 선물을 주시는지 우리는 때로 이해할 수 없지만 다만 사랑의 주님께 감사의 경배를 드릴 뿐입니다. 이번 성탄절에는 오실 주님을 마음으로 만나게 하시며 진정한 성탄절이 되도록 축복해 주세요. 단지 놀고 쉬는 휴일의 의미가 아니라 진정으로 주님을 만나는 성탄절로서의 의미를 회복할 수 있도록 축복해 주세요.

구약의 선지자들을 통해 예언해 주시고 또 성령님이 우리에게 마땅히 행할 길을 말씀해 주시고 깨닫게 해주시는 줄을 압니다. 주님, 이러한 예언의 은사를 우리 자녀들에게도 허락해 주세요. 말씀의 깊은 뜻을 분별하여 교회의 덕을 세울 수 있는 예언, 주님의 뜻을 분별하여 얽매여 있는 자들을 풀어주어 다니게 할 수 있는 예언, 또 마음속에 숨어 있는 깊은 죄를 드러낼 수 있는 예언을 허락해 주셔서 그리스도의 몸인 교회를 세우는 데 동참하게 하옵소서. 신령한 집을 세우는 데 신령한 도구가 되도록 이러한 은사를 우리 자녀들에게 허락해 주세요.

예수님의 이름으로 기도합니다. 아멘.

# December 23

# The gift of discerning the spirits

to another miraculous powers, to another prophecy, to another distinguishing between spirits, to another speaking in different kinds of tongues, and to still another the interpretation of tongues.
1 Corinthians 12:10

Lord, we thank you from our hearts for watching over us today. You are always with us, and your watchful eyes never slumber. Thank you for making this a safe healthful day for our children.

This world is in chaos because of the spiritual forces of evil in the heavenly realms(Ephesians 6:12). Lord, grant our children the gift to be able to distinguish the spirits in times like these. Give them this gift so they may discern the evil powers that try to enter their minds through music, movies, books, and computer games. Give them the ability to recognize these spirits so they don't fall prey to spiritual bondage. Help them to arm themselves with the word of God and to expose the spirits through prayer.

We pray in the name of Jesus, to whom we give eternal glory. Amen.

## 영들 분별함의 은사를 주소서

하나님, 오늘도 저와 우리 자녀를 지켜 주시고 동행해 주셔서 정말 감사합니다. 어디에 있든지 주님이 졸지도 않으시고 우리를 지켜 주실 것을 알고 감사합니다. 특별히 우리 자녀에게 안전한 하루가 되게 하시고 모든 위험한 순간으로부터 지켜 주셨음을 감사드립니다. 또한 건강을 지켜 주시고 안전함을 주셔서 감사를 드립니다.

이 세상은 공중 권세를 잡은 자들로 인해 매우 혼탁하고 사악합니다. 영계가 얼마나 복잡한지 모릅니다. 이러한 때에 꼭 필요한, 영들 분별함의 은사를 우리 자녀들에게 허락해 주세요. 그래서 우리 자녀들이 자주 듣는 음악이나, 책이나, 아니면 컴퓨터 게임이나 영화를 통해 침투해 들어오고 있는 사악한 영의 정체들을 분별할 수 있도록 축복해 주세요. 그래서 어려서부터 참 하나님과 사악한 영들을 분별할 수 있도록 축복하시며 그러한 영들의 노예가 되지 않도록 인도해 주세요. 그러기 위해 말씀의 검으로 무장하는 자녀들이 되게 하시며 기도로 영들의 정체를 파악할 수 있도록 축복해 주세요.

영원히 영광 받으실 예수님의 이름으로 기도합니다. 아멘.

# Give them hearts of yearning for the Lord

*December*
**24**

It had been revealed to him by the Holy Spirit that he would not die before he had seen the Lord's Christ.

Luke 2:26

Heavenly Father, thank you for sending your one and only son, Jesus, to grant us salvation. Father, we give you glory for sending us Jesus, for he is the only one who can bring true peace to this land. There is joy throughout the world because of the birth of Jesus. But Lord, we wonder about how many people are truly joyful. Please help them to see beyond the festivities of the holiday; help them instead to see the salvation of God through Jesus.

Lord, help our children to learn from Simeon in the passage today; he waited and yearned to see the salvation of God. We pray for our children to have the same yearning for Jesus. Lord, help them to set their first priority on seeking Jesus, for you always answer those who earnestly seek you. Even the tax collector Zacchaeus had the honor of meeting Jesus when he sought him. Help us to be a family that yearns for the Lord in our hearts this Christmas season so we may see you again in our lives.

We pray in Jesus' name, Amen.

## 주를 사모하게 하소서

우리를 구원하시기 위해 독생자 예수님을 보내 주신 주님, 예수님이 이 땅에 오시는 날로 인해 하나님께서 영광 받으시고 이 땅에 평화가 깃들기를 바랍니다. 온 세상이 예수님의 탄생으로 인해 즐겁고 기쁨이 넘칩니다. 그러나 진정으로 예수님 때문에 즐거운 백성들이 얼마나 많은지 의심이 갑니다. 단지 즐거운 축제의 날로서 이날을 즐거워하지 않게 하시며 주님의 구원을 보는 역사가 일어나게 도와주세요.

주님을 보기 전에는 죽지 아니하리라는 성령의 지시를 받았던 시므온처럼 주님을 보기를 사모하는 자녀들이 되기를 원합니다. 주님을 만나기를 사모하는 자녀들이 되기를 원합니다. 주님을 사모하는 것이 가장 우선이 되는 자녀들이 되도록 인도해 주세요. 사모하는 자에게 보이시며, 사모하는 자에게 만나 주시는 주님이심을 믿습니다. 삭개오도 주님을 보기 원함으로 주님을 만나게 되었습니다. 이 성탄절을 맞이하면서 주님을 사모하는 우리 가족이 되게 인도해 주세요. 그래서 주님을 우리의 눈으로 보게 하시며 친밀하게 만나는 가정이 되도록 축복해 주세요.

감사드리며 예수님의 이름으로 기도합니다. 아멘.

# Revere the Lord

And there were shepherds living out in the fields nearby, keeping watch over their flocks at night. An angel of the Lord appeared to them, and the glory of the Lord shone around them, and they were terrified.                                               Luke 2:8-9

Dear Lord, it is right to give you all glory and praise, for you have sent us Jesus and opened the door for us to have eternal life. Thank you for the salvation you have granted to our family and for giving us an eternal vision. Lord, we thank you for sending us your one and only Son. We give you eternal praise as we draw close to the end of this year. Thank you for granting salvation to this family of sinners.

Lord, we desire that our children have hearts of praise and worship. Bless them that they may worship God in truth and spirit. Bless them to revere only God. Lord, you appeared first to nameless humble shepherds. Also grant our children the privilege of seeing and worshipping you. Bless them that they may be pure in heart so they may see God. Help them to never forget their first love for Jesus. Lord, may our worship be eternally in fellowship with you, praising you, and revering you.

We thank you and pray in the name of Jesus, who is the way of salvation. Amen.

### 주를 경배하게 하소서

영광을 받으시기에 합당하신 주님, 예수님을 이 땅에 보내 주시고 우리에게 영생에 이르는 길을 열어 주시니 감사를 드립니다. 우리 온 가족이 구원을 보게 하시고 영원을 보게 하시니 감사를 드립니다. 이 해가 다 저물어 가는 이 시간에 주님이 독생자 예수님을 이 땅에 보내 주시고 구원의 길을 열어 주신 것을 영원히 찬양드립니다. 그래서 이 부족한 죄인의 가정도 주님의 구원을 누리게 하시니 감사를 드립니다.

우리 자녀들이 주님을 영원히 경배하고 찬양하기를 원합니다. 신령과 진정으로 주님을 예배하고 오직 주님만을 경배하는 축복을 허락해 주세요. 가난한 목자들, 이름 없는 목자들에게 나타나신 주님, 겸손한 자들에게 나타나 주시는 주님, 주님을 뵙는 특권을 우리 자녀들에게 허락해 주시고 주님을 경배하는 축복도 허락해 주세요. 마음이 청결하여 주님을 뵙는 자녀들이 되게 하시며 시간을 성별하여 주님과 친밀한 시간을 가지는 자녀들이 되도록 인도해 주세요. 그래서 주님에 대한 첫사랑을 잊어버리지 않도록 축복해 주세요. 언제나 주님과 동행하게 하시며 영원히 경배하며 찬양하는 예배자가 되도록 축복해 주세요.

감사하오며 이 땅엔 구원의 길을 열어 주신 예수님의 이름으로 기도합니다. 아멘.

# The gift of tongues

to another miraculous powers, to another prophecy, to another distinguishing between spirits, to another speaking in different kinds of tongues, and to still another the interpretation of tongues.
1 Corinthians 12:10

Dear Lord, you are the owner of the whole universe. Thank you for bringing us these precious children into our family. Help them to have lives full of God's blessings. Lord, thank you for teaching us to pray. Grant our children the ability to pray with both their minds and their spirits. We ask that our children have the gift of tongues so they may pray deeply through the Spirit.

Lord, give them spiritual tongues of prayer, even though they may not understand what it means. Help them to find a place of deep prayer in their prayer language so they may hear and do the will of God in their lives. Lord, help them to edify the church with this gift and to build up the body of Christ.

We pray in Jesus' name, Amen.

### 각종 방언 말함의 은사를 주소서

온 우주의 주인이 되시는 주님, 우리 가정에 보화와 같은 귀한 자녀를 주셔서 감사를 드립니다. 이 귀한 생명이 언제나 건강하고 하나님의 복을 누리며 살게 도와주세요. 우리에게 주님의 기도를 가르치시기를 기뻐하시는 주님, 먼저 우리 자녀에게 주님의 기도를 가르쳐 주시고 영으로 기도할 수 있도록 각종 방언 말함의 은사를 허락해 주세요. 마음으로도 기도하고 영으로도 기도할 수 있는 자녀들이 되기를 원합니다. 그러므로 이러한 각종 방언 말함의 은사를 통해 영으로 깊게 기도하게 하시고 언어가 하나 되는 역사를 체험하게 도와주세요.

우리 자녀들이 또한 신령한 기도의 언어를 배우기를 원합니다. 저희가 이렇게 기도하는 것도 자녀들은 무슨 의미인지 모를지도 모릅니다. 그러나 기도의 언어가 깊어지게 하시며 영으로 주님께 기도할 수 있는 은사를 허락해 주셔서 주님의 음성을 더욱 세밀하게 듣게 하시며 주님의 뜻에 합당하게 살아갈 수 있도록 축복해 주세요. 이러한 은사로 그리스도의 몸 된 교회의 덕을 세우는 자녀가 되게 하시며 신령한 집으로 세워지는 자녀가 되도록 축복해 주세요.

예수 그리스도의 이름으로 기도합니다. 아멘.

# The gift of interpretation

*December* **27**

to another miraculous powers, to another prophecy, to another distinguishing between spirits, to another speaking in different kinds of tongues, and to still another the interpretation of tongues.

1 Corinthians 12:10

Dear Lord, you are the helper of the weak. Thank you for being the strength of our family during our times of weakness. Without your help, we are unable to study, for you give us wisdom. We need your help even when we make friends. Lord, please help us; help our children to always be healthy.

Lord, yesterday, we prayed for the gift of tongues. You commanded us to seek the gift of interpretation after we received the gift of tongues. We seek these gifts according to your will and according to your words. Grant our children the gift of interpretation so they may discern the will of God and know God's divine order. Lord, help them to edify the church with this gift. May our children administer the gifts of the Holy Spirit with humility.

We pray in Jesus' name, Amen.

### 방언들 통역함의 은사를 주소서

연약한 자를 도우시는 주님, 오늘도 우리가 생활할 때에 모든 가족들을 지켜 주시고 연약함을 주님의 충만함으로 채워 주시니 감사드립니다. 우리들은 공부할 때에도 주님이 도와주시지 않으면 어떤 지혜도 깨달을 수 없음을 압니다. 그리고 친구와 사귈 때에도 주님의 도우심이 필요한 연약한 존재입니다. 우리들을 도와주세요. 우리 자녀가 언제나 강건할 수 있도록 도와주세요.

어제는 각종 방언 말함의 은사를 우리 자녀들을 위해 구했습니다. 주님은 각종 방언 말함의 은사를 받게 되면 그 다음에는 방언들 통역함의 은사를 구하라고 말씀해 주셨습니다. 주님의 뜻에 따라 구하오니 우리 자녀들에게 방언들 통역함의 은사를 허락해 주셔서 주님의 질서를 알게 하시고 주님의 뜻을 분별하게 도와주세요. 그렇게 함으로 교회의 덕을 세우게 하시고 이 어두움이 덮인 21세기에 혼탁한 영의 세계를 분별할 수 있도록 축복해 주세요. 주님께서 주시는 이 모든 은사를 잘 청지기하는 자녀들이 되도록 인도해 주시며 겸손하게 교회의 덕을 위해 은사를 사용할 수 있도록 축복해 주세요.

예수님의 이름으로 기도합니다. 아멘.

# Fill us with the Holy Spirit

Therefore do not be foolish, but understand what the Lord's will is. Do not get drunk on wine, which leads to debauchery. Instead, be filled with the Spirit.

Ephesians 5:17-18

**D**ear God the Father, God the Son, and God the Holy Spirit, you are the three in One; you are the God of love. Thank you for watching over our family during the last days of this year. Thank you also for providing for all of our needs today. We sustain our breaths and our lives because of your love. Lord, thank you for all of your blessings this year. We also trust in you for the coming new year. We know that you delight in providing for all of our needs. Lord, help our children to praise Jehovah Jireh, the Lord our Provider, with thanksgiving.

Lord, you are the source of all things. Grant our children the fullness of the Holy Spirit in their hearts so they may live according to the word of God. Keep them from becoming foolish, Lord, and help them to discern God's will. Lord, may our children be filled with the Holy Spirit as they may new songs unto the Lord.

We pray in Jesus' name, Amen.

### 성령 충만하게 하소서

성부, 성자, 성령, 삼위일체이신 사랑의 하나님, 이 해가 다 저물어 가고 있는 이때에도 여전히 우리의 생활을 지켜 주시고 주인이 되어 주심을 감사드립니다. 그리고 오늘 필요한 모든 것들을 풍족하게 공급해 주심을 감사드립니다. 주님의 도움으로 호흡하고 생명을 보존하게 하시니 감사드립니다. 올해에도 이렇게 공급해 주셨지만 새해에도 여전히 자녀들에게 공급하기를 즐거워하시는 주님께서 필요한 모든 양식과 마실 것, 입을 것을 해결해 주실 것을 믿습니다. 언제나 여호와 이레의 은혜를 감사하고 찬양하는 자녀가 되도록 인도해 주세요.

모든 만물의 근원이 되시는 주님, 우리 자녀들이 언제나 주님을 사모하고 성령 충만하여 주님의 말씀을 좇아 행하는 자녀들이 되도록 인도해 주세요. 그래서 어리석은 자가 되지 않게 하시며 주의 뜻이 무엇인지 이해하고 분별할 수 있도록 축복해 주세요. 성령을 소멸치 않게 하시며 성령 충만함을 입게 도와주세요. 그래서 새 노래와 시로 찬양하게 하시며 세상에서 구별되고 성별되는 생활을 하는 자녀들이 되도록 축복해 주세요.

예수님의 이름으로 기도합니다. 아멘.

# December 29
# Do not put out the Spirit's fire

Be joyful always; pray continually; give thanks in all circumstances, for this is God's will for you in Christ Jesus. Do not put out the Spirit's fire;
1 Thessalonians 5:16-19

Dear God of loving kindness and mercy, thank you for sustaining our lives today and for providing for all of our needs. You are indeed our Lord. Forgive us for the times we have forgotten your grace. Lord, we want to give you praise and thanks as a family. Help us to pray continually and give thanks in all circumstances. Lord, help us to see your blessings and to give you thanks.

Lord, yesterday we prayed for the fullness of the Holy Spirit. Today, we pray that we do not put out the Spirit's fire. Lord, we pray that our children may abide in the Holy Spirit throughout their lives and be clothed in the strength of God's word. But Lord, there are times when we become busy and wander far away from the word of God. Please guard our children that they don't let go of the word of God nor put out the fire of the Spirit. Lord, help our children to sanctify themselves through prayer and through the word of God so they don't fall into spiritual lethargy.

We pray in Jesus' name, Amen.

---

### 성령을 소멸치 말게 하소서

사랑과 자비의 하나님, 오늘 하루도 생명을 허락하시고 지켜 주시고 필요한 모든 것을 공급해 주시니 감사드립니다. 우리의 주인이 되어 주시는 주님, 하나님의 은혜를 때때로 잊어버리곤 하는 우리들을 용서해 주세요. 그리고 범사에 감사하지 못하고 불평하는 우리들을 용서해 주시고 우리 가정에 언제나 감사와 찬양이 넘치게 도와주세요. 항상 기뻐하고 쉬지 말고 기도하며 범사에 감사하는 우리 가정이 되기를 원합니다. 하나님이 주시는 은혜를 분별하고 그것을 인해 감사드리게 도와주세요.

어제는 우리 자녀들을 위해 성령 충만함을 구했습니다. 그러나 오늘은 성령을 소멸치 않도록 주님의 도움을 구합니다. 우리 자녀들이 일생을 걸어가는 동안 언제나 주 안에서, 성령 안에서 살게 하시며 말씀의 능력에 힘입어 살게 도와주세요. 그러나 어느 때는 분주함 때문에 우리들은 주님의 말씀으로부터 멀리 떠나 사는 때도 있습니다. 말씀을 놓치지 않도록 우리 자녀들을 항상 지켜 주시며 성령을 소멸하여 주님과의 친근한 관계를 잃어버리는 일이 없도록 지켜 주세요. 그래서 영적 침체에 빠지지 않기 위해 언제나 말씀과 기도로 거룩해지는 자녀들이 되도록 축복해 주세요. 세상을 다스리시는 예수님의 이름으로 기도합니다. 아멘.

# December 30
# Wait for the coming of the Lord

May God himself, the God of peace, sanctify you through and through. May your whole spirit, soul and body be kept blameless at the coming of our Lord Jesus Christ.

1 Thessalonians 5:23

**D**ear Lord, you are the God of victory. Thank you for giving us victory in this life. Help our children to be victorious at school and in the world. Protect them from the temptations of darkness. Lord, thank you for having come more than 2000 years ago and prevailing over the power of darkness. We wait for your coming, because you have the eternal victory.

Lord, you have already overcome the world; we wait for your coming again. We long for the day when you will come to destroy all of the evil powers, for you are our champion. We look forward to the day when you will come victoriously. We want to see the demons of Satan be locked away forever in the abyss, for they have tempted us and mocked us. Lord, help us to stand firmly until the day of your coming so the people of God may endure by your strength, although for now we must suffer persecution. Give our children faith in the coming of our Lord Jesus so they too may participate in the victory battle of the Lord.

We pray in the name of Jesus, who is our King. Amen.

---

### 재림하실 주를 기다리게 하소서

승리의 근원이 되시는 하나님, 언제나 주님께서 우리에게 승리를 누리게 하시고 승리에 필요한 모든 것을 공급해 주시니 감사를 드립니다. 학교에서도 사회에서도 언제나 승리하는 자녀가 되게 하시며 어두움의 유혹에 넘어가지 않도록 지켜 주세요. 2,000년 전에 이미 모든 어두움의 권세 잡은 자들의 무장을 해제하시고 승리하심을 감사드립니다. 이러한 주님과 함께 영원한 승리의 날을 기다리는 우리들이 되기를 원합니다.

언제나 우리와 함께하시며 이미 세상을 이기신 주님, 우리는 다시 오실 주님을 기도하며 기다립니다. 최후의 완전한 승리의 날을 기다립니다. 모든 악의 세력이 참담하게 패배하며 우리의 대장 되신 그리스도께서 영원하고 완전한 승리를 거두시는 날을 보기를 원합니다. 그래서 우리를 괴롭히고 조롱하던 모든 사탄의 무리들이 무저갱으로 들어가는 꼴을 보기를 원합니다. 주님께서 다시 오셔서 최후의 승리를 주장하시고 최후의 심판이 올 때까지 경건한 성도들이 당하는 고난과 핍박을 주님께서 지켜 주심으로 승리하도록 축복해 주세요. 그러므로 우리 자녀들이 재림하실 주님을 믿게 도와주시며 재림하실 주님의 승리에 동참하는 귀한 백성이 되도록 인도해 주세요.

우리의 왕이 되신 예수의 이름으로 기도합니다. 아멘.

**423**

# Grant us the hope of glory

To them God has chosen to make known among the Gentiles the glorious riches of this mystery, which is Christ in you, the hope of glory.                              Colossians 1:27

Dear Lord, you are the God of all things, and we thank you for providing for all of our needs and granting our souls a Sabbath rest by quiet waters. Thank you for granting our children good health and happiness. Thank you for granting us joy through our children. Thank you for maturing our children during this year in wisdom, stature, and spirit. Lord, we pray for them in the New Year, that they may grow and mature all the more according to your will.

Lord, we are bound by the passing of time. However, we will not live in time forever, for in the last days you will invite us to be with you in eternity. Help us to hope in the glory of the Lord which will be revealed at that time. Help us to live truthfully during this time so we may be victorious sons and daughters of God.

We pray in Jesus' name, Amen.

### 영광에 소망을 두게 하소서

만물의 주가 되시는 주님, 우리에게 필요한 모든 것을 공급하시고 우리의 영혼이 쉴 만한 물가에서 안식하게 하시니 감사를 드립니다. 우리 자녀들에게 건강을 주셔서 온 가정의 즐거움이 되게 하시니 감사합니다. 또한 사랑스러운 자녀를 주셔서 우리의 마음이 항상 기쁘게 하시니 감사를 드립니다. 우리 자녀들을 지난 일 년 동안 몸과 마음, 지혜와 지식이 자라게 하시고 영성과 감성도 함께 자라나게 하시니 감사를 드립니다. 새해에는 주님이 원하시는 장성한 분량까지 성장하는 자녀들이 되도록 축복해 주세요.

시간은 지나가고 다시 오며 우리는 언제나 시간 속에 살고 있습니다. 그러나 우리가 이 시간에 영원히 머무를 것은 아닙니다. 주님께서 마지막 때에 우리를 영원으로 초청해 주실 것을 믿습니다. 그때 그리스도께서 받으실 영광을 소망하며 살게 하옵소서. 우리 자녀들이 세상에서 썩어질 것에 소망을 두지 않게 하시고 그리스도의 영광에 소망을 두도록 인도해 주세요. 그러므로 이 시간 속에 살아가는 인생 동안 바르고 진실하게 살게 하시며 주님의 충성된 종으로서 승리하는 자녀들이 되도록 축복해 주세요.

예수님의 이름으로 기도합니다. 아멘.

# Special Occasion Prayers for Children

If you have finished praying through these 365 prayers for your children,
you can continue to pray through them again from the beginning.
You may also add prayers to include anything else
you would like to pray for on behalf of your children.

In this section, we add prayers that can be prayed during special occasions
such as their first day of school, days when they are ill,
when they have been hurt as well as their wedding day.

These prayers were written by David and Jenni Williams,
who are currently on staff with Campus Crusade for the Christ
and have served as long-term missionaries in Central Asia.
The Williams have one daughter, Verity.
Jenni is also the daughter of the author, Rev. Yun.

## 특별한 날에 자녀들을 위해 하는 기도

『자녀를 부요하게 하는 365일 축복 기도』가 끝났습니다.
그러나 이 기도문은 다시 새해에도 반복해서 사용할 수 있습니다.
또한 부모님들이 각자 기도하고 싶은 것을 더 첨가해 새로운 기도문들을 만들 수도 있습니다.

마지막으로 특별한 날, 곧 생일, 졸업, 입학, 입원, 결혼 등을 위한 기도문을 추가했습니다.
이것은 영어와 한국어의 이중 언어로 준비했습니다.
자녀들의 특별한 날에 기도해 주시면서 주님의 은혜를 찬양하시기 바랍니다.
David & Jenni Williams가 영어 기도문을 준비했습니다.
한국기도문은 영어 기도문을 직역한 것이 아니라 같은 제목으로 필자가 의역하고 또 첨가하기도 했습니다.

* 영어 기도문을 준비해 준 David & Jenni Williams는 C.C.C. 스태프로서 중앙아시아 키어기스텐 선교사들로 현재는 미국 샌디에이고와 멕시코에서 선교하고 있으며 필자의 딸과 사위입니다. 귀한 말씀 기도를 준비해 준 데이빗과 제니에게 감사를 전합니다.

# First Day of School

Dear Lord, I give this child, his/her development, protection, success, and new friends to You. I ask that You allow my child to understand Your will and who You are in spite of all the negative pressures that exist in school. I pray that You would guide my child's understanding of how You view the world, and what is truly important.

I pray that the teachers would take special interest in my child and nurture him/her so that his/her knowledge would increase rapidly. I pray that my child would be well balanced in his/her relationship with You, family, academics, sports, and in all other areas of life.

I pray that my child would be friends with students who will encourage, build up and strengthen him/her. I know that Satan desires to see my child fall, get in the wrong crowd, and be destroyed.

I pray in accordance with 2 Thessalonians 3:2-3 and 5 -

[v.2] And pray that we may be delivered from wicked and evil men, for not everyone has faith. [v.3] But the Lord is faithful, and he will strengthen and protect you from the evil one. [v.5] May the Lord direct your hearts into God's love and Christ's perseverance.

Lord, I pray for your powerful protection and guidance. May our sons/daughters academic success and his/her friends and teachers draw him/her closer to You.

Lord, you deserve that my child's life bring you glory. May he/she live and study in such a way that would honor and please you. May we not be selfish in pressuring my child to succeed so that my family and I would receive glory and honor.

Lord, may my child work diligently and faithfully and succeed- and may You receive all the glory. In Jesus' name we pray, Amen.

# 자녀가 입학하는 날에

**사**랑의 하나님, 학교가 시작하는 때에 건강하게 우리 자녀들이 학교에 갈 수 있게 하여 주시니 감사를 드립니다. 오늘부터 시작되는 모든 공부에 자녀들이 새로운 마음으로 열심히 임하게 인도해 주세요. 요사이 학교 분위기가 부정적이고, 그로부터 오는 부정적인 압박이 많이 있지만 우리 자녀들이 주님의 뜻을 알게 하시고 무엇이 가장 중요한 것인지 분별하고 이해할 수 있도록 축복해 주세요.

우리 자녀들의 보호와 성취, 발전 그리고 새로운 친구 등 모든 문제를 주님께 맡깁니다. 먼저 우리 자녀들이 학교에서 만날 선생님을 위해 기도합니다. 믿음의 선생님을 만나게 해주셔서 자녀들에게 좋은 삶의 모범을 보여 줄 수 있도록 해주세요.

또한 우리 자녀들이 만날 친구들을 위해 기도합니다. 서로를 이해하고 용기를 주며 격려하고 사랑할 수 있는 친구들을 만나게 하시며 믿음의 친구를 만나게 해주셔서 주님과 더욱 깊은 관계로 나아갈 수 있도록 축복해 주세요.

우리 자녀들을 위해 데살로니가후서 3장 2절에서 5절에 근거하여 기도를 드립니다. "또한 우리를 무리하고 악한 사람들에게서 건지옵소서 하라 믿음은 모든 사람의 것이 아님이라 주는 미쁘사 너희를 굳게 하시고 악한 자에게서 지키시리라 너희에게 대하여는 우리의 명한 것을 너희가 행하고 또 행할 줄을 우리가 주 안에서 확신하노니 주께서 너의 마음을 인도해 하나님의 사랑과 그리스도의 인내에 들어가게 하시기를 원하노라"

우리 자녀들을 강하게 붙들어 주시고 공부나 친구 관계, 선생님에 대한 모든 문제를 인도해 주시고 모든 영광을 주님 홀로 받아 주시옵소서. 우리 자신의 영광을 위해 자녀들에게 압박을 주거나 이기적으로 자녀들을 키우지 않게 하소서. 우리 자녀들이 열심히 공부하고 성실하게 공부하여 하나님께서 영광을 받으시기를 원합니다. 예수님 이름으로 기도합니다. 아멘.

# Graduation

Dear Lord, You have faithfully answered our prayers and we see the physical fruit of these answers as we watch my child complete so many years of hard work, studying and preparing for this day. Lord, thank you that You gave our child a mind and body. Thank you for allowing us to live to see this day come to pass. Thank you for protecting and guiding my child.

Lord, how do I express the depth of gratitude to you for allowing this day to be possible? Thank you for bringing us here. You are truly good and we are grateful.

Lord, this is now a new chapter in my child's life. As You have been faithful, I ask You to continue guiding, strengthening, and protecting my child. May Your ways be his/her ways. May Proverbs 16:9 be true of his/her life:

In his heart a man plans his course, but the LORD determines his steps. Lord, determine my child's steps.

We pray that he/she would know your direction for this new stage in life. Pour your joy and delight into my child. May he/she abound with a newness of life and draw upon your peace and love. I pray that you will be the ultimate source of contentment in his/her life. May the next step that he/she needs to take be from you and may these steps be obvious. Lead according to your mercy and goodness.

Lord, You are faithful. Prepare me, my family, and my child for this new chapter in life. May we grow closer to you and each other. May our passion for you deepen and become stronger.

In Jesus' name we pray, Amen.

# 자녀가 졸업하는 날에

**사**랑의 하나님, 주님은 우리 기도에 성실하게 응답해 주셔서 그 응답의 열매를
눈으로 보게 하시고 우리 자녀들이 어려운 공부를 다 마치고 오늘을 맞이하게
하시니 감사를 드립니다. 우리 자녀에게 건강한 몸과 마음을 주시니 감사를 드립니
다. 그 동안 주님께서 자녀들을 지켜 주시고 인도해 주셔서 오늘이 있도록 인도해 주
시니 더욱 감사를 드립니다. 주님, 오늘까지 인도해 주신 주님의 은혜를 어떻게 감사
할 수 있을까요? 우리들을 이 곳까지 인도해 주신 것을 감사드립니다. 주님은 너무나
선하십니다. 우리들은 단지 깊은 감사를 드릴 뿐입니다.

주님, 우리 자녀는 지금 인생의 새로운 장이 열리는 시점에 있습니다. 주님께서 지
금까지 우리들과 신실하게 동행해 주셨던 것처럼 앞으로도 계속해서 우리 자녀의 앞
날을 인도해 주시고 힘을 주시고 보호해 주세요. 주님의 길을 따라가는 자녀가 되기
를 원합니다. 잠언 16장 9절의 말씀이 우리 자녀에게 적용되기를 원합니다. "사람이
마음으로 자기의 길을 계획할지라도 그 걸음을 인도하는 자는 여호와시니라."

우리 자녀들이 이 새로운 인생을 시작하면서 주님의 인도하심을 깨닫게 하시며 당
신의 기쁨을 우리 자녀의 마음에 부어 주세요. 새로운 인생 길을 갈 때에 마음에 평화
와 사랑을 주세요. 주님께서 그들에게 영원한 만족의 근원이 되어 주세요. 그래서 어
디로 가야 할지 주님께서 인도해 주시고 분명한 길을 걸어갈 수 있도록 축복해 주세
요. 당신의 자비와 선하심으로 인도해 주세요. 주님, 주님은 정말 신실하십니다. 인생
의 새로운 장에서도 우리 자녀들을 준비시키시고 인도해 주세요. 그래서 더욱 우리들
이 주께로, 또 서로에게 더욱 가까워지고 주님을 사랑하는 마음이 더욱 깊어지고 강
해질 수 있도록 인도해 주세요.

예수님 이름으로 기도합니다. 아멘.

# Wedding Day

Lord, your description for our relationship with You is a bride to a groom. You know the significance of this day! Dear Lord, thank you for designing marriage. Thank you that You desire to bless the institution of marriage.

Please take this day and more importantly, take this relationship and union, and do with them as You please. I acknowledge before You that I cannot cleave to _____ forever. Speaking of marriage, you tell us in Genesis 2:24 For this reason a man will leave his father and mother and be united to his wife, and they will become one flesh.

Lord, as hard as this is, please give us strength to let go, and give _____ strength to leave us and cleave to his/her spouse.

May our love for each other grow, but may the boundaries You desire to set in place be strong and healthy. May this wedding day be glorifying to You, but more importantly may this marriage bring You the glory that you deserve.

May they live in such a way that Your name is made known and may Your Spirit fill each of them.

Bless every detail of the wedding, and may each one of us see the significance and depth of what the lifelong commitment of marriage entails. May this union not bring You shame. Show us Your will and may the marriage bed not be defiled.

Lord, may they live lives that fulfill the calling you have given to each of them.

In Jesus' name we pray, Amen.

# 자녀가 결혼하는 날에

**사**랑의 하나님, 오늘 우리 자녀가 결혼하는 날을 허락해 주셔서 주님 앞에서, 또 한 친지와 사랑하는 친구들 앞에서 하나 되는 언약을 하게 하시니 감사를 드립니다. 그 동안 서로 사랑하게 하시고 서로를 알게 하시고 서로의 인생에 대해 헌신하기로 약속하게 하시니 감사를 드립니다. 주님은 우리와 주님과의 관계를 신랑과 신부의 관계로 묘사해 주셨습니다. 주님, 이날이 얼마나 중요한 날인지 아시는 줄 믿습니다. 사랑의 하나님, 결혼을 만들어 주셔서 감사를 드립니다. 결혼이라는 제도를 통해 축복해 주시기를 원하시니 감사를 드립니다. 주님, 이날을 중요한 날이 되도록 인도해 주세요. 결혼을 통해 그들의 관계를 축복하시고 하나 됨을 축복해 주세요. 우리 부모는 자녀와 영원히 함께 살 수는 없습니다. 주님은 창세기에서 "이러므로 남자가 부모를 떠나 그 아내와 연합하여 둘이 한 몸을 이룰지로다."(창 2:24)라고 말씀해 주셨습니다. 이제 부모 된 우리들에게 그들을 떠나 보낼 수 있는 힘을 허락해 주세요. 또한 그들도 부모를 떠나 그의 배우자와 한 몸을 이루도록 인도해 주세요. 이 결혼을 통해 주님께 영광을 돌리게 하옵시며 서로 성장하고 더욱 강건해질 수 있도록 인도해 주세요. 결혼의 모든 면을 축복해 주시고 결혼을 통해 온 인생을 서로 헌신하게 하시며 하나 됨의 중요성을 깨닫게 하시고 주님의 뜻이 이 결혼을 통해 이루어지게 도와 주세요.이들의 인생이 다할 때까지 결혼생활을 통해 필요한 모든 것을 공급해 주시며 경건한 후손을 낳아 하나님 나라의 복을 누릴 수 있도록 축복해 주세요. 주님께서 "생육하라, 번성하라, 충만하라, 정복하라, 다스리라."고 아담과 이브를 축복하신 것처럼 우리 자녀들의 결혼을 통해 주님의 창조 질서가 이어져 가도록 인도해 주세요. 서로 이해하고 사랑하며 섬기며 복종하며 존경하며 기대며 살아갈 수 있도록 축복해 주세요. 주님께서 결혼을 제정하신 귀한 목적을 알고 그리스도와 교회의 비밀을 깨닫는 귀한 부부가 되도록 축복해 주세요. 예수님 이름으로 기도합니다. 아멘.

# When Very Nervous
(before exam, operation, competition)

Dear Lord, You paint a beautiful picture of power, peace and love when You rebuked the wind and water during the storm.*

Lord, let my child not doubt You and Your provision. May he/she not lack faith in You. Please Lord, in gentleness, destroy our lack of faith and allow this [exam, operation, competition, etc] to go smoothly and successfully. May Your will be done, and I ask that You would use this to strengthen my child's faith and commitment to You.

I also ask that he/she would not forget You or Your provision once this is over. I ask that this would be the beginning of a renewed longing to know You and to walk in Your ways. Lord, use this as an opportunity to bring glory to Yourself.

May Proverbs 16:3 (Commit to the LORD whatever you do, and your plans will succeed.) be true of my child. I ask that he/she would relinquish control of this situation and abandon it to You. May his/her solid preparation for this event bring You glory as he/she diligently makes ready for it. And Lord, in accordance with your promise, bring success! Show us what success in Your eyes really is.

Thank you Lord for your blessing, provision, and guidance. I love you. In Jesus' name we pray, Amen.

---

*LUKE 8:24 The disciples went and woke him, saying, "Master, Master, we're going to drown!"
He got up and rebuked the wind and the raging waters; the storm subsided, and all was calm. [25] "Where is your faith?" he asked his disciples.
In fear and amazement they asked one another, "Who is this? He commands even the winds and the water, and they obey him."

# 자녀가 극도로 불안해할 때

(시험, 수술, 어떤 경기에 앞서서)

"**제**자들이 나아와 깨워 가로되 주여 주여 우리가 죽겠나이다 한대 예수께서 잠을 깨사 바람과 물결을 꾸짖으시니 이에 그쳐 잔잔하여 지더라 제자들에게 이르시되 너희 믿음이 어디 있느냐 하시니 저희가 두려워하고 기이히 여겨 서로 말하되 저가 뉘기에 바람과 물을 명하매 순종하는고 하더라"(눅 8:24,25).

사랑의 하나님, 주님은 바다에 파도와 태풍이 불 때에 그들을 꾸짖으시고 잠잠케 하시고 주님의 능력과 평화, 사랑을 우리들에게 보여 주셨습니다. 주님, 우리 자녀들이 주님의 함께하시는 섭리를 의심하지 않게 도와주세요. 믿음이 부족하지 않도록 축복해 주세요. 주님, 우리의 믿음 없음을 용서해 주시고 이러한 불안한 시기가 순조롭게 지나갈 수 있도록 인도해 주세요. 주님의 뜻이 이루어지게 하시며 이 기회를 통해 우리 자녀들의 주님을 향한 믿음과 헌신이 더 자라날 수 있도록 축복해 주세요. 또한 우리 자녀들이 이 기간이 지나고 나서 주님의 섭리를 잊어버리지 않게 하시고 주님을 따라 동행하는 삶을 배우고 주님을 알기를 갈망하는 새로운 전환점이 되도록 축복해 주세요. 주님, 이 기간을 통해 주님께 영광 돌리는 기회가 되도록 축복해 주세요.

잠언 16장 3절의 "너의 행사를 여호와께 맡기라 그리하면 너의 경영하는 것이 이루리라."는 말씀이 우리 자녀에게도 적용되게 하소서. 주님, 이 모든 순간들을 잘 이기게 하시고 모든 무거운 짐들을 주님 앞에 내려놓게 하소서. 그래서 이러한 기회를 통해 주님께 영광 돌리게 하시며 주님의 약속이 성취되게 하소서. 주님께서 주시는 것은 평강이요, 결코 두려움이 아닌 것을 자녀들이 알게 하시며 이러한 순간에도 주님을 온전하게 의뢰하고 신뢰할 수 있도록 우리 자녀들을 축복해 주세요. 주님의 인도하심과 섭리하심을 감사드립니다. 예수님 이름으로 기도합니다. 아멘.

# On His/Her Birthday

Dear Lord, thank you for having given us the precious gift of our child on this day. We thank You for giving us the privilege of raising him/her and for being able to watch each year of his/her life. We praise You and acknowledge that this past year of his/her life was due to Your provision, mercy and love.

On this day, his/her birthday, we first and foremost give You all glory and honor for bringing her safely to this day. We pray for Your Spirit to be in our midst to allow us to celebrate this day to the fullest.

Fill us with Your joy and perspective as we celebrate this birthday! Give our son/daughter the time to be able to reflect on the significance of today. If he/she does not know you as Lord and Savior, we pray that You would bring him/her to repentance and allow him/her to receive salvation today.

We pray that you will make known to [him/her] the path of life and that You will fill him/her with joy in Your presence, with eternal pleasures at Your right hand (Psalm 16:11).

Guide this next year of his/her life and bless our child with a new year of growth, maturity, blessings, joy and challenges! We thank you for this special day!

In Jesus' name we pray, Amen.

# 자녀의 생일에

**사**랑의 하나님, 저희에게 O년 전 오늘 이렇게 귀한 자녀의 선물을 주셔서 감사를 드립니다. 또한 이 자녀들을 키울 수 있는 특권을 허락해 주시고 자녀들의 삶을 매 해마다 지켜보고 돌보게 하시니 감사를 드립니다. 주님, 우리 자녀를 지금까지 보살펴 주시고 공급해 주신 주님의 은혜에 감사를 드립니다.

오늘 자녀의 생일을 맞이하여, 우리는 무엇보다도 우리 자녀를 안전하게 인도해 주신 주님께 영광을 돌려 드립니다. 오늘 우리가 온전하게 이날을 축하하도록 우리 가운데 성령 하나님께서 임하시기를 기도합니다.

우리가 이날을 축하할 때에 당신의 기쁨으로 채워지게 하옵소서. 우리의 자녀가 오늘의 중요성을 다시 한 번 더 생각하도록 인도해 주세요. 만일 우리 자녀들이 아직도 주님을 인격적으로 모른다고 한다면 우리 자녀들을 용서하여 주시고 구원하여 주시옵소서.

우리는 주님이 "생명의 길"을 자녀에게 보여 주시기를 원하며 "주님의 기쁨과 영원한 즐거움"(시 16:11)이 우리 자녀들에게 있어지기를 기도합니다. 이러한 길로 인도하도록 먼저 부모 된 우리가 삶의 본을 보일 수 있도록 축복해 주시며 주님께 영광 돌리는 부모가 되도록 축복해 주세요.

앞으로 우리 자녀들의 생명을 지켜 주시며 성장과 성숙, 축복과 기쁨, 도전이 넘치는 한 해를 또 허락해 주세요. 내년에도 오늘과 같이 특별한 축제가 이루어지도록 인도해 주세요. 그리고 이 세상에서 살아가는 모든 순간을 주님께 영광 돌리는 자녀가 되도록 축복해 주세요. 이 특별한 날에 주님을 찬양합니다.

예수님 이름으로 기도합니다. 아멘.

# When they are sick

Dear Lord, You asked us in Colossians 4:2 to devote [ourselves] to prayer, being watchful and thankful. Therefore, we first thank you for being our God and for the privilege of approaching Your throne with our requests and burdens.

Lord, my child is sick and suffering with (name illness). We ask you, as the Great Physician, to bring healing to his/her body. We pray, in Jesus name, that You would allow his/her body to completely fight off this illness and to fully recover. We pray specifically for (part of the body) and that Your hand would bring it to full working order.

We pray for wisdom in how we can best take care of him/her. If we need to take him/her to the doctor, we ask You to guide the doctor and give them wisdom to properly diagnose and care for our child.

We also ask that in this time of weakness, You would be teaching our child about the need to trust You and to depend only on You for his/her life. May he/she come to an understanding of the importance of using her body to worship You!!

We thank You that You are a God Who cares about every detail of our lives. Thank you that we can come to you with our child's illness.

In Jesus' name we pray, Amen.

# 자녀가 아플 때

**사**랑의 하나님, 주님은 "기도를 항상 힘쓰고 기도에 감사함으로 깨어 있으라." (골 4:2)고 말씀해 주셨습니다. 그러므로 우리들은 먼저 주님이 우리의 하나님 되심을 감사하고 우리를 인도해 주신 것을 감사드립니다. 우리의 가정에 어려움이 있을 때에도 주님께 감사하고 찬양합니다. 그리고 주님께 기도를 들고 나옵니다.

주님, 우리 자녀가 아픕니다. 그리고 [병명이나 증상]으로 인해 고통을 받고 있습니다. 우리는 위대한 의원이신 주님께 기도합니다. 그의 몸이 건강하게 회복될 수 있도록 인도해 주세요. 또한 우리 자녀에게 이 병과 싸울 수 있는 힘을 허락해 주시고 온전하게 회복할 수 있도록 축복해 주세요.

또한 우리들은 어떻게 자녀들을 가장 잘 돌볼 수 있는지 지혜를 얻기를 원합니다. 주님, 이 시간에 특별히 주님의 피묻은 손으로 우리 자녀를 안수하여 주셔서 아픈 부분이 깨끗하게 치유되도록 축복해 주세요. 어린아이들이 주님께 오는 것을 막지 말라고 하셨는데 주님께서는 아픈 아이들이 올 때에도 치유해 주시고 막지 않으실 것을 믿습니다.

이 연약한 순간에 우리 자녀들이 주님을 온전하게 신뢰해야 함을 배우기를 원합니다. 모든 생명이 주님의 손안에 있음을 배울 수 있는 귀한 기회가 되기를 원합니다. 그리고 몸으로 산 제사를 드리는 것을 알게 하시고 이 몸의 중요성을 깨닫게 인도해 주세요. 우리의 몸이 신령한 집이 세워지는 "하나님의 성전"인 것을 깨닫게 하시고 몸을 잘 청지기하는 자녀들이 되도록 인도해 주세요.

주님께서 상세하게 우리를 돌보아 주시고 치유하여 주셔서 감사를 드립니다. 또한 아플 때에도 건강할 때에도 우리가 주님 앞에 나아올 수 있게 하시니 감사를 드립니다. 또한 우리 자녀가 치유의 길을 허락 받음도 주님께 감사를 드립니다. 예수님 이름으로 기도합니다. 아멘.

# When they are emotionally hurt

Dear Lord, You have asked us to trust You. It pains me so much to see my child hurting. Its clearly obvious that we live in a fallen world. But in spite of the depravity, sin, and pain that exists here, I know that you give victory and comfort.

Dear Lord, you are greater and more powerful than all of these things. You delight in healing the hurt, in comforting the sorrowful, and in strengthening the weak.

In 2 Corinthians 1:3-5 we see that you are the Father of compassion and the God of all comfort. All comfort! We acknowledge who You are!

Lord, please let this comfort flow through our lives, especially in my child's life. May the hurt and pain that he/she is suffering fade away and be replaced by the comfort that only YOU can give. May he/she not seek comfort in things that can never truly satisfy. May my child rely upon You and look to You for strength.

Lord, I also pray that you would bring reconciliation to this issue. If there needs to be forgiveness and closure, I pray that you would bring this about. May wounds be healed and grievances forgotten. May my child forgive others as you forgave us.

Please give us wisdom if there is anything I, or my spouse, should do to help in this matter. Help us bring relief and peace.

Lord, take over this situation and be King of our lives. Bring justice, peace, and comfort. We are letting go and giving you control of this situation. May You be glorified in it and through it.

In Jesus' name we pray, Amen.

# 자녀가 감정적으로 상처를 받았을 때

사랑의 하나님, 주님은 우리에게 언제나 주님을 신뢰하라고 요청하셨습니다. 주님, 사랑하는 자녀가 상처를 당하고 아픈 것을 보니 우리도 매우 고통스럽습니다. 타락하고 부패한 이 세상에는, 우리 자녀들에게 상처를 줄 만한 일들이 많이 있습니다. 그러나 그렇게 더럽고, 죄악이 넘치고 고통이 존재하는 세상임에도 불구하고 주님은 승리하시고 위로를 주시는 분이신 것을 압니다.

주님은 이러한 모든 것들보다 크고 위대하십니다. 주님은 또한 아픈 것을 치유하여 주시고 상심한 자들을 위로하여 주시고 연약한 자를 강건하게 하시기를 즐거워하시는 분이십니다. 고린도후서 1장 3-5절에서 주님은 "자비의 아버지시요 모든 위로의 하나님"이심을 말씀해 주셨습니다. 모든 위로의 하나님! 우리가 주님이 누구이신지 알게 하소서. 주님이 어떤 큰 고통과 상처 가운데서도 위로와 힘이 되심을 알게 하소서. 또한 주님은 우리를 위해 이미 상처 받으셨으며 '상처 받은 치유자' 되심을 믿습니다. 우리의 상처, 자녀의 상처를 주님께서는 아시는 줄 믿습니다.

주님, 지금 당하고 있는 모든 감정적 상처가 사라지고 그 자리에 "주님의 모든 위로"가 흘러 들어가도록 축복해 주세요. 만일 주님께서 위로하여 주시지 않으면 어떤 것도 만족하게 치유되지 않을 것을 믿습니다. 이제 우리 자녀가 주님을 바라보고 주님으로부터 힘과 위로를 공급받도록 축복해 주세요. 또한 우리들에게도 지혜를 주셔서 상처 받은 우리 자녀를 가장 잘 도울 수 있도록 인도해 주세요. 우리가 위로와 평화를 가져다 줄 수 있도록 축복해 주세요.

주님, 이러한 상황에서도 여전히 우리의 왕이 되시고 하나님이 되시며 공의와 평화, 위로를 허락해 주세요. 우리는 이 모든 문제를 주님 손에 맡깁니다. 이러한 문제를 통해도 주님 홀로 영광을 받아 주세요. 예수님 이름으로 기도합니다. 아멘.

## 365 Prayers of Blessings for Your Children

초판발행 | 2003. 11. 17.

초판 2쇄 | 2003. 12. 30.

지 은 이 | 윤 남 옥

옮 긴 이 | 다이애나 리

발 행 인 | 박 경 진

발 행 처 | 도서출판 진흥

등     록 | 1992. 5. 2.  제 5-311호

주     소 | 서울특별시 동대문구 신설동 104-8(우편번호 130-812)

전     화 | 영업부 2230-5114,  편집부 2230-5155

팩     스 | 영업부 2230-5115,  편집부 2230-5156

E - m a i l | publ@jh1004.co.kr

Homepage | jh1004.com

ISBN 89-8114-226-2(세트번호)
ISBN 89-8114-227-0
값  13,000원

365 Prayers of Blessings for Your Children
Copyright ⓒ 2003 by Holly Nam Ok Yun
Published by JinHeung Publishing Company,
104-8, Sinseol-dong, Dongdaemun-gu, Seoul, Korea
All rights reserved